NTOA 3

Wenning • Die Nabatäer – Denkmäler und Geschichte

NOVUM TESTAMENTUM ET ORBIS ANTIQUUS (NTOA)

Im Auftrag des Biblischen Instituts
der Universität Freiburg Schweiz
Herausgegeben von Max Küchler
in Zusammenarbeit mit Gerd Theissen

Zum Autor:

Robert Wenning, geboren 1946, Promotion in Klassischer Archäologie an der Universität Münster. 1976–78 Forschungsstipendiat an der Ben Gurion Universität des Negeb in Beer Sheva, Israel. Seit 1978 wissenschaftlicher Angestellter für Biblische Archäologie am Seminar für Biblische Zeitgeschichte der Universität Münster, in deren Auftrag er Forschungen über griechische Keramik und über römische Skulpturen in Palästina durchführte. Für das *Handbuch der Archäologie* bearbeitete er den Beitrag über die Nabatäer. Beteiligung an Ausgrabungen in Xanten und in Tell esh-Shari'a, Nord-Sinai, Lachish und Tell el-'Oreime. Neben Artikeln in BN, Boreas, Gnomon, ThRev, UF, ZDPV: *Die Galateranatheme Attalos I.*, Pergamenische Forschungen 4, Berlin 1978.
Corpus Signorum Imperii Romani Israel I, Caesarea Maritima 1, und *Israel II, Haifa, Museum of Ancient Art* (im Druck).

NOVUM TESTAMENTUM ET ORBIS ANTIQUUS 3

Robert Wenning

Die Nabatäer – Denkmäler und Geschichte

Eine Bestandesaufnahme des archäologischen Befundes

UNIVERSITÄTSVERLAG FREIBURG SCHWEIZ
VANDENHOECK & RUPRECHT GÖTTINGEN
1987

CIP-Kurztitelaufnahme der Deutschen Bibliothek

Wenning, Robert:

Die Nabatäer – Denkmäler und Geschichte: e. Bestandesaufnahme d. archäolog. Befundes / Robert Wenning. – Freiburg, Schweiz: Universitätsverlag; Göttingen: Vandenhoeck und Ruprecht, 1987.

(Novum testamentum et orbis antiquus; 3)
ISBN 3-525-53902-9 (Vandenhoeck und Ruprecht)
ISBN 3-7278-0365-7 (Universitätsverlag)
NE: GT

Veröffentlicht mit Unterstützung des Hochschulrates
der Universität Freiburg Schweiz

Paulusdruckerei Freiburg Schweiz
ISBN 3-7278-0365-7 (Universitätsverlag)
ISBN 3-525-53902-9 (Vandenhoeck und Ruprecht)

Für Wiltrud,

Dorothee und Constantin

VORWORT

Dieses Buch wurde gar nicht begonnen, um geschrieben zu werden, sondern war zunächst nur die notwendige Materialerfassung für einen Beitrag über die Nabatäer im Handbuch der Archäologie (Wenning 1986). Die dort angesichts vorherrschender Unsicherheiten in der Forschungsdiskussion vieler nabat. Denkmalgattungen bevorzugte deskriptive Befunderhebung nach Regionen/Orten erwies sich bald als so umfangreich, daß eine separate Publikation geboten schien. Das Grundkonzept wurde beibehalten, so daß hier eine annähernd vollständige Bestandsaufnahme publizierter nabat. Denkmäler vorgelegt werden kann.

Der Bestandskatalog wurde fortschreitend in einem Zeitraum von zwei Jahren erstellt. Diese Arbeit entzog mich allzu oft meiner Familie, der ich auch andere Lasten des Projektes zugemutet habe. So ist es nur recht und billig, ihr diesen Band in Zuneigung und Dankbarkeit zu widmen.

U. Hausmann gab mit der Einladung zur Mitarbeit am Handbuch der Archäologie den Anstoß zur intensiveren Beschäftigung mit den Nabatäern. Die Deutsche Forschungsgemeinschaft gewährte dafür ein viermonatiges Stipendium, für das ich herzlich danke. M. Lindner und A. Schmidt-Colinet informierten mich selbstlos über eigene Studien und überließen mir auch noch unpublizierte Photographien. A. Negev und F. Zayadine gestatteten entgegenkommend, aus ihren Publikationen zu reproduzieren, was benötigt würde. S. Mittmann stellte mir für mehrere Monate Bände seiner privaten Bibliothek zur Verfügung. H. Bloedhorn besorgte mir wiederholt Desiderata aus den Tübinger Bibliotheken. Im übrigen fand ich die benötigte Literatur in 20 (!) verschiedenen Bibliotheken in Münster, wobei ich manchen Band gleichfalls für längere Zeit entleihen durfte. - Diese Streuung der Literatur verdeutlicht mehr als manches andere, wie sehr die Nabatäerforschung Randgebiet ist und wie viele andere Bereiche sie berührt. - E. Zenger danke ich dafür, daß ich im Seminar für Biblische Zeitgeschichte der Universität Münster vom Kopiergerät bis zur Schreibmaschine alle technischen

Hilfsmittel nutzen durfte. M. Küchler danke ich für die freundliche Aufnahme des Manuskriptes in die von ihm herausgegebene neue Reihe NTOA. Mein Dank gilt ferner vielen Kollegen und Freunden, die durch Hinweise, Literatur, Photographien und Abbildungserlaubnis meine Arbeit am Handbuch der Archäologie und am vorliegenden Band unterstützt haben: außer den oben Genannten: U. Avner, J.-M. Dentzer, G. Dreyer, M. Evenari, M. Gory, A. Hadidi, Ph. C. Hammond, G. Hellenkemper Salies, D. Homès-Fredericq, D. Jericke, O. Keel, E. Künzl, T. C. Mitchell, E. D. Oren, P. J. Parr, D. W. Roller, R. Rosenthal-Heginbottom, K. Schmitt-Korte, J. Starcky, E. Stern, A. D. Tushingham, O. Weintritt und die Antikenverwaltungen in Israel, Jordanien, Saudi-Arabien und Syrien.

Münster, im August 1986

Robert Wenning

INHALTSVERZEICHNIS

E I N L E I T U N G

Angeregt durch die großen Nabatäerausstellungen in Europa seit 1970 und aufgrund eines allgemeinen Erstarkens der Archäologie in Jordanien kann man heute davon sprechen, daß sich die Nabatäerforschung als spezielles Arbeitsgebiet etabliert hat und zunehmend Interesse und Beachtung findet. Eine Vielzahl von Surveys und Ausgrabungen führt zu einem stetigen Zuwachs an Denkmälern und Erkenntnissen. Neue Ansätze in den Forschungsfragen bekunden überdies, daß sich die Nabatäerforschung in einer Umbruchzeit befindet. Um so mehr schien es sinnvoll, den gegenwärtigen Bestand an Denkmälern festzustellen. Damit soll eine Grundlage und ein Arbeitsmittel für weitere Forschungen geboten werden.

Zum Zeitpunkt der ältesten, nabat. zu bezeichnenden Denkmäler, Inschriften des späten 2. Jhs. v. Chr., sind die Nabatäer bereits rund 220 Jahre als Karawanenleute des nördlichen Endes der sog. Weihrauchstraße bekannt. Die Geschichte dieser "vornabat. Zeit" ist noch von vielen Unsicherheitsfaktoren belastet. Ein nabat. Königreich bestand vom späten 2. Jh. v. Chr. bis 106 n. Chr.

Die große Zahl agrarisch bestimmter Siedlungsplätze - und zwar nicht erst seit Rabel II. - nötigt, die Vorstellung von den Nabatäern als den reichen Karawanenhändlern, die letztlich "Nomaden" geblieben seien, zu überdenken. Auch der Begriff "Nomade" hat in jüngerer Zeit andere Dimensionen bekommen (vgl. Knauf 1984a, 41-45). Nabaṭu bezeichnet das Nabatäervolk, das mehrere Stämme, Clans etc. unterschiedlicher Herkunft und unterschiedlichen Charakters umfaßt (vgl. bes. Ḥaurān), die auch nach der (teils erzwungenen) Integration unter das Patronat der Könige in Petra durchaus ihre Eigenarten bewahrten und sich regional z.T. relativ selbständig entwickelten (E. A. Knauf: "syrisch-arabische Dichotomie"). Der Verschmelzungsprozeß reicht mindestens bis ins 1. Jh. v. Chr.

Die einzelnen Gruppen passten sich in ihrer Lebensweise und ihrer Subsistenz den lokal vorgegebenen Bedingungen an. Über allem stand die Zentralgewalt in Petra, militärisch-administrativ, die auch den ökonomischen Bereich steuerte; manches erinnert an Strukturen des achämenidischen Reiches. Sowohl die oft festgestellten Abweichungen von peträischen Denkmälern als auch eine gewisse Koine bei bestimmten Denkmalgruppen finden darin eine Begründung.

Die Expansion der Nabatäer, deren Kerngruppen in NW-Arabien anzusiedeln sind, ist deutlich von einer Partizipation an vorhandene Systeme und von einer Erschließung der Freiräume bestimmt. In der ersten Phase begnügten sich die Nabatäer mit der Nutzung wichtiger Verkehrswege mit relativ wenigen Wach- und Versorgungsstationen, wo ein entsprechendes Netz noch nicht vorhanden war. Das betraf vor allem die Dedan-Petra-Gaza-Route; doch waren die Nabatäer auch schon im Ḥaurān aktiv. Von einer progressiven Besiedlung ("Landnahme") kann erst in der zweiten Phase im 1. Jh. v./n. Chr. die Rede sein. Die Schwäche der Großmächte Syrien, Ägypten und Maʿīn hatte die Bildung des nabat. Königtums unter Aretas II. ermöglicht. Die Behauptung und der Ausbau von Marktpositionen führte zu territorialen Auseinandersetzungen mit den gleichfalls expansiven Hasmonäern um ostjordanische und südsyrische Gebiete. Um die Mitte des 1. Jhs. v. Chr. waren unter dem Druck Roms die Grenzen soweit festgelegt, daß im behaupteten nabat. Reichsgebiet der innere Ausbau vorangetrieben werden konnte.

Mit der friedlichen Annektion des Nabatäerreiches 106 n. Chr. durch Rom und der Errichtung der Provincia Arabia mit neuen Strukturformen kam das Kulturschaffen der Nabatäer innerhalb weniger Jahrzehnte zum Erliegen und paßte sich dem römischen Gepräge an. Entsprechend dem Verbleib der Nabatäer in ihren Siedlungsräumen und dem Fortbestand der Siedlungen und auch mancher Heiligtümer lassen sich u.a. nabat. Architekturelemente und Keramikdekore bis ins späte 3. Jh. n. Chr. verfolgen. Religiöse Traditionen hielten sich bis in konstantinische Zeit, partiell auch darüber hinaus. Inschriften und Hunderte von Graffiti mit nabat. Namen bezeugen das Fortbestehen ethnischer Bindungen und das Nachleben der nabat. Sprache/Schrift, auch hier mit Veränderungen, bis ins 4. Jh. n. Chr.

Zur Datierung nabat. Denkmäler nach Königen und Perioden gilt die folgende Definition:

1. Rekonstruierte Königsliste

Aretas (I.), nabat.:	Ḥāriṯat	? - um 168 - ? v. Chr.
Aretas II	Ḥāriṯat	ca. 120/10 - 96 v. Chr.
Obodas I.	ʿAbadat	ca. 96 - 85 v. Chr.
Rabel I.	Rabbʾil	um 85 v. Chr.
Aretas III. (Philhellenos)	Ḥāriṯat	85- 62/60/58 v. Chr.
Obodas II. (?)	ʿAbadat	62 - 60? v. Chr.
Malichus I.	Mālik, Mank	62/60/58- 30 v. Chr.
Obodas III. (II.)	ʿAbadat	30 9/8 v. Chr.
Aretas IV. (Philopatris)	Ḥāriṯat	9/8 v. Chr.-40 n.Chr.
Malichus II.	Mālik, Mank	40 - 70/71 n. Chr.
Rabel II. ("Soter")	Rabbʾil	70/71 - 106 n. Chr.
Provincia Arabia		106 n. Chr.

2. Zwar negiert jede Periodeneinteilung der nabat. Geschichte die regional unterschiedlichen Entwicklungen, doch ist sie in der Fachliteratur üblich und z. T. auch notwendig, weil ein feineres chronologisches Raster fehlt.

frühnabat. 4. Jh. - 30 v. Chr.
mittelnabat. 30 v. Chr. - 70 n. Chr. (Negev: - 50 n. Chr.)
spätnabat. 70 - 106 n. Chr.
subnabat. nach 106 n. Chr. (für nabat. Denkmäler)

Die frühnabat. Periode könnte man noch untergliedern durch die Abtrennung "vornabat." für Befunde des 4.-2. Jhs. v. Chr. Die subnabat. Periode endet als Endphase des Nabat. um die Mitte des 2. Jhs. n. Chr., während nabat. Denkmäler noch bis 355/56 n. Chr. (datierte Inschrift) nachgewiesen sind.

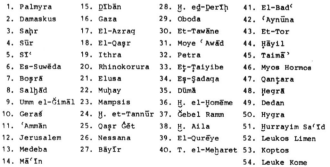

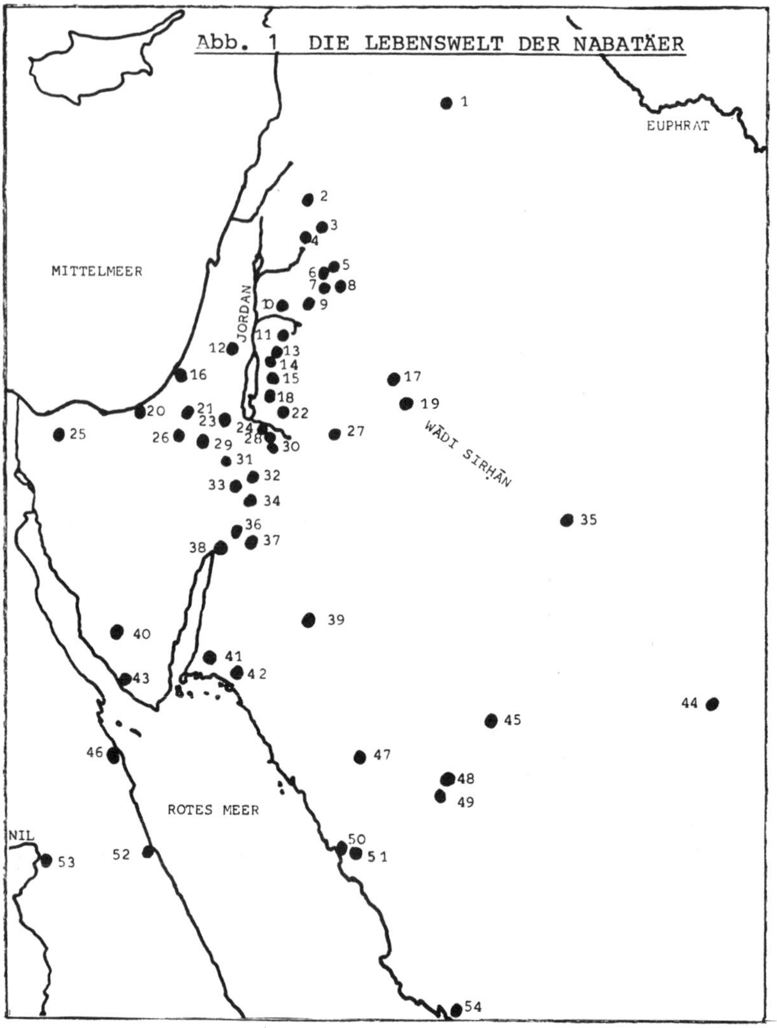

Abb. 1 DIE LEBENSWELT DER NABATÄER

1. Palmyra
2. Damaskus
3. Saḫr
4. Sūr
5. Sī‘
6. Es-Suwēda
7. Boṣrā
8. Salḫād
9. Umm el-Ǧimāl
10. Geraš
11. ‘Ammān
12. Jerusalem
13. Medeba
14. Mā‘īn
15. Ḏībān
16. Gaza
17. El-Azraq
18. El-Qaṣr
19. Ithra
20. Rhinokorura
21. Elusa
22. Muḥay
23. Mampsis
24. Ḫ. et-Tannūr
25. Qaṣr Ġēt
26. Nessana
27. Bāyīr
28. Ḫ. eḏ-Ḏerīḥ
29. Oboda
30. Et-Tawāne
31. Moye ‘Awād
32. Petra
33. Eṭ-Ṭaiyibe
34. Eṣ-Ṣadaqa
35. Dūmā
36. Ḫ. el-Ḥomēme
37. Ǧebel Ramm
38. Ḫ. Aila
39. El-Qurēye
40. T. el-Meḫaret
41. El-Bad‘
42. ‘Aynūna
43. Et-Tor
44. Ḥāyil
45. Taimā’
46. Myos Hormos
47. Qanṭara
48. Ḥegrā
49. Dedan
50. Hygra
51. Ḫurrayim Sa‘īd
52. Leukos Limen
53. Koptos
54. Leuke Kome

Die in die Zeit des nabat. Königreiches fallenden genuin nabat. Denkmäler werden in diesem Band in einem Bestandskatalog vorgelegt. Daneben sind auch Hinweise auf hellenistische Befunde des 4.-2. Jhs. v. Chr. der von Nabatäern besetzten Plätze eingefügt und werden subnabat., d. h. die nabat. Kunstform fortsetzende Denkmäler des 2.-4. Jhs. n. Chr. aufgenommen. Ausgeschieden bleiben dagegen alle nichtnabat. Funde der gleichen Kontexte. Für eine Beurteilung nabat. Kultur ist dieses Negieren etwa römischer Importwaren, griechischer oder safaitischer Inschriften natürlich ein gravierender Einschnitt. Hier geht es aber allein um die faktische Darlegung nabat. Denkmäler und nicht um kulturhistorische Analysen.

"Nabatäisch" ist im weitestmöglichen Sinn zu verstehen. Die Problematik der Bezeichnung bzw. der Auswertung, was unter der Bezeichnung alles gesammelt werden kann, ist in jüngster Zeit von verschiedenen Seiten herausgestellt worden. Nabat. bezeichnet und klassifiziert das Denkmal seiner Art nach lediglich unter einem kunsthistorischen Aspekt und besagt zunächst noch wenig über den Hersteller und den Benutzer/Besitzer. Andererseits dürfen Ausnahmen und Sonderfälle nicht derart überzogen werden, daß nabat. Funde als Quelle für Aussagen über die Nabatäer in Frage zu stellen sind.

Nabat. Keramik oder gerade Graffiti an einem Ort bestimmen diesen weder als nabat. Siedlungsplatz noch als zum nabat. Reich gehörend, sondern zeigen nur an, daß hier ein wie immer gearteter Kontakt mit Nabatäern stattgefunden hat. In dieser Hinsicht dürfen der Katalog und die Fundortkarten nicht mißverstanden werden!! Inwieweit die Artefakte Nabatäer am Ort, eine nabat. Siedlung, eine von Nabatäern genutzte Route usw. erweisen, ist in jedem Einzelfall neu zu prüfen und oft erst aus dem regionalen Kontext ersichtlich.

Soweit nabat. Keramik als Kriterium für nabat. Siedlungsplätze genommen worden ist, was in der Regel legitim scheint (s.u.), müssen zwei Aspekte bedacht werden. Der erst langsam wachsende Kenntnisstand nabat. Keramik beeinträchtigt die Ergebnisse älterer Surveys, als praktisch nur die feine bemalte Ware als nabat. erkannt war. So ist bei der von N. Glueck als nabat.-pergamenisch bezeichneten östlichen Terra Sigillata

(ETS A) eine Zuweisung an die Nabatäer eher abzulehnen. Andererseits gibt es auch nabat. Sigillata und Imitationen der importierten Sigillata. Da eine Scheidung dieser Waren immer noch Probleme aufwirft, waren für den Katalog alle Fundorte mit als nabat. angesprochenen Sigillata aufzunehmen. - Die unverzierte nabat. Keramik ist erst seit gut zehn Jahren Gegenstand von Untersuchungen und konnte früher kaum berücksichtigt werden und wurde oft als römisch verkannt. Hier mag also der ein oder andere Fundort noch als nabat. hinzukommen, überprüfte man ältere Surveys und Publikationen in dieser Hinsicht. - Bei der bemalten Ware erlag man insofern einem Fehlurteil, als man sie auf die nabat. Königszeit beschränkte. In den letzten Jahren sind indes wiederholt Befunde bekanntgemacht worden, die zeigen, daß diese Ware sich unter Vergröberung des Dekors bis ins 3. Jh. n. Chr. fortgesetzt hat.

Auch für die nabat. Inschriften und Graffiti - in den Publikationen selten gattungsmäßig unterschieden - sei auf das Problem der Zeitstellung hingewiesen. Abgesehen von einer relativ großen Anzahl datierter Inschriften bieten paläographische Vergleiche nur eine annähernde Datierungsmöglichkeit, die besonders bei den vielen Namensgraffiti noch unbefriedigend ist. Quantitativ gehört der Großteil der nabat. Inschriften/Graffiti in subnabat. Zeit.

Stilentwicklungen lassen sich in einigen Gattungen der nabat. Denkmäler aufweisen. Unterschiede bei den Denkmälern, die mal mehr an arabischer Tradition, mal mehr an griechisch-römischen Einflüssen orientiert sind, lassen sich nicht allein als zeitlich aufeinanderfolgende Tendenzen erklären, sondern sind auch Ausdruck gegensätzlicher Auffassungen unter den Nabatäern. Mit Bezeichnungen wie "Hofkunst" und "Volkskunst" können diese Unterschiede nicht erfaßt werden; unabhängig davon sind die Termini durchaus für manche nabat. Denkmäler anwendbar. So sind etwa die aufwendigen Großbauten in Petra, Tempel und Fassaden mit Stuckatur, Malerei und Reliefs Zeugnisse einer kulturpolitisch ausgerichteten "Hofkunst" der nabat. Könige.

Inwieweit die These von Knauf 1986, 79f. greift, daß die Nabatäer eine Minderheit in ihrem Reich gewesen seien, d. h. viele der nabat. Funde den nichtnabat. Abhängigen dieser beherrschenden Bevölkerungsgruppe zuzuweisen wären, bedarf noch weiterer Untersuchungen.

Technische Hinweise

Von über 1000 eingesehenen Beiträgen zur Nabatäerforschung können die im Text zitierten und im Anhang aufgeschlüsselten 840 Titel als Bibliographie über die Nabatäer genutzt werden. Homès-Fredericq-Hennessy 1986 stand zu spät zur Verfügung, um die dortigen Sigeln und Zitate übernehmen zu können. Verschiedene noch unpublizierte Beiträge konnten nicht näher berücksichtigt werden: Dissertationen; Referate Second International Symposium on Studies in the History of Arabia, Riyadh 1979; Symposium Petra and the Caravan Cities, Petra 1985; Third International Conference on the History and Archaeology of Jordan, Tübingen 1986; ferner Rosenthal-Heginbottom 1985; Negev 1986b. Nur teilweise konnte Dentzer 1985a eingefügt werden. Nicht vorgelegen haben außer einigen hebräischen Titeln: Murray 1939; Zayadine 1971b; Schiffmann 1976; Stone 1979; Browning 1982; Hauran I und ADAJ 27, 1983ff. (diese Bände waren in Münster noch nicht eingetroffen). Im übrigen wurde versucht, den Bestandskatalog up to date zu halten. Dafür waren einige wenige nachträgliche Eingriffe in den fertigen Text notwendig. Es war mir nicht möglich, das gesamte Manuskript nochmals neu zu tippen und die Karten neu zu zeichnen.

Vier Nachträge seien hier angeführt:

1. Die beiden Sammelbände Hauran I sind nun grundlegend für viele der im Katalog angesprochenen Fragen der nabat. Präsenz und speziell der Einbindung der Nabatäer in diesen Kulturraum heranzuziehen.
2. Worschech 1985b nennt für Region L 21b: site 58, 1 Graffito; L 23a-f: sites 19, 17, 14, 12, 40, 41, Keramik; L 24a: site 63, Keramik (diese Fundorte sind auf der Regionalkarte als Punkte ohne Nummer nachgetragen).
3. F. Villeneuve hat für M 80, Qaṣr eḏ-Ḏerīḥ, einen neuen Tempelplan auf der Konferenz in Tübingen bekannt gemacht, der noch nicht publiziert ist, aber hier Abb. 18 entscheidend verändert (vgl. Text).

4. Hart 1986, 78 nennt für N 40a: Ḫirbet Išrā: Festung. - Der Edom-Survey von St. Hart bestätigt den Siedlungsbruch in hellenistischer Zeit und widerspricht den Thesen einer Kontinuität von Edomitern zu Nabatäern.

Die Literatur zu den einzelnen Fundorten wird in einer Auswahl der wichtigsten Belege, Besprechungen und Abbildungen und nur auf nabat. Denkmäler bezogen angegeben. Diese Angaben berücksichtigen zwar den Gesamtbefund des jeweiligen Ortes, reflektieren in ihrer Ansprache aber die vorgefundene Forschungsdiskussion, so daß sich in der Behandlung der Orte und verwandter Denkmäler Unterschiede ergeben. Die Angaben sind als Hinweise für eine weitergehende Diskussion und als Nachweis für eine dokumentarische Erfassung zu verstehen. Es bestand weder die Absicht, den jeweiligen Befund in allen Belangen und erschöpfend und weiterführend zu diskutieren oder zu belegen, noch die Absicht, Analysen von Denkmälergattungen oder Einzelmonumenten usw. zu versuchen oder eine archäologisch-kulturhistorische Gesamtdarstellung der Nabatäer zu bieten. Gemäß der Genese des Bandes soll die Vorlage in erster Linie der Information dienen. Sie eignet sich weniger als Einführung oder Überblick, da sie auf den Gesamtbestand nabat. Denkmäler zielt und ohne Bewertungen bedeutende und weniger bedeutende Befunde auflistet. Der Katalogcharakter bedingt eine gewisse Sperrigkeit, will man diesen Band lesen.

Es sei jedoch erlaubt herauszustellen, daß es sich nicht um eine simple Kompilation der Forschungsliteratur handelt. Die vorgefundenen Informationen und Interpretationen sind kritisch gesichtet und im Rahmen des hier Möglichen ggf. ergänzt oder verändert worden. Abweichungen von der vorgefundenen Meinung wurden erst nach sorgfältigen Recherchen vorgenommen, sind z.T. aber durchaus gravierend. Es wurde davon abgesehen, zur präziseren Bestimmung einzelner Denkmäler etwa aus dem Bereich der Klassischen Archäologie zusätzliche Vorbilder, Parallelen oder sonstige Vergleichsobjekte beizubringen, wie es mehrfach möglich, aber in diesem Rahmen nicht befriedigend gewesen wäre.

Die Schreibweise der arabischen Namen wurde von der der Palästinakarte BHH IV (E. Höhne) in einer leichten Varianten des

Systems der DMG übernommen bzw. angeglichen; hierzu wurde der Rat von Arabisten eingeholt, ohne daß in jedem Fall die korrekte Schreibweise eindeutig bestimmt werden konnte. Für Hinweise auf hier und sonst gemachte Fehler bin ich dankbar, damit ggf. später an geeigneter Stelle eine Berichtigung erfolgen kann.

Bei mehreren Titeln eines Autors in einem Jahr ist generell der erstgenannte Titel gemeint, wenn er nur mit der Jahreszahl oder mit Jahreszahl und einem a angegeben ist. Da die ersten Manuskriptteile schon druckfertig waren, als die Regionen Negeb-Sinai-Petra erarbeitet wurden, ergab sich gelegentlich die Notwendigkeit nachträglicher Untergliederung.

Beim Gebrauch des Fragezeichens ist eine Besonderheit zu beachten. Ein Fragezeichen hinter einem Ortsnamen stellt nicht den Namen oder die Schreibweise in Frage, sondern die vorgefundene Angabe, daß am Ort nabat. Funde gemacht wurden; das gilt entsprechend für Fragezeichen hinter einzelnen Denkmälern in den Auflistungen, sofern nicht aus dem Kontext der übliche Gebrauch ersichtlich wird.

Die Denkmäler werden innerhalb geographisch-politisch bestimmter Regionen in strikter Nord-Süd-Abfolge aufgeführt. Denkmäler außerhalb der eigentlichen Lebenswelt der Nabatäer (vgl. Abb. 1) sind in Region A vorangestellt, die Denkmäler von Petra nachgestellt. Die Regionen im Westen werden erst in einer 2. und 3. Nord-Süd-Achse aufgelistet, wobei auch andere Abfolgen denkbar sind. Den einzelnen Regionen sind knappe Hinweise vorangestellt, die auch die geschichtlichen Aspekte der Region berücksichtigen. Weitere Angaben zur Geschichte der Nabatäer sind in die Diskussionen der Orte eingearbeitet.

Für fast jede Region wurde eine detaillierte Fundortkarte neugezeichnet, die die Lage der einzelnen Orte nachweist, aber auch anschaulich die Struktur der jeweiligen Region verdeutlicht. Es wird empfohlen, neben diese Skizzen gute Kartenwerke wie BHH IV zu legen, um die Relation der Fundorte zur jeweiligen geographischen Situation zu erfassen. Für die Ortslagebestimmungen wurde die Palästinakarte BHH IV zugrunde gelegt und bei abweichenden Vorlagen bevorzugt. Um die Skizzen nicht zu sehr zu belasten, sind nur die fortlaufenden Nummern der Fund-

Orte und bei der 1. Nummer der Kennbuchstabe der Region angegeben; Textverweise auf Fundorte erfolgen nach dem gleichen System. Zur schnelleren Orientierung ist der Name wichtigerer Orte auf den Karten ausgeschrieben.

Ortsnachträge sind mit vorhergehender Nummer und a, b...eingeschoben. In einigen Fällen wäre es konsequenter, Fundorte unter einer Nummer zusammenzunehmen bzw. umgekehrt, Befunde unter separater Nummer abzutrennen; von der Publikationsvorlage ergab sich die gewählte Einteilung. Die Befunde stärker erforschter Orte werden meist nach Siedlungsphasen gegliedert aufgeführt.

Bei den vielen kleinen Fundorten wäre es sicher wünschenswert, sie in ihrer Art, Funktion und Zeitstellung präziser bezeichnen zu können; das ist von der Publikationslage und vom Forschungsstand her jedoch selten möglich.

Der Forderung nach einer Einordnung nabat. Denkmäler einerseits in den arabischen und andererseits in den hellenistisch-römischen östlichen Kulturraum ist noch viel zu wenig konkret und forschend nachgekommen worden. Die Nabatäerkultur kann nur unter Einbezug ihrer Umwelt und unter Einbezug des arabisch-beduinischen Erbes der Nabatäer verstanden werden; denn sie ist eine typische Mischkultur an der Peripherie zweier sehr unterschiedlicher Welten. Ein Spezifikum nabat. Kulturaneignung und -darstellung bestand in der eklektischen Integration fremden Kulturgutes.

Der erstellte Bestandskatalog erlaubt, auch auf die vielen kleinen Befunde hinzuweisen, die für eine Beurteilung der Nabatäer aber nicht weniger bedeutsam sind. Die Fülle an nabat. Hinterlassenschaft erlaubt ein recht differenziertes Bild der Nabatäer(kultur) zu zeichnen. Dazu will dieser Band beitragen. Daß in der Befunddiskussion die eigene Stellungnahme vorgelegt wird, möge man nicht als Anmaßung verstehen; sie erfolgt aus der Verpflichtung des Wissenschaftlers dem Gegenstand seiner Forschung gegenüber und in der Absicht, Forschung fortzuschreiben, nicht, um andere Meinungen zu "korrigieren".

Das beigefügte Register (selektiv) soll die Benutzung des Kataloges erleichtern, bes. das Auffinden von Orten/Befunden.

B E S T A N D S K A T A L O G

N A B A T Ä I S C H E R D E N K M Ä L E R

R e g i o n e n A - Z, P e t r a

Region A: Fundorte außerhalb der Lebenswelt der Nabatäer

In dieser Gruppe sind Orte zusammengestellt, die in unterschiedlicher Weise in Beziehung zu den Nabatäern stehen. Zunächst handelt es sich um Heiligtümer und Häfen, die von nabat. Kaufleuten und Politikern (Syllaios) aufgesucht wurden. Sie haben hier Inschriften hinterlassen oder werden in Inschriften genannt. Das Präsentsein an den wirtschaftlichen und politischen Zentren zeigt sich auch in den Zeugnissen über Nabatäer in Rom (vgl. Syllaios-Affäre; Tacitus, Ann. II 57; A1).

Nabat. Münzen wurden in Dura Europos, Susa, Kurium und Aventicum gefunden (Meshorer 1975, 41 Anm. 118), ohne daß dies ein Hinweis auf Nabatäer an diesen Orten sein muß; vgl. ferner Antiochia (A9), Nisibis (ebd. 13f. Anm. 41) und H4b.

Im näheren geographischen Raum gab es Berührungen mit den Hasmonäern und den Herodianern, sei es im grenznahen Verkehr (s. Regionen J, V und W), mittels Handelsabkommen oder auch durch verwandtschaftliche Beziehungen, sei es infolge wechselseitiger Kampfhandlungen und politischer Intrigen.

Auch Fundorte anderer Regionen wären unter A aufführbar gewesen, sind aber aus geographischen Gründen separat behandelt. Nabat. Lebensraum im engeren Sinn sind nur die Regionen E-G, K-Q, T-U, X-Z. Diese Regionen bezeichnen mit Ausnahme von E das nabat. Königreich, dessen Grenzen nur zum "Kulturland" hin festgeschrieben waren.

1. Rom: Grabinschrift CIS II 159 (2. Hälfte 1. Jh. n. Chr.).

2. Puteoli: Heiligtum des Dusares (auf einer Insel der Bucht?); Inschriften: CIS II 158, Bauinschrift (54/50 v. Chr. erbaut, 5 n. Chr. restauriert); 157, Votivinschrift (11 n. Chr., 2 Kamele an Dusares; vgl. Kindler 1983, 60, 81). - 3 Basen (*trapezoi*?) mit Inschrift "*Dusari Sacrum*"; Deckplatten mit Einlaßschlitze für Stelen (Dusares-*baityles*?), davon 1 Basis mit 7 Schlitze (4 der Stelen wurden gefunden); Altar mit Inschrift "*Dusari*". Vgl. Tran Tam Tinh 1972, 127-31, 141-47 Kat. Nr. S. 1-7 Taf. 47-49. - Unter Bezug auf Funde von Ḫ. et-Tannūr (M65) hat Picard 1937 eine Hermenbüste eines "Meergottes" im Vatikan, Inv. 248 (Helbig^4 41) als "Hadad"

gedeutet, wobei Dusares gemeint ist. Doch bestehen zu allen Dusares/Ḏū Šarā-Darstellungen Unterschiede. Zudem ist die Büste erst nach dem Ende des Kultes hier entstanden.- IG XIV 842a nennt einen Peträer in Puteoli. - Vgl. auch "puteolische" Keramik in Oboda (X88)(Negev 1974c, 32-34).

3. Tenos: IG XII Suppl. Nr. 307 (2. Hälfte 2. Jh. v. Chr.); Rostovtzeff 1955/56, 1261, Nabatäer aus Petra.

4. Delos: Votivinschrift des Syllaios: ID 2315, 9 v. Chr. (Bruneau 1970, 244f.). - ID 2321; Rostovtzeff 1955/56, 1261, peträischer(?) Araber.

5. Priene: Die Inschrift Hiller von Gaertringen 1906 Nr. 108 Kol. V 168 erwähnt eine Gesandtschaft des Moschion nach Petra, nach 129 v. Chr. (Zeugnis für frühen Kontakt der Nabatäer in Petra mit der hellenistischen Welt).

6. Milet: Votivinschrift des Syllaios beim Delphinion, 9 v. Chr., an Dusares: Kawerau-Rehm 1914, 387-89 Nr. 165 Abb. 94.

7. Kos: Votivinschrift an Al-ʿUzzā/Aphrodite, 9 n. Chr.: Levi Della Vita 1938, 139-47; von Hengel 1973, 83 Anm. 327 unter Bezug auf Aretas III. 68 v. Chr. datiert; entgegen Glueck 1959, 197 kaum auf einen nabat. Tempel weisend.

8. Rhodos: SEG III 674, 34. 53 (2. Hälfte 2. Jh. v. Chr.); Rostovtzeff 1955/56, 1261, Nabatäer.

9. Antiochia: Münze Aretas III.: Waage 1952, 88 Nr. 940. Keramik: Waage 1948, 42 Abb. 23 Nr. 9; Negev 1972b, 387.

10. Salamis: Kapitell (Spolie vom sog. Gymnasium): Wright 1972 (augusteisch); Börker in: Hesberg 1978, 143 Anm. 2.

11. Kourion: Kapitelle: Scranton 1962, 22f. Abb. 16c (cyprokorinthisch, trajanisch). - Ob diese Kapitelle auf Zypern von nabat. oder von alexandrinischen Vorbildern (s. Region S) abhängen, ist noch umstritten. Sie verdeutlichen die komplexen Beziehungen der Randkulturen des östlichen Mittelmeerraumes: vgl. Hesberg 1978; Schmidt-Colinet 1981, 100f.

12. Baalbek?: Kapitell bei einer Konche der westlichen Rundexedra der Nordhalle des Altarhofes: Schulz-Winnefeld 1921,

87 Taf. 33; Lyttelton 1974, 81; dagegen Schmidt-Colinet 1983, 311f. Anm. 36, unfertige Bossenkapitelle.

Lyttelton 1974, 221, Vergleich des Jupiter-Heiligtums mit Anlagen in Sīʿ (E4); andere Zwischenstufen sind jedoch wahrscheinlicher.

13. Sidon: Votivinschrift eines (durchreisenden) Strategen an Ḏū Šarā, 4 v. Chr.: CIS II 160; von Kammerer 1929, 463 Nr. 7 auf 23 n. Chr. datiert.

Region B: Damaskene

Der nabat. Handel führte über Damaskus nach Palmyra, Berytos und Antiochia.

Als Nachfolger des Siegers über Antiochos XII. Dionysos (s.F 25) konnte Aretas III. als rechtmäßiger Herrscher von Koile Syria 84(-72) v. Chr. nach Damaskus gerufen werden. Koile Syria wurde aber nicht nabat.; Aretas III. verwaltete das Reich neben dem nabat. Königreich (vgl. Münzen; Aktion gegen Alexander Jannaios). - Ein Bezug der Inschrift Mouterde 1925, 218-20 Nr. 2 auf diese Zeit bleibt wegen der Ergänzungen unsicher.

1. Palmyra: Palmyra war eine mit den Nabatäern konkurrierende Handelsstadt, kein nabat. Stützpunkt. Nur anfänglich waren die Beziehungen zu den Nabatäern enger. Teixidor 1973 hat die Belege dafür zusammengestellt. Hervorzuheben sind die Einführung des Baʿal-Schamin-Kultes durch die Nabatäer(?); die Abhängigkeit des Baʿal-Schamin-Tempels von dem in Sīʿ (E4) (vgl. Collart-Vicari 1969; Collart 1971); die Votivinschrift CIS II 3973 eines nabat. Reiters an Šaiʿ el-Qaum, 132 n. Chr.; die von Plin. n. h. VI 144 bezeugte Handelsverbindung. Vgl. ferner die Votivinschrift CIS II 3991 an Ṣaʿbū, den Gad (Tyche) der Nabatäer (dazu Winnett-Reed 1970, 158; Milik 1972, 101, 211f.; ders. 1982, 263f.).

   1 Münze (Rabel II.): Ch. Dunant in: Fellmann-Dunant 1975, 103, 107 Kat. Nr. 19 Taf. 1, 19.

2. Eḍ-Ḍumēr (Admedera): als Station auf der Route Damaskus-Palmyra von Glueck III 142 als nabat. angesehen, was frag-

lich bleibt und auch nicht stringent durch den Votivaltar Louvre AO 3025 erwiesen wird. - Der Altar ist typologisch-stilistisch eine syrisch-römische Arbeit, trägt aber eine nabat. Inschrift (CIS II 161) von 94 n. Chr. Vielleicht war er Zeus Hypsistos geweiht. Er ist hexagonal und zweistufig gebildet. Unten zeigt er Girlanden über Widderschädeln und Schwerter, oben männliche und weibliche Büsten: Erträge Bonn Taf. 66f.; Cat. Bruxelles Nr. 83 Abb.

3. Damaskus: 84-72 v. Chr. unter Aretas III., der hier als "*Basileos Aretou Philhellenos*" Münzen mit seinem Porträt prägte (Meshorer 1975, 9f., 12-15 Taf. 1).

   Wenig wahrscheinlich ist die These, die Stadt sei 34/37-61/65 n. Chr. von Caligula an Aretas IV./Malichus II. gegeben worden, weil aus dieser Zeit römische Kaisermünzen fehlen, während die Paulus-Episode 2 Kor 11, 32 die Macht des nabat. Ethnarchen zeige (Meshorer 1975, 64; dazu aber Fischer 1979, 244; Bietenhard 1977, 256-58; Bowersock 1983, 67-69 mit der These einer nabat. Besetzung 36/37 n. Chr.). Eher darf man den Ethnarchen als den Vertreter nabat. Kolonisten in der Stadt ansehen (Starcky 1966, 915; Hammond 1973, 37; Roschinski 1981a, 24; Knauf 1983).

   Zum mutmaßlichen nabat. Viertel vgl. J. Sauvaget 1949, 344f.; Starcky 1966, 915; D. Sack in: Land des Baal 361 Abb. 73 Nr. 13; Peters 1983, 273 Abb. 4; Sack 1985, Abb. 1.

4. Eṣ-Ṣanamēn (Aire): Inschrift: RES 1921.

- Ausgeschieden: Raḫle (Glueck 1965, 596 Anm. 633).

Region C: El-Leǧǧā (Trachonitis)

Bereich der frühen nabat. Route nach Damaskus, aber kein nabat. Siedlungsgebiet. Der Routenverlauf ist unklar: die El-Leǧǧā westlich umgehend (Peters 1977, 272) oder die Heiligtümer C3-2 und 1 berührend. - Um die Sicherheit der Karawanen und Heiligtümer zu erhalten, mußte Obodas III. Schutzgebühr an den Ituräer Zenodorus zahlen (vgl. Peters 1977, 269). - Die Heiligtümer wurden als "Tempelbänke" (Negev 1977, 681f.) verstanden, was aber angesichts der Lage und der allgemeinen Gefährdung in dieser Region kaum zutrifft. Dennoch waren die

Heiligtümer Haftpunkte, um die Region zu erschließen.

23 v. Chr. kam das Gebiet an Herodes I.; Syllaios unterstützte 12 v. Chr. antiherodianische Partisanen, doch behauptete sich Herodes. Im 1. Jh. n. Chr. ist kein nabat. Einfluß auf die Region mehr faßbar.

Die Region ist noch unzureichend erforscht. Grundlegend sind die Surveys von Dussaud-Macler 1903 und Butler, PPUAES II A 7, 1919, 403-46 mit Karte bei S. 403; vgl. auch Peters 1977.

Für die Regionen C-F sind griechische und lateinische Inschriften, die nabat. Namen nennen oder aus nabat. Zeit stammen, nur z.T. eingearbeitet. - Ebenso werden "Hauran-Skulpturen" nur teilweise angeführt, da sie meist nicht als nabat. erwiesen sind. - Inschriften und Skulpturen wurden oft verschleppt; die genannten Fundplätze sind daher nicht in jedem Fall auch nabat. Siedlungsplätze.

1. <u>Saḥr</u>: früher nabat. Tempel mit angeschlossenem "Theater": Butler, PPUAES 1919, 441-46 Abb. 387f.; Negev 1976, 53f. Abb. 55, 77 (Untertitel mit Sūr verwechselt); ders. 1977, 618-20; Busink 1980, 1278-80 Abb. 279. - Es gibt keine Hinweise auf eine Siedlung.

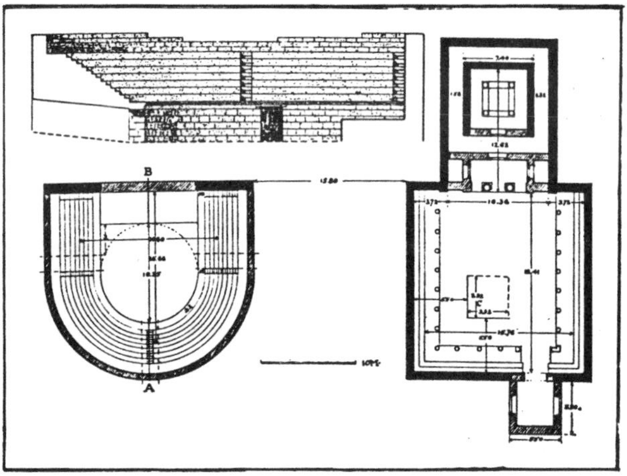

Abb. 2 Saḥr. Tempel und "Theater"

Der quadratische Tempel weist ein zentrales, von vier Säulen umstandenes Adyton (Cella) auf, das vielleicht unbedeckt war. Um den Tempel ist ein Korridor (strittig, ob unbedeckt) mit Mauer (sog. Außentempel) gelegt. Vorgelagert ist ein Porticus mit seitlichen Türmen. 2 Säulen in antis bilden einen dreifachen Eingang zum Hauptgebäude. Diesem ist ein großer, fast quadratischer Porticus triplex vorgelagert. Der dezentrale Turmzugang im Süden ist sekundär. Im Hof befindet sich die Basis einer Statuengruppe oder eines Altares (Negev); zu den Skulpturen s. Butler mit Abb. 387f.

Nach Busink ist der Tempel von dem in Sūr (C2) abhängig. Der Porticus triplex ist nach dem Befund von Sīʿ (E4) als *theatron* anzusprechen und war der Versammlungsort der Kultgemeinde (mit Sitzstufen; Kultmahl). Eine ähnliche Funktion (Negev: im Winter, falls überdacht) besaß das "Theater", direkt neben dem Hof auf gleicher Linie, das keine Bühne aufweist (vgl. Delos: Bruneau-Ducat 1966, 143 Abb. 31).

2. Sūr (Souara): früher nabat. Tempel in einem großen Temenos: Butler, PPUAES 1919, 428-31 Abb. 371; Negev 1976, 53 Abb. 55, 77 (Untertitel mit Saḥr verwechselt); ders. 1977, 618; Busink 1980, 1274-76, 1279 Abb. 277. Nicht entschieden ist, ob die Ruinen der Siedlung in nabat. Zeit zurückreichen.

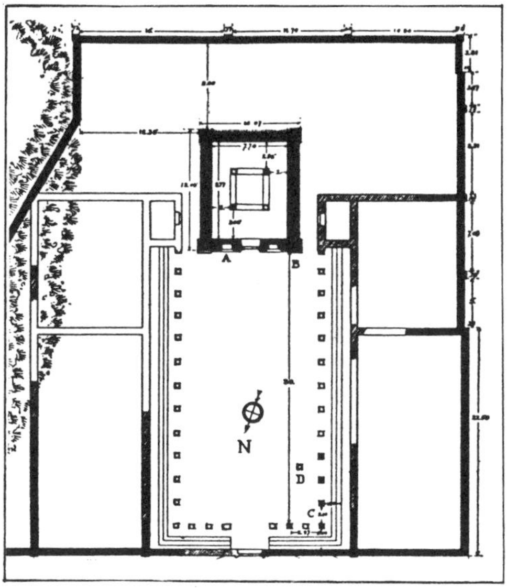

Abb. 3 Sūr. Tempel

Der Tempel besteht aus viersäuligem Adyton und "Außentempel"-mauer; ein separater Korridor wie in Saḥr fehlt. Der Tempel schiebt sich in das Theatron vor. Hier bilden die nördlichen Enden des Porticus triplex die seitlichen Tempeltürme. Im Hof fand sich eine verzierte Votivsäule. Seitlich des Tempeleingangs waren zwei mit Rankendekor verzierte Nischen angebracht. Außen an das Theatron schlossen sich je zwei große Räume an (für *triclinia* im Winter?: Negev) und nördlich dieser Anlagen und des Tempels ein "freier Raum" (Priesterhof: Busink). Die Nutzung der Räume ist ungeklärt.-Nach Businkk ist dieser Tempel der früheste im Norden und beeinflußte die in Saḥr und Sīʿ.

3. Dāmet el-ʿAlyā (Damatha): Temenos der Athena. Erhalten ist nur das Eingangstor: Dussaud-Macler 1903, 18 Taf. 3; Butler, PPUAES 1919, 433f. Abb. 376f.

   Das Tor war mit einem Rankendekor verziert, der es als nabat. Arbeit aus der Zeit der beiden anderen Heiligtümer ausweist. Die Büste der Göttin auf dem Türsturz ist abgeschlagen. Über dem Türsturz befindet sich die griechische Votivinschrift des Stifters an Athena.-Butler macht den Vorbehalt, es habe hier kaum einen größeren Tempel gegeben.

4. El-Hīt (Eitha?): Stele: Dunand 1934, 47f. Nr. 71 Taf. 22,71.

5. Ǧurēn (Agraine): Inschrift: Dussaud-Macler 1903 Nr. 1; RES 464; Butler, PPUAES 1919, 422.

6. Ezraʿ (Zorava): CIS II 186, Weihinschrift, Dank eines Ägyptenreisenden an D̲ū Šarā.

7. Šuhba (Philippopolis): Hörnerkapitell beim Südtor (244 n. Chr.) zeigt Nachwirkungen nabat. Architekturelemente (vgl. A11): BD III 147, 150 Abb. 1040, 1043.

- Ausgeschlossen werden (trotz des Namens) Šaʿāra (Butler, PPUAES 1919, 438 Abb. 385, Kapitelle ähneln nabat.) und Šaqqa (Avi-Yonah 1948, 135, nabat. Löwenskulptur. Es ist jedoch sehr fraglich, ob sie nabat. ist. Zum Löwen s. Butler, PAAES 1903, 416 Abb.).

Region D: Ḥarra

Eṣ-Ṣafā, Ḥarra, Er-Ruḥbe und die syrische Steppe weiter östlich gehörten weder zum nabat. Siedlungsgebiet noch führten nabat. Routen durch diese Zonen, noch kontrollierten die Nabatäer diese Gebiete (vgl. Peters 1977, 272; ders. 1978, 318, 321), weil ihre Handelsanbindungen einerseits westlich der El-Leǧǧā andererseits südlich zum Wādi Sirḥān hin orientiert waren. Erst für die Römer mit dem über Palmyra laufenden Handel wurden diese Gebiete wichtig.

In den safaitischen Inschriften, meist römischer Zeit, die hier ausgeklammert bleiben, werden mehrfach Nabatäer genannt. Der "Krieg der Nabatäer" (vgl. Bowersock 1971, 228f.; Knauf 1984b, 220f.) läßt sich nicht genauer bestimmen, meint aber kaum Kämpfe im Übergang zur Provincia Arabia 106 n. Chr.

Zu Sīᶜ (E4) als Wallfahrtsort der Ṣafāʾ vgl. Milik in: Dentzer 1981, 101 (vgl. ferner Peters 1978, 322 Anm. 46).

Die komplexen Beziehungen zwischen Nabatäern und Safaiten sind noch völlig unzureichend untersucht.

1. En-Nēmara (Namara): IGR III 1257 nennt einen nabat. eques als Angehörigen der Legio III Cyrenaica (Speidel 1977, 720).

   RES 483 u. 677, frühnordarabische Grabinschrift mit nabat. Buchstaben, 328 n. Chr.: BD III 285; Beeston 1979; Sartre 1982a, 136-39; Bowersock 1983, 134-42.

2. Qaṣr el Burquᶜ?: Das Kastell, von Glueck IV 32 (site 314) noch als nabat.-römisch angesprochen, ist nach jüngsten Untersuchungen (Gaube 1974; Kennedy 1982, 227-32) erst von den Römern angelegt.

   Milik 1980 hat nabat. Inschriften der 2. Hälfte des 1. Jhs. n. Chr. vorgelegt, die aus dieser Region stammen sollen und die zur Geschichte der Hamraïten beitragen. - Vgl. ferner Macdonald 1982, 172; Naveh 1978 (Schale B).

Region E: Ǧebel ed-Drūz (nördliche Auranitis)

Das Gebiet wurde von den Nabatäern im 1. Jh. v. Chr. erschlossen, kam aber 23 v. Chr. an Herodes I., 4 v. - 34 n. Chr.

an Herodes Philippus, 34-37 n. Chr. zur Provincia Syria, 37-44 n. Chr. an Agrippa I., 44-52 n. Chr. an die Procuratoren in Iudaea, 53- ca. 93 n. Chr. an Agrippa II. und danach zur Provincia Syria. - Zur späteren Geschichte der Region (C-F) vgl. Kettenhofen 1981, 62-73 (seine Karte Abb. 1 zeigt deutlich die in ältere Zeit zurückreichenden regionalen Zonen). Für die jüngere Geschichte ist auf Peters 1977 zu verweisen.

Surveys führten DeVogüé, Dussaud-Macler 1903 und Butler, PPUAES 1915/16 durch. Neu erforscht wird die Zone Sīʿ -El-Qanawāt in einem französischen Projekt unter J.-M. Dentzer (vgl. Dentzer 1981, 1983, 1985; weitere Berichte für AAAS angekündigt); vgl. ferner Sartre 1982b. Jetzt grundlegend Hauran I.

Kultzeugnisse hat Sourdel 1952 zusammengestellt. - Ein allgemeiner Überblick mit einer Reihe von Skulpturen wird in Cat. Bruxelles 96-106 gegeben.

1. Mifʿale: nabat. Reliefbüste: Dunand 1934, 47 Nr. 70 Taf. 22, 70 (Kapitellfragment?).

   Nach Butler, PPUAES 1915, 359 bestand in Mifʿale keine antike Siedlung.

2. ʿAtil (Atheila): Nach Dussaud-Macler 1903, 20 gab es in der Stadt ein Heiligtum des nabat. Gottes Theandrios (dazu Sourdel 1952, 78-81), auf das er einen der beiden römischen Tempel bezieht (ebenso Butler, PPUAES 1915, 356).

   Ein Friesfragment mit "bevölkerter Ranke" wurde von Glueck 1965, 244, 291 Taf. 170b als nabat. angesehen, doch zeigen die Verweise nur die Verbreitung des Motivs.

   Ein wohl Baʿal-Schamin geweihter Altar könnte eine nabat. Arbeit sein: Dunand 1934, 22f. Nr. 19 Taf. 6, 19.

3. El-Qanawāt (Kanatha): seit 63 v. Chr. Stadt der Dekapolis. Bei der Stadt besiegte Malichus I. mit ptolemäischer(!) Hilfe Herodes I. 32 v. Chr., verlor aber gegen ihn 31 v. Chr. bei Philadelphia (I6).

   Als Heiligtum der Stadt gilt das von Sīʿ; ebenso gilt die Nekropole von Sīʿ als u.a. die der Bewohner von El-Qanawāt. - Das Kapitell mit Büste (Dunand 1934, 64 Nr. 122 Taf. 28; von Mercklin 1962, 24 Nr. 74 Abb. 99) dürfte vom sog. D̲ū Šarā-Tempel in Sīʿ stammen (nahe dem Kapitell Negev

1976 Abb. 79) und weist nicht auf einen Tempel in der Stadt.

Nabat. Funde in der Stadt sind spärlich. Nabat. Bauwerke wurden noch nicht nachgewiesen. Neue Untersuchungen hat R. Donceel vorgenommen (vgl. Dentzer 1981, 81).

CIS II 169, Grabinschrift eines Strategen (?). - Kleiner nabat. Altar mit Votivinschrift an Gad; Vs. mit Stierrelief!, Rs. mit 3 Bukranien in Relief: vgl. Butler, PAAES 1903, 414f. Abb.; BD III 208f. Abb. 1096; von Littmann 1904, 93f. nach 50 n. Chr. datiert.

Zur Interpretation des nabat.(?) Reliefs Dunand 1934, 30f. Nr. 35 Taf. 12,35 vgl. Glueck 1965, 487f. u. J. Starcky in: Cat. Bruxelles 101 Nr. 71 Abb.

Eine nabat. Arbeit ist vielleicht der Altar Dunand 1934, 25 Nr. 23 Taf. 8, 23 und die etwas ältere Sitzstatue ebd., 45f. Nr. 64 Taf. 17, 64a, b; der seitdem verlorene Kopf dürfte der in Jerusalem, Palestine Arch. Mus. 38.471 (Avi-Yonah 1942, 118 Taf. 22, 11, von Gadara?) sein. - Der Statue schließen sich typologisch weitere an: Dunand 1934, Nr. 66f., 68?; Cat. Damas 1951 Taf. 29b; vgl. auch die Grabstele Dentzer 1983, 29 Abb. 54 (thronender Beamter oder Priester?, mit Schriftrolle!) und dem Kopftypus: Dunand 1934 Nr. 105f., 112; Skupinska-Løvset 1983 Taf. 112a (aus Sī^{c}, während Nr. 106 u. 112 aus Es-Suwēda stammen sollen, was den einheitlichen Stilcharakter dieser Städte oder eher noch eine gemeinsame Werkstatt anzeigt).

4. Sī^{c} (Seeia/Seeina): bedeutendstes Heiligtum der gesamten Region. Blüte von 33 v. Chr. bis zum Ende des nabat. Reiches. Auch nach 23 v. Chr. finden sich hier noch nabat. Bildhauerarbeiten und nabat. Stiftungen, daneben solche der Herodianer und der römischen Kaiser.

Sī^{c} wird zu Recht als eine "heilige Stätte" bezeichnet und war kein Siedlungsplatz. Sī^{c} stellt aber kein nationales Heiligtum dar und wurde nicht von den nabat. Königen, sondern von lokalen nabat. Clans (Obaisenoi, Seeianoi) getragen. Das erklärt z.T. die Unabhängigkeit von der nabat. Kunst in Petra. - Zu Safaiten in Sī^{c} vgl. Dentzer 1985, 67.

Gesamtplan von SĪʿ in Dentzer 1981, 80 und des Heiligtums in Butler, PPUAES 1916, gegenüber S. 365 (genauer der Detailplan ebd. Abb. 324); Dentzer 1985 Abb. 2.

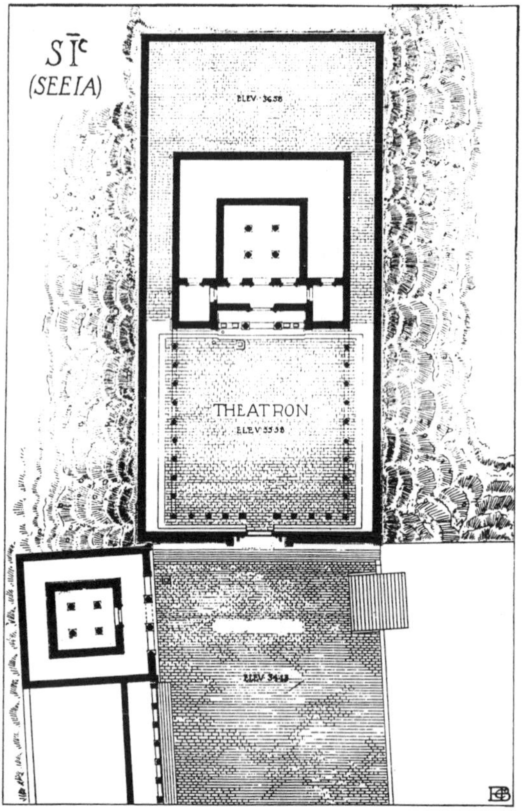

Abb. 4 SĪᶜ. Baʿal-Schamin-Tempel und Seeia-Tempel

Eine 300 m lange, breite gepflasterte *via sacra* führt von Osten auf die Höhe mit den Temenoi, passiert das Osttor mit einer Bastion (Negev 1976, 50; Dentzer 1981, 98 Abb. 10) und einer Umfassungsmauer und erreicht ca. 140 m weiter den unteren Temenos mit dem sog. Römischen Tor und dem Südtempel, dann den mittleren Temenos mit dem sog. Nabatäischen Tor und dem sog. D̲ū Šarā-Tempel und dann den oberen Temenos mit dem sog. Theatrontor, dem Theatron und dem Baʿal-Schamin-Tempel. Die verbreiterte *via sacra* bildet jeweils Höfe. In den beiden unteren Temenoi liegen beiderseits des Hofes Terrassen auf unterschiedlichen Ebenen. Jeweils die südliche trägt die aus der Hauptachse gerückten Tempel.

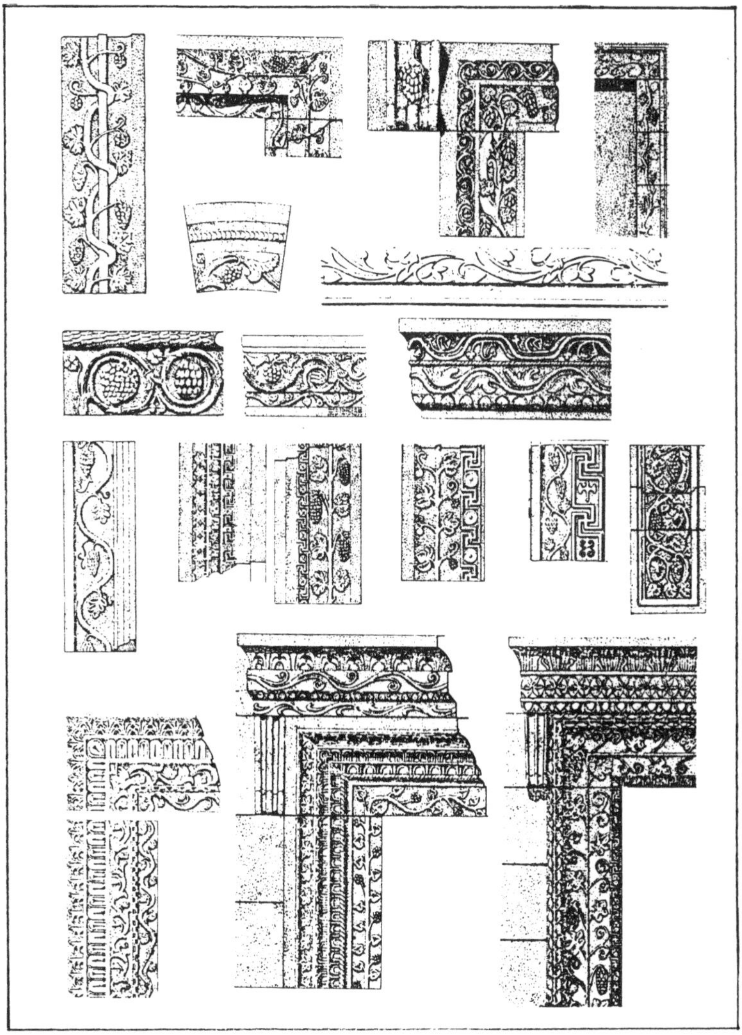

Abb. 5 Ḥaurān. Tempelornamente

Aufgrund der reichen Architektur, Dekorformen und Skulptur verspräche eine detaillierte Analyse ein fundiertes Chronologiegerüst, wo heute nur vage Zuweisungen möglich sind (vgl. Butler, PAAES 1903, 321-24; Dentzer in: Cat. Bruxelles 98), die sich am Grad des nichtnabat. Einflusses orientieren. Die Baugeschichte scheint sehr komplex. Als Arbeitshypothese wird folgende sukzessive Entwicklung vorgeschlagen:

Phase 1: 33/32-13/12 oder 2/1 v. Chr., je nach Lesart der Inschrift CIS II 163; Littmann 1914 Nr. 100 und der Zuordnung der Statue Herodes I. (OGIS 415; Butler, PPUAES 1916, 379 zur Basis). Malikat, Sohn des ʿAus, errichtete den Baʿal-Schamin-Tempel (nur ihn, mit sog. Innen- und Außentempel, Frontportikus und begehbarer Dachpartie). Er erhielt dafür eine Ehrenstatue, die wie die des Herodes I. in der Phase 2b neuaufgestellt wurde (Prentice 1908 Nr. 428b). Der Kopf der Statue scheint erhalten zu sein (Cat. Bruxelles Nr. 75). - Zur Phase 1 gehört auch die Stiftung des Obaišat, Sohn des Taimʿan (Dunand 1934 Nr. 157).

Phase 2a: ca. 4 v.- vor 29/30 n. Chr. (das Enddatum wird durch die Aufstellung der Statue des Gallis bestimmt; Littmann 1914 Nr. 101); Erbauung des sog. Ḏū Šarā-Tempels (=Seeia-Tempel mit Statue der Seeia).

Phase 2b: 1. Hälfte 1. Jh. n. Chr. Fertigstellung des Baʿal-Schamin-Tempels, u.a. mit neuem Obergeschoß (nach Butler nur bei den beiden Fronttürmen, entgegen DeVogüe), einer Stiftung des Malikat, Sohn des Moaieros (CIS II 164; Prentice 1908 Nr. 428a), der dafür eine Ehrenstatue im Portikus erhielt. Die vierte Statue dort könnte Herodes Philippus dargestellt haben. - Ein Teil der Bauskulptur und der Votivstatuen im Temenos gehört dieser Bauphase an (vgl. Parlasca 1967, 557f.). Vgl. die Stiftung des Tawelos (CIS II 167; Cat. Bruxelles Nr. 80) u. die Inschrift Agrippa I. (Littmann 1914 Nr. 102).

Phase 2c: noch 1. Hälfte 1. Jh. n. Chr. Neugestaltung des oberen Temenos mit dem sog. Theatrontor.

Phase 3: ca. 40-70 n. Chr. Ausbau des mittleren Temenos mit dem sog. Nabat. Tor; Türrahmen des sog. Ḏū Šarā-Tempels(?) =/und die Stiftung des Kaisers Claudius (Butler, PPUAES 1916, 390). - Anlage des kleinen Heiligtums Nr. 8 (Dentzer 1981). - Stiftung Agrippa II. im Temenos des Baʿal-Schamin (Prentice 1908 Nr. 428; Butler, PPUAES 1916 Abb. 338a).

Phase 4: spätes 1. Jh. n. Chr. Errichtung des Südtempels, eine Stiftung Rabel II.?

Phase 5: römisch, 2.-4. Jh. n. Chr.: Ausbau des unteren Temenos mit dem Römischen Tor, um die Mitte des 2. Jhs. n. Chr. - Vgl. auch den hadrianischen Porträtkopf vom Baʿal-Schamin-Bezirk (nicht Malikat; Cat. Bruxelles Nr. 74) und den subnabat. Altar Dunand 1934 Nr. 15 Taf. 9.

Grundlegend ist die Beschreibung, Illustration und Rekonstruktion der Befunde bei DeVogüé, SC und Butler, PPUAES 1916; dazu treten Diskussionen von Butler Murray 1917, 11-15; Negev 1976, 49-53; ders. 1977, 563f., 614-18; Busink 1980, 1282-94; Dentzer 1981, 96-98, ders. 1985.

Abb. 6 Sīʿ. Baʿal-Schamin-Tempel

Beim Baʿal-Schamin-Tempel ist auf das wohl nicht überdachte Pronaos hinzuweisen, das zusammen mit den Türmen den Korridor (zwischen Innen- und Außentempel) absperrt. Hier könnte eine Planänderung zu erwägen sein. Die Weinrankendekore des Tempels zeigen, daß dieses Motiv nicht ausschließlich mit Ḏū Šarā/Dionysos verbunden werden darf. Es ist Zeichen für die Fruchtbarkeit des Landes (vgl. Peters 1977, 268); die Nabatäer treten uns hier nicht als das reiche Handelsvolk entgegen.

Es muß auch beachtet werden, daß der Kult des Baʿal-Schamin (Sourdel 1952, 19-31) stärker verbreitet war, als es bislang den Anschein hatte - auch in Petra/Gaia (N64) als Gott Malichus I. und in Iram (O19). Auch die Adlerakrotere des Tempels und des Theatrontores verweisen auf diesen Gott. Votivadler sind in der Region sehr verbreitet, müssen aber nicht immer auf Baʿal-Schamin bezogen werden (vgl. Milik 1958, 235-41 Taf. 19a, Qōs geweiht).

Baʿal-Schamin ist im Scheitel des Bogens vom Theatrontor im für diese Region typischen "Heliostypus" dargestellt (Butler, PPUAES 1916, 384 Abb. 331a, 333a, Büste G). Die Zuordnung eines weiteren Baʿal-Schamin-Kopfes aus Sīʿ (Dunand 1934 Nr. 41 Taf. 15; vgl. auch ebd. Nr. 101 Taf. 27) ist noch ungeklärt, während ein dritter Kopf (J.-M. Dentzer in: Cat. Bruxelles Nr. 73) zu Recht auf den Türsturz des Tempels bezogen wurde.

Ungedeutet ist der Torso eines Mannes (Butler, PPUAES 1916, 382f. Abb. 334, Frag. O), der eher auf den Tempel- als auf den Torgiebel zu beziehen ist (so auch ebd. in Abb. 325). Weitere Skulpturen ebd. Abb. 326, 8; 328, 12f.; 334; 340 U. Vgl. ferner Parlasca 1967, 558f. Abb. 9.

Besondere Beachtung verdienen die Büstenkapitelle, die in zwei Formen begegnen, einmal als Büste auf einem Pilasterkapitell (Wenning 1986, Taf.; vgl. DeVogüé, SC Taf. 3), zum anderen als Figuralkapitell mit der Büste über dem Blattkranz des Kapitells (DeVogüé, SC Taf. 3; Butler, PPUAES 1916, 377 Abb. 326, 1). Die zweite Form findet sich noch beim sog. D̲ū Šarā-Tempel, an drei Bauten in Es-Suwēda (E6), am Allat-Tempel in Salḫad (F11) und in Gerasa (H8); zusammengestellt bei von Mercklin 1962, 23-26 Abb. 71-107. - Die Interpretation der Büstenfigur ist noch nicht geklärt; die als D̲ū Šarā ist wenig wahrscheinlich.-In der Funktion vergleichbar für die erste Form sind Metopenbüsten wie Glueck 1965 Taf. 12, 38b, 54 und für die zweite Form die Kapitelle ebd. Taf. 132c, 133a aus anderen Orten des nabat. Reiches. Die nördliche Gruppe ist homogener und älter.

Das Theatrontor ist in Ost-Berlin (Schmitt-Korte 1977 Abb. 43) und in Princeton (Butler, PPUAES 1916 Abb. 332) rekonstruiert aufgestellt.

Vom sog. D̲ū Šarā-Tempel sind Adyton und der rückwärtige Teil nicht gesichert. Strittig ist die Giebelrekonstruktion mit einem Bogen über dem inneren Interkolumnium, der sonst das früheste Beispiel für den sog. Syrischen Bogen wäre (vgl. Lyttelton 1974, 162f.; vgl. ferner J. T. Cummings, AJA 78, 1974, 196f. - Zur Verbindung dieser Form mit der alexandrinischen Kunst vgl. Lauter 1971, 167, 170). - Zu den Kapitellen mit Büsten von diesem Tempel gehören von Mercklin 1962 Nr. 71, 72 und 74; vgl. ferner Negev 1976 Abb. 78f.; ders. 1977 Taf. 27, 36f. und Mus. Es-Suwēda 295.

Der Tempel gilt allgemein als dem Dusares/D̲ū Šarā geweiht, obwohl im Tempeldekor nichts dafür spricht. Doch berief man sich auf ein Statuenfragment mit einer "dionysischen" Büste (Butler, PPUAES 1916, 390 Abb. 337b, d und 334P). J. Dentzer 1979 hat dieses Fragment überzeugend auf die Kultstatue der Seeia (Inschrift Littmann 1914 Nr. 103), die über dem Land des Ḥaurān (= Büstenfigur) steht, bezogen. Es handelt sich somit um einen Tempel der Seeia!

Der Südtempel, ein tetrastyler Prostylos, entspricht römischen Podientempeln, steht aber im Pilasterkapitell und dem Türrahmenornament in lokaler Tradition. Die Säulen folgen demonstrativ nabat. Ordnung, wie sie im südlichen Ḥaurān und z.B. in Ḥegrā (Q47) geläufig ist. Man kann auch die Cellagliederung durch Bögen auf Pilastern als ein nabat. Element ansehen.

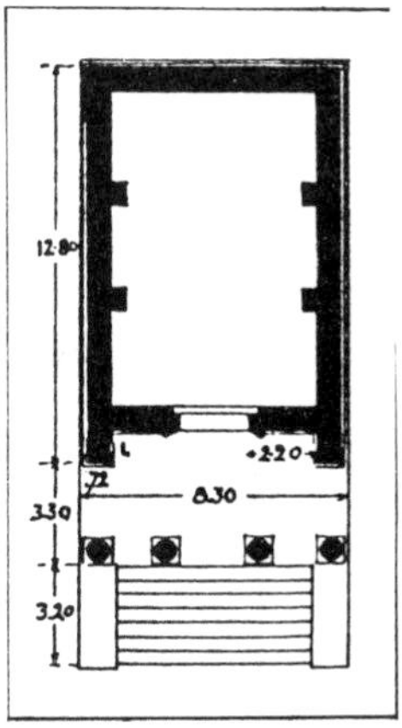

Abb. 7 SĪʿ. Südtempel

SĪʿ 8 wird von Dentzer 1981 u. 1982 nicht als Grab (Butler, PPUAES 1916, 401 Abb. 323), sondern als ein kleines Heiligtum um einen offenen Hof angesehen. Unter den Funden befinden sich Fragmente von 2 nabat. Inschriften und Münzen Aretas IV. und Rabel II.

Butler, PPUAES 1916, 399-402 hat die Grabtypen aus SĪʿ zusammengestellt (vgl. ferner Dentzer 1981, 98f.), doch gehören sie überwiegend erst römischer Zeit an (vgl.

A. Sartre 1983). So bleiben nur wenige (3) Grabinschriften für die These einer großen Zentralnekropole (Negev 1976, 53). - Keramik: Dentzer 1985b, 149f., 152.

Nabat. Inschriften: CIS II 163-68; RES 803-05, 835, 1090-93, 2023, 2117-19. Bei nabat. Inschriften fällt allgemein der juristische Charakter vieler Weihungen auf; Adressat, Stifter und Bildhauer werden oft genannt. Aus Sīᶜ sind die Bildhauer ʾAnᶜman, Ḫūr, Kaddū und Šūdū bekannt.

5. Mesᶜad: Hochrelief eines Adlers mit Azizos und Monimos von einem kleinen Heiligtum(?): Dunand 1934, 33f. Nr. 38bis Taf. 14, 38bis; von Avi-Yonah 1948, 138 als nabat. angesprochen. Zum Motiv vgl. Sourdel 1952 75f.

6. Es-Suwēda (Soada/Dionysias): von den Nabatäern im frühen 1. Jh. v. Chr. als *phrourion* gegründet (vgl. BD III 89), wurde dieser Ort die größte nabat. Siedlung des Ḥaurān.

Als ältestes datiertes nabat. Bauwerk gilt das "Mausoleum" der Hamrath, ein *nefeš* in der Form eines tempelartigen Baus mit Waffenreliefs und einer Dachpyramide (BD III 98-101 Abb. 992-95). Stilistisch ist es nicht nabat. Es wird aufgrund der paleographischen Datierung von CIS II 162 in die 1. Hälfte des 1. Jhs. v. Chr. gewiesen, dürfte aber etwas jünger sein (gegen Chr. Geb.: DeVogüe, SC; Starcky 1966, 930). Zum Stamm der ᶜAmrat vgl. auch Milik 1980, 44f.

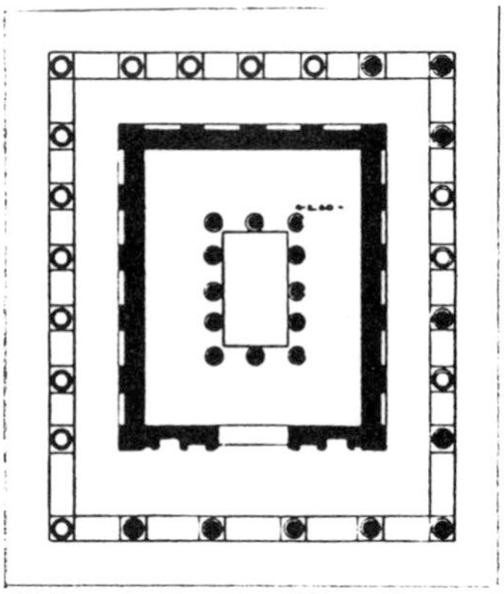
Abb. 8 Es-Suwēda. Tempel

Der nabat. Tempel zeigt Verwandtschaft mit dem des Baᶜal-Schamin in Sīᶜ und wird der 1. Hälfte des 1. Jhs. n. Chr. angehören. Grundlegend sind die Beschreibungen von DeVogüé, SC 39 Taf. 4 und Butler, PAAES 1903, 327-34 Abb., Taf. 21 und BD III 94-96 Abb. 988-91, 985; dazu die Diskussionen Butler Murray 1917, 9-12; Negev 1977, 613f. Taf. 27; Busink 1980, 1270f., 1278 Abb. 275. Im korrigierten Plan von Butler sind die Adytonsäulen (nach

DeVogüé) nachzutragen (in der Montage hier nicht ganz maßstabgerecht).

Der Tempel ist als Peripteros ausgeführt, so daß die Peristasis den sonst üblichen sog. Außentempel ersetzt. Beim Adyton kehrt die Vorliebe für Säulenstellungen wieder. Die Cellafront ist als Fassade mit 2 Nischen gestaltet. Treppentürme fehlen. Diese Abweichungen von den frühen nabat. Tempeln empfehlen, den Tempel nicht zu früh zu datieren. Das wird im Vergleich der Schmuckelemente (BD III Abb. 985 mit Butler, PPUAES 1916 Abb. 333D) und Kapitelle mit Büsten (von Mercklin 1962 Nr. 75a-c, 77 u. wohl auch Nr. 80 Abb. 100-03, 105; vgl. ferner Mus. Es-Suwēda 258, 293) unterstrichen.- Butler Murray 1917 unterscheidet zwei Bauphasen.

Von vermutlich anderen Bauten stammen die Kapitelle mit Büsten von Mercklin 1962 Nr. 76 u. 80, Abb. 104, 106, die größer als die Tempelkapitelle sind. - Zum Kult des Dusares/Dionysos in Es-Suwēda vgl. Sourdel 1952, 61, 63. In römischer Zeit war der Kult der Athena Allat dominant, wie besonders die Skulpturen zeigen.

Als nabat. wurden die Köpfe Dunand 1934 Nr. 105f., 112 Taf. 25 schon im Vergleich mit solchen aus Sīᶜ genannt.- Die von Dunand 1934 im übrigen publizierten Skulpturen befanden sich damals im Museum Es-Suwēda und den Depots in Salḫād und El-Kafr, kamen aber von vielen Fundplätzen der Region; einige der Skulpturen sind seitdem ins Ausland gelangt.

7. Ğebel el-Qulēb?: Fundamente eines nabat. Tempels?: Butler PPUAES 1915, 336.

8. El-Kafr (Kapra?)?: nabat. weiblicher Kopf: Dunand 1934 60 Nr. 108 Taf. 25,108; Herkunft unsicher.

9. Ḥebrān: Butler, PPUAES 1915, 325 nimmt für den römischen Tempel einen nabat. Vorgängerbau bzw. ein Hofheiligtum an.

Inschriften: CIS II 170-72; RES 807, 2114; Dunand 1934 Nr. 196 (Adlervotiv mit Bildhauersignatur).- CIS II 172 ist die Votivinschrift eines Priesters der Allat in Ḥebrān, der ihrem Heiligtum eine Tür stiftete, 47 n. Chr.

10. ʿĒn-Zemān?: Ortslage nicht bestimmt. 2 nabat.(?) Altäre: Dunand 1934, Nr. 14 Taf. 6 (von Sīʿ?) und Nr. 17 Taf. 9 (vgl. Diebner 1982, 67).
11. (Ungenannter) Tell bei El-Musennef: Keramik: Crowfoot 1936, 17.

Region F: südliche Auranitis

Die durch Dekapolis, Batanea, Ǧebel ed-Drūz, Ḥarra und El-Ḥamad abgegrenzte Region ist seit Aretas III. nabat. Siedlungsgebiet mit dem Zentrum Boṣrā gewesen. Das belegen die nach den nabat. Königen datierten Inschriften und die breite Spreuung von Funden. Es bestanden Anbindungen an die großen Handelsstraßen: die Königsstraße im Westen und die Ostroute durch das Wādi Sirḥān.
Regionale Karte in Butler, PPUAES 1909 gegenüber S. 63.- Zu den alten Surveys von Butler, Dussaud-Macler und Glueck IV 4-31 treten neuere Untersuchungen in Boṣrā und in Umm el-Ǧimāl.

Zur Geschichte der Nabatäer in dieser Region sei auf den Überblick von Peters 1977 verwiesen. Die Zenon-Papyri von 259 v. Chr. sind der früheste Beleg nabat. Handelsaktivität im Ḥaurān. Die Nabatäer erscheinen allerdings noch nicht ortsgebunden (vgl. Hengel 1973, 71, 77f., 572); vgl. auch F7 zu 1 Makk 5.

Hoheitsrechtlich blieb diese Region auch dann noch den Nabatäern unterstellt, als die Gebiete nördlich an die Herodianer kamen.- In spätnabat. Zeit wuchs die Bedeutung der Region für die nabat. Wirtschaft, ohne daß die These überzeugt, die Hauptstadt sei von Petra nach Boṣrā verlegt worden.

Wie das administrative Verhältnis zu Petra bzw. zum nabat. Reichsgebiet (nur bis Medeba?) gewesen ist, ob Kolonie, Provinz oder *strategeia*, bleibt noch unklar. - Die Denkmäler stehen denen aus den Regionen C und E näher als solchen aus Petra.

Glueck III 139-45 u. IV 13-18 hat auf das Phänomen aufmerksam gemacht, daß nördlich Medeba praktisch keine nabat. (= bemalte, feine Ware) Keramik gefunden wurde. Inzwischen ist sie für E4.11,F7.38,H2e.5.7-9,I6-8,J1.3.5-6 u. Q1.3-4 belegt. Der Begründung von Glueck, der Ḥaurān sei nur von einer kleinen nabat. Oberschicht kontrolliert worden, die die lokal produzierte Töpferware benutzt habe, sei aber eben kein nabat. Siedlungsgebiet gewesen, steht der reiche Denkmälerbefund dieser Region entgegen. Auch hier begegnen die Nabatäer nicht primär als ein mobiles Händlervolk. Vielmehr zeigen sie sich "erdverbunden" und betonen die Fruchtbarkeit des Landes.

Eine andere Erklärung des Phänomens versuchte Parr 1978, 204-09 mit der These, die feine Keramik sei gleichsam als Erweis einer Zugehörigkeit zur hellenistischen Kultur in einer Identitätskrise der Nabatäer geschaffen und in den "unterentwickelten" nabat. Gebieten verbreitet worden, nicht dagegen im schon lange hellenistisch geprägten Ḥaurān.

Näher liegt die Annahme der Eigenentwicklung der Regionen im Norden unter nabat. Gruppen/Clans, die nicht vor der spätnabat. Zeit unter den kulturellen und politischen Einfluß der nabat. Hauptstadt gelangten. Inschriften der nabat. Könige begegnen hier erst seit Malichus II. Diese Gruppen/Clans sahen keinen Anlaß, u.a. das bestehende System einer Versorgung mit römisch-syrischen Gebrauchsgütern zu ändern. Dagegen mußte in weiten Teilen des übrigen Reiches entsprechend der Siedlungsexpansion ein neuer Bedarf gedeckt werden. Für diese These spricht der zeitliche Gleichschritt zwischen dem Aufkommen der Keramikproduktion und dem Beginn der nabat. Siedlungsexpansion.

1. ʿErā (Erre?): spätnabat.(?) Rankenrelief: Glueck 1965 Taf.138. - Ḏū Šarā-Nische mit *baityl* (Ḏū Šarā-Aʿrā).
   Inschrift: CIS II 189; RES 1474.

2a. El-Ǧubēb: Inschrift: RES 836.

2b. Sahwet el- Ḫiḍr: Butler, PPUAES 1915, 329f. nimmt aufgrund einiger Architekturglieder einen nabat. Tempel bzw. eine Kapelle an. Die Weihinschrift auf einem Kapitell (Littmann 1914 Nr. 96 Abb. 11) nennt einen Hipparchen als Stifter eines Heiligtums.
   Weitere Inschriften: CIS II 188; RES 89, 2024, 2115; Littmann 1914 Nr. 97.

3. Ḫarabā: Inschriften: CIS II 181 u. S. 215; RES 87, 88 u. 482, 481; Dussaud-Macler 1903 Nr. 18f.

Vgl. das Weihrelief der Athena-Allat des Ḥaliyu aus Ḫarabā, 2. Jh. n. Chr.: Cat. Bruxelles Nr. 68 Abb.- Zu Athena Allat vgl. Starcky 1981.

4. Ǧamrīn: Inschriften: Littmann 1914 Nr. 14; RES 2113; Milik 1958, 241f. Nr. 4 Taf. 20a.

5. El-Muᶜarribe: Inschriften: Littmann 1914 Nr. 92; RES 1094 u. 2034; Milik 1958, 242f. Nr. 5 (49 n. Chr.).

6. Uyūn: Inschrift: CIS II 187.

7. Boṣrā (Bostra): Vorort der Region. Er war 163 v. Chr. noch nicht nabat., aber den Nabatäern gut bekannt: 1 Makk 5, 25-27 (vgl. auch Peters 1977, 266).- Ältestes Zeugnis für die nabat. Präsenz ist eine noch unpublizierte Inschrift vom Ende des 2. Jhs. v. Chr. (Peters 1977, 266 Anm. 22).

Auf dem NW-Tell ist eine nabat. Siedlung des 1. Jhs. v./n. Chr. nachgewiesen: Kadour-Seeden 1983, 80, 84, 88, 92 Abb. 5-7, nabat. Keramik.- Nabat. Keramik wurde auch im Süden der Stadt gefunden: Moughdad 1976, 99 Abb. 9 Nr. 14-18; ders. 1982, 269; Dentzer 1985b mit Abb. 3.

Stadtpläne: Moughdad 1976, 73 Abb. 1; Peters 1983, 271 Abb. 5.- Die vornabat. befestigte Siedlung umfasste den Ostteil der Stadt (vgl. den alten Mauerring).

Unter Rabel II. bauten die Nabatäer die Stadt monumental aus (Peters 1983, 273-77). Ihre Konzeption wurde nach 106 n. Chr. von den Römern teilweise aufgenommen: Von Westen führte eine rund 900 m lange *via sacra* zum nabat. Temenos im SO. In die alte Westmauer wurde ein neues Stadttor gesetzt, das römisch (mit Achsverschiebung) überbaut ist. - Ein ovales "Forum" schließt sich an (vgl. Gerasa, Palmyra).- Die *via sacra*, durch den römischen *cardo* überbaut, endet beim sog. Osttor, das kein Stadttor und kein Triumphbogen ist, wie vorgeschlagen wurde, sondern das das Eingangstor zum Temenos (vgl. Petra) bildet.

Das monumentale Tor (Butler, PPUAES 1914, 240-43 Abb. 214, 216, 217-Rekonstruktion; Gualandi 1975, 200f. Abb. 5f.; Negev 1976, 48f. Abb. 73f.; ders. 1977, 661 Taf.

26,32; Sartre 1983, 33 Abb. 58; Wenning 1986 Taf.) zeigt eine umlaufende zweigeschossige Wandgliederung mit Nischen, Halbsäulen und Pilastern über einem einfachen Sockel. Der obere Abschluß wird nicht durch eine Attika (Rekonstruktion Butler), sondern durch einen flachen Giebel gebildet. Pilaster und Halbsäulen tragen nabat. Kapitelle.

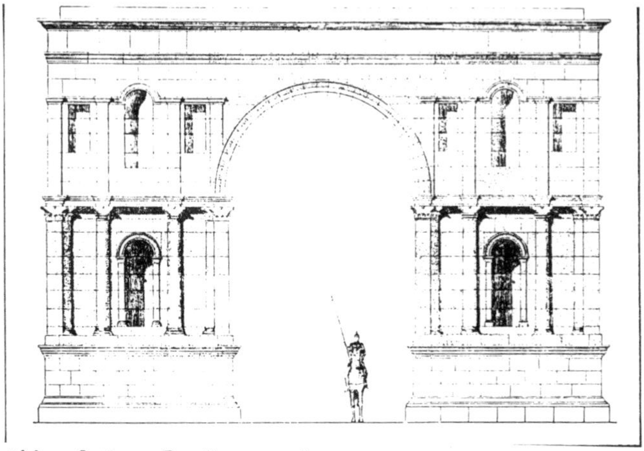

Abb. 9 Boṣrā. Temenostor

25 m östlich wurde eine Halbsäule mit nabat. Kapitell gefunden (Butler, PPUAES 1914, 236-38 Abb. 211f.; Negev 1977, 661 Taf. 23,33; Dentzer 1985b,152 Abb.3). Sie gehört zu einem großen Bauwerk, das noch unbestimmt ist. - 100 m östlich wurden 4 Halbsäulen, davon eine mit dem Rest eines nabat. Kapitells, gefunden (Butler, PPUAES 1914, 238f. Abb. 213; Negev 1977, 661). Butler ordnete sie einer Fortsetzung der *via sacra* im Temenos zu, während Negev sie dem Adyton eines Tempels zuweisen möchte.

Das Verhältnis dieser Befunde zu dem neuentdeckten 50x40 m großen Tempel und einem Palast südöstlich davon mit 2 weiteren Halbsäulen (vgl. vorerst Moughdad 1982, 269) ist noch nicht dargelegt worden. Der Tempel bestand in römischer Zeit weiter (nabat. Inschrift von 130 n. Chr.; ebd.). - Auch die Relation zum sog. Großen Tempel (BD III 22f. Abb. 901; Butler, PPUAES 1914, 248-51 Abb. 219-23; Kindler 1983, 19), der als römisch (2. Jh. n. Chr.) gilt, ist noch nicht mitgeteilt. Das betrifft außerdem noch den

Palast in Relation zum Palast, den Butler, PPUAES 1914, 255-60 Abb. 227-29 Taf. 11f. beschrieb und der meist trajanischer Zeit, von Peters 1983, 274 aber Rabel II. zugewiesen wurde.

Die Stadt besaß 4 große Wasserreservoirs, davon 2 in der Stadt, nämlich im W: Butler, PPUAES 1914, 276f.; Moughdad 1982, 268f., durch Inschriften als nabat. erwiesen; von Peters 1983, 174f. als Korral verstanden; und im SO: BD III 42 Abb. 926; Moughdad 1974, 38-41, 61 Abb., islamisch.

Die nabat. Nekropole lag im S der Stadt; vgl. BD III 44; Moughdad 1982, 269.

Unter den von Diebner 1982 mustergültig vorgestellten Skulpturen in Boṣrā fällt es schwer, nabat. auszumachen, nicht zuletzt weil Kriterien für eine Zuweisung noch nicht hinreichend entwickelt sind. - Von den bei Butler, PPUAES 1914 Abb. 198 und 222 publizierten Relieffragmenten mit Rankenornament ist das erste noch nabat., das zweite subnabat.

Inschriften: CIS II 173-81; RES 90 u. 2025, 589f., 676, 808, 834, 1921, 2091-2112; Littmann, PPUAES III A 4, 1913 Nr. 536, 554, 567, 569f., 578f., 593, 598f.; ders. 1914 Nr. 69-91; Milik 1958, 235-41 Nr. 3 Taf. 19a (Adlervotiv an Qōs; 2./3. Jh. n. Chr.?). - Die jüngste datierte nabat. Inschrift, RES 676, ist eine Votivinschrift an D̲ū Šarā Aʿrā von 148 n. Chr. - CIS II 174 datiert von 51/47 v. Chr.

An Göttern werden genannt: CIS II 176, Baʿal-Schamin; Littmann 1914 Nr. 69, D̲ū Šarā und Šarait, Nr. 70, Al-ʿUzzā, die Göttin von Boṣrā, Nr. 71, Allāh(?); Starcky 1966, 1001f. aus Iram (O 19), Allat, die Göttin in Boṣrā. - Auffällig ist, daß die Götter mitunter als persönliche Götter einer Einzelperson (vgl. dazu Grohmann 1963, 124) oder des Königs genannt sind. Stellte man sich unter das Patronat "seines" Gottes?

Strittig ist die Interpretation der Inschriften Littmann Nr. 69 und 72f. Die beiden letzten nennen einen dem König "vorbehaltenen Platz" (vgl. Starcky 1966, 920; Lawlor 1974, 65), die erste den Bau einer Mauer samt D̲ū Šarā-Nischen(?), wobei man die Mauer sowohl mit der Stadtmauer als auch mit dem Tempel verbunden hat.

Als besonders wichtig gilt die Inschrift RES 83, die den Tempel des D̲ū Šarā Aʿrā, Gott des Königs (Rabel II.), der [auf den Gott oder auf den König zu beziehen?] in Boṣrā ist, nennt: Milik 1958, 233f.; Starcky 1966, 988-90; Zayadine in: Lindner 1983, 110; Kindler 1983, 79-83, 135f. - Milik stellte die These auf, es handele sich um einen dynastischen Tempel und Rabel II. habe seine Residenz von Petra nach Boṣrā verlegt. Da aber ähnlich lautende Inschriften in Verbindung mit Angaben über Götter bekannt sind, sei es in der Ortsbindung, sei es in der Personzuordnung, bedürfte diese weitreichende These weiterer Stützen. Auch der Stadtausbau unter Rabel II. macht sie noch nicht stringent. - Die Existenz des Tempels wird nicht bestritten. Für ihn verwies Milik auf Münzbilder römischer Zeit aus Bostra (vgl. Naster 1982; Kindler 1983, 59, 81-83; 3. Jh. n. Chr.), die drei *baityles* in einem Heiligtum (Podientempel oder Freialtar) zeigen und als Allat (vgl. *baityl* aus Iram; O 19), Ḏū Šarā und (Tyche von) Bostra (vgl. *baityl* der Boṣrā, Inschrift aus Petra; Milik 1958, 246-49 Nr. 7) bzw. Al-ʿUzzā gedeutet wurden. Ähnliche Darstellungen finden sich auf römischen Münzen aus Adraa, Charachmoba und Medeba. Actia Dousaria fanden in römischer Zeit in Bostra, Adraa und Petra statt (Kindler 1983, 12, 81).

Bostra, nicht Petra, wurde 106 n. Chr. Hauptstadt der neugebildeten Provincia Arabia, die das gesamte nabat. Reichsgebiet einschloss. Die Ärazählung der Provinz geht von diesem Datum aus.

8. Milḥ eṣ-Ṣarār (Malicha?): Inschriften: Dussaud-Macler 1903 Nr. 4; Littmann 1914 Nr. 98f.; RES 467 u. 2028, 2116.

9. Burd: 3 nabat. Kapitelle, nabat. besiedelt: Butler, PPUAES 1909, 106.

10. Gaber?: nabat.?: Glueck IV 2 (site 308), jedoch keine nabat. Funde.

Griechische Grabstele mit nabat. Namen: Mittmann 1970, 194f. Nr. 30 Abb. 49. - Ähnliche Inschriften, meist römischer Zeit, bei einigen weiteren Orten der Region (u.a. Samā) lassen auf eine teilweise nabat. Bevölkerung schließen. Solche Inschriften und Orte sind in diesem Katalog nicht aufgenommen worden.

11. Salḫād (Salcha?): Allat-Tempel: vgl. CIS II 182, 183 (95 n. Chr.), 185 ("Allat, Mutter der Götter unseres Königs Rabel"); Littmann 1914 Nr. 24. - Besondere Beachtung verdient ein Kapitell mit Büste (Schlumberger 1933, 290 Taf. 28, 2; von Mercklin 1962, 24 Nr. 73 Abb. 98), das stilistisch denen des Seeia-Tempels in Sīᶜ (E4) nahesteht und vielleicht auf den Allat-Tempel zu beziehen ist. Nach CIS II 182 wurde der Tempel 57 n. Chr. errichtet.
Weitere Architekturfragg., darunter Kapitelle ähnlich denen von Sīᶜ und Sahwet el-Ḫiḍr (F2) und Türrahmenornamente nennt Butler, PPUAES 1909, 118.
Inschriften: CIS II Nr. 182-85; Dussaud-Macler 1903 Nr. 2f.; Littmann 1914 Nr. 23-26; RES 241 u. 465 u. 2026, 466 u. 2027, 2051f., 2120; Milik 1958, 227-31 Nr. 1. - Littmann 1914 Nr. 23 von 70 n. Chr. weist aus, daß neben Allat Baᶜal-Schamin verehrt wurde.

12. El-Mutāᶜīye: von einem subnabat. Tempel(?) (Butler, PPUAES 1909, 88-91 Abb. 68f. Taf. 7) sind zwei Pilaster mit Rankenornament erhalten. 2 Türstürze sind etwas jünger; der obere zeigt eine Folge von Altären mit *baityles*. Unklar bleibt, ob die Ostfront mit vorgelagerter breiter Treppe des zur Moschee umgebauten Gebäudes wirklich einen Tempel oder eine Basilika römischer Zeit anzeigt.

13. El-Bazāyīz: Inschrift: Littmann 1914 Nr. 4; RES 2038.

14. Eṣ-Ṣāfiye: Fragg. nabat. Weinrankenornamente: Butler, PPUAES 1909, 124.

15. El-Ḫarāyeb?: oktogonales Bauwerk mit breiter Plattform und einer Peristasis(?), deren Kapitelle mit nabat. verglichen werden; vorrömisch?: Butler, PPUAES 1909, 106 Abb. 83. - Vgl. ebd. 105f. Abb. 82 Kapitell eines kleinen römischen Tempels, bei dem Weintrauben zwischen den *ovuli* hängen.

16. Sebsebe: Inschrift: Littmann 1914 Nr. 5; RES 2039.

17. El-Meǧdel: nabat. Kapitelle und Weinrankenornamente: But-

ler, PPUAES 1909, 120.

18. Sukkar: nabat. Weinrankenornamente: Butler, PPUAES 1909, 116f.

19. Tell ʿAbd Mār: Architekturfragg. eines nabat. oder römischen Tempels, u.a. Weinrankenornamente, vielleicht schon aus dem 1. Jh. v. Chr.: Butler, PPUAES 1909, 117.

20. Dēr El-Mešqūq: Butler, PPUAES 1909, 130 nimmt an, daß der hadrianische Tempel von Nabatäern errichtet worden sei. Er führt dafür nabat. Inschriften an: Littmann 1914 Nr. 27; RES 2053 (124 n. Chr.).

Butler, ebd. 131 verweist auf eine Inschrift aus El-Kafr (E8), die ein *theatron* wie in Sīʿ nennt, das er mit dem Heiligtum dieses Ortes verbindet.

21. Samaǧ: nabat. Tempel mit Weinrankenornament: Butler, PPUAES 1909, 108 Abb. 86f. Der Tempel war vielleicht dem Baʿal-Schamin geweiht; vgl. Inschrift Littmann 1914 Nr. 11.

Inschriften: Dussaud-Macler 1903 Nr. 12; Littmann 1914 Nr. 11f.; RES 475 u. 2031, 2041.

22. Umm er-Rummān: Inschrift: Littmann 1914 Nr. 30; RES 2056.

23. Es-Summāqīyāt: Inschriften: Dussaud-Macler 1903 Nr. 13-17; Littmann 1914 Nr. 6-10; RES 476-80, 2032, 2040f.

24. Umm es-Surab: Butler, PPUAES 1909, 95 Abb. 77 verbindet ein Gebälkfrag. mit der nabat. Tempelinschrift von 72 n. Chr.: Littmann 1914 Nr. 2.

Inschriften: Littmann 1914 Nr. 2f.; RES 2036f.

25. Imtān (Motha): bei der Stadt besiegte Rabel I. den Seleukiden Antiochos XII., ca. 85 v. Chr. (vgl. Roschinski 1981a, 16). Gewöhnlich wird die Schlacht in die Araba oder den Negeb verlegt: vgl. Negev 1977, 529f., 537. Rabel I. behauptete den nabat. Anspruch auf den Ḥaurān.

Inschriften: RES 83f. - RES 83 ist die Votivinschrift einer Stele/Statue des Ḏū Šarā Aʿrā von 93 n. Chr.

26. Qasīl: Inschrift: Littmann 1914 Nr. 16; RES 2046.

27. Samma el-Bardān: Inschriften: Littmann 1914 Nr. 28f.; RES 2054f. - Littmann 1914 Nr. 28 nennt ein von Malichus II.

errichtetes Bauwerk, das nicht näher bekannt ist.

28. Ḫarāb er-Rušēde?: nabat. (?) Kriegerrelief: Dunand 1934, 69f. Nr. 145 Taf. 33; Glueck 1965, 225.

29. ʿAnz: Inschrift: Dussaud-Macler 1903 Nr. 9; RES 472.

30. El-Metmē: 2 nabat. Kapitelle: Butler, PPUAES 1909, 143.

31. Tell Ġārīye: römische Dusares-Statue: Dunand 1934, 37 Nr. 42 Taf. 7; Sourdel 1952, 64 Anm. 3: Baʿal-Schamin.
Inschriften: Dussaud-Macler 1903 Nr. 6-8; Littmann 1914, Nr. 31; RES 85 u. 470 u. 1095, 86 u. 471, 469; Dunand 1934 Nr. 220. - RES 86 ist eine Votivinschrift (eines Gebäudes?) an Šaiʿ el-Qaum von 96 n. Chr.

32. Šennīre: Inschrift: Dunand 1934 Nr. 203.

33. Dēr el-Meyās: Inschrift: Littmann 1914 Nr. 32; RES 2057.

34. Ġurābe?: Inschrift?: CIS II S. 215.

35. Ṣabḫā: nabat. Architekturfragg., u.a. Türrahmenornament mit Weinranke; manche Bezüge zu Sīʿ : Butler, PPUAES 1909, 113 Abb. 90; Glueck IV 19-24 (site 318).
Inschriften: Dussaud-Macler 1903 Nr. 10f.; Littmann 1914 Nr. 18-22; RES 473 u. 2029, 474 u. 2030, 2048-50; Glueck IV 22 Abb. 16. - Littmann 1914 Nr. 18 nennt Šaiʿ el-Qaum (dazu Sourdel 1952, 81 Anm. 7).

36. Kōm er-Ruff: Inschriften: Littmann 1914 Nr. 13-15; RES 2043-45.

37. Ṣabḫīye: Inschrift: Littmann 1914 Nr. 7; RES 2047.

38. Umm el-Ǧimāl: die Bedeutung des Ortes in nabat. Zeit war offenbar sehr viel geringer als bisher angenommen, wie die neuen Untersuchungen von DeVries 1979, 1981, 1985 ergaben. Ältere Beschreibungen der Ruinen bei Butler, PPUAES 1913; Glueck IV 4-13 Abb. 1-10 (site 296); Negev 1977, 664-67.
Butler, PPUAES 1913, 152-56, 211f. Abb. 131f., 192, 196 fand nur wenige und stilistisch abweichende "nabat." Architekturfragg.- Im SW der Stadt glaubte er einen nabat. Tempel (ebd. 155 Abb. 131; vgl. Glueck IV Abb. 9!; Negev 1976, 48; Busink 1980, 1294), einen *distylos in antis*, zu

erkennen, der von einem jüngeren Haus umbaut worden sei (Unterschiede in der Bauqualität). Mit dem Tempel verband er eine weiter nördlich gefundene Votivinschrift an Ḏū Šarā (Littmann 1914 Nr. 38). Doch stellt DeVries 1979, 53; ders. 1981, 61, 65, 70 Abb. 15 diese Befundinterpretation in Frage. Die Vorhalle stand auf byzantinischem Schutt!

Von einem zweiten "nabat. Tempel" fand Butler, PPUAES 1913, 156 Abb. 132 u.a. ein nabat.(?) Kapitell (von Negev irrig dem ersten "Tempel" zugeordnet), das aber eher die nabat. Kapitellform variiert. Er verband diesen "Tempel" mit der griechischen Votivinschrift an Solmos (vgl. Sourdel 1952, 87). Doch überzeugen weder die Interpretation noch die Datierung des Befundes.

Die gut beschriebenen Häuser (Butler, PPUAES 1913, 194-205 Abb., Taf.) vergleicht Negev 1976, 48; ders. 1977, 664-67 mit solchen aus Mampsis, die um 100 n. Chr. oder eher gegen 200 n. Chr. gebaut wurden. Unterschiede erklärt er mit dem anderen Baumaterial. Besonders ein Kapitell des Hauses XVIII (Butler, PPUAES 1913, 202 Abb. 180f.) veranlaßten Butler und Negev, dieses Haus früh zu datieren und mit Nabatäern (des 2. Jhs. n. Chr.) zu verbinden. Doch erneut ist die Architekturform nicht so deutlich nabat. oder subnabat., daß sie die These stützt. DeVries 1981, 68 hat das Haus der byzantinischen Zeit zugewiesen, wie allgemein die Häuser fast ausschließlich dem 6.-8. Jh. n. Chr. angehören (ebd. 63). Sie können nicht zur Illustration spätnabat. Haustypen herangezogen werden.

Auch die Häuser mit Ställen, die Negev mit solchen im Negeb vergleicht (1977, 667; ders. 1983, 101), sind späte Bauten (vgl. z.B. das Stallhaus in Sobata, das von Segal 1984 ins 4. Jh. n. Chr. datiert wird).

Ob das große Reservoir ins 1./2. Jh. n. Chr. datiert (Glueck IV 4 Abb. 4), ist noch ungeklärt.

Glueck IV 10, 13 betonte, daß er keine nabat. Keramik in der Stadt fand; dagegen DeVries 1981, 68 (wenig). Nach DeVries 1981, 65 ist die Stadt erst in römischer Zeit angelegt worden, wie Schürfungen ergaben.

Auch hinsichtlich der Verkehrsanbindung wird die Bedeutung des Ortes jetzt anders gesehen. Nach den Untersuchungen von Kennedy 1982 (mit Karte Abb. 50) scheint auch die nabat. wie später dann die römische Route zum Wādi Sirḥān nicht über Umm el-Ǧimāl und Qaṣr El-Ḥallābāt nach El-Azraq, sondern über Umm el-Quṭṭēn geführt zu haben.

An nabat. Denkmälern bleiben nur Inschriften und Gräber. Inwieweit die Inschriften römischer Zeit angehören, läßt sich häufig nicht entscheiden. Das gilt generell für undatierte nabat. Inschriften. Es muß jedoch erwogen werden, daß Umm el-Ǧimāl erst spätnabat. (oder subnabat.) ist.

Butler, PPUAES 1913, 205-07 Abb. 185f. datiert das früheste nabat. Grab mit Grabstelen in situ (!) beim Zugang (*dromos*) vor die Mitte des 2. Jhs. n. Chr. In seiner guten Erhaltung ist es ein wichtiges Beispiel für den spät- oder subnabat. Typ des gebauten unterirdischen Kammergrabes und für die Position der nur selten in situ gefundenen Grabstelen. Nach Littmann weisen Stelen mit gerundetem Abschluß auf weibliche, solche mit geradem Abschluß auf männliche Tote.

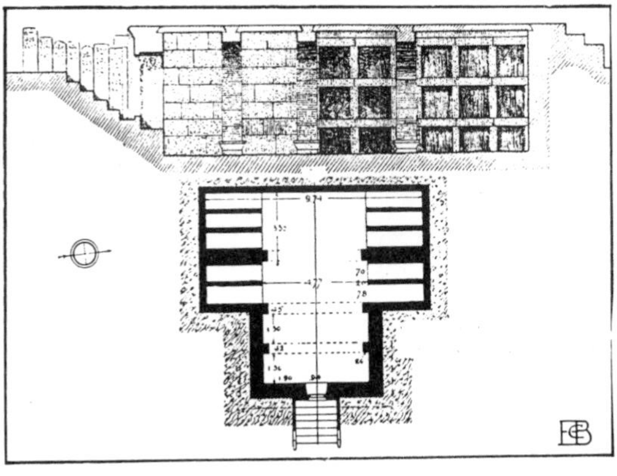

Abb. 10 Umm el-Ǧimāl. Kammergrab

Inschriften: CIS II 190-93; Littmann 1914 Nr. 38-68; RES 1096f., 1099, 2063-90; Butler, PPUAES 1913, 151, 205, 212 Abb. 186f.; Glueck IV Abb. 1-3. - Littmann 1914 Nr. 38, die Grabinschrift eines arabischen Königs vom dritten Viertel des 3. Jhs. n. Chr. (vgl. Sartre 1979; ders.

1982a, 134-36), ist das späteste nabat. Denkmal der Region F. - Zum nabat./safaitischen Stamm Rawāḥ: Knauf 1986,84.

39. Umm el-Quṭṭēn: subnabat. Grab bei der Süd-Kirche: Butler, PPUAES 1909, 137f. Abb. 117. - Nabat.-römische Ruinen: Glueck IV 24 (site 320). Diese Terminologie von Glueck verdeutlicht die Forschungssituation zur Bestimmung von nabat. Siedlungsplätzen, wo die bemalte feine nabat. Keramik als Indikator fehlt; denn auch andere nabat. Keramikgattungen und die östliche Terra Sigillata werden in ihrer Typologie und Chronologie erst jetzt allmählich deutlicher.
    Inschriften: Dussaud-Macler 1903 Nr. 5; Littmann 1914 Nr. 33-36; RES 468 u. 2126, 2058-61. - RES 468 datiert von 93 n. Chr.

40. Tell el-Quʿēs: Inschrift: Littmann 1914 Nr. 37; RES 2662.

- Ausgeschieden wurden Hammās (Butler, PPUAES 1909, 100f.), Qaṣr el-Bāʿiq (Glueck IV 18, site 321), Dēr el-Kahf (Parker 1976, 26), weil an diesen Orten ein Befund aus nabat. Zeit nicht gegeben zu sein scheint.

Region G: östliche jordanische Wüste

An verschiedenen Wegstrecken durch die Wüstengebiete im O Jordaniens finden sich befestigte Posten, an denen die Besetzungsabfolge nabat., römisch, byzantinisch, omayyadisch wiederkehrt. Die Posten sind entweder an die große Ostroute durch das Wādi Sirḥān angebunden oder liegen wie vorgeschobene Wachttürme noch relativ nahe der besiedelten Gebiete; dies gilt insbesondere für die Orte im näheren Bereich der Linie der Ḥeǧāz-Bahn, die eine alte N-S-Wüstenroute markiert.

Die Surveys von Glueck - für den Norden Glueck IV 34-39, 47-56 - sind durch neuere Untersuchungen überholt; vgl. King 1982; Kennedy 1982 (grundlegend); Parker 1976.

1. Qaṣr el-Ḥallābāt: allgemein wird angenommen, daß dem römischen Kastell ein nabat. Wachtturm vorausging (Glueck 1970, 44; Kennedy 1982, 51). Weder ein Kapitell, das

Butler, PPUAES 1909, S. XVIII Abb. 58a B publiziert hat und das das Fortleben nabat. Formenguts belegen soll (Glueck 1970, 45), noch andere Architekturdetails (Harding 1961, 169), noch das römische(?) Hähnerelief(?) (Avi-Yonah 1948, 138; Glueck 1965, 245; ders. 1970, 44f. Abb. 13), noch die nabat. Grabinschrift (Littmann 1914 Nr. 1; RES 2035; Kennedy 1982, 37 Nr. 1 Taf. 12e) können diese Annahme sichern. Auch die jüngsten Ausgrabungen (Bisheh 1982) blieben bislang ohne nabat. Befunde. Sonst wäre der Ort ein gegen die Ammonitis gesetzter nabat. Außenposten.

2. <u>(Qaṣr) El-Azraq</u>: diese Station bildete den nördlichen Kopf des Karawanenweges durch das Wādi Sirḥān (QA). Von hier führten verschiedene Routen zu den Siedlungen und Märkten im Westen und Norden (bis nach Syrien). Wegen dieser Bedeutung muß man annehmen, daß die Nabatäer direkt oder durch Verbündete/Vasallen Kontrolle über diese Zone ausübten. Ob das Kastell aber auf einen nabat. Vorgängerbau zurückgeht (Glueck IV 36, 39; Bowersock 1971, 241f.), bleibt auch hier mangels nabat. Denkmäler nur eine Erwägung. Vgl. allg. Kennedy 1982, 69-136.

3. <u>El-Qunēṭra</u>: östlich der Ḥeǧāz-Bahn am Wādi el-Ḥammām mit Wegeanbindung nach Qaṣr eṭ-Ṭūba. - Keramik: Glueck I 5 (site 5).

4. <u>Ḫān ez-Zebīb</u>: östlich der Ḥeǧāz-Bahn. - Kapitell: Glueck I 11 (site 7).

5. <u>Qaṣr el-Mušēš</u>: östlich der Ḥeǧāz-Bahn. Die Wegeanbindung ist unklar, doch könnte der Posten eine Verbindung von Bāyīr nach El-Kerak längs des Wādi el-Batrā anzeigen (vgl. Glueck I 72, site 8). - Keramik: Glueck I 75 Taf. 27, 2. 4. 11-13a. 29.

6. <u>(Qaṣr) Bāyīr</u>: an der Route von El-Azraq über Maon nach Petra mit wichtigen Brunnen. Unklar ist, ob dem Qaṣr ein nabat. Kastell (Glueck IV 47, site 325) vorausging (vgl. E. Schroeder in: Field 1960, 99-101; Rolston 1982, 211-13). - Keramik: Glueck I 73-75 Taf. 21; ders. 1965 Taf. 74b-c; Rolston 1982, 213.

7. Qal'at Furēfre: nabat. Karawanserei wie G4, etwas südlich davon gelegen. Unklar bleibt, ob die Station an der gleichen Route wie G4 lag (Glueck).
   Keramik: Glueck II 109 (site 235), 15 Taf. 32B Nr. 34.

8. Qaṣr el-Bint: östlich der Ḥeǧāz-Bahn. Vorgeschobener Posten von El-Buṣērā (N16) aus.
   Keramik: Parker 1976, 24 (site 28).

Region H: Dekapolis

Die in Relation zur dichten Besiedlung wenigen nabat. Zeugnisse zeigen, daß die Nabatäer in diese Region nicht siedlungsmäßig eingedrungen sind, sie aber auf den Routen nach Norden berührten. Mit den größeren hellenistisch-römischen Städten standen sie in Kontakt. Ihre Interessen sicherten sie durch ihre Niederlassung in Gerasa.

Die nabat. Handels- und Verkehrsroute verließ kurz vor Philadelphia die über Gerasa führende Königsstraße und folgte einer östlicheren Route nach Boṣrā entsprechend der Via Nova Traiana.

Der grundlegende Survey von Mittmann 1970 ergänzt den von Glueck III u. IV. - Zur Straße Bostra-Philadelphia vgl. auch Kennedy 1982, 144ff. - Zur Geschichte der Region gibt Bietenhard 1977 einen Überblick. - Die römischen Münzen der Dekapolis und der Provincia Arabia hat Spijkerman 1978 zusammengestellt. - Ergänzungen zu Orten des Limes Arabicus:Parker 1976ff

1a. El-Ḥammām (Hammat): 1 Münze (Malichus II.): L. Rahmani-M. Sharabani in: Dothan 1983, 72 Kat. Nr. 12 Taf. 22.

1b. Susita (Hippos?): Dusares-Nische: Ovadiah 1981. Die These eines Heiligtums einer nabat. Händlerkolonie am Ort überzeugt nicht. Die griechische Votivinschrift gehört paläographisch dem 2./3. Jh. n. Chr. an (Knauf 1983, 147).

2. Der'a (Edreī/Adraa): Grabinschriften: BD II 261 Nr. 33f.; RES 591 u. 833, 1473.
   Leiter der Actia Dousaria haben in Petra und Iram (O 19) Inschriften und Reliefs hinterlassen (Zayadine 1986, 222, 224). - Das Dusares-Heiligtum von Adraa findet sich auf

den städtischen Münzen römischer Zeit (vgl. Naster 1982; Kindler 1983, 48f., 81-83).- Keramik: Dentzer 1985b, 149f.

3. Bēt-Rās (Capitolias): Grabinschrift: CIS II Nr. 194; RES 1098 u. 1452.

4a. Bet-Schean (Scythopolis): der lokale Dionysos-/Zeuskult ist entgegen Bickermann 1937, 113 nicht mit Dusares zu verbinden (Hengel 1973, 546f.; Lifshitz 1977, 275f.; Wenning 1983, 108-111).

Bei der lokalen , schon wohl im 1. Jh. n. Chr. einsetzenden Produktion von Grabbüsten hat Skupinska-Løvset 1983 passim, bes. 304-20 (vgl. Rez. Wenning 1984), Einflüsse nabat. Kunst/Künstler festgestellt und nimmt auch die Mitarbeit nabat. Bildhauer in den lokalen Werkstätten an(?)

4b. Umm el-ʿAmūd (ʿĒn HaNāṣīv)?: Münzhortfund(?), u.a. mit 4 Münzen Aretas IV.: Zuri 1962.

5. Tell er-Rāmīṯ (Ramot-Gilead?): Keramik: Lapp 1963, 409.

6. El-Mefraq?: Glueck II 109 vergleicht die Ruinen mit nabat. Anlagen in Qalʿat Ḥrēfre (G5), nimmt IV 1f. (site 247a) aber keine nabat. Befunde an (so auch Mittmann 1970, 162f.). Anders Baratto 1979, 214.

7. Riḥāb (Rehob): Keramik: Mittmann 1970, 120f.

8. Ǧeraš (Garšu/Gerasa): verschiedene Zeugnisse nabat. Präsenz haben zur Annahme eines nabat. Ethnos und eines nabat. Viertels in der Stadt geführt (Kraeling 1938, 38; Negev 1977, 613, 671; Knauf 1983, 146f.). Die Lage des Viertels wird im S beim ovalen "Forum" vermutet (zu neuen Untersuchungen dieser Zone vgl. Barghouti 1982; Will 1983).

Unter der Kathedrale ist ein Tempel aus dem 2./3. Viertel des 1. Jhs. n. Chr. gefunden worden (Kraeling 1941, 12-14), der mit dem Brunnenhof verbunden war. Eine 2. Bauphase wird um die Mitte des 2. Jhs. n. Chr. datiert. Im 4. Jh. n. Chr. wurde das Heiligtum, das noch weitere Anlagen umfasste, abgetragen.- Unter den Funden befindet sich ein Kapitell mit Büste (Schlumberger 1933 Taf. 37; von Mercklin 1962, 25 Nr. 79 Abb. 107), das denen aus Es-Suwēda

(E6) nahesteht.

Auf das Heiligtum werden 2 Votivinschriften an Pakeidas und Hera (datiert auf 73/74 n. Chr.) und 6 an den "Arabischen Gott" (alle 2. Jh. n. Chr.) bezogen (Vincent 1940; Starcky 1966, 997f.). Zu den Inschriften vgl. C. B. Welles in: Kraeling 1938, 383-86 Nr. 17-22; de Vaux 1951, 23f. (mit Verweis auf eine griechische Inschrift aus Ḫamāma von 116/7 oder 126/7 n. Chr.); Gatier 1982, 272-74 Nr. 3. - Wie sich Pakeidas und der "Arabische Gott" zueinander verhalten und wer hinter diesen Gottheiten gesehen werden darf, ist umstritten. Die neue Inschrift (Gatier 1982) gibt aber einen Hinweis: dem "Arabischen Gott" wird eine Adlerstatue geweiht. Das weist auf Qōs; vgl. Adlervotiv Boṣrā, F7; Adlervotiv vom Qōs-Heiligtum Ḫ. et Tannūr, M65 (Glueck 1965, 479 Taf. 140; und im gleichen Typus Adlervotiv von Ḍahret el-Bedd, ebd. 480f. Taf. 141a-b); vgl. ferner die delische Inschrift an Pakeidokosos, ID 2311. Versuche, den Tempel dem Ḏū Šarā/Dusares/Dionysos zuzuweisen, können demgegenüber weniger überzeugen; die spätere christliche Feier des Wunders von Kana im Brunnenhof trägt diese Deutung allein nicht.

Als 2. nabat. Tempel hat Vincent 1940 den sog. Tempel C aufgrund eines rekonstruierten "nabat. Tempelplans" verstanden. Kraeling 1941; ders. und C. C. S. Fisher in: Kraeling 1938, 139-48 Taf. 28c-30b Plan Taf. 22 lehnen dies ab und datieren die Anlage (ein Heroon?) ins mittlere 2. Jh. n. Chr. (vgl. den Zeustempel von Ǧebel Srir von 150 n. Chr.: Callot-Marcillet-Jaubert 1984, 192-95 Abb. 3). Vgl. Negev 1977, 612f.: nabat. Tempel, wohl ein Heroon, Frühzeit Aretas IV. Entgegen Negev wurden jedoch nur 1 nabat. Scherbe (Kraeling 1938, 37 Anm. 47) und 1 Münze Aretas IV. beim Pronaos (ebd. 144) gefunden.

Als nabat. beeinflußt gelten manche Architekturelemente: Kraeling 1938, 36; Harding 1961, 51, 91; Negev 1977, 673-75.

Münzen: 21 Aretas IV., 3 Rabel II.: A. R. Bellinger in: Kraeling 1938, 500. - 1 Münze Rabel II. fand man in Grab 4: Fisher ebd. 557.-1 Münze Rabel II.: Kirkbride 1947,4 Abb. 1.

Inschrift: Votivinschrift einer Statue Aretas IV. von 91

n. Chr. (posthum aufgestellt): Welles in: Kraeling 1938, 371-73 Nr. 1; vgl. Negev 1977, 670f. - Eine Inschrift aus Petra nennt Garšu: Starcky 1965a; ders. 1965b, 44f.

9. Ḫirbet es-Samrā (Hatita): Keramik: Desreumax-Humbert 1982, 181.

Region I: Ammonitis

Dieser südliche Teil der Dekapolis reicht bis etwa Mefaat herab, wo das nabat. Moab und nach Westen die Peräa angrenzen. Einige wenige Fundorte zeigen einen gewissen Vorstoß von Nabatäern bis an den Jabbok an. Gewichtiger ist die Präsenz von Nabatäern in Philadelphia.

1. Ḫirbet el-Bīre: Baratto 1979, 213.
2. Rās Wadʿā: Baratto 1979, 213.
3. En-Nimra: Baratto 1979, 213.
4. Ḫirbet el-Batrawī: Baratto 1979, 213.
5. Ruǧm el-Kursī: Heritage 1973 site 221.
6. ʿAmmān (Philadelphia): Vorort der Region. Er war von Ptolemaios II. u.a. gegen die Nabatäer ausgebaut worden. Um 90 v. Chr. kam er an Obodas I., geriet aber 82 v. Chr. wieder unter hasmonäischen Einfluß. 69 v. Chr. wiederum nabat. wurde der Ort 63 v. Chr. freie Dekapolisstadt.

   Grab mit Keramik am Ǧebel ʿAmmān: Harding 1946; 1. Hälfte 1. Jh. n. Chr.

   Funde unter dem römischen Forum und auf der Zitadelle führen zur Annahme einer nabat. Kolonie (Zayadine 1977/78, 28). - Forum: Hadidi 1970, 13 Taf. II 5 (Keramik); ders. 1973, 51f. Taf. 31, 7-10 (Münzen; Nr. 7 Aretas II.?, Nr. 8 Aretas IV., Nr. 9-10 Rabel II.); ders. 1974, 82, 85. - Zitadelle: Zayadine 1973, 25; ders. 1977/78, 28 Abb. 23, 14 (Keramik, 1. Hälfte 1. Jh. n. Chr.), 38f. Taf. 25, 4 (Münze, Aretas IV.); die Funde stammen z.T. vom Wasserreservoir (Plan ebd. Abb. 2), an dessen Bau (oder nur Nutzung?) die Nabatäer beteiligt gewesen sein könnten.

7. El-Yādūde: Keramik: Glueck I 6 (site 53).

- Ausgeschieden: Berdawīn (Avi-Yonah 1948, 157 Anm. 6).

Region J: Peräa

Dieses Gebiet unterstand im 3./frühen 2. Jh. v. Chr. den Tobiaden, die eine Expansion der Nabatäer nach Nordwesten verhinderten. Später war es hasmonäischer, dann herodianischer Besitz. Es reichte von Amathus bis Machaerus.

Herodes I. gewann 31 v. Chr. nach dem Sieg über die Nabatäer bei Philadelphia die Region um Ḥesbān dazu. Er baute Machaerus als Grenzfestung gegen die Nabatäer aus. - Später kam das Gebiet an Herodes Antipas, Agrippa I., Agrippa II. und nach der römischen Eroberung 72 n. Chr. zur Provincia Iudaea.

J7 und J2-6 zeigen offenbar eine auch von Nabatäern genutzte Route zum Nordende des Toten Meeres an.

1a. Tell eḏ-Ḏahab el-Ġarbī (Didymos?): Keramik: Glueck III 233 (site 345). Gordon 1981 nennt keine nabat. Keramik. Der Ort wurde nach dem Erdbeben von 31 v. Chr. aufgegeben.

1b. ʿIrāq el-Emīr: Münzen, 3 Aretas IV.: Lapp 1983,18f. Abb. 7.

2a. Nāʿūr?: 1 Münze Rabel II.: Kirkbride 1947, 4 (aus Handel).

2b. El-ʿĀl (Elale): Heritage 1973 site 2.

3. Ḥesbān (Heschbon/Esbous): 69-31 v. Chr. nabat., danach herodianisch mit einer Festung gegen die Nabatäer.

Die Ausgrabungen 1968-78 haben in den Arealen B, C, D, F und G nabat. Keramik und besonders Münzen erbracht.

Keramik: Glueck I 6 (site 51), 75 Taf. 26b, 27 Nr. 26, Taf. 28; J. A. Sauer, Heshbon 1971, 53; L. T. Geraty ebd. 106f.(Area D); J. A. Sauer, Heshbon Pottery 1971, 19f.

Münzen: 24; 14 Aretas IV., 2 Rabel II.: H. O. Thompson, Heshbon 1968, 132, 134; J. A. Sauer, Heshbon 1971, 53; H. O. Thompson ebd. 84 Nr. 49; J. A. Sauer, Heshbon Pottery 1971, 21 Nr. 49f. u. 3; D. M. Beegle, Heshbon 1973, 210 (Grab F 18); L. G. Herr, Heshbon 1974, 94f.; J. H. Stirling ebd. Taf. 9B (Grab G 10); A. Terian ebd.134 Nr. 237-45 Taf. 13 u. 138 Nr. 272-76 Taf. 13; J. A. Sauer, Heshbon 1976,38.

4. El-Mušaqqar: Heritage 1973 site 267.

5. Ḫirbet ʿUyūn Mūsā (Bet-Pegor?): Keramik: Glueck II 110 (site 238).

6. Ruǧm el-Herī: Keramik: Glueck II 110 (site 237).

7. Ḫirbet el-Muḫaiyiṭ (Nebo): Münzen: Saller-Bagatti 1949, 15, 30f. (Aretas IV., Rabel II.).

8. El-Mukāwer (Ort) mit El-Mešneqe (Burg Machairous): Grenzfestung gegen die Nabatäer. Von hier floh die verschmähte Tochter Aretas IV., die Gattin des Herodes Antipas, nach Petra (Jos., Ant. 18, 5, 1). An der Episode und offenbar aufgrund eines Anspruchs des Herodes Antipas auf das nabat. Gebiet im Süden des Toten Meeres entzündete sich ein Krieg, den Aretas IV. 36 n. Chr. gewann (vgl. CIS II 196 aus Medeba; K6).

   Keramik: Glueck III 133f., 140 (sites 178f.; Schottroff 1966, 174; Loffreda 1980, 387 Nr. 40, 399 Taf. 96 Nr. 40, 102 Nr. 3.

   Münzen: Piccirillo 1979, 183; ders. 1980, 403-05 Nr. 4 (Malichus II., 64/65 n. Chr.), 412-14 Nr. 99f.Taf. 103 (Rabel II., 101/02 n. Chr.).

- Ausgeschieden: Ḫirbet Zēy (Avi-Yonah 1950, 71).

Region K: nördliche Moabitis

Nabat. Siedlungsgebiet mit der Grenzstadt Medeba als regionales Zentrum und Sitz einer *strategeia*, die offenbar bis zum Sered hinabreichte. Mit dem Arnon ist eine Zwischengrenze gegeben. - Fast jede Ortslage weist einen nabat. Befund auf. Vgl. BD, Musil I 1907 und den Survey Glueck I u. III mit Ergänzungen von Parker 1976.

1a. Er-Rufēse: Kapitell: Glueck I 7 (site 54).

1b. Umm el-ʿAmed (Bezer?): Keramik: Glueck I 33 (site 85).

2. Zabāyer ʿAdwān: Keramik: Glueck I 7 (site 59).

3. Umm Rummāne: Keramik: Glueck I 7 (site 58).

4. Zabāyer el-Qasṭal: Keramik: Glueck I 7 (site 55); Carlier 1983, 414.

5. Zabāyer eṭ-Ṭiwāl: Keramik: Glueck I 7 (site 56).

6. Medeba: im 2. Jh. v. Chr. noch nicht nabat. Strittig ist die Annahme, daß die Söhne Jambris (1 Makk 9, 36-42) ein nabat. Clan waren; vgl. Altheim-Stiehl I 289f. Anm. 187. Eher sind die noch nicht integrierten Beni ʿAmrat gemeint (zu ihnen vgl. Milik 1980). - Im frühen 1. Jh. v. Chr. war der Ort wechselnd unter hasmonäischer und nabat. Herrschaft, ab 69 v. Chr. dann nabat. (vgl. die Listen Jos., Ant. XIII 15, 4 u. XIV 1, 4; die 2. Liste weist unterschiedliche Ergänzungen auf).

Inschriften: CIS II 196; RES 674, 2021; Milik 1958, 243-46 Nr. 6 (108/09 n. Chr.). - CIS II 196 von 37 n. Chr. stammt von einem Grabbau für im Krieg gegen Herodes Antipas (s. J8) gefallene Offiziere. Sie weist Medeba als Sitz einer *strategeia* aus und gibt Militärlager in Luhit (L42) und ʾAbarta/ʿAbdta (nicht identifiziert; vgl. Savignac-Starcky 1957, 202; Starcky in: Cat. Bruxelles Nr. 51; s. auch L59. Dagegen ist eine Verbindung mit Oboda im Negeb entgegen Negev 1977, 612 abzulehnen) an.

Keramik: Glueck I 6.

Dusares-Heiligtum auf römischen Münzen: Kindler 1983, 81-83.

7. Ǧalūl: Keramik: Glueck I 5 (site 50); R. Ibach, Heshbon 1976, 218.

8. Ḫirbet et-Tēm (Bet-Diblatajim?): Keramik: Glueck I 33 (site 79).

9. Zuwēzā (Ziza?): Zisternen, Keramik: Glueck I 8 (site 62), 75 Taf. 26b.

Inschrift: Jaussen-Savignac 1909; RES 1284; Stiftung eines Heiligtums?

10. Zabāyer ed-Durēbe: Keramik: Glueck I 8 (site 61).

11. Māʿīn (Baal-Meon): Kapitell mit Kopf/Maske: Glueck 1965, 60 Taf. 132c. - 2 Büstenreliefs: de Vaux 1939, 83-86 Taf. 2; Glueck 1965, 213, 222 Taf. 157b, 159; Augé 1984, 493 Nr. 2 Taf. 372 (Ares); vgl. Reliefs El-Kerak (L33), El-Mušērife (K53), Petra. - Aufgrund dieser Funde nimmt

Glueck 1965, 60 einen Tempel in Mā'īn an.

12. Es-Sikār: Steinbruch, D̲ū Šarā-Nischen?, Keramik: Glueck I 8f. Abb. 1, S. 75 Taf. 26b, 27 Nr. 15, 22, Taf. 28.

13. Ḫirbet Sūfe (Sufa?): Keramik: Glueck III 377 (site 191).

14. Umm el-Quṣēr: Ruinen, Keramik: Glueck I 9f. (site 64) Taf. 2f.

15. Ḫirbet Ḫerūfe: Keramik: Glueck III 137 (site 190).

16. Ḫirbet Nitel: Keramik: Glueck I 31f. (site 73).

17. Ḫirbet Seṭīḥa: Keramik: Glueck III 137 (site 189).

18. Umm el-Walīd (Valtha): Ruinen; Bau A mit Kapitell: Glueck I 9-12 (site 65) Abb. 2 Taf. 4.
Keramik: ebd. 10-12; Parker 1976, 23 (site 9).
Glueck III 66 nimmt einen Tempel im Ort an.

19. Ḫirbet Ibn 'Ulēq: Zisterne, Keramik: Glueck I 27 (site 69).

20. Delēlet eš-Šarqīye (Almon?): Ruinen?, Keramik: Glueck I 32 (site 74).

21. Murēǧimet Abū Šaḥannab: Keramik: Glueck III 137 (site 187).

22a. Arēnba: Keramik: Parker 1976, 25 (site 40).

22b. El-Hūme: Keramik: Glueck III 136 (site 183).

23. Ruǧm el-Herī: Festung?, Keramik: Glueck I 12 (site 66).

24. Ḫirbet Delūl: Glueck III 137 (site 186).

25. Delēlet el-Ġarbīye: Ruinen, Keramik: Glueck III 137 (site 185).

26. Zēnab: Ruinen?, Keramik: Glueck I 12f. (site 67), 75 Taf. 26b; Parker 1976, 25 (site 41).

27. Qaṣr ez-Za'farān (Kedemot?): Festung I, Keramik: BD I 26 Abb. 10, 12; Glueck I 30f. (site 72) Abb. 13d Taf. 5; Parker 1976, 23, 26 (site 10).
Festung II, Keramik: BD I 26; Glueck I 30 (site 71) Abb. 13c Taf. 5, S. 75f. Taf. 27 Nr. 25, 28 Taf. 28 I-II.

28. Ḫirbet Libb (Libba/Lemba): seit 69 v. Chr. nabat. - Ruinen?, Keramik: Glueck I 32 (site 76), 75 Taf. 26b, 28.

29. Qaṣr Ḍabʿa: Ruinen, Keramik: Glueck I 30 (site 86), 75f. Taf. 27 Nr. 30, Taf. 28.

30. Mulēḥ: Ruinen?, Keramik: Glueck I 32 (site 75).

31. Ḫirbet Umm Laḥwad: Keramik: Glueck III 136 (site 182).

32a. Ḫirbet ʿAṭṭārūz (Atrot-Schofan): Keramik: Glueck III 135 (site 180).

32b. Er-Rumēl: Wachtturm: Knauf 1984c, 20.

33. Ḫirbet ʿAmmūrīye: Ruinen, Keramik: Glueck III 123f. (site 173).

34. Ruǧm ʿAliya: Ruinen, Keramik: Glueck III 117f. (site 175).

35. Ṭāḥūnat el-Wālā: Keramik: Glueck III 129 (site 169).

36. Ḫirbet el-Kōm: Ruinen, Keramik: Glueck III 123 (site 174).

37. Ruǧm Abū Siǧān: Keramik: Glueck III 125 (site 166).

38. El-Ḥaššās?: Glueck III 124 (site 172).

39. El-Qurēyāt: Keramik: Glueck III 131 (site 171).

40. Umm Šeǧerāt eš-Šīyāb: Ruine?, Keramik: Glueck III 117 (site 163).

41. El-Qubēbe: Keramik: Glueck III 116 (site 164).

42. Qurēyāt ʿAlēyān (Kerijot?): Ruinen, Keramik: Glueck III 116f. (site 162).

43. Duḥfure: Ruinen, Keramik: Glueck III 124 (site 165).

44. Qahqe: Keramik: Glueck III 116 (site 161).

45. Ḫirbet Barza: nabat. oder römischer Altar, Keramik: Glueck I 51 (site 107).

46. Umm Šeǧēret el-Ǧamāʿīn?: Keramik?: Glueck III 116 (site 159).

47. Ruǧm Umm ed-Dakākin: Keramik: Glueck III 115f. (site 156).

48. Meqʿed Ibn Neṣralla: Keramik: Glueck III 116 (site 158).

49. Ruǧm Selīm: Keramik: Glueck III 116 (site 157).

50. Ed-Duhēbe: Keramik: Glueck III 115 (site 155).

51. Umm er-Reṣāṣ: Turm: Savignac 1936, 244 Taf. 9, 1 (Grabbau der Inschrift CIS II 195?). - Inschrift vom Turm: ebd. 244.
Inschrift: CIS II 195 (42 n. Chr.); BD II 70. Der Ort gilt aufgrund dieser Inschrift als Sitz einer *strategeia* (Schottroff 1966, 198); nur ein Lager?(Knauf 1984c, 20f.).
Keramik: Glueck I 39 (site 108).

52. Dībān (Dibon): Heiligtum. Es wurden keine Häuser und Gräber gefunden. - Grundlegend publiziert von Tushingham 1972 nach mehreren Vorberichten. Damit gehört dieser Ort zu den wenigen vollständig publizierten Befunden aus nabat. Zeit. Die Publikation ist u.a. für die Keramiktypologie sehr wichtig; vgl. besonders ebd. 51-55.
Der Temenos liegt über eisenzeitliche Befestigungsanlagen und war von S mit einer Treppe zugänglich. Entgegen ursprünglicher Ansicht bestand kein Vorgängerbau. Es lassen sich zwei Bauphasen unterscheiden.

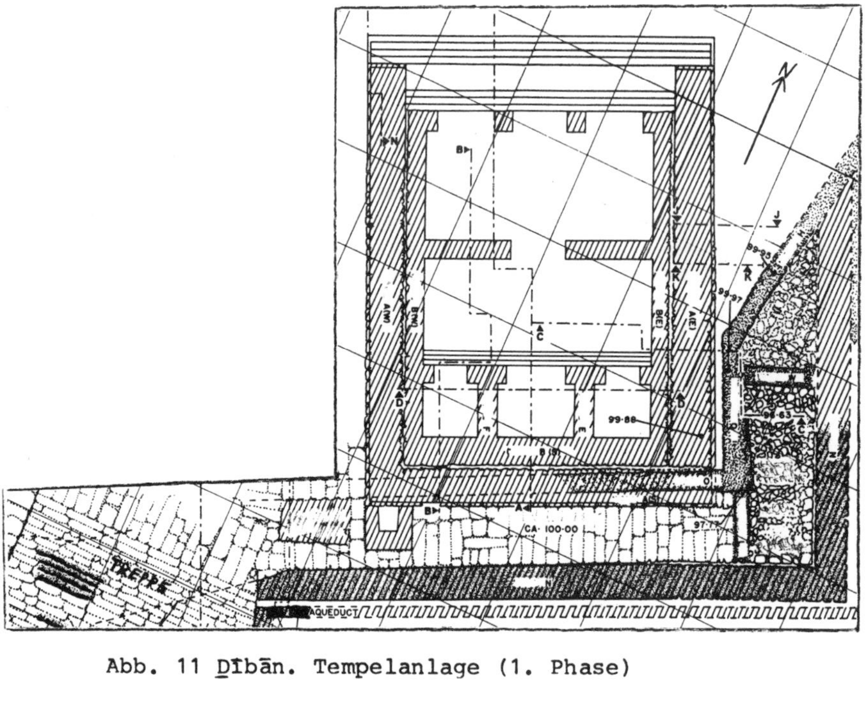

Abb. 11 Dībān. Tempelanlage (1. Phase)

Phase 1: Die Grenzmauer (N) sichert das Temenospodium. Die Anlage ist im übrigen unbefestigt. Der Tempel öffnet sich nach N, nicht zum südlichen Treppenzugang hin. Eine breite Treppe ist dem Eingang vorgelegt. Stufen führen zum Pronaos und zum Adyton empor. 3 nabat. Kapitelle wurden gefunden; sie zeigen ebenfalls den Tempeltyp, einen *distylos in antis*, an. Pronaos und Cella bilden Breiträume. Das Adyton ist dreigeteilt und besitzt unterirdische Kammern. Diese Konzeption zeigt den Einfluß des Qaṣr el-Bint Fīrʿōn in Petra. Eine breite Außenmauer (A) ist eng um die Tempelmauer (B) gelegt, aber mit ihr gleichzeitig. - Zur Phase 1 gehören ferner die breite Treppe im S und ein Aquaedukt an der Südseite der Grenzmauer (N). - Phase 1 wird um 10 n. Chr. datiert.

Phase 2: Nach dem Einsturz von Anlagen im SO im mittleren 1. Jh. n. Chr. infolge von Verschiebungen im Ruinenfundament (entgegen Negev 1982, 120 keine Feindeinwirkung) erfolgte unter Malichus II. oder Rabel II. (vgl. Münzen) eine Restauration. Die Grenzmauer wurde erneuert (NN) und der südliche Treppenzugang wurde verkleinert.

Um 106 n. Chr. wurde das Heiligtum aufgegeben. Die Ruine wurde in byzantinischer Zeit abgetragen. Im N wurde eine Kirche errichtet. Ins Tempelpodium wurden Gräber gesenkt.

Zum Tempel: Winnett 1952, 16-18 Abb. 4-6; Tushingham 1954, 7-12 Abb. 1f.; Wright 1961a; Winnett-Reed 1964, 13, 20, 42 Taf. 10-12; Tushingham 1972, passim, bes. 27-34 Abb. 29-31, 33-35, 37f. Taf. 7-11, 40, Plan 4, 9; Negev 1976, 46 Abb. 71.

Keramik: Glueck I 51 (site 103); ders. III 115 (site 152); Savignac 1936, 239; Winnett 1952, 18; Tushingham 1954, 11; Winnett-Reed 1964, 5, 11, 13, 17, 19, 21, 24, 40, 44f., 51f., 55f., 67 Taf. 55, 1-4; 56, 4. 9; 62B 1-16; 68, 1-3. 6-9; 69, 10f. 13; 70; 71; Tushingham 1972, 7f., 10-12, 14, 33, 37, 40-55 Abb. 2, 59-61; 3, 1-10. 12-20. 22-24. 26-30. 34-36. 40. 45; 4, 2. 4-10. 12-16. 18f. 23. 26. 40-60 Taf. 22f.; Sauer 1975, 105; Weippert 1979, 110.

Münzen: Winnett-Reed 1964, 28 Kat. Nr. 2a-b Taf. 20, 2a-b (Aretas IV.;?), S. 44, 61f. Taf. 82, 7 (Rabel II.); Tushingham 1972, 37, 41, 48, 50f. (Rabel II.), 117 Kat. Nr. 1f. Taf. 37, 2 (Malichus II.).

53. El-Mušērife: Büstenrelief: Glueck I 37f. Abb. 16; Savignac 1936, 243 Taf. 8, 1; Glueck 1965, 59, 464 Taf. 139; Augé 1984, 493 Nr. 4 (Ares); vgl. die Reliefs in El-Kerak (L33) und Māʿīn (K11)(unterschiedliche Rahmungen). - Glueck 1965, 59 nimmt aufgrund des Reliefs **einen Tempel im Ort an**, soweit es nicht von D̲ībān verschleppt sein sollte (vgl. ebd. 464). - Wachtturm: Knauf 1984c, 20.
Keramik: Glueck I 37 (site 95), 76 Taf. 28; Savignac 1936, 243.

54. El-Muṣēṭibe: Temenos(?) mit einer Plattform mit 2 Treppenaufgängen. Die Deutung der Anlage ist nicht ganz klar: Opferstätte(?) über Gräbern(?) in den Gewölben/Substruktionen des Podiums. Auch die Zeitstellung ist nicht gesichert, doch werden solche Anlagen allgemein der nabat. Zeit zugerechnet. Vgl. Glueck I 34 (site 87), 40-44 Abb. 16a Taf. 7; Savignac 1936, 252f. - Zu ähnlichen Anlagen vgl. Glueck III 99f.; vgl. L26.48.71.
Keramik: Glueck I 41f.; Savignac 1936, 247; Parker 1976, 23 (site 14).

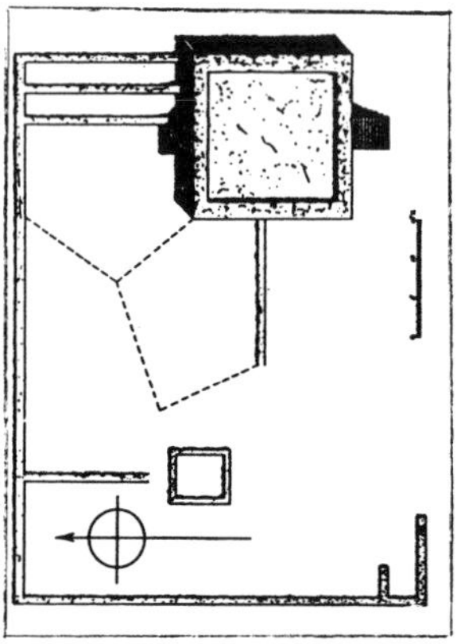

Abb. 12 El-Muṣēṭibe.

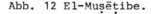

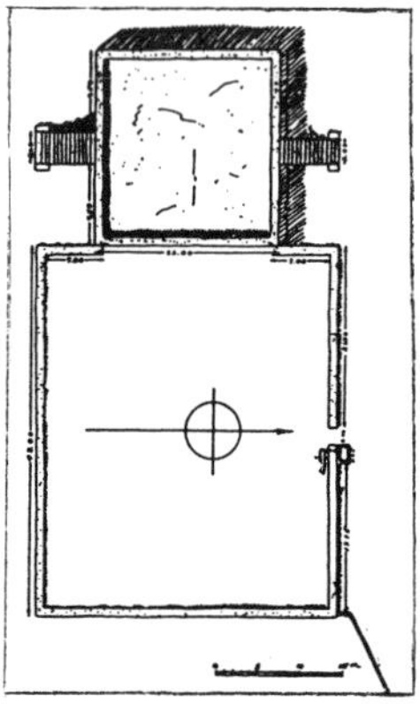

Abb. 13 Eḫwēn el-Ḫādem.

Nabat. Opferstätten?

55. Es-Sekrān: Keramik: Glueck III 116 (site 153).

56. Ḫirbet el-Ǧumēl (Bet-Gamul?): Keramik: Glueck I 36 (site 94), 75f. Taf. 27 Nr. 24, Taf. 28; Savignac 1936, 242.

57. Es-Seḥīle: Keramik: Glueck III 115 (site 154).

58. El-Matlūṯe: Keramik: Glueck I 51 (site 104).

59. ʿAqrabā: Keramik: Glueck III 113f. (site 151). - Vielleicht das ʾAbrtʾ der Inschrift CIS II 196 aus Medeba (K6).

60. ʿArāʿir (Aroër): Festung, 2 Häuser, Zisternen: Glueck I 49f. (site 100) Taf. 11a; Olâvarri 1965, 78, 93 (Stratum II).
Keramik: Glueck I 50, 75 Taf. 26b; Savignac 1936, 239f.; Olâvarri 1965, 78, 93f. Abb. 3 Nr. 5, 7-10.
Münzen: Olâvarri 1965, 93 (Malichus II., Rabel II.). - Olâvarri 1965, 93 nimmt eine Zerstörung des Ortes 106 n. Chr. durch die Römer an.

61. Ḫirbet el-Lehūn: Siedlung: Glueck I 48f. Taf. 10; Homès-Naster 1982, 285 Abb. 1.
Kleiner Tempel(?): Savignac 1936, 240f. Abb. 3 (erwägt auch die Interpretation als Grabbau); Homès-Naster 1982, 285-89 Abb. 2-4. Es handelt sich um ein quadratisches Gebäude mit einem Altar. Es wird durch Keramik in die 2. Hälfte des 1. Jhs. n. Chr. datiert.
Weitere Keramik: Glueck I 49, 75 Taf. 26b; Savignac 1936, 241; Homès-Naster 1979, 54.

62. Es-Sāliye: Festung: Glueck I 34f. (site 92) Abb. 14 Taf. 5f.
Keramik: ebd. 35f., 75 Taf. 26b, 27 Nr. 7, 28; Parker 1976, 23 (site 15).

63. Er-Rāme: Ruinen, Keramik: Glueck I 38 (site 96), 75 Taf. 26b, 28; Parker 1976, 23 (site 18).

64. El-Mudēyine: befestigte Akropolis: Musil I 1907, 329 Abb. 151; Glueck I 36 (site 93).
Keramik: Glueck I 36, 75 Taf. 26b.

65. Qaṣr et-Tirsa?: Wachtturm: Glueck III 103.

Region L: südliche Moabitis

Nabat. Siedlungsgebiet, das zwischen dem Arnon und El-Kerak (Zentral-Moab) weniger dicht besiedelt war als im Süden bis zum Sered. Zum Toten Meer und zur östlichen Wüste hin wird das Gebiet durch Ketten von Wachttürmen abgesichert. In der Region gibt es mehrere Tempel. (vgl. aber Worschech 1985, 72f.)

Zur Topographie vgl. BD I-II; Musil I 1907; Surveys von Glueck I u. III und Miller 1979a-b.

1. Muḥaṭṭat el-Ḥağğ: Keramik: Glueck I 57 (site 119); Parker 1976, 24 (sites 19f.).
2. El-Menāra: Grenzturm, Keramik: Glueck I 59 (site 126).
3. Ḫirbet Arīḥā: Keramik: Glueck I 57 (site 120).
4. Ruğm Umm ʿAwarware: Keramik: Miller 1979a, 90; ders. 1979b, 50f.
5. Abū Turābe: Keramik: Miller 1979a, 90; ders. 1979b, 50.
6. Miṣʿār: Ruinen?, Keramik: Glueck I 58 (site 122).
7. Ḫirbet Farēwān: Keramik: Glueck I 58 (site 123).
8. Umm el-Qulēb: Keramik: Glueck I 58 (site 121).
9. Qaṣr el-ʿĀl: moabitisches Kastell von den Nabatäern übernommen, wie dies an vielen anderen Orten geschah: BD II 61 Abb. 640-42; Musil I 1907, 248f. Abb. 108f.; Glueck III 101-03 (site 150) Abb. 36f.
   Keramik: Glueck III 103; Parker 1976, 24 (site 21).
10. Ḫirbet er-Rubāʿī: Keramik: Glueck I 56 (site 114).
11. Rugm el-Hilāl: Keramik: Glueck I 59 (site 125).
12. Qaṣr Abūʾl-Ḫaraq: Grenzkastell, Keramik: Glueck III 103-05 (site 148) Abb. 38.
13. Ḫirbet es-Samrā: Keramik: Glueck I 57 (site 116).
14. Er-Rās: Ruinen, Grenzturm, Keramik: Glueck I 60f. (site 130).
15. El-Bāluʿ: Ruinen, Keramik: Glueck I 53-56 (site 110).
16. Ḫirbet ʿAzzūr: Keramik: Glueck I 56 (site 111).

17. Ḫirbet (Ruǧm) Sanīna: Keramik: Miller 1979a, 89; ders. 1979b, 49.

18. Ḫirbet Neṣīb: Keramik: Glueck I 56 (site 112).

19. Ḫirbet Meǧdelēn: Keramik: Glueck I 62 (site 132).

20. Tedūn (Dodaneim?): Keramik: Glueck I 62 (site 133).

21. El-Qaṣr (Qaṣr Rabba/Bet el-Kerem): Tempel: BD I 46-51 Abb. 33-41; Glueck 1939; ders. III 107-13 (site 147) Abb. 40-42; Amy 1950, 97 Abb. 14b; Zayadine 1971, 153 Nr. 6; Negev 1976, 45f. Abb. 71f.; Busink 1980, 1294-97.

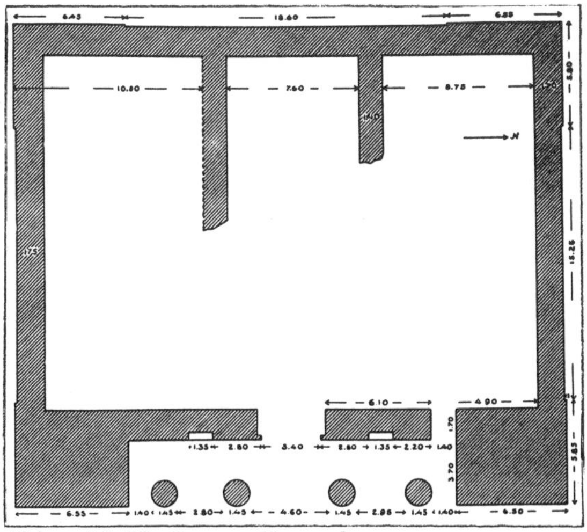

Abb. 14 El-Qaṣr. Tempel

Der Tempel besteht aus einem Breitraum, der durch zwei Zwischenwände die Cella in 3 Langräume unterteilt. Entgegen älteren Plänen gab es einen dreifachen Eingang (Zayadine). In der Front springen 2 massive Ecktürme vor, die den Eingang rahmen. Zwischen ihnen stehen 4 Säulen. Die Fassade ist mit 2 Nischen geschmückt. Die Ecktürme bargen Treppen. - Der Tempel ist noch nicht ausgegraben, konnte aber 1968 weiter geklärt werden. Zur Rekonstruktion vgl. (mit Vorbehalt) Busink, der auf Einflüsse der Tempel in Sīʿ (E4) hinweist. Doch bindet sich der Tempel auch denen in Moab und Edom ein (Negev 1976 Abb. 71: südlicher Typus).

Der Tempel ist reich geschmückt: u.a. Löwenkopfwasserspeier, Rankenfries des Architravs, Fries mit "*peopled scrolls*" und Relief (Schlußstein eines Bogens über dem Eingang?: Businki) mit der Büste des Baᶜal-Schamin(?) im Heliostypus.- Für Abbildungen s. bes. Glueck 1965 Taf. 137a, 163b-c, 164, 167c, 169a-b, 176b, 177a-c.

Glueck datiert den Tempel in Abhängigkeit von der 3. Phase des Tempels in Ḫ. et-Tannūr ins 1. Viertel des 2. Jhs. n. Chr., Busink ins späte 1. Jh. v. Chr. Ausgehend vom Qaṣr el-Bint Fīrᶜōn in Petra empfiehlt sich eine Datierung in die 1. Hälfte des 1. Jhs. n. Chr. Die Annahme mehrerer Bauphasen läßt sich gegenwärtig nicht begründen.

Glueck nimmt eine Zerstörung des Tempels durch ein Erdbeben (110/14 n. Chr.) an.

Am Ort wurden keine weiteren nabat. Funde gemacht; nur 1 Münze Aretas IV. (39/40 n. Chr.) wurde hier erworben: Glueck 1939, 387; ders. 1965, 57 Taf. 58f., 63g-h (Typ Meshorer 1975 Nr. 113). Glueck 1965 Taf. 60-61 bildet aber auch 1 Münze Malichus II. aus El-Qaṣr ab.

22. Es-Simākīye: Keramik: Glueck I 63 (site 139).

23. El-Mizne: Keramik: Glueck I 63 (site 137).

24. Er-Rabbe (Rabbat-Moab?/Areopolis Keramik: Glueck I 62 (site 136).

Erst in römischer Zeit erlangte der Ort größere Bedeutung. Vgl. Papyrus vom Naḥal Ḥever, 127 n. Chr. (Yadin 1971, 245) und Siegelabdruck aus Mampsis, um 130 n. Chr. (Negev 1983, 143f. Abb.).

25a. Ḫirbet er-Resīs: Keramik: Glueck II 5.

25b. Ḫirbet el-Fityān: Keramik: Parker 1976, 24 (site 23); ders. 1982, 18.

26. El-Leǧǧūn (Batora): "nabat. Plattform": BD II 36-38 Abb. 599-601 (vor 1933 abgetragen); vgl. El-Muṣēṭibe (K54). Naster 1982, 406 versteht die Anlage als Verehrungsplatz des Ḏū Šarā/Dusares.

Nabat. oder römische Wasseranlagen beim Wādi el-Leǧǧūn: Parker 1982, 18 Abb. 17.

27. Ruǧm Leǧǧūn: Wachtturm, Keramik: Glueck I 72 (site 48), 75 Taf. 27, 6.

28. Ruǧm Benī Yāsir: Wachtturm, Keramik: Parker 1981a, 177f.; ders. 1981b, 15, 19; ders. 1982, 16f. Abb. 16.

29. Site ohne Nr.: Wachtturm, Keramik: Glueck I 72.- 4 km sö Ruǧm Leǧǧūn.

30. Ḫirbet Ader (Adorajim?): Friesfrag.: Glueck I 63 Abb. 24. Glueck 1965, 62 nimmt deshalb hier einen Tempel an.
Keramik: Glueck I 63.

31. Ḫirbet Sārā: Keramik: Glueck III 98 (site 131).

32. ʿĪzār: Keramik: Glueck III 98 (site 129).

33. El-Kerak (Kir-Heres/Charachmoba): Büstenrelief: Musil I 1907, 54 Abb. 18; Glueck 1965, 59, 212f. Taf. 155a-b; ders. 1967, 39 f. Taf. 9, 1; Augé 1984, 493 Nr. 3 Taf. 372 (Ares). Das Relief wurde von Glueck irrig als Grabstele eines Reiters angesehen. Entgegen seiner Meinung ist auch kein parthischer Einfluß deutlich. Die Büste dürfte den "nabat. Ares" (vgl. Starcky 1966, 992; Augé 1984) darstellen, der in dieser Region Nachfolger des moabitischen Kemosch war.
Aufgrund des Reliefs, das als Spolie verbaut ist, nimmt Glueck III 48 einen Tempel in El-Kerak an (unter dem mittelalterlichen Kastell). Seine Datierung (Glueck 1965, 213) ins 2. Viertel des 2. Jhs. n. Chr. befriedigt nicht und scheint um rund 100 Jahre zu spät. Vgl. Reliefs in Māʿīn (K11) und El-Mušērife (K53).
Münze: Aretas IV. (39/40 n. Chr.), Typ Meshorer 1975 Nr. 112-14: Glueck 1965 Taf. 63e-f.-Aretas II.: Kirkbride 1937, 256.
Keramik: Glueck I 65; ders. II 4.
Vgl. ferner den Siegelabdruck aus Mampsis, um 130 n. Chr. (Negev 1983, 143f., 146f. Abb.). - Münzen des Elagabal zeigen ein *baityl*-Heiligtum (dazu Kindler 1983, 82).

34. Ḫirbet Umm Ḥamād: Keramik: Glueck III 98f. (site 127).

35. Qaryetēn: Keramik: Glueck III 99 (site 125).

36. Ḫirbet eṭ-Ṭelīse (Eglajim?): 69 v. Chr. nabat. Keramik: Glueck III 99 (site 124).

37. Ḫirbet en-Neqqāz: Keramik: Glueck III 99 (site 123).

38. Quṣūr et-Tamra: Keramik: Glueck I 63 (site 144).

39. Ḫirbet et-Lebūn: Keramik: Glueck III 99 (site 121).

40. El-Murēǧa: große Siedlung, Keramik: Glueck I 63-65 (site 145). Glueck III 66 nimmt wegen der Größe des Ortes hier einen Tempel an.

41. Kaṯrabbā (Luhith): Kapitell: Mittmann 1982, 180; ebd. 178-80 zur Identifikation.

42. Tell el-Mēdān: Militärlager von Luhith (vgl. CIS II 196 aus Medeba; K6), Festung, Keramik: Glueck III 94f. (site 115); Mittmann 1982, 180.

43. Ḫirbet Ǧilǧūl: Glueck III 100 (site 118).

44. Batrā: Dorf, Ruinen, Keramik: Glueck I 65 (site 146).

45. Qaṣr Naʿmān: Wachtturm, Keramik: Glueck I 69-71 (site 43) Abb. 27 Taf. 18.

46. Ḫirbet Abū Rukbe: Ruine, Keramik: Glueck III 78f. (site 145).

47. Qaṣr Abū Rukbe: Wachtturm, Keramik: BD II 43 Abb. 608-12; Glueck I 71 (site 44) Abb. 28. Abweichend in der Mörtelbauweise.

48. Eḫwēn el-Ḫādem: "nabat. Plattform" (Abb. 13): Glueck I 42-44 (site 39) Abb. 18 Taf. 8; ders. III 75-77 (site 143); Savignac 1936, 252-54 Taf. 11. Vgl. El-Muṣēṭibe (K54). Wegen nabat. Gräber in der Umgebung deutet Glueck III die Anlage als Grab einer bedeutenden Person, vielleicht eines nabat. Prinzen. - Am Ort wurde keine nabat. Keramik gefunden.

49. Kufērāz: Ruinen, Keramik: Glueck III 96 (site 114).

50. Ruǧm Nāṣer: Keramik, Lampen: Glueck III 72 (site 137).

51. Quṣēr ʿAmra: Grab, Keramik: Glueck III 76 (site 142) Abb. 34.

52. Ḫirbet Umm el-Quṣēr: Keramik: Glueck III 96 (site 113).

53. Zabde: Keramik: Glueck III 96 (site 112).

54. Qaṣr, unbenannt: Ruine, Keramik: Glueck III 72. - 1km nw Qaṣr Nāṣer.

55. Qaṣr Naṣer: Ruine, Keramik: Glueck III 72 (site 136).

56. Ruǧm el-Ḥelēle: Keramik: Glueck III 95 (site 111).

57. Ruǧm el-Māhirī: Ruine?, Keramik: Glueck III 70 (site 135).

58. Muʾta (Motho)?: entgegen J. T. Milik in: Starcky 1966, 904 kaum der Ort einer Schlacht zwischen einem nabat. Ethnarchen Rabel und Athenaios 312 v. Chr. Zum Bezug der zugrundeliegenden Quelle s. Imtān (F25).

59. Mešrāqā: Keramik: Glueck III 96.

60. Nušēniš: Ruinen, Keramik: Glueck I 65 (site 148).

61. El-Buhay: Keramik: Glueck III 76f. (site 141).

62. Quṣēr Bīr Zēt: Grab, Keramik, Wachtturm?, 2 Dämme?: Glueck III 77 (sites 139f.).

63. Ṣīrat el-Hērān: Wachtturm, Keramik: Glueck III 71f. (site 133).

64. Ruǧm Mesʿīd: Keramik: Glueck III 97 (site 105).

65. Ruǧm Umm el-ʿAṭāṭ: Keramik: Glueck III 97 (site 103).

66. Fuqēqes: Keramik: Glueck III 94 (site 109).

67. Ḫirbet Fuqēqes: Keramik: Glueck III 94.

68. El-Beqaʿ: Keramik: Glueck III 84 (site 107).

69. Ruǧm el-Beqer: Keramik: Glueck III 96 (site 102).

70. El-Bēḍa: Keramik: Glueck III 93 (site 108).

71. Maqṭaʿ el-Ǧabūʿa?: "nabat. Plattform"?: Glueck III 78 (site 138); vgl. K54, L48.

72. Site 42: Wachtturm: Glueck I 69 (site 42). - 1 km nno Bīʾr Bašbaš.

73. Ruǧm Ḫašm eṣ-Ṣīre: Festung, Keramik: Glueck III 73 (site 134). - Ebd. 73-75 zu Grenzfestungen im SO.

74. Bīʾr Bašbaš: Zisterne, Keramik: Glueck I 69 (site 41).

75. Ed-Debke: Keramik: Glueck III 93 (site 106).

76. Niḫil: Ruinen, Keramik: Glueck I 65f. (site 147). Glueck III 66 nimmt wegen der Größe des Ortes einen Tempel in Niḫil an; vgl. dazu Glueck I 66, Gebäude im NO.

77. Ruǧm el-Basalīye: Keramik: Glueck III 98 (site 100).

78. Ǧōza: Keramik: Glueck III 92 (site 101).

79. Ḫirbet el-ʿAbde: Keramik: Glueck III 80 (site 99a-b).

80. Ruǧm Medīnet er-Rās: Festung?, Keramik: Glueck III 88 (site 94).

81. Ruǧm el-Ḥelēle: Keramik: Glueck III 92 (site 96).

82. Ḫirbet Ḫāneq en-Naṣārā: Keramik: Glueck III 86 (site 93).

83. Ruǧm el-ʿAlenda: Keramik: Glueck III 97 (site 98a-b).

84. Site 38: Wachtturm: Glueck I 69 (site 38).

85. Ḫirbet Muḍēbiʿ: Festung, Keramik, Damm?: Glueck I 69 (site 45) Taf. 11; ders. III 69f. (site 132); Savignac 1936, 255.

86. Ḫirbet es-Sedēr: Keramik: Glueck III 86 (site 91).

87. Eḏ-Ḏubāb: Keramik: Glueck III 86 (site 90).

88. Ḫirbet Umm Rummāne: Keramik: Glueck III 86 (site 92).

89. Meǧrā: Glueck III 80 (site 85).

90. Ḫirbet ʿUšer: Keramik: Glueck III 81 (site 84).

91. Ǧuwēr: Glueck III 80 (site 81).

92. Ḫirbet Ṣerāre: Keramik: Glueck III 84.

93. Ḫirbet Ṣerāre: Keramik: Glueck III 84 (site 88).

94. Ḫirbet ʿAslēye: Keramik: Glueck III 81 (site 83).

95. Ruǧm Ešqāḥ: Keramik: Glueck III 98 (site 77).

96. Ed-Duwēḫil: Keramik: Glueck III 80 (site 79).

97. Ḫirbet el-Kuwēʿ: Keramik: Glueck III 81 (site 82).

98. Umm eṣ-Ṣedēra: Keramik: Glueck III 82 (site 87).

99. Dāt Rās (Kyriakoupolis): große Stadt. Von den 3 BD noch bekannten Tempeln ist nur mehr der sog. kleine Tempel erhalten (BD I 61 Abb. 47-50, 54, 56, 58-60;* Amy 1950, 96 Abb. 13; Negev 1976, 45 Abb. 71; ders. 1977, 610), der zwar als nabat. gilt, aber eher römisch ist (Harding 1969, 123 Taf. 14; Heritage 1973 Taf. 8a).*Dalman 1908 Abb. 211;

Von den beiden großen Tempeln auf der "Akropolis" wird zumindest der als nabat. bezeichnet werden müssen, von dem die Südfassade mit dreifachem Eingang (Negev 1977, 610) oder mit einer Tür und seitlichen Nischen erhalten ist (BD I Abb. 52, 57; Musil I 1907, 79f. Abb. 29; Savignac 1936, 249f. Abb. 8; Glueck III 65 Abb. 32c). Darauf weisen die Gliederung und der Dekor des Türsturzes mit einem Metopen-Triglyphen-Fries, die von nabat. Felsgrabfassaden geläufig sind. - Kein Plan bekannt.

Bei der anderen Tempelruine (BD I Abb. 53, 55; Musil I 1907 Abb. 28, 148; Glueck III Abb. 32d; Scheck 1985, 325 Abb. 25) wurde die mit Halbsäulen verzierte Westmauer mit nabat. Bauten verglichen. - Kein Plan bekannt.

Glueck III 63f.; ders. 1965, 56, 455 leitet aus dem Ortsnamen und aufgrund der agrarisch bestimmten Region eine Weihung des Heiligtums an Atargatis ab. Für seine Spätdatierung der Ruinen (Glueck 1965, 55) gibt es noch keinen Anhalt. Beide Thesen sind durch seine Interpretation der Befunde von Ḫ. et-Tannūr bestimmt.

Allg. zum Ort vgl. Glueck III 63-66 (site 76). -

Grab: Zayadine 1970; ders. 1971, 153 Nr. 7; ders. 1983b, 216f. Zu den Funden gehören 1 Inschrift, Keramik der 1. Hälfte des 1. Jhs. n. Chr. und 1 Münze des Tiberius.

Weitere Keramik: Glueck III 65.

100. Ruǧm Šūhār: Keramik: Glueck III 79 (site 70).

101. Ruǧm el-Meḥēres?: Keramik: Glueck III 81.

102. Ḫirbet en-Neǧāǧir: Keramik: Glueck III 82 (site 86).

103. Muḥay: Festung?, Tempel, Keramik: Glueck III 67f. (site 69).

Zum Tempel vgl. BD I 71f. Abb. 61, 66-71; Amy 1950, 97 Abb. 14a; Negev 1976, 45 Abb. 71.

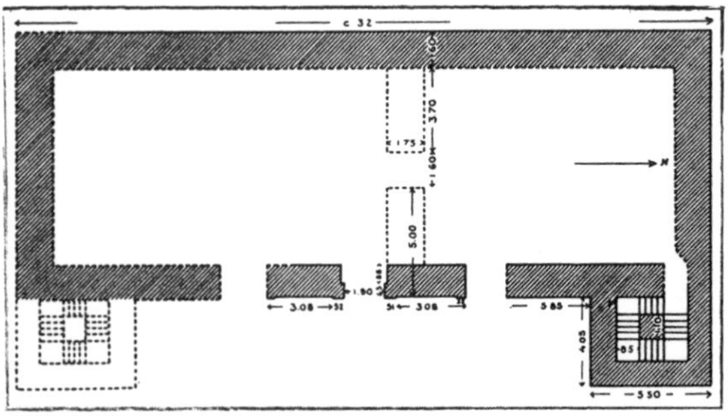

Abb. 15 Muḥay. Tempel

Der Tempel ist als Breitraum mit dreifachem Eingang oder mit Nischen seitlich des Durchgangs gebildet. Vor die Fassade sind zwei Ecktürme mit Treppen gesetzt; nur der NO-Turm ist erhalten. Das aufgehende Mauerwerk und die Innenmauern sind sekundär, vielleicht auch die Rückwand. Vom Bogen über dem Eingang stammt der Schlußstein mit einer Büste des Baʿal-Schamin(?) im Heliostypus; das Relief ist stark beschädigt: Glueck III 68; ders. 1965, 59, 455; vgl. El-Qaṣr (L21).

Gräber, Keramik: Ibrahim 1971, 115.

104. Ruǧm Qufēqif: Keramik: Glueck III 66 (site 73).

105. Ḫirbet el-Aḫūze: Keramik: Glueck III 62 (site 78).

106. Ḫirbet el-Quṣūba: Keramik: Glueck III 63 (site 75).

107. Eš-Šuqēra: Zisternen, Keramik: Glueck III 63 (site 74); Savignac 1936, 251.

108a. El-ʿĒna: Keramik: Glueck II 103 (site 221).

Glueck 1965, 55, 513 nimmt wegen der Lage des Ortes und der Quellen hier einen Tempel an.

108b. Ruǧm Ḥaǧlān: Keramik: Glueck III 66 (site 68).

109. Ṣelēle: Keramik: Glueck III 66 (site 67).

110. Qaṣr eš-Šūhār: Wachtturm, Keramik: BD II 21 Abb. 578; Glueck I 69 (site 37); ders. III 67 (site 66); Parker 1976, 24 (site 26).

111. El-Mudēyine: Keramik: Glueck II 105 (site 222).

112. Qaṣr Abū ʿInāyā: Ruine: Glueck III 67 (site 65).

Region M: nördliches Edom (Gobolitis)

Dicht besiedeltes nabat. Siedlungsgebiet. In seiner Struktur ist es der südlichen Moabitis ähnlich, wird aber stärker durch die vielen Widyān bestimmt. 2 bedeutende Heiligtümer liegen in diesem Gebiet. Nach 106 n. Chr. wurden einige Siedlungen aufgegeben, andere verlagerte man an die Via Nova Traiana, die hier nicht der alten Königsstraße folgt.

Die Surveys von Glueck I-III werden derzeit durch den Wādi el-Ḥesā-Survey unter B. MacDonald verdichtet; Negativbefunde des jeweils anderen Survey sind in diesem Katalog nicht angegeben. In den Kampagnen 1979 und 1981 wurden bislang 552 Ortslagen untersucht. Die Vorberichte verdeutlichen den hohen Anteil an nabat. Befunden (bes. MacDonald 1982a Karte 39 Abb. 2; ders. 1982d Karte 118 Abb. 1); vgl. hier Abb. 16.

In der Lokalisation der Orte bestehen manche Unterschiede gegenüber der Karte BHH IV, der hier aber weiterhin gefolgt wird. - Die südliche Grenze des Surveys und der Region M ist mit der Straße von nördlich Eṭ-Ṭafīle über ʿĀbūr nach Ǧurf ed-Derāwīš gesetzt.

1. - 57. Sites: nur durch site-Nr. und Karten des Wādi el-Ḥesā-Surveys bekannt; Beschreibungen der jeweiligen Befunde liegen noch nicht vor. Doppelungen mit den nachfolgenden Orten sind infolge der unterschiedlichen Lokalisierungen gelegentlich nicht auszuschließen.

   Survey 1979: sites Nr. 168, 166, 169, 66, 88, 68, 137, 86, 63, 121, 162, 130, 90, 161, 45, 41, 180, 158, 46, 190, 52, 112, 175, 200, 108, 129, 126, 106, 37, 174, 47, 36, 32, 81, 150, 33, 55, 58, 18, 34, 96, 76, 97, 171, 93, 29, 39, 198, 99, 91, 92, 3, 102 (in N-S-Abfolge).

   Survey 1981: sites Nr. 239, 326, 313, 366.

58. Bēdar Raḍwān: Keramik: MacDonald 1980a, 173 (site 165); ders. 1982a, 50.

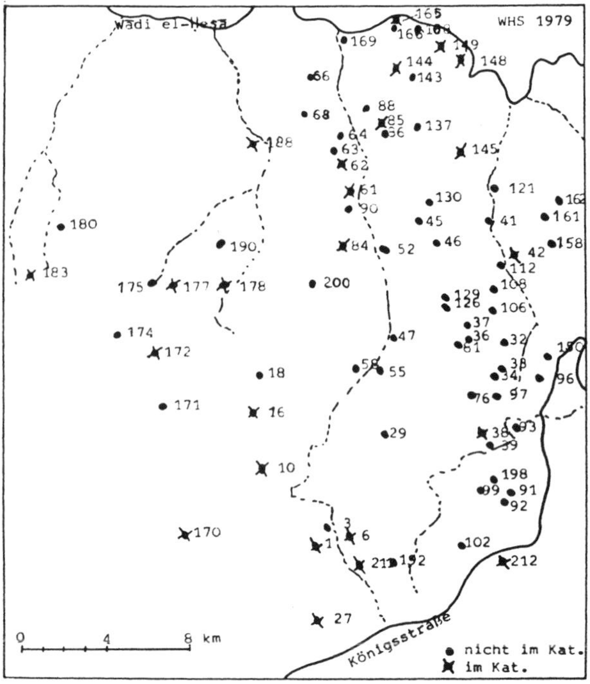

Abb. 16 Karte des Wādi el-Ḥesā-Survey 1979

59. Ḫirbet el-Ḥammān: Keramik: Glueck III 58 (site 61); MacDonald 1982a, 44, 48 (site 149).

60. Ḫirbet el-Burbēta: Keramik: Glueck III 58 (site 60); MacDonald 1982a, 44, 48 (site 148).

61. ʿĒn Qaṣrēn: Keramik: Glueck III 58 (site 59); MacDonald 1980a, 178 (sites 143, 144); ders. 1982a, 44, 48.

62. Ḫirbet Hudēs: Keramik: Glueck III 59 (site 58); MacDonald 1980a, 178 (site 85); ders. 1982a, 48.

Glueck nimmt wegen der Quantität der Keramik eine Töpferwerkstatt im Ort an.

63. Ḫirbet ʿĒn Saubala: Keramik: MacDonald 1980a, 172 (site 61); ders. 1982a, 46.

64. Dēla Qurēf?: Ruine?: Glueck III 58 (site 64).

65. Ḫirbet et-Tannūr: Heiligtum. Die Publikation der Archi-

tektur und Skulptur dieser Anlage durch N. Glueck gewann großen Einfluß auf die Forschungsgeschichte. Viele andere Befunde wurden entsprechend der Spätdatierung von Ḫ. et-Tannūr gleichfalls spät angesetzt, ohne daß zumeist eigentliche Kriterien für eine Zeitbestimmung erarbeitet wurden.

Grundlegend ist Glueck 1965, bes. 73-191 mit Abb.; Rez. Starcky 1968; vgl. ferner Glueck 1937a-b; ders. 1938; Negev 1976, 41-44 Abb. 63-70; ders. 1977, 605-07 Abb. 13 Taf. 25; Busink 1980, 1263-70.

Die Baugeschichte des Heiligtums mit seinen 3 Phasen ist weitgehend geklärt. Die Anlage läßt sich größtenteils rekonstruieren (Glueck 1965 Pläne A-H). Doch können nicht alle Skulpturen sicher zugeordnet werden. Die Datierung der einzelnen Phasen ist strittig, bes. die Spätdatierung der 3. Phase ins frühe 2. Jh. n. Chr. Unterschiedlich wird auch die Frage beurteilt, ob ein Tempel oder ein Altarheiligtum (Busink) vorliegt und ob der Altarunterbau als Cella zu verstehen ist (vgl. Starcky 1968).

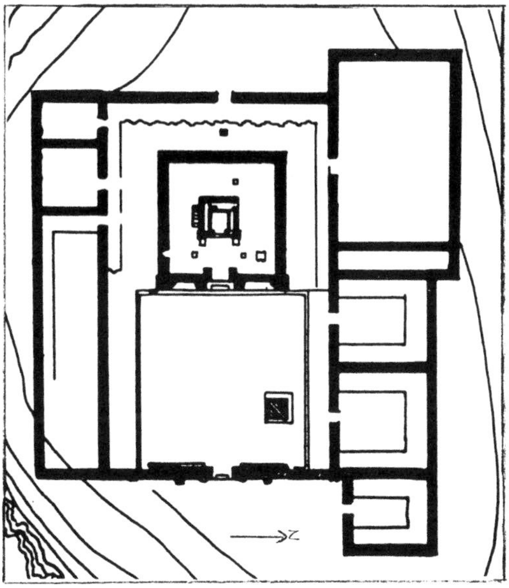

Abb. 17 Ḫirbet et-Tannūr. Tempel, 3. Bauphase

Man vergleiche zur Abb. 17 den Befundplan Glueck 1965 Plan A.

Phase 1: 1. Jh. v. Chr. Auf einem nach O offenen Altartisch (Adyton?) steht ein von W zugänglicher Altar. - Die nachfolgenden Anlagen werden um diesen Nukleus gelegt.

Phase 2: datiert anhand einer Votivinschrift des Jahres 8/7 v. Chr. von einem Priester des Quellheiligtums bei Eḏ-Ḏerīḥ (M80). Die Weihung muß allerdings nicht den Tempelbau betreffen.- Der 1. Altartisch wird durch den darumgebauten 2. Altartisch (Glueck 1965 Plan C) eingefaßt. Eine Treppe im W führt zum darüberstehenden Altar. Die O-Fassade des Altartisches rahmt die Öffnung mit einem Bogen, seitlichen Pilastern mit Rankenrosetten, einem Fries mit Blitzmotiv? (Glueck 1965 Taf. 105a) und einem Architrav mit Rankenrosetten, zentraler Muschel und seitlichen Blitzmotivreliefs (ebd. Taf. 103, 104, 105b). Die Pilaster tragen nabat. Kapitelle (ebd. Taf. 174a-b).

Um diesen Kern wird ein hypaetraler Tempel angelegt. Die Tempelmauer umfaßt einen hofartigen gepflasterten Korridor. Die Mauer ist außen im N, W und S mit je 2 flachen Pilastern zwischen Eckpilastern mit nabat. Kapitellen verziert. In der S-Mauer befand sich ein kleiner Durchlaß. - Die O-Fassade des Tempels (ebd. Plan B) ist betont. Der Eingang ist einfach gerahmt. In der Front finden sich 2 Halbsäulen und Eckpilaster mit nabat. Kapitellen. - Der Tempel liegt im westlichen "Priesterhof"; die rückwärtige Mauer im Plan ist ergänzt, ebenso der Durchlaß in ihr. 3 Säulenbasen im Hof könnten auch von Votiven stammen. Andernfalls zeigen sie Kolonnaden an, obwohl sie nicht mit den gegenüberliegenden Säulen fluchten. Hinter dem Tempel befindet sich in der Achse ein kleiner Altar.

Der östliche gepflasterte Vorhof (*theatron*) besitzt im O vor der Temenosmauer Wasserablaufkanäle. Im NO steht ein grosser Altar für Brandopfer. Im scheinbar ungepflasterten Mittelteil des Hofes hat man einen heiligen Fischteich vermutet; diese These überzeugt nicht. Im N und S ist das Pflaster der seitlichen Portiken erhöht. - Seitlich der Höfe liegen 7 z.T. säulengestützte Räume; der im O angebaute Raum 10 wird der 3. Phase zugerechnet. Die Räume dienten u.a. als *triclinia*, worauf umlaufende Wandbänke weisen.

Die O-Fassade des Temenos mit dem Eingang war pylonartig erhöht. Sie weist 2 Halbsäulen und 2 Pilaster mit nabat. Kapitellen auf (ebd. Taf. 173a-c), die in der 3. Phase nicht ausgewechselt wurden. Der Eingang besitzt 5 Stufen. Nach N gibt es einen 2. Durchlaß in Richtung auf den großen Altar zu und einen kleinen 3. Durchlaß zur nördlichen Portikus.

Phase 3: noch unter Aretas IV. (Starcky, Negev) oder etwas später im 1. Jh. n. Chr. Ein 3. Altartisch (Glueck 1965 Plan C) umbaut den 2. mit dicken Mauern im N und S und einer neuen Treppe nun im S. Die O-Fassade ist wiederum betont, aber auch die W-Seite besitzt verzierte Pilaster. An die Pilaster im O sind Viertelsäulen gesetzt, eine charakteristische Form der 3. Phase. Die Pilaster trugen 6 Reliefbüsten der "Atargatis", einmal als "Fischgöttin", einmal als "Getreidegöttin" (ebd. Taf. 1f., 27f., 25f.); Reste von Bemalung. Die Viertelsäulen sind vegetabil verziert (ebd. Taf. 26-29). Der Architrav zeigt ein vegetabiles Blitzmotiv (Taf. 178b).

Vor den Pilastern der 2. Phase (vgl. Glueck 1970 Abb. 132), im Adyton an der Rückwand, unter dem Bogen des Altartisches (vgl. Freeman 1941 Abb. 1) oder zwischen den Pilastern der Tempelfront befanden sich die Hochreliefs des thronenden Qōs (sog. Zeus-Hadad) mit seitlichen Stierkälbern und der Allat(?) (sog. Atargatis bzw. Derketo) mit Löwen (und Hirschkuh? vgl. Glueck 1965 Taf. 41f., 160f., 170?; die Göttin wird auch im Relief ebd. Taf. 44 gespiegelt). Unklar bleibt, ob diese Reliefs aus der 2. Phase wiederverwandt worden sind. Nach einer anderen Überlegung stand auf den Basen vor den Eckpilastern u.a. der Altar des Alexandros Amrou (ebd. Taf. 187f.), der aber jünger sein könnte (vgl. den Altar in Iram; O 19).

Treppentürme gibt es in dem Heiligtum nicht. Die Funktion des Opfers "auf dem Dach" wurde ja schon durch den hochgestellten Altar erreicht.

Der Altar selbst (ebd. Plan C) wiederholt formal den Unterbau: 4 Pilaster mit Viertelsäulen, Rosettenranke und Figuralkapitell (ebd. Taf. 133f.) und Architrav (ebd. Taf. 174d?).

Die Tempelmauern wurden stuckiert und *bothroi/favissae* (ebd. Taf. 106-08) wurden in das Korridorpflaster gelassen. Den Durchlaß im S schloß man.-Die O-Fassade (ebd. Plan B) wurde reich ausgestattet. Die Eingangsrahmung schloß mit einem flachen Giebel ab. Die Pilaster zog man höher und versah sie mit Doppelkapitellen (ebd. Taf. 175a-c, 176a). Die Eckpilaster erhielten Viertelsäulen. Über den Pilastern lagen ein schmaler Architrav, ein Fries mit Reliefbüsten (ebd. Taf. 53a-b; und die "Planeten" Taf. 136, 153a u. 154?) und das Gebälk (ebd. Taf. 172a-b) mit Löwenkopfwasserspeiern (? Taf. 165).- Die flache Attika der 2. Phase wurde zu einem (Giebel? mit) Bogen über dem Eingang verändert. Das Tympanon nahm ein großes Relief mit der Büste einer Fruchbarkeitsgottheit (sog. Atargatis) mit Blattcollier etc., die in ein reiches Rankenfeld mit Rosettenblüten gesetzt ist, ein (ebd. Taf. 31-33). Ähnlich Sīʿ (E4) könnte die dargestellte Gottheit die Personifikation des fruchtbaren Landes Šarā sein. Über dem Relief befand sich auf dem Scheitelblock des Bogens noch ein kleines Adlerrelief und seitlich davon Strahlenzacken (oder Hörner) (ebd. Taf. 32, 34a-b).- Zwischen den Pilastern war je eine Aedikula mit reicher architektonischer Gestaltung und Reliefbüsten im Fries (ebd. Taf. 12a-b, 178a) angebracht.

Der kleine Altar im W-Hof (Taf. 114, mit Blitzdekor) und der große Altar im O-Hof wurden vergrößert. Die Nebeneingänge der O-Fassade des Temenos wurden geschlossen.

Nach Glueck endete jede der drei Bauphasen durch Erdbebenzerstörungen. Nach der letzten Zerstörung im frühen 2. Jh. n. Chr. sei das Heiligtum aufgegeben worden.

Die Skulpturen der Bauten und sonst aus dem Heiligtum, die sich heute im Museum in ʿAmmān und im Cincinnati Art Museum in den USA und auch teilweise in Privatbesitz befinden, sind von Glueck 1965 eingehend besprochen worden. Zusätzliche Funde stellen Negev 1974d (Statuettenkopf einer Königin Aretas IV.?) und Zayadine 1975, 338 Abb. 5f. (Frag., Knabe auf dem Delphin) vor. Vgl. auch Glueck 1937a; Picard 1937; Freeman 1941; Avi-Yonah 1942, 1948, 1950; ders. 1961; Glueck 1970a-b; Hammond 1973, 81-83; Glueck 1978; Cat. Bruxelles Nr. 3, 61-66; Skupinska-Løvset 1983, 306-11 (mit fraglicher Spätdatierung).

Eine gründliche Analyse der wichtigen Funde steht noch aus. In der Beurteilung der Skulpturen, in ihrer architektonischen Zuordnung, in ihrer Identifikation, in ihrer Klassifikation und in ihrer Datierung herrscht noch große Unsicherheit vor. Die materialreiche Vorlage von Glueck 1965 mit dem Versuch einer Einordnung in die nabat., östliche und römische Kunst bringt mehr Verwirrung als Klarheit. Viele Vergleiche deuten lediglich die Verbreitung mancher Motive an. Das Verhältnis der angeführten Denkmäler zueinander u.a.m. bleiben unberücksichtigt. Die von Glueck und von Avi-Yonah angemerkte Abhängigkeit von parthischer Kunst wird heute zu Recht in den meisten Fällen in Frage gestellt. Gegen den von Glueck behaupteten Sepulkralcharakter des Delphin(motiv)s (Glueck 1964) vgl. Rosenthal 1975; vgl. L33 zur Ablehnung der Interpretation des Büstenreliefs als Grabstele.

Außer den oben zitierten Skulpturen sei noch auf folgende bes. hingewiesen: den Adler (des Qōs) mit Schlange (Glueck 1965 Taf. 140; vgl. F7, H8), bärtige und jugendliche Köpfe von Göttern (und Stiftern?) (Taf. 127-32), Nike, die einen Zodiacus mit Tychebüste im Zentrum trägt (Taf. 46-48; von der Fassade des Tempels?; Glueck 1952; Bunnens 1969), Darstellungen von Aphrodite (Al-ʿUzzā), Helios (Baʿal-Schamin), Hermes, "Jupiter" und Niken (Glueck 1965 passim).

Im Vergleich u.a. zu den Büstenreliefs des Qaṣr el Bint Fīrʿōn in Petra erweisen sich die Arbeiten in Ḫ. et-Tannūr als von solchen Vorbildern abhängig und als "provinzieller" und wohl als eigenständig nabat.

Inschriften: Savignac 1937, 405-10 Taf. 9f.; Savignac-Starcky 1957, 215-17; Glueck 1965, 138, 510, 512-15 Taf. 194-96; Starcky 1968, 209, 211, 234.

Die Inschriften weisen aus, daß der Tempel Qōs geweiht war. Die vielen "Atargatis"-Darstellungen legen nahe, daß auch eine Göttin, Allat?, mit ihm zusammen verehrt wurde, will man diese Elemente nicht nur als Symbole von Fruchtbarkeit und Überfluß verstehen (wie die "dionysischen" Motive im Ḥaurān). - In einer Inschrift wird Qōs als Gott von Ḥōrawa genannt, was an den Ort Auara (O 4) denken läßt, falls kein Personenname zugrundeliegt.

Keramik: Savignac 1936, 256; Glueck, u.a. 1965, 73, 101f., 128, 138f., 180f., 183 Taf. 73a, c, 74a, 75a-b, 82a (Lampen); Lindner 1976, 85 Abb.; Schmitt-Korte 1983, 200, 202 Abb. 3.

Münzen: Glueck 1965, 11 Taf. 57a-d (Aretas IV.), 12, 183 Taf. 57e-f (Antiochos III.) (und Antiochos IV.).

66. Ṣabra?: Keramik?: MacDonald 1982a, 44, 50 (site 188).

67. Ḫirbet ʿUyūn el-Ġuzlān: Ruinen, Bewässerungssystem, Keramik: Glueck III 56f. (site 56) Abb. 31; MacDonald 1980a, 178 (site 145); ders. 1982a, 44, 48.

68. Ḫirbet Bīʾr Mulēḥ: Keramik: Glueck II 101 (site 210).

69. Muġēyir el-Qūf: Keramik: MacDonald 1980a, 178 (site 183); ders. 1982a, 50.

70. Umm Qurēqare: Keramik: MacDonald 1980a, 171 (site 42); ders. 1982a, 46.

71. Ḫirbet Musrab: Keramik: Glueck II 101 (site 211); MacDonald 1982a, 44, 50 (site 177).

72. Ḫirbet ʿĒn Riḥāb (Rehobot-Nahar?): Keramik: Glueck III 59 (site 63); MacDonald 1982a, 44, 50 (site 178).

73. Ḫirbet Ǧāʿes: Keramik: Glueck II 102f. (site 219); MacDonald 1982d, 128 (site 321).

74. Ḫirbet beim Wādi el-ʿAlālīye: Keramik: Glueck II 106 (site 223); MacDonald 1982d, 124, 128 (site 420).

75. Ḫirbet el-Adanīn: Keramik: Glueck II 100f. (site 209).

76. Bahlūl: Keramik: Glueck III 59 (site 57); MacDonald 1980a, 178; ders. 1982a, 44 (site 84).

77. Rabābe: Keramik: MacDonald 1982a, 44, 50 (site 172).

78. Ḫirbet el-Qarn: Keramik: Glueck II 101 (site 213).

79. Ḫirbet Bīʾr Ǧamma: Keramik: Glueck II 101 (site 214); MacDonald 1980a, 178; ders. 1982a, 44, 46 (site 16).

80. Ḫirbet eḏ-Ḏerīḥ: große Siedlung im S und O eines Heiligtums (Qaṣr eḏ-Ḏerīḥ). Am Hang liegen etwa 10 Häuser. Die Siedlung ist seit dem 1. Jh. v. Chr. gewachsen und blieb noch bis ins 4. Jh. n.Chr. bestehen. Schon 8/7 v. Chr. ist ein Verwalter der Quelle ʿĒn Laʿbān, der auch in Ḫ. et-Tannūr Stiftungen machte, bezeugt.

Ḫ. eḏ-Ḏerīḥ ist der größte Ort der engeren Region und der Vorort von 13 Dörfern oder Gehöften der Umgebung am Wādi el-Laʿbān und 12 weiteren im S. Mehrere Bewässerungssysteme (Kanäle, Damm, Zisterne) wurden gefunden.

Glueck II 101f. (site 216); Savignac 1937, 404 Taf. 8, 1; Glueck 1965, 48; MacDonald 1982d, 124 (site 254); Roller 1983, 173, 175-79 Abb. 2f. Taf. 24, 2; Villeneuve 1984, 29 Abb. 27; ders. 1985.

Keramik: Glueck II 14, 102 Taf. 32A 19, 32B 40; Savignac 1936, 256; Roller 1983, 178; Villeneuve 1984, 29.

Inschrift: Villeneuve 1984, 29 (auf einer Halbsäule der Fassade des Tempels). - Vgl. Ḫ. et Tannūr.

Qaṣr eḏ-Ḏerīḥ: Heiligtum. 1818 von Ch. L. Irby entdeckt (Irby 1826, zitiert in BD I 108), beschrieben von: Glueck II 101f.; Savignac 1936, 256 Taf. 8, 2-4; Glueck III 46-48 (site 49) Abb. 26a-d; ders. 1965, 48, 156, 204, 270, 287 Taf. 163a, 176c, 178d. Die Anlage wurde im Wādi el-Ḥesā-Survey neuaufgenommen: MacDonald 1982d, 124 (site 253) Taf. 30, 6; Roller 1983, 173-79 Abb. 2 Taf. 24f., 3-9. Eine grundlegende Erforschung des Heiligtums und des Ortes hat 1983 durch die Franzosen begonnen: Villeneuve 1984, 28f. Abb. 25-27, 67-69; ders. 1985 mit Abb. 9 Taf. 16.

Die Anlage ist schlechter erhalten als die in Ḫ. et-Tannūr. In einem 55x37 m großen Temenos mit 3 Räumen im O - die Westseite ist erodiert -, von denen 1 Raum als *triclinium* angesprochen wird, liegt ein langestreckter Tempel. Außerhalb des Temenos wird die Zone nach N hin durch eine Quermauer von einem Vorsprung des Geländes abgetrennt. Nach S ist eine Art Vorhof geschaffen. Im SO liegt Ḫ. eḏ-Ḏerīḥ (östlich davon ein späterer Grabbau); zugehörig dürfte die Ruine im O sein.

Der Tempel (23x15 m) ist nach neuestem Befund (F. Villeneuve) in 3 Breiträume gegliedert. Frontfassade: 2 Halbsäulen seitlich des Eingangs, Pilaster und Eck-Viertelsäulen. Außenmauer mit Pilastern. Reiche Cellafassade: Türrahmung (Villeneuve 1985 Abb. 9), dann Pilaster, 2 Relieffiguren, Eck-Viertelsäulen; zudem Dekorquader. Im rückwärtigen Teil der Cella ein quadratisches Adyton mit 2 Säulen u. Eckpfeilern an allen Seiten. In der Front 2 Treppen (zum Altar?). Seitlich noch 2 schmale Cellae.-Die korrekte Zuweisung aller bekannten Dekore geht aus den Vorberichten noch nicht hervor.

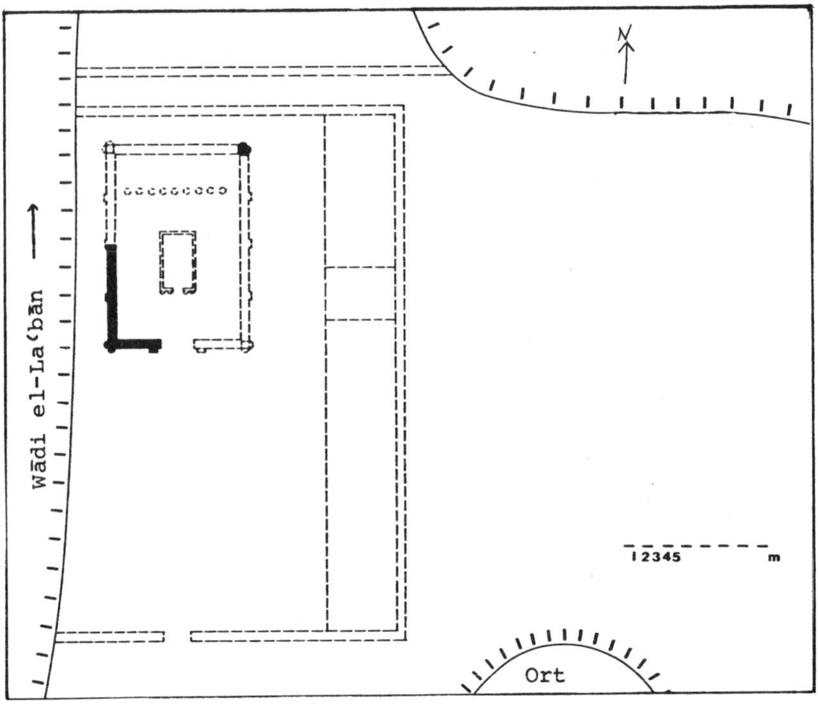

Abb. 18 Qaṣr eḏ-Ḏerīḥ. Tempel (neuer Plan noch unpubliziert)

Die Datierung des Tempels ist durch die Inschrift von 8/7 v. Chr. des Hüters der Quelle von Laʿbān, Netirʾel, und durch die Verwandtschaft mit dem Tempel der 3. Phase in Ḫ. et-Tannūr bestimmt worden: Anlage im 1. Jh. v./n. Chr. mit einer Restauration im frühen 2. Jh. n. Chr., auf die der Dekor weise. Dagegen datieren MacDonald (iulisch-claudisch) und Villeneuve richtiger ins 1. Jh. n. Chr., ohne mehrere Phasen zu unterscheiden.

Ungeklärt ist, wem der Tempel geweiht war. Name, Blitzmotiv und Inschrift führten zu unterschiedlichen Vorschlägen: Savignac 1937; Broome 1955; dagegen Savignac-Starcky 1957, 215-17; Glueck 1965. Am gewichtigsten bleiben die Parallelinschriften aus Ḫ. et-Tannūr an Qōs, der auch hier neben Derketo/Allat verehrt worden sein könnte (vgl. F. Zayadine in: Lindner 1983, 113).

81. Ḫirbet es-Sabʿa: Zisternen, Keramik: Glueck II 101 (site

215); MacDonald 1982a, 44, 46 (site 1).

82. Ed-Dēr (Laban?): Keramik: Roller 1983, 178f.

83. Debāʿa: Keramik: MacDonald 1982a, 44, 50 (site 171).

84. Ruǧm Faradīye: Keramik: Roller 1983, 173, 181.

85. Ǧaradīn: Keramik: MacDonald 1980a, 170f. (site 38); ders. 1982a, 46.

86. Ḫirbet el-Baqara: Keramik: Glueck II 107 (site 229); MacDonald 1982d, 128 (site 368); Roller 1983, 179.

87. Umm er-Rīḥ: Keramik: MacDonald 1980a, 175f. (site 10); ders. 1982a, 46.

88. Ḫirbet Mašmīl: Keramik: Glueck II 107f. (site 232); Weippert 1982a, 156f. Abb. 5 Nr. 10-16.

89. El-Mušimmīn: Heritage 1973 site 269.

90. Umm ʿUbṭūle: Keramik: MacDonald 1983, 404; ders. 1984.

91. Meǧādel (Magdiēl?): Keramik: MacDonald 1980a, 179 (site 6); ders. 1982a, 46.

92. ʿAime: Keramik: MacDonald 1982a, 44, 50 (site 170).

93. Ḫirbet Abū Bennā: Keramik: Glueck II 107 (site 230); MacDonald 1980a, 175 (site 212); ders. 1982a, 44, 50.

94. Ḫirbet el-Burēs: Keramik?: MacDonald 1980a, 177 (site 211); ders. 1982a, 50.

95. Ḫirbet Bāḫer: Ruine?, Keramik: Glueck II 106f. (site 224).

96. Buṭēna: Keramik: MacDonald 1980a, 178, 181 (site 27); ders. 1982a, 46.

97. Ruǧm Muṣfara: Keramik: Glueck II 107 (site 227).

98. Nōḫa: Keramik: Glueck II 107 (site 231).

99. Ḫirbet er-Ruwēḥī: Kastell, Keramik: Glueck I 69 (site 35), 76f. Taf. 27 Nr. 3. 5, Taf. 28.

100. Ḫān Qillus: Keramik: Glueck III 49 (site 42).

101. Ruǧm el-Muǧāmes: Keramik: Glueck III 49 (site 41).

102. ʿAbūr: Keramik: Glueck I 80 (site 32).

103. Qufēqif: Keramik: Glueck III 51 (site 39).

104. Ruǧm el-Ḥamrā: edomitische Festung nabat. genutzt; Keramik: Glueck III 52 (site 40).

Region N: zentrales Edom

Nabat. Siedlungsgebiet im Ǧebel Śeʿīr mit der Hauptstadt Petra. Einer der wichtigsten nabat. Götter, Ḏū Šarā, ist "der Gott vom Šarā (Śeʿīr)". Die Region wurde schon im 4. Jh. v. Chr. von nabat. Karawanen genutzt, doch erfolgte die nabat. Besiedlung erst seit dem späten 2. Jh. v. Chr.

Abgesehen von dem Gebiet um Petra liegt seit Musil II, BD I-II und Glueck I-III für diese Region noch kein neuerer Survey vor; vereinzelt haben an verschiedenen Orten jedoch Ausgrabungen stattgefunden. Vgl. Weippert 1982b. - Jetzt St. Hart.

Neben der Karte BHH IV ist u.a. Jordan Blatt 3 heranzuziehen, um die Ortslagen zu ermitteln.

1. Ṣenefḥe: Keramik: Glueck II 99 (site 197).
2. Ḫirbet el-Bēḍā: Keramik: Glueck II 99 (site 195).
3. Site 31: Keramik: Glueck I 80 (site 31).
4. Ḫirbet Šerāre: Keramik: Glueck II 99 (site 194).
5. Ḫirbet el-Fureǧ: Keramik: Glueck III 49 (site 37).
6. Site 30: Keramik: Glueck I 80 (site 30).
7. Ḫirbet Umm Šeʿīr: Keramik: Glueck II 100 (site 204).
8. Ḫirbet ʿĀbel: Keramik: Glueck II 100 (site 205).
9. Qaṣr ed-Dēr: Keramik: Glueck II 100 (site 203).
10. Ḫirbet el-Ḥannāne: Keramik: Glueck I 80 (site 29).
11. Ḫirbet el-Bēḍā: Keramik: Glueck I 79f. (site 28).
12. Es-Silʿ (Sela?): Fliehburg, auch nabat. genutzt. Die Datierung der einzelnen Anlagen ist noch ungeklärt. Auffällig ist die intensivste Nutzung des Regenwassers. Der Fels besitzt einen Treppenzugang mit einer Toranlage. In einigen Felswohnungen wurde bemalter Stuck (farbige

Bänder) gefunden. - Die Deutung des sog. Dū Šarā-Throns, der Dū Šarā-Nischen, des sog. Altarfelsens und Opferplatzes bleiben noch unsicher.

Keramik: z.T. 2./1. Jh. v. Chr. vgl. Glueck III 26-32 (site 34) Abb. 13-17; ders. 1970, 197-205 Abb. 107-11; Starcky 1966, 888-91 Abb. 692; Lindner 1983, 258-71 Abb. 1-8, 10-18; Scheck 1985, 330 Abb. 55f.

13. El-Furēdīs: Keramik: Glueck I 79 (site 27).

14. Et-Tawāne (Tone/Thouna): nabat. Tempel(?) in einem spätrömischen Kastell: BD I 87-91 Abb. 80-84, 87; Glueck I 80 (site 33); Negev 1976, 44f. Abb. 71; ders. 1977, 608.

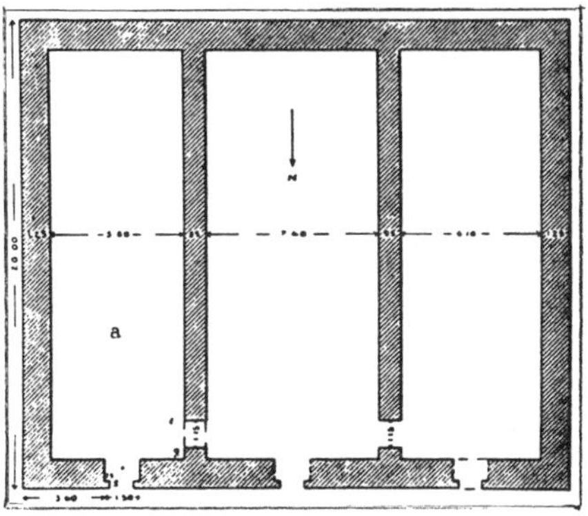

Abb. 19 Et-Tawāne. Nabat. Tempel(?)

Die Anlage besteht aus 3 nebeneinanderliegenden Räumen mit dreifachem (Glueck: zweifachem) Durchgang in der N-Fassade. 2 "Höfe" (Zeit?) sind vorgelagert. Aufgrund des Planvergleichs mit El-Qaṣr (L21), der Bauweise und der Keramik wurde die Anlage als nabat. Tempel bestimmt.

Keramik: Glueck I 80, 75f. Taf. 27 Nr. 8. 10. 14. 16. 20. 27 Taf. 28; ders. III 53 (site 32).

15. Ḫirbet Ǧennīn: Keramik: Glueck I 78 (site 24, 25).

16. El-Buṣērā (Bozra?): Altar mit Inschrift: Bennett 1975, 2, 16 Taf. 7A (aus dem modernen Ort).

Keramik: Glueck I 78f. (site 26), 76 Taf. 28 (gefunden südlich und nördlich des Ortes, dagegen nicht in der Ausgrabung von C.-M. Bennett auf der "Akropolis").

Entgegen Bartlett 1979, 54 ist in El-Buṣērā (und andernorts) keine Siedlungskontinuität von den Edomitern zu den Nabatäern erwiesen. El-Buṣērā war nur noch in der frühpersischen Zeit besiedelt (Bennett 1977, 8f.) und nach einer langen Lücke erst wieder von den Nabatäern. Die Übersiedlung von eisenzeitlichen Orten durch die Nabatäer, die vielfach zu beobachten ist, zwingt nicht zur Annahme einer Siedlungskontinuität oder einer zeitlich engaufeinanderfolgenden Inbesitznahme(vgl. These Knauf 1986: **Integration**)

17. Rās el-Ḫālā: Mauern?, (Keramik): Glueck II 96 (site 184) Taf. 17.

18. Ḫirbet Zētūne: Keramik: Glueck I 78 (site 23).

19. Ǧebel el-Qirāne: Zisterne?, Keramik: Glueck II 97 (site 185).

20. Ḫirbet Ruwāṭ: Keramik: Graf 1979, 124.

21. Ġarandal (Arindela): Keramik: Glueck I 78 (site 22).

22. Rešādīye: Keramik: Glueck I 78 (site 21).

23. Ruǧm Baḫaš: edomitische Grenzfestung nabat. genutzt, Keramik: Glueck III 23 (site 28).

24. Ruǧm ʿAmṭāṭ: Keramik: Glueck I 77 (site 19).

25. El-ʿAllemā: Ruinen, Keramik: Glueck I 77 (site 17), 75 Taf. 27, 19.

26. Tell el-Ǧuḥēra: edomitische Grenzfestung nabat. genutzt, Keramik: Glueck III 21 (site 27).

27. Šēḫ er-Rīš?: Bergfestung. Von Glueck III 38-42 (site 24) Abb. 21-23; ders. 1970, 205-07 Abb. 112-14 im Vergleich mit Es-Silʿ für nabat. erklärt, was vom Befund her aber nicht überzeugt.

28. Ḫirbet Bīr: Ruinen?, Keramik: Glueck I 77 (site 16), 75 Taf. 27, 17.

29. Ḫirbet Ḥemāta: Keramik: Glueck II 95 (site 182).

30. Ḫirbet es-Samrā: Keramik: Glueck II 95 (site 181).

31. Qaṣr Abū ʾl-Baṣal: Turm, Keramik: Glueck II 94 (site 177).

32. Ḫirbet Ṭawīl Ifǧēǧ: edomitische Grenzfestung nabat. genutzt, Zisternen, Keramik: Glueck II 95 (site 183).

33. Ḫirbet eṭ-Ṭawāra: Keramik: Glueck II 94 (site 179).

34. Ḫirbet el-Bustān: Keramik: Glueck II 94 (site 175).

35. El-Musta‘ǧile im Wādi el-Ǧuwēr: Graffiti: CIS II 485-89; BD I 120f., II 328.

36. Ḫirbet ‘Aẓūm: Glueck II 93 (site 170).

37. Ǧarqā: Keramik: Glueck II 94 (site 171).

38. Ḫirbet Muġēre: Keramik: Glueck II 94 (site 172).

39. Ḫirbet el-Qulēb (Negla): Keramik: Glueck I 76; ders. II 93 (site 169). - Vgl. Glueck III 53f. (site 15): ‘Ēn Neǧel.

40. Ḫirbet Sarāb: Keramik: Glueck II 93 (site 168).

41. Šemmāḫ: Keramik: Glueck II 93 (site 166).

42. Ḫirbet Nuṣrānīye: Keramik: Glueck II 92 (site 157).

43. Ḫirbet Abū Hārūn: Ruinen, Keramik: Glueck II 92 (sites 158, 159).

44. Ḥulēle: Keramik: Glueck II 92f. (site 162).

45. Ḫirbet Ḥuwāle: Keramik: Glueck II 88 (site 144).

46. Ḫirbet Bī’r Melāḥīn: Keramik: Glueck II 92 (site 161).

47. Ḫirbet el-‘Irāq eš-Šemālīye: Keramik: Glueck II 88 (site 141).
Turm nahebei, Keramik: Glueck II 88.

48. Ḫirbet el-‘Irāq el-Ǧānubīye: Keramik: Glueck II 88 (site 140).

49. Ḫedād: Keramik: Glueck II 92 (site 160).

50. Ḫirbet Meqdes: Keramik: Glueck II 88 (site 145).

51. Ḫirbet el-Ḫōr: Ruine, Keramik: Glueck II 89 (site 146).

52. Ḫirbet el-Wēbde?: Glueck II 93 (site 163).

53. **Sulēsel**: Ruinen (kleiner Tempel?), Keramik: Lindner 1976, 93; ders. 1978, 93. - Karawanenstation beim Abstieg zur Araba, vgl. Kirkbride 1961, 450.

54. El-Bāred: nördlicher Ausläufer von Petra, Seitenschlucht von El-Bēḍā. BD I Nr. 846-50 Abb. 184, 189, 468f.; Dalman 1908 Nr. 821-60 Abb. 315-20; ders. 1912, 43f. Abb. 37; Horsfield 1938, 12, 20-24 Taf. 34-36, 48-51; Maurer 1980 Abb. S. 79-81; Zayadine 1986, 267f. Abb. 78.

Beachtung verdienen die Fassaden BD I Nr. 846 (Schmidt-Colinet 1981, 77 Abb. 20 Taf. 20f.) und Nr. 847 (ders. 1983a Taf. 66e) und bes. das sog. Freskenhaus Nr. 849.

BD I Nr. 849 enthält Malerei auf Stuck in hellenistisch-östlicher Tradition. Im Haupttrakt findet sich an den Wänden eine Quaderimitation mit roten Fugen nach Art des II. Stils (Horsfield 1938, 21 Taf. 49; ebd. deutlich die Aufrauhung der Wände, damit der Stuck haftete; Schmidt-Colinet 1981 Abb. 8). An der Decke des rückwärtigen Raumes befand sich eine vorzügliche Malerei mit Eroten, Pan(?) und Vögeln in Rankenwerk (Abel 1906; Horsfield 1938, 23f. Taf. 50; Glueck 1956; ders. 1965 Taf. 203f.; D. Homès in: Cat. Bruxelles 79-82 Abb.; Maurer 1980 Farbtaf. 76!). Eine befriedigende Einordnung des Freskos liegt noch nicht vor. Es muß in Frage gestellt werden, es als nabat. Arbeit zu bezeichnen; nach Strabo XVI 4, 26 wurden Gemälde nach Petra importiert. Wahrscheinlich Zeit Aretas IV.

Inschriften: CIS II 480-84 (vgl. BD I Nr. 848).

Keramik: Glueck II 87 (site 136).

Die Funktion dieser Zone wird unterschiedlich beurteilt, doch handelt es sich um eine typische Siedlungsstruktur mit Wasseranlagen, Häusern und Lagerräumen (kaum Tempel und Gräber) und Treppen. Einzelne Triklinien deuten aber auch auf eine Nutzung für festliche/kultische Versammlungen. Im Kontext von El-Bēḍā gilt die Zone als Stapelplatz.

55. El-Bēḍā: nördlicher Ausläufer von Petra, als Karawanenhalt und agrarisch genutzt. BD I Nr. 833-45 Abb. 463-67 Karte Taf. 20; Dalman 1908 Nr. 795-820, 861f. Abb. 313f., 322f.; ders. 1912, 41f. Abb. 36; Glueck II 85f. (sites 134, 135) Abb. 30f.; Lindner 1978, 92-94 Abb.; ders. 1985 Abb. S. 77; ders. 1986, 112 Abb. 1-3.

Zu beachten sind Reliefs von Grabpfeilern (*nefeš*) und das

Stibadium Dalman 1908 Nr. 862 (vgl. Dalman 1908, 91, 353f.; ders. 1912, 38).

Inschriften: CIS II 465-79(-484) (vgl. BD I Nr. 833f., 837a-b, 842a-g, 844f.; Lindner 1986, 112 Abb. 2). - Zu CIS II 476 vgl. auch Zayadine 1976 (zu religiösen Symposia).

Zu den geringen Befunden (Keramik, Graffiti; Wasseranlagen?) beim Ǧebel Bāǧa im N vgl. Lindner 1986, 116, 121, 127

56. Ḫirbet el-ʿArǧā: Heritage 1973 site 79.

57. Ḫirbet Badibdā: Keramik: Glueck II 84 (site 133).

58. Ḫirbet el-Ǧerbā (Garba): Keramik: Glueck II 77 (site 107); Killick 1983b, 127 (site E); ders. 1986, 57 (Karte Abb. 1).

59. Ǧebel eṭ-Ṭumēʿa: Wachtturm, Keramik: Glueck II 77 (site 106); Killick 1986, 57 (site B); vgl. ebd. site A (ähnlich).

60. Petra (nachgestellt hinter Region Z)

61. Ṭawīlān: (nicht Teman) Grab, Keramik: Glueck II 83 (site 130); Bennett 1969, 387; dies. 1971,V-VI; dies. 1984, 4,13.

Die edomitische Keramik kann nicht als Vorläufer (Bennett 1967/68, 54f.; Browning 1973, 32, 102) der nabat. angesehen werden; Letzterer stehen andere Waren näher.

62. Oḏroḥ (Adrou/Adroa): im u. beim römischen Lager Spolien (mit 1 *baityl*), 1 Münze Aretas IV., Keramik: Glueck II 76 (site 105); Killick 1983a, 410; ders. 1983b, 117f., 121,125 Abb. 11, 2.7.10-20; ders. 1986, 51. - Töpferofen mit Keramik, Lampen, Münzen (2. Jh. v. Chr.-spätnabat.): Killick 1984, 76; ders. 1986, 51f. Abb. 8-10. Freilegung 1985.

Tell Oḏroḥ: Wachtturm, 1 Inschrift, Keramik: Killick 1982, 415; ders. 1983b, 127; ders. 1986, 56f. (site C).

63. Ḫirbet Ḥēḏān: Keramik: Glueck II 74 (site 98).

64. El-Ǧī, Wādi Mūsā (Gaia): östlicher Vorort und Versorgungszentrum von Petra; wasserreich und fruchtbar. Wenig erforscht: Dalman 1908, 359f. Nr. 872f. Abb. 328f. (Türsturz; Reliefmedaillon mit Hermesbüste, verbaut in der Moschee); Dazu tritt jetzt ein Reliefmedaillon mit der Halbfigur des (Ḏū Šarā oder des) Baʿal-Schamin: Zayadine 1981, 350 Taf. 103, 1; Lindner 1982a, 65 Abb.; Wenning 1986 Taf.

Auf ein Heiligtum des Baʿal-Schamin weist eine Inschrift von 36 n. Chr. (Zayadine 1981, 350), die Baʿal-Schamin als Gott Malichus' I. bezeichnet. Einige Architekturteile des Heiligtums sind noch unpubliziert.- Vgl. ferner die Inschrift der Statue/ des Heiligtums des vergöttlichten Malichus I. (zwischen 18 u. 40 n. Chr.): Khairy 1981; Starcky ebd. 25f. liest hier eine Weihung an Bēʿššamēn, Gott des Malichus I.

Als "Gott von Gaia" wird D̲ū Šarā in Inschriften aus Dūmā (Q10) von 44 n. Chr. und Oboda von 98 n. Chr. genannt (vgl. Roschinski 1981b, 39). - Unter Rabel II. wird Al-Kutbā als Gott in Gaia in einer Inschrift eines Augenidols/*baityls* aus Iram (O 19) bezeugt (vgl. "Hermes"-Medaillon, s.o.).

Zur (unsicheren) These, Gaia sei die erste Hauptstadt der Nabatäer gewesen, vgl. Starcky 1966, 987; bes. Milik 1982, 265.

Bei Zurrābe nördlich Wādi Mūsā wurde ein römisch-byzantinisches Töpferviertel gefunden. Doch weisen nabat. Funde (Keramik, Münzen Malichus II., Rabel II.) auch auf eine nabat. Töpferei des 1. Jhs. n. Chr. in dieser Zone: Zayadine 1982, 382, 384, 386f., 389f. Taf. 138f.

65. Ǧebel Hārūn (Hor): Lindner 1973, 30-34 Abb.; ders. 1983, 93 Abb. 37 u. 277f. Abb. 12f. nimmt auf dem Gipfel ein Heiligtum an. Unterhalb fand er eine Idolnische, Zisterne, 2 Treppen, 2 Inschriften und Keramik (vgl. Savignac 1936, 261). - Spolien sind im Weli Nebī Hārūn verbaut.

66. Birāq: Der Baudekor aus dem Ort weist auf einen Tempel: Glueck III 45f. Abb. 24f.; Parr 1960, 135 Taf. 16, 1; Glueck 1965, 60, 320 Taf. 4, 174c, 178c (Blitz- und Peltamotiv; Kapitell mit Delphinköpfen). Die Datierung des Tempels aufgrund des Vergleichs mit Ḫ. et-Tannūr ins späte 1./frühe 2. Jh. n. Chr. durch Glueck III 45 ist noch nicht gesichert. Über den Plan, die Lage etc. fehlen Angaben.

Als zugehörig gilt der weibliche Reliefkopf Parr 1960 Taf. 15, 1, den Glueck 1965, 320 als Atargatis bezeichnet und darum annimmt, ihr sei der Tempel geweiht gewesen. Der Kopf zeigt im Gesicht ein Blattmotiv ähnlich der Fruchtbarkeitsgottheit vom Tympanonrelief in Ḫ. et-Tannūr (M65). Vielleicht zugehörig ist auch die Nike Parr 1960 Taf. 15,2.

67. Es-Sabra: Funde von Kupfer- und Eisenschlacke neben dem Vorkommen von eisenhaltigem Haematit weisen auf eine Metallverarbeitung im Wādi Sabra: Glueck II 80f. (site 129); Lindner 1976, 95; ders. 1986, 141, 157. Da bislang keine edomitische, wohl aber nabat. Keramik gefunden wurde, wird dieser Industriezweig den Nabatäern zugeordnet (vgl. auch Kind 1965, 64; Horsfield-Conway 1930, 376 Abb. 24).

Wegen der Lage am Weg zur Araba verstand man Es-Sabra als eine (nabat.-)römische Militäranlage (zu "Barracken" vgl. Browning 1973, 181-83), doch ist dies sehr fraglich.

Es liegt nur ein Plan der Ruinen von de Laborde (1828) (auch in BD I Taf. 21) vor; vgl. ferner BD I 425-27 Abb. 477-81; Gory 197 Taf. 36, 2. Neuere Untersuchungen und Ausgrabungen hat M. Lindner durchgeführt: zuletzt Lindner 1986, 141, 146-58 Abb. 1-16, S. 158-69 Abb. 1-15.

Das Theater (sog. Naumachia) ist aufgrund der Steinbearbeitung und im Vergleich mit denen in Petra und Saḥr (C1) eher nabat. als römisch. Zeichnung de Laborde in: Browning 1973 Abb. 115; zum Zustand vgl. Glueck II Abb. 29; Frézouls 1959 Taf. 15, 3-4; Lindner 1976, 95 Abb.; Scheck 1985 Abb. 72. Es wurde 1980 von M. Lindner vermessen: Lindner 1982c, 29-31 Abb. 3; ders. 1986 Abb. 9. - Ein allseitig verziertes Fragment mit einem Maskenrelief, von Lindner 1986, 162 Abb. 7-10 als Rankenkapitell eines Pilasters erkannt, könnte vom Theater stammen (vgl. auch Parr 1957, 13 Nr. 23 Taf. 14B; Glueck 1965, 243 Taf. 5f.).

De Laborde gibt auf seinem Plan mehrere Tempel an, die bislang noch nicht näher untersucht wurden. Erst jetzt hat M. Lindner eine der Anlagen aufgegraben: vgl. vorläufig Lindner 1976, 95f. Abb.; ders. 1982a, 67, 69-71 Abb.; ders. 1986, 151, 154.

Nach dem 1967 von M. Lindner entdeckten Büstenrelief des "Ares" (Lindner 1986, 158, 161 Abb. 1f.; vgl. Glueck 1965 Taf. 155; Augé 1984 Taf. 372) wäre mindestens ein Tempel nabat. (vgl. ferner das Rankenkapitell Lindner 1986, 161f. Abb. 5f.; ein ionisches Kapitell ebd. 162, 166 Abb. 11).

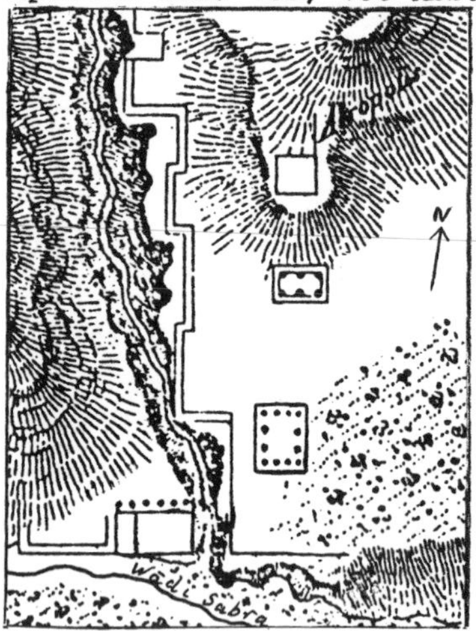

Abb. 20 Es-Sabra. Plan (de Laborde) mit Tempel(n)

Zu verschiedenen Wasserführungsanlagen vgl. Lindner 1976, 94; ders. 1978, 90f.; ders. 1980, 28-32 Abb.; ders. 1982b-c, ders. 1986, 146f. Abb. 1-6.

Keramik: Glueck II 14, 81 Taf. 31B Nr. 24, 30f., 35f.; Lindner 1976ff. passim (u.a. 1 hellenistischer gestempelter Amphorahenkel: Lindner 1976, 95).

Zum Befund weiter westlich vgl. BD I 427f.; Lindner 1986, 157f., 170-73 Abb. 1-10. Vgl. ferner U13.

68. Ḫirbet el-Muḥalle: Keramik: Glueck II 77 (site 108).

69. Emūn: Keramik: Glueck II 79 (site 120).

Musil II 1907 nennt für diesen und andere Orte Burgen, die den Zugang zu Petra schützten. Es ist jedoch weder diese Bestimmung noch die Datierung in nabat. Zeit gesichert.

70. Ḫirbet el-Fāra: Keramik: Glueck II 78 (site 118).

71. Ḫirbet Ṣuwāḫ: Keramik: Glueck II 78 (site 116).

72. Ḫirbet el-Minye: Keramik: Glueck II 78 (site 114).

73. Daḥāḥa: Ruinen, Keramik: Glueck II 78 (site 113); Weippert 1979, 103, 110.

74. Ḫirbet Debēl: Keramik: Glueck II 79 (site 122).

75. Ḫirbet Bedēwe: Keramik: Glueck II 79 (site 123).

76. Ḫirbet el-Beqaʿ: Keramik: Glueck II 74 (site 99).

77. Ḫirbet Ḍebāʿī: Keramik: Glueck II 79f. (site 125).

78. Wādi el-Baṭḥāʾ: Zisterne, Keramik: Glueck II 80 (site 126a).

79. Basṭa: Dorf auf Terrassen, landwirtschaftlich genutztes Gebiet (zur Versorgung von Petra).
Keramik: Glueck II 74 (site 100); vgl. JS I 47f.; Weippert 1982a, 157 Anm. 29 (hellenistisch).

80. Ail (Ela?): Keramik: Glueck II 75 (site 101); Parker 1976, 24, 26 (site 31).

81. Ḫirbet el-Hubēs: Keramik: Glueck II 80 (site 126).

82. Ḫirbet Qabr Šākir: Keramik: Glueck II 73 (site 96).

83. Ḫirbet Ismān: Keramik: Glueck II 73 (site 91).

84. ʿĒn el-Ǧuwēzā el-Ġarbīye: Dorf, Keramik: Glueck II 72 (site 86).

85. ʿĒn el-Ǧuwēzā eš-Šerqīye: Dorf, Keramik: Glueck II 72 (site 85).

86. ʿĒn Ǧenāb eš-Šemš: Keramik: Glueck II 72f. (site 87).

87. Kaʿka: Keramik: Glueck II 73 (site 88).

88. Eṣ-Ṣadaqa (Zadakatha): unterirdisch gebaute Gräber mit loculi; Ibrahim 1971, 114; Kurdi 1972. Unter den Funden, die dem 1. Jh. n. Chr. angehören, befinden sich Lampen mit der Ritzung RAYT (vgl. Khairy 1984, 118) und Keramik.
Weitere Keramik vom Ort: Glueck II 71 (site 81); Parker 1976, 24 (site 32).

89. Ruǧm eṣ-Ṣadaqa?: Wachtturm: BD I 469 Abb. 544; Musil II 1908, 232; Glueck II 72 (site 82), Schlüsselstellung in einem System von Wachttürmen und Siedlungen.

90. Ḫirbet el-Muǧēṭa: Keramik: Glueck II 72 (site 84).

91. Ḫirbet Muflese: Keramik: Glueck II 72 (site 83).

92. Ḫirbet er-Rusēs: Keramik: Glueck II 73 (site 89).

93. Ḫirbet Delāġa?: Glueck II 73 (site 90).

94. (Ḫirbet) Ḍōr: Keramik: Glueck II 70 (site 75); Weippert 1979, bes. 89, 91-110 Abb. 3-5, Keramik des 1.(-2.) Jhs. n. Chr.

95. ʿĒn Umm Rās: Keramik: Glueck II 14, 70 (site 76) Taf. 32A Nr. 17f.

96. Ḫirbet el-Mūrēġa: Ruinen, geplante Ortsanlage, unbefestigt (wie die meisten nabat. Siedlungen in Edom und Moab; vgl. Strabo XVI 4, 26).

Keramik: Glueck II 64 (site 43) Taf. 13 (Plan), 14-16 Taf. 30B Nr. 6f., 31A Nr. 10, 17, 31B Nr. 38-40, 32B Nr. 32f., 36f.; Weippert 1979, 89 (auch hellenistische).

Glueck nimmt wegen der Quantität und Varietät der Keramik eine Töpferei und ders. III 66 nimmt wegen der Größe und Bedeutung des Ortes einen Tempel hier an.

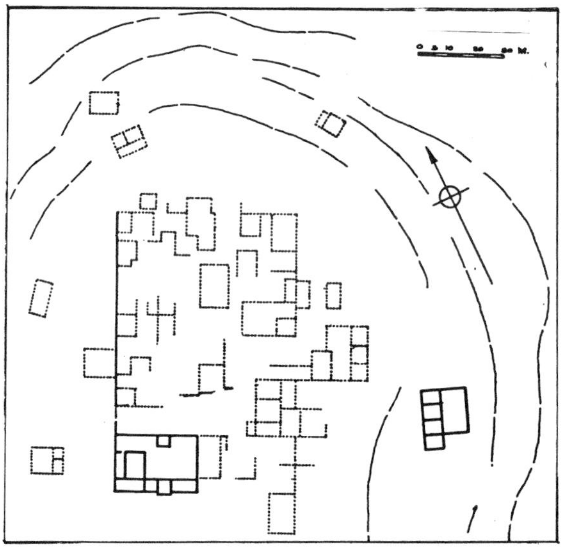

Abb. 21 Ḫirbet el-Mūrēġa. Plan

97. Ḫirbet Umm Ḥasḥas: Ruine, Keramik: Glueck II 70f. (site 77) Taf. 14.

98. Ḫirbet Ḥamdān: Keramik: Glueck II 71 (site 79).

99. Ḫirbet Šerfān: Keramik: Glueck II 71 (site 78).

100. Ḫirbet el-Qurēn: Ruinen, Keramik: Glueck II 70 (site 73), 15 Taf. 32B Nr. 27; Weippert 1979, 89.

101. Ḫirbet es-Suwēmire: Keramik: Glueck II 71 (site 80).

102. Ḫirbet Ġanām: Keramik: Glueck II 69 (site 63).

103. Ḫirbet eṭ-Ṭaiyine: Keramik: Glueck II 68 (site 60).

104. Ḫirbet Umm eṣ-Ṣelēle: Keramik: Glueck II 68 (site 59).

105. Ḫirbet el-ʿAlāwe: Turm, Keramik: Glueck II 68 (site 58).

106. Ḫirbet Bīʾr Turkī: Keramik: Glueck II 66f. (site 50). - Dies ist eine der Ortslagen, wo die Nabatäer nicht die edomitische Vorgängersiedlung überbauten, sondern wo sie nahebei Häuser neuanlegten.

107. Ruǧm Bīʾr Turkī: edomitische Anlage nabat. genutzt, Keramik: Glueck II 66 (site 49) Abb. 26.

108. Ḫirbet Umm Ḥamāṭ: Keramik: Glueck II 67 (site 51).

109. Ḫirbet Salīm: Keramik: Glueck II 69 (site 64).

110. Ḫirbet und ʿĒn Ṭāsān: Keramik: Glueck II 67 (site 54).

111. Ḫirbet Umm Ḥuwēṭāt: Keramik: Glueck II 67 (site 52).

112. Ḫirbet Ġanām: Keramik: Glueck II 67 (site 53).

113. Ḫirbet Umm ed-Diyab: Keramik: Glueck II 67 (site 55).

114. Abūʾl-Lasan: Keramik: Glueck II 62f. (site 39).

115. Ḫirbet Ḫeyēyit: Keramik: Glueck II 67 (site 56).

116. Ḫirbet Daʿūq: Ruinen, Wachttürme, Keramik: Glueck II 63 (site 42).

117. Ḫirbet ʿAṭīye: Keramik: Glueck II 68 (site 57).

118. ʿĒn el-Ǧimʿān: Keramik: Jobling 1983/84, 268.

119. Ḫirbet el-Fuwēlī: Keramik: Glueck II 60 (site 32).

120. Ḫirbet el-Fuwēlī: Keramik: Glueck II 60 (site 33).

121-122. Sites bei Ḫirbet el-Fuwēlī: Glueck II 60.

123. Ruǧm ʿĒn el-Qana?: Wachtturm: Glueck II 65 (site 48).

124. Ḫirbet Abū Nuṣūr: Glueck II 65 (site 44).

125. El-ʿUqēqe: Ruinen, Keramik: Glueck II 63 (site 40).

126. El-ʿUqēqe im Wādi el-ʿUqēqe: Glueck II 63.

127. Ḫirbet Naqb Ištār/Ḫirbet Rās en-Naqb: edomitische Festung nabat. genutzt, Keramik: Glueck II 59f. (site 31) Taf. 11; Harding 1961, 152; Graf 1979, 125; Kennedy 1982, 279.

128. Ḫirbet eš-Šudēyid: edomitische Festung nabat. genutzt, Keramik: Glueck II 61 (site 34); Graf 1979, 125.

129. Ḫirbet Ḥudēyib: Keramik: Glueck II 61 (site 35).

130. El-Qarāna: Festung (Karawanserei?), Keramik: Musil II 1909, 229 Abb. 152; Glueck II 62 (site 36); Parker 1976, 24f. (sites 35, 36); Kennedy 1982, 279.

131. Ḫirbet en-Naṣārā: Keramik: Glueck II 62 (site 38).

132. Ḫirbet eṯ-Ṯellūǧe: Keramik: Glueck II 62 (site 37). - Südlichste Ortslage des Ǧebel Seʿīr-Plateaus (vgl. Musil II 1909, 228f.; ders. 1926, 48 Abb. 12).

- Ausgeschieden: Ḫirbet en-Nuṣrānīje, Ḫirbet eǧ-Ǧōze (Dalman 1908, 267 Abb. 209f., Kapitelle).

Region O: El-Ḥesmā

Die Region zählt bereits zum nördlichen Teil der Ḥeǧāz. Über das Wādi el-Yitm besteht ein Zugang zum Roten Meer (vgl. die Königsstraße und die Via Nova Traiana). Da das Gebiet nicht agrarisch genutzt werden konnte (Wüste), wurde es kein eigentliches Siedlungsgebiet. Es kam aber unter nabat. Einfluß. Die Ortslagen dienten - abgesehen von Auara und Iram - der Kontrolle der Routen und der Versorgung der Karawanen. Zahlreiche nabat. Wasseranlagen und Graffiti weisen auf eine intensive Nutzung der Region durch umherziehende Hirten und Karawanenleute (vgl. Graf 1978, 8).- Ein bedeutendes Heiligtum liegt im Wādi Ramm (Iram).

Neben und nach den Nabatäern behaupteten sich die Thamūd in dieser Region. Die vielen thamudischen Graffiti sind nicht in diesen Katalog aufgenommen worden. Über das Verhältnis der Thamūd zu den Nabatäern gewinnt man bislang nur wenige Aussagen. Es scheint das einer auf Abkommen (die Thamūd Vasallen der Nabatäer?) beruhenden friedlichen Koexistenz gewesen zu sein.

Eine gute Charakteristik der Region findet man bei Weippert 1979, 87f. und Graf 1983 (grundlegend); Negev 1977, 585f. nimmt unglücklich den Befund dieser Region für die Charakteristik des nabat. Edom und verkennt deshalb den Siedlungscharakter des südlichen Edom (N).

Zu frühen Reisebeschreibungen bis hin zu Musil 1926 treten Surveys von Savignac 1932, Glueck II, Kirkbride-Harding 1947, Parker 1976, Graf 1978ff., Jobling 1981ff. Dort finden sich auch regionale Karten; vgl. ferner Jordan Blatt 3.

Die Region führt bis südlich Tabūk hinab (vgl. die Karte Parr-Harding-Dayton 1971 Abb. 1) mit der wichtigen Station El-Qurēye. Entsprechend den gegenwärtigen politischen Verhältnissen wird der Südteil zumeist nur in Verbindung mit Darstellungen NW-Arabiens behandelt; vgl. die Hinweise zu P u. Q und die Karten JS II Taf. 66; Ingraham et alii 1981 Taf. 68.

1. El-Bēḍa: Keramik: Graf 1979, 125.

2. Ḫirbet Darūfa: Jobling 1983/84, 268.

3. Ḫarābet el-Ḥānūt: "Ḏū Šarā-Nischen", Wasseranlagen, Graffiti: Kirkbride-Harding 1947, 21; Graf 1983, 655.

4. Ḫirbet el-Ḥomēme (Auara): größte Siedlung der Region. Nach der Gründungslegende (vgl. Negev 1977, 537f.) wurde der Ort im frühen 1. Jh. v. Chr. von Prinz Aretas (III.) gegründet. Zur Identifikation vgl. Musil 1926, 59f.; Bowersock 1971, 238f. gegen Alt 1935, 24, 28 (Ammatha); Graf 1983, 657-59.

   Wachtturm, Reservoirs, Zisternen, Damm, Aquaedukt (18 km von ᶜĒn el-Qāna; erst römisch?), Wohnhöhlen, "Kultzentrum", Inschriften, Keramik: Frank 1934, 236f. Taf. 36-37A; Glueck II 65; Alt 1936, 94; Kirkbride-Harding 1947, 22; Lindner 1976, 90 Abb.; Graf 1979, 125 Taf. 46, 1; Kennedy 1982, 272-78; Graf 1983, 657-61 (mit Plan; grundlegend); Jobling 1983/84, 268; Oleson 1984 (1. Grabungskampagne).

5. El-Menǧir: Zisterne, 2 "Ḏū Šarā-Nischen", Keramik: Glueck II 58 (site 30).

6. Ǧebel Ḫarāza: Dämme, Inschriften (davon 1 Inschrift von 32 n. Chr.): Kirkbride-Harding 1947, 19f. Taf. 6, 1; Milik 1958, 249-51 Nr. 8; Graf 1983, 654; Jobling 1983/84, 267f. Abb. 22.

7. Ǧebel Mu‘ēṣī: Damm: Graf 1983, 655.

8. El-Quwēra: Karawanserei?, Keramik: Glueck II 58 (site 29); Alt 1936, 98; Harding 1961, 154; Graf 1983, 652f. - Der Ort war wohl nur ein kleiner Posten mit einer Wasserstelle.

9. Ǧebel er-Ratama: Wasseranlagen, Keramik: Graf 1979, 125; ders. 1983, 654f.

10. Reḫemtēn: Wachtturm, Keramik, Damm: Glueck II 56f. (site 28) Abb. 24 Taf. 10; ders. 1970, 195f. Abb. 99f.; Graf 1979, 125; ders. 1983, 649, 654. - Das System nabat. Dammanlagen in Widyān hat Glueck an diesem Befund demonstriert.

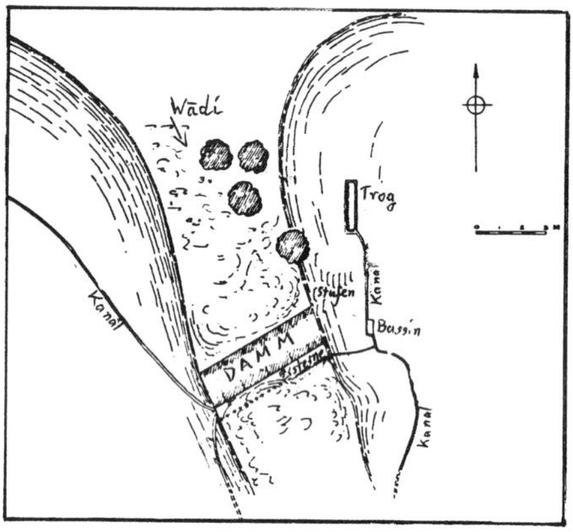

Abb. 22 Reḫemtēn. Dammanlage

11. Qusēr el-Medēfī: Wachtposten, Keramik: Graf 1979, 125.

12. Bī'r Rām el-‘Aṭīq: Damm, 3 "D̲ū Šarā-*baityles*", Keramik: Kirkbride-Harding 1947, 17 Abb. 2 (Plan), 3 (*baityles*) Taf. IV 2; Graf 1983, 657.

13. Ḫirbet el-Ḫālde (Praesidium): Festung (Vorgängerbau des römischen castellums), sog. Karawanserei, Zisternen, Keramik: Savignac 1932, 596f. Taf. 19, 2; Glueck II 54 Anm. 155; ders. III 15-17 (site 13) Abb. 9 (ebd. gegen die

These von Alt 1936, 103, daß die Festung erst nach 106 n. Chr. von Nabatäern für die Römer gebaut worden sei); Kirkbride-Harding 1947, 19 Taf. 5, 2 (Zisterne); Bowersock 1971, 239 (=Praesidium); Parker 1976, 25 (site 38); Weippert 1979, 102, 107 Nr. 8 Abb. 4 Nr. 8; Jobling 1981, 110; Graf 1983, 651f.

14. Qūsa: Keramik: Graf 1979, 125.

15. Ǧebel Dīsa: Graf 1983, 657.

16. Wādi el-Lēya?: Steinkreise (nabat.?): Kirkbride-Harding 1947, 8. Vgl. O 20.

17. Site 12: Wachtturm, Keramik: Glueck III 18f. (site 12).

18. Ǧebel Manšir: Graf 1983, 657.

19. Ǧebel Ramm (Iram/Aramaua): Heiligtum der Allat. Es umfaßt einen Tempel und einen Verehrungsplatz bei ʿĒn Šellāle. Daneben bestand eine Siedlung: Starcky 1966, 978f.; Graf 1983, 655; entgegen Negev 1976, 39, 41. Genannt werden Wasseranlagen, Badeanlagen?(Lindner 1983, 82; Scheck 1985, 441), ein Militärlager? (Savignac 1932, 588; Negev 1977, 586; vgl. aber Graf 1983 Plan 2) (=Karawanserei?; Iram liegt an der Weihrauchstraße) und die Nekropole (Savignac 1934 Taf. 35; Negev 1977, 588). Die einzelnen Anlagen sind noch nicht hinreichend publiziert.

Das Heiligtum, 1931 entdeckt, wurde von Savignac 1932-1936 beschrieben (Plan Savignac 1934 Taf. 35; vgl. Graf 1983 Plan 2).

Keramik: Savignac-Horsfield 1935, 271; Glueck II 55 (site 26); Kirkbride 1960, 71, 73 Abb. 1 Nr. 9. 11; Lindner 1973, 40; Graf 1979, 125.

Münzen: Kirkbride 1960, 74, 83.

Am Verehrungsplatz bei ʿĒn Sellāle (Plan Savignac 1934 Abb. 1; Ansichten ebd. Taf. 37f.; Savignac 1932 Taf. 17) haben ein Priester und die Tempelhandwerker Votivinschriften an Allat hinterlassen. - Unter Rabel II. hat dieser Verehrungsplatz (nach dem Verlust von Ḥegrā) verstärkt Zuwendung und Förderung gefunden, wie Inschriften und Votive zeigen (Savignac 1933, 407-22; Savignac 1934,

574-78, 581-89). Vgl. bes. die Königsinschrift (Savignac 1933, 407-11 Nr. 1 Taf. 24) von einem Monument (Savignac 1934, 581f. Abb. 1 Taf. 37) von 87 n. Chr. (Starcky 1966, 919, 979) bzw. vor 101/02 n. Chr. (Tod der Gamilat).

Außer der Allat von Iram (vgl. auch O 25) wurden die Allat in Boṣrā (F7), Al-ʿUzzā und der Herr des Tempels (auch in Petra), Al-Kutbā in Gaia (N64), D̲ū Šarā und Baʿal-Schamin, Götter des Königs (Rabel II.), angerufen.

Al-ʿUzzā und offenbar auch Al-Kutbā (Strugnell 1959) wurden im sog. Augenidolblock, der Herr des Tempels im "D̲ū Šarā-*baityl*" verehrt (Savignac 1934, 586-89 Abb. 9-11 Taf. 36, 38; Zayadine 1981c, 115f. Abb. 1 Taf. 1, 1).

Besondere Beachtung verdient das Verehrungsbild der Allat von Boṣrā (Savignac 1934, 582-85 Abb. 7 Taf. 38f.; Starcky 1981, 565, 569 Nr. 10 Taf. 425, 10). Der Erhaltungszustand des Reliefs erschwert die Interpretation, nämlich ob Allat wirklich als *baityl* oder eher zwar stilisiert, aber doch anthropomorph dargestellt ist und ob es sich bei dem sog. Halbmond um Hörner eines Altares oder eher um die Lehnen/Flügel eines Thrones handelt. Der Löwenthron findet sich auch sonst bei Allat (vgl. Starcky 1981); geflügelte Löwen begegnen auch in Petra.

Neben 5 minäischen Graffiti (2 auch in O 2) sind viele thamudische vorhanden (vgl. zur Verbreitung u.a. Graf 1978; Roschinski 1981b).

Der Tempel der Allat wird im Befund und in seiner Rekonstruktion von Savignac-Horsfield 1935, 246-58 Abb. 1-11, 22 Taf. 7-8', 11-13 (vgl. Grohmann 1963, 67-71 Abb. 24f.) beschrieben. Eine Nachuntersuchung hat Kirkbride 1960 publiziert. Dazu treten Diskussionen von Starcky 1966, 979f.; Negev 1976, 39-41 Abb. 61f.; ders. 1977, 586-88 Taf. 4; ders. 1978, 997; Busink 1980, 1270-74.

Kirkbride 1960 unterschied 3 Bauphasen:

1. Phase: auf einem Podium wird ein Tempel mit erhöhter Cella und mit einem Kranz von freistehenden Säulen (die Säulen der Ostfront wurden erst von ihr nachgeweisen; sie sind hier in der Abb. 23 in den alten Plan nachgetragen) errichtet.

2. Phase: zwischen die Halbsäulen werden stuckierte und bemalte Wände gesetzt. Auch die Halbsäulen werden stuckiert.
3. Phase: der Tempel wird um Seitenräume, Treppentürme und die Außenmauer erweitert.
Im Schnitt G-H wies Kirkbride 11 Phasen nach.

Negev nimmt wohl zu Recht nur 2 Bauphasen an: 1.+3. und 2. mit Veränderung der Portiken (vgl. Kirkbride 1960, 85f. zur 1.-2. Phase). Daß nicht nur sukzessive Arbeitsphasen vorliegen und daß die Portiken, zumindest die hintere (vgl. Ruwāfa; P5), und die Treppentürme zu einer frühen Bauphase gehören, zeigt die Veränderung der kleinen Tür in der Westmauer zu einem Fenster in der späten Phase. - Die beiden Votivbasen vor der Cellafront gehören einer späteren Ausstattung an, ebenso vielleicht die Basen vor der Nordwand (Savignac-Horsfield 1935, 256-61 Abb. 1f., 9f., 12-14). Der Tempel blieb mindestens bis im 3. Jh. n. Chr. in Funktion. Zur Situation im 4. Jh. n. Chr. vgl. Kirkbride 1960, 92.

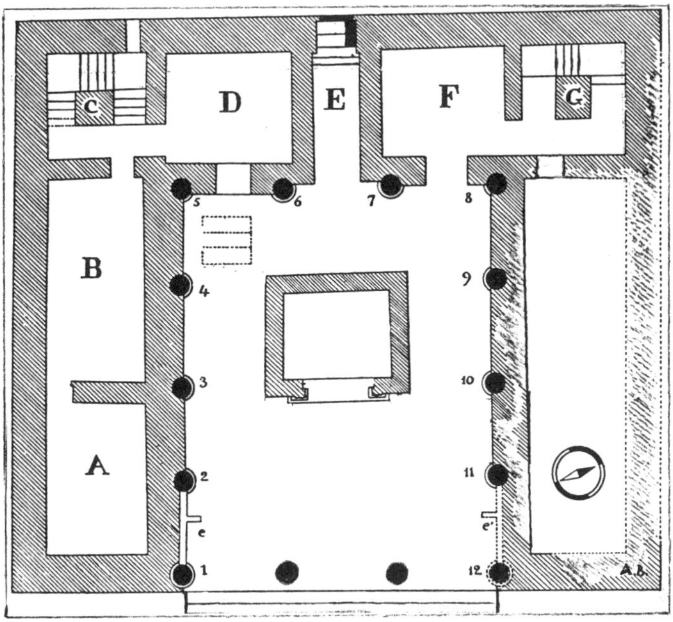

Abb. 23 Ǧebel Ramm (Iram). Tempel

Zum Eingang im O führten Stufen hinauf. Der Fußboden war bis zur Cella hin aus hexagonalen Steinen mosaikartig gelegt (Kirkbride 1960, 81f. Taf. 3, 9a).

Die stuckierten Wände waren farbig bemalt: großflächige Felder, Streifen, Quaderimitation, Girlanden aus ovalen Punktketten (Horsfield-Savignac 1935 Abb. 5-7, 11, 18). In den Quadern finden sich Rauten mit floralem "Blitzmotiv" (zum Motiv vgl. Glueck 1965 Taf. 105, 178; verwandte Malereien des II. Stils aus frühaugusteischer Zeit nach alexandrinischen Vorbildern: G. Carettoni 1983, 50f. Taf. Z). Eine Klassifikation der schlecht publizierten Malerei, die die späte Phase datieren könnte - vgl. daneben auch die Keramik Kirkbride 1960 Abb. 1 Nr. 9-12 -, ist noch nicht erfolgt (vgl. allg. Barbet 1985); vielleicht weist sie bereits in tiberisch-claudische Zeit (III. Stil?).

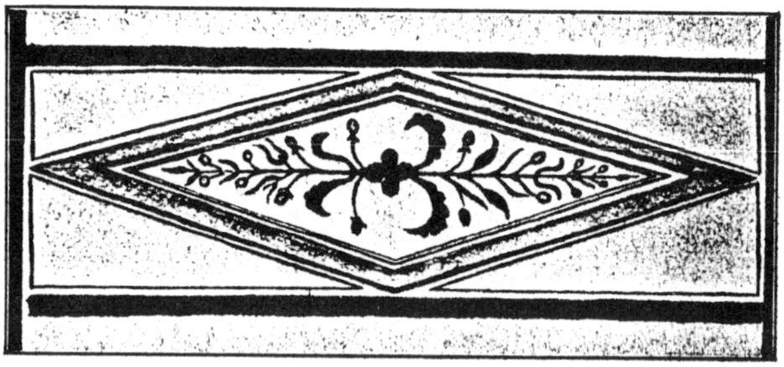

Abb. 24 Ǧebel Ramm (Iram). Freskodetail des Tempels

Statt dessen verwies man auf die Dipinti auf den Wänden (Savignac-Horsfield 1935, 263-69 Abb. 18-20 Taf. 10) und auf die Inschriften vom Verehrungsplatz bei ʿĒn Šellāle. Man nahm eine frühe Phase unter Rabel II. und eine späte um 147 n. Chr. an. Ein Dipinto nennt nämlich das Jahr 41 (oder 45), auf die Provinzära bezogen eben 147 (151) n. Chr. Dagegen bezog Negev diese Angabe auf Aretas IV. und datierte sie damit auf 32/33 (36/37) n. Chr. Da sich das Dipinto auf einem Stuckfragment der Tempelwand mit Raute und Quader befindet, sind nach der Lesung von Negev beide Phasen früh zu datieren (vgl. auch Hammond 1973, 63; Businsk 1980, 1272). Keramikfunde, Vergleiche der Malerei und der Vergleich des Tempels mit anderen nabat. Tempeln (bes. dem sog. Löwen-Greifen-Tempel in Petra!) stützen diesen Ansatz.

Negev 1976 Abb. 55 ordnet den Tempel wie den in Ḫ. et-Tannūr (M65) dem "nördlichen Typus" zu. Manche Unterschiede legen aber eine weitere Differenzierung der Typen nahe.

Die Kultstatue der auf einem Fels/Berg thronenden Allat (nicht Tyche) scheint bereits dem 2. Jh. n. Chr. zuzugehören (Savignac-Horsfield 1935, 261-63 Taf. 9; Glueck 1965, 164, 334 Taf. 52c).- Vielleicht jünger(?) sind 2 Bronzefragmente, ein Delphin und die Blattmaske einer Gefäßapplike (Savignac-Horsfield 1935, 261 Abb. 16; Glueck 1965, 243, 333f. Taf. 8b). - Zu Funden der *favissa* vgl. Savignac 1936, 258 und zu Funden der Grabung in der Cella vgl. Kirkbride 1960, 83-85 Taf. 9b.

Zum Kultbetrieb vgl. hypothetisch Negev 1976, 41.

20. Wādi Ramm(?): Podien und Steinkreise in Reihen angelegt wurden als nabat. angesprochen, doch bleibt dies unsicher. Sie könnten viel älter sein (vgl. Atlal 5, 1981 Taf. 89f.): Kirkbride-Harding 1947, 9-13 Abb. 1 Taf. 2f.

Zu Wasseranlagen im Wādi Ramm: Kirkbride-Harding 1947, 13f.

21. Ǧebel el-Nfēṯīye: Graf 1983, 657.

22. Umm Sidd: Damm: Kirkbride-Harding 1947, 17 Taf. 4, 1; Graf 1983, 655 (Ǧebel el-Ǧedēde).

23. Unbenannter site?: Damm?: Graf 1983, 655, 657.-1 km nördlich Umm el-Quṣēr.

24. Wādi Umm ʿIšrīn?: Damm?: Graf 1983, 657.

25. Umm el-Quṣēr: Gebäude, rechteckiger Raum (Allat-Heiligtum?), 3 Graffiti: Savignac 1932, 590-94 Abb. 2-5 Taf. 18; Graf 1983, 655. - Graffito Nr. 3 ist eine Weihung an "Allat, die Göttin in Iram". Graffito Nr. 2 nennt einen Priester der Allat.

26. Ḫirbet el-Kiṯāra: Festung, Keramik: Savignac 1932, 595; Alt 1936, 105 Abb. 3 (Plan) Taf. 3A; Glueck III 13f. (site

11) (ebd. 14f. gegen die These von Alt, die Festung sei erst unter den Römern angelegt; vgl. O 13); Harding 1961, 155f.; Kennedy 1982, 267; Graf 1983, 651.

27. Waǧh el-Qaṭṭār?: Wachhäuser?: Kirkbride-Harding 1947, 15.

28. ʿĒn el-Qaṭṭār: Keramik: Graf 1979, 125.

29. Hedēbe el-Falā: Inschrift: Jobling 1982, 203 Taf. 58, 5 (1. Jh. n. Chr.; sie nennt einen *chiliarchos*).

30. Ḫirbet Kilwā: Graffiti: Glueck 1959, 239, 241. – Die Datierung (Termini: literate; period IV C, umfaßt den Zeitraum von 300 v. Chr. bis 200 n. Chr.!) der den Graffiti oft beigefügten Felszeichnungen (vgl. Anati 1968, 1972, 1974, 1981; Zarins 1982) und die Zuweisung an bestimmte Stämme ist noch wenig gesichert und konkret; eine solche an die Nabatäer ist selten.

31. Site 200-58: Keramik: Ingraham et alii 1981 Taf. 82 Nr. 6.

32. El-Qurēye: Karawanenstation, Verwaltungssitz?: grundlegend untersucht von Parr-Harding-Dayton 1969, 219-41 Abb. 10-19 (Abb. 10f.: Pläne) Taf. 21-40 und von Ingraham et alii 1981, 71-74 Taf. 78-80 (site 200-105). Danach gilt die Stadtanlage (und Ruine) als spätbronze- und eisenzeitlich (midianitisch).- Es fanden sich nur wenige nabat. Denkmäler: Bau I und II (Parr-Harding-Dayton 1969, 226-38 Abb. 12f.=Pläne, Taf. 33-37). Sie sind (wie Ruwāfa; P11) vielleicht erst nach 106 n. Chr. zu datieren. Sie gelten als Residenz eines Militärgoverneurs.

Karawanserei?, Zisterne, Gräber (zum Typ vgl. Mampsis), Keramik: Ingraham et alii 1981, 73, 75, 77 Taf. 82 Nr. 3, 7.

Graffiti: Burton 1879, I 329; Moritz 1908, 407 Nr. 2, 8, 13; RES 1476.

33. Site 200-98: Keramik: Ingraham et alii 1981, 69.

34. Site 200-93A: Keramik: Ingraham et alii 1981 Taf. 82, 52.– In Tabūk fand man (entgegen Negev 1976, 39; ders. 1977, 570f.; irrig zugeordnet) keine nabat. Denkmäler.

35. El-ʿArēq: Graffito: JS I 65.

36. Site südlich Er-Rāʾīs: Graffiti: JS II 186, 229f. Nr. 378-81 Taf. 121 (anders zugeordnet ebd. 31, 33).

37. Ruǧm Šōhar?: Gräber?: JS II 168-76 Abb. 52-56 Taf. 65, 4. 67f.; Philby 1957, 127-29 Abb. bei S. 133; Grohmann 1963, 54f. Abb. 13 stellt die Zuweisung an die Nabatäer (zuerst Huber 1891, 353) wohl zu Recht in Frage.

38. Wādi ʿAṣāfīr: Inschrift: Ingraham et alii 1981, 75 (site 200-92); Publikation durch I. Shatla in Vorbereitung.

39. Miqyal ʿAirain: Graffiti: Philby 1957, 132.

40. Mabnaʾ Abū-Zaid: Graffiti: Philby 1957, 132.

41. Ḫašm Abū-Ṭebēq: Graffiti: JS II 229 Nr. 376f. Taf. 120.

42. Ǧebel Medrā: Graffiti: JS II 181, 228 Nr. 373f. Taf. 120.

43. Wādi Qanā: Graffito: JS II 229 Nr. 375 Taf. 120.

Region P: Midian

Das Hinterland am Golf von ʿAqaba gehörte nach Diod. Sic. III 43, 4-5 zum frühen Siedlungsgebiet der Nabatäer; zur Zeitstellung der Quelle vgl. Altheim-Stiehl I 66-68, 285; vgl. ferner Wissmann 1970b, 963f. Zentren waren El-Badʿ und ʿAynūna.-Bis zur Niederlage durch Ptolemaios II. nutzten die Nabatäer auch wohl den Seeweg nach Aila für Handelswaren aus dem nordminäischen Dedan (Q54).

Südlich des Golfes lag das Kernland der Thamūd.
Zur historischen Topographie grundlegend Wissmann 1970a (mit Karte Abb. 2); eine neue Studie ist von E. A. Knauf angekündigt.

Die Region reicht im S bis zum Wādi el-Ḥamḍ. Gegen O bilden die El-Ḥesmā und die Ḥarrat ar-Raḥā die geographischen Grenzen bis nach Dedan hinab.

Die Thamūd übernahmen nach 106 n. Chr. das nabat. Hoheitsgebiet im Süden des ehemaligen nabat. Reiches. Nach einer These von Wissmann 1970a (dagegen Knauf 1985, 18 Anm. 9) errichteten die Thamūd offenbar einen eigenen Staat unter der

Duldung Roms, der vom Gepräge her als subnabat. bezeichnet werden könnte. Die Thamūd expandierten in aride Zonen.

Zur Frage der Südgrenze der Provincia Arabia vgl. Graf 1978; Sartre 1982a; Bowersock 1983.

Zu den Reisebeschreibungen von Burton 1879, Musil 1926 und Philby 1955 und 1957 treten die Surveyberichte von Parr-Harding-Dayton 1969 und 1971 (vgl. Parr 1969) und bes. von Ingraham et alii 1981 (mit Karte Taf. 65, 4. 66).

1. Ṭayyib el-Ism: Ingraham et alii 1981, 75 (site 200-81).

2. El-Badʿ (Madiama): Ruinen einer Stadt (El-Ḥaurā, El-Malqaṯa, Tawratīye) beim westlichen Ufer des Wādi ʿAfāl: Rüppell 1829, 219 Taf. 8 (=Kammerer 1930 Taf. 16); Burton 1879, 83-91; Musil 1926, 108, 118, 120, 278 Abb. 38 (Plan); Philby 1957, 211f., 215, 217-19; Wissmann 1970a, 525f., 529, 544f.; bes. Parr-Harding-Dayton 1971, 32-35 Abb. 5 (Plan) Taf. 16.

   Keramik: Parr-Harding-Dayton 1971, 33 Abb. 6, 1-8; Ingraham et alii 1981, 75f. Taf. 82 Nr. 4f., 10, 15, 28, 31-34, 41-50, 53-56, 65f., 69-80 (sites 200-82 bis -87).

   Nekropole mit mindestens 21 Felsgräbern, Muġāʾir Šuʿayb ("Höhlen des Jitro"): Rüppell 1829, 219f. Abb., Taf. 8; Burton 1879, 101-11 Abb.; Musil 1926, 109, 112, 282 Abb. 39-52; Philby 1957, 212f., 219-22, 257-62; Grohmann 1963, 56-59 Abb. 14-16; Parr-Harding-Dayton 1971, 31 Taf. 12-15.- Von den Fassaden zeigen 3 noch Zinnenmotive (dazu vgl. Grohmann 1963, 57f.; Schmidt-Colinet 1981, 69-72 Abb. 10 Taf. 12). Bei einer anderen Fassade begegnen ionische Elemente wie das Volutenkapitell (vgl. Schmidt-Colinet 1983, 308f. Taf. 66b). Einige der *dromoi* haben noch die seitlichen Bänke bewahrt. In einigen Gräbern fanden sich Reste der Bemalung (Burton 1879, 106; Musil 1926, 112) und Graffiti/Dipinti (Musil 1926, 112; Philby 1957, 259; Parr-Harding-Dayton 1971, 31f.; J. T. Milik ebd. 59).

3. Maqnā (Makna): Hafen von Madiama. Eine nachantike Festung liegt über der nabat. Siedlung und einer Festung(?).

   Keramik: Philby 1955, 128f.; ders. 1957, 226; Parr-Harding-Dayton 1971, 35f. Abb. 6 Nr. 9-13 Taf. 18; Ingraham et alii 1981, 75 Taf. 82 Nr. 14, 58, 64, 67 (vgl. Taf. 84f.) (site 200-80).

4. Naqʿa Benī Murr: Graffiti: Philby 1957, 196 (Abū Maḫrūq), 197 (Qarat al-Ḥamrāʾ); J. T. Milik in: Parr-Harding-Dayton 1971, 59 Nr. 5f.; Ingraham et alii 1981, 75 (site 200-72).

5. ʿAynūna (Onne): große Siedlung mit "Akropolis" und Unterstadt auf 2 Terrassen. Ruinen (Festung?), Turm, große Nekropole mit über 100 Gräbern, Wasseranlagen, Felderwirtschaft, Keramik: Musil 1926, 124f., 128; Philby 1957, 230-33; bes. Ingraham et alii 1981, 75-78 Taf. 67 (Karte), 82 Nr. 4, 8f., 11-13, 16-27, 30, 38, 57, 59-62, 68 (vgl. Taf. 86) (Keramik) (sites 200-63, -60, -59, -74, -53, -52); hier wird die nabat. Präsenz zuerst nachgewiesen. Sie ist seit dem frühen 1. Jh. n. Chr. oder auch noch früher durch die Keramik belegt.

Das Gebiet um die Stadt wurde von den Banizomeneis/Batmizomaneis und den Bythemanoi/Bathymi in hellenistischer (und römischer) Zeit bewohnt, die vielleicht nabat. Vasallen oder Unterstämme waren (vgl. Wissmann 1970a, 538).

Die Nekropole, einmal publiziert, wird von großer Bedeutung für das Verständnis nabat. Bestattungsbräuche sein. 2 der nabat. Grundtypen herrschen hier vor: 1. die unterirdisch gebaute Grabkammer, 2. das versenkte Bodengrab mit Steinfassung und Stele.

Aufgrund des reichen Befunds folgen Ingraham et alii 1981, 77f. der These, hier Leuke Kome anzunehmen. Doch bleibt wohl der Ansatz von Wissmann 1970a, 540-43 u.a. einer Identifikation mit Yanbuʿ el-Baḥr (Q65) vorzuziehen.

6. El-Ḫurēbe: Hafen von ʿAynūna, Keramik: Musil 1926, 124-28 Abb. 56; Philby 1957, 230f.; bes. Ingraham et alii 1981, 75-77 Taf. 82 Nr. 29.

7. Site 200-48: Keramik: Ingraham et alii 1981, 75.

8. Site 200-41: Keramik: Ingraham et alii 1981, 75 Taf. 82 Nr. 26 (vgl. Taf. 83, 86).

Vgl. ferner sites 200-37 und 200-40 mit nabat. Keramik?:

Ingraham et alii 1981 Taf. 86.

9. Es-Sawāra: Keramik: Ingraham et alii 1981, 75-77 Taf. 82 Nr. 1f., 37, 39, 51, 63 (site 204-90).

10. Ḫirbet eš-Šiqri: Bauten (Wachtposten?), Keramik: Parr-Harding-Dayton 1971, 27f. Taf. 6.

11. Ruwāfa: subnabat.-thamudisches Heiligtum mit einem Tempel und meist jüngeren Nebenanlagen, Zisterne, Brunnen, Teiche Musil 1926, 185, 291 Abb. 70-72; Philby 1955, 125f.; ders. 1957, 145-49, 154 Abb. bei S. 141, 156; Grohmann 1963, 71-73 Abb. 26; Parr 1969, 393 Taf. 9a; bes. Parr-Harding-Dayton 1969, 215-19 Abb. 8f. Taf. 14-20; Ingraham et alii 1981, 75f. (site 204-100).

Der Tempel ist dem in Iram (O 19) verwandt, jedoch vereinfacht im Plan und ganz verändert in der Funktion. So werden die beiden rückwärtigen Seitenräume als Cellae zwischen einem Adyton(?) verstanden.

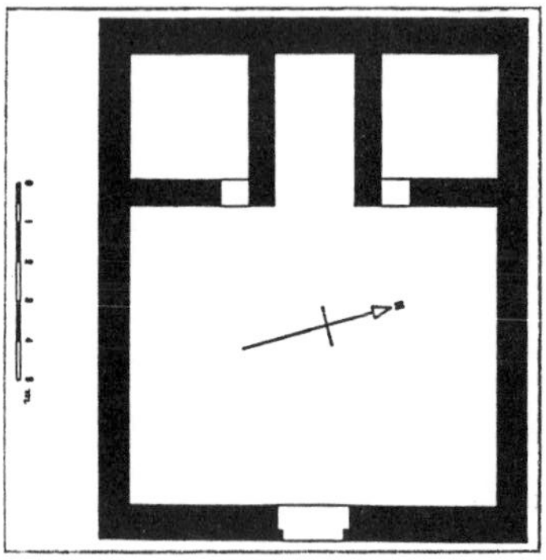

Abb. 25 Ruwāfa. Tempel

Die "nabat." Steinbearbeitung, nabat. statt thamudische Inschriften und die Weihung an das römische Kaiserhaus weisen den politischen Anspruch der Thamūd als Nachfolger der Nabatäer aus, zeigen aber auch die Abhängigkeit und Relation zu Rom an. Nach der These von Wissmann 1970a war Ruwāfa das zur neuen thamudischen Hauptstadt Qanṭara gehörige Heiligtum.

Außer griechischen Inschriften fand man 1 griechisch-nabat. Bilingue, die Weihinschrift des Tempels, und weitere 3 Inschriften. Die Bilingue datiert den Tempel um 166-69 n. Chr. und nennt die Weihung an M. Aurelius und L. Verus durch die thamudische Föderation (und eben nicht durch einen König, wie nach der These von Wissmann zu erwarten wäre).

In einer Inschrift wird ein Gotteshaus des ʾIlāhū genannt, das vom Priester des Gottes aus dem Stamm der Rubatū gestiftet worden war. - Eine Verehrung der Al-ʿUzzā am Ort ist von Starcky 1966, 1004 vermutet worden.

Zu den Inschriften: Burton 1879, 239; Musil 1926, 185; Philby 1957, 145-47, 154; Altheim-Stiehl V 2 (1969) 24f. Abb. 1-6; Parr-Harding-Dayton 1969, 217 Taf. 17; J. T. Milik ebd. 1971, 54-58 (CIS II 3641, 3642a-b); Bowersock 1971, 230f.; ders. 1975; Graf 1978, 9f.

Der von allen Arabern verehrte Tempel, den Diod. Sic. III 43 nennt, wird eher in ʿAynūna als in Tiryam oder gar Ruwāfa gestanden haben (vgl. Musil 1926, 304; Wissmann 1970a, 538).

12. El-Muweliḥ: Ingraham et alii 1981, 75 (site 204-60).

13. Qanṭara (Madiama?): Ruinen, Keramik: Philby 1957, 152; Wissmann 1970a, 534; Ingraham et alii 1981, 75f. Taf. 73b, 83 (site 204-93, -93A-D).

Wissmann versteht Qanṭara als die Hauptstadt des subnabat.-thamudischen Staates nach 106 n. Chr. (mit Königsresidenz); anders Knauf 1985.

13a. Ed-Dīsa: Nekropole von Qanṭara, 1 Felsfassade (Typus Treppengrab), Keramik: Philby 1955, 128; Ingraham et alii 1981, 75f. Taf. 73a, 92d (Fassade).

14. Šawāq (Soaka): Ingraham et alii 1981, 75f. Taf. 83 (site 204-76).

15. Hudēbat el-Bēdā?: Reservoir?: Philby 1957, 150.

- Sites 204-54, -48, -42: Ingraham et alii 1981 Taf. 83 (Keramik), jedoch nicht eindeutig als nabat. ausgewiesen. Die sites sind in der Regionalkarte als kleinerer Ortspunkt ohne Zahl eingetragen.

16. El-Waǧh (Hygra?/Phoinikon Kome/Echra)?: Hafen von Dedan und Ḥegrā: Wissmann 1970a, 539; ders. 1970b, 959; ders. 1976, 466 Anm. 295. Vgl. aber Ingraham et alii 1981, 78: keine Ortslagen mit nabat.-römischer Keramik um El-Waǧh.

17. Ǧūṯūṯ: Keramik: Ingraham et alii 1981, 76 (vgl. Taf. 83) (site 204-41).
- Vgl. ebd. Taf. 83 zu site 204-39, nabat.?

18. Site 204-35: Keramik: Ingraham et alii 1981, 75.
- Vgl. ebd. Taf. 83 zu site 204-37B, nabat.?

19. Ḫurrayim Saʿīd (Rhaunathou Kome): Tempel, nur teilweise erforscht. Philby sah 1951 noch viele Architekturglieder und verzierte Teile, die sonst nur von Burton 1879 in Zeichnungen bekannt sind: Burton 1879, 103, 222-32 Abb. S. 224f., 229; Philby 1955, 127; Grohmann 1963, 48f., 73 Abb. 27 (Plan); Wissmann 1970a, 534, 540.

Philby und Wissmann verglichen den Tempel zeitlich dem Heiligtum in Ruwāfa; er könnte aber auch älter sein. Es handelt sich um einen quadratischen Bau mit einem säulenumstandenen Cellahof (vgl. Iram; O 19). Der Eingang im O war von Säulen flankiert.

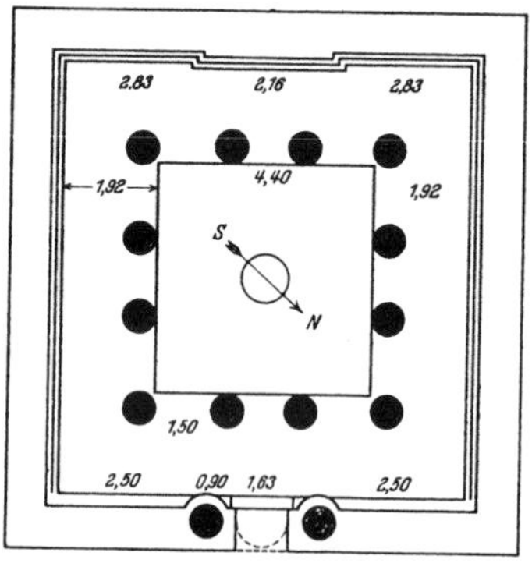

Abb. 26 Ḫurrayim Saʿīd. Nabat. Tempel?

Von Starcky 1966, 912 mit Leuke Kome verbunden.

Region Q: Nordwest-Arabien (Ḥeǧāz)

Als zugehörig zu dieser Großregion zählen schon die oben behandelten Regionen O und P (El-Ḥesmā und Midian). Nach Süden reicht die Region (mit ʿAsīr) bis gegen Naǧrān herab. Zu den Verkehrswegen vgl. die Karte Grohmann 1963 Abb. 1. Besondere Bedeutung kam dem Abschnitt der sog. Weihrauchstraße zwischen Dedan/Ḥegrā, El-Qurēye, Iram und Petra zu; über Taimāʾ liefen die Routen nach Osten.

Zur Erforschung der Region vgl. Grohmann 1963, 35-40 (Überblick). Dazu treten noch Parr-Harding-Dayton 1969 und 1971; Winnett-Reed 1970; Wissmann 1970a-b; ders. 1976. Seit 1976 besteht das flächendeckende Saudi Arabian Comprehensive Survey Program (Vorberichte in Atlal), während sonst nur Routenbeschreibungen vorliegen, nach denen die Region in diesem Katalog unterteilt wird.

Um 420/10 v. Chr. verlor Saba' (und mit dieser Großmacht der Großstamm Qedar) die Kontrolle der Weihrauchstraße im Norden an Ma'īn. Die Minäer errichteten Stützpunkte in Yaṯrib und Dedan (Kolonie Muṣrān). Sie verpflichteten sich um die Mitte des 4. Jhs. v. Chr. nach einigen Störungen die Nabatäer als Karawanenbegleiter bzw. die Nabatäer erstritten sich diese Möglichkeit. Wohl im 3. Jh. v. Chr. setzten sie in Dedan (/Ḥegrā) die Liḥyān, politische Gegner der Nabatäer, ein. Nach dem Sturz von Ma'īn wurden die Liḥyān um 115 v. Chr. selbständig. Ihr Reich übernahmen um 62/58 v. Chr. die Nabatäer (mit Thamūd und Šalamū aus Taimā'). Sie errichteten in Ḥegrā ihre "Provinzverwaltung".

Der Ḥeǧāz war anders als Midian kein nabat. Siedlungsgebiet, sondern ein wirtschaftliches Interessensgebiet (vgl. Graf 1978, 3f.), allerdings zusammen mit Midian wohl im Rang einer *strategeia*, wobei die Handelswege, weniger Grenzen militärisch zu schützen waren (vgl. Inschriften Ḥegrā).

25/24 v. Chr. führte Aelius Gallus ein römisches Heer samt herodianischen und nabat. Hilfstruppen gegen die sabäische Hauptstadt Marīb; als Berater fungierte der nabat. Kanzler Syllaios. Während der Feldzug aus römischer Sicht ein Fehlschlag war, brachte er den Nabatäern wieder den direkten Anschluß an die Weihrauchstraße von Ḥaḍramaut und Qatabān, weil der sabäische Sperriegel um Nagrān zerstört werden konnte. Umschlagplatz für den einsetzenden Karawanenhandel (zu Land) wurde Leuke Kome. - Der wirtschaftliche Aufschwung wurde schon bald gebremst, als etwa um 7. n. Chr. (vgl. dazu Negev 1983, 94) die direkte Seeverbindung zwischen Indien und Ägypten wieder möglich wurde.

Um 78/80 n. Chr. machten sich die Liḥyān in Dedan selbständig (bis um 160 n. Chr.). Im von den Nabatäern aufgegebenen

Ḥeǧāz erhoben die Thamūd Machtansprüche.

Nabat. Schrift hat in NW-Arabien ein längeres Nachleben, ohne daß sich die genaue Zeitstellung gerade der vielen Graffiti, die oft nur Namen geben, sichern läßt. Prosopographische Untersuchungen (vgl. Knauf 1986; Negev, in Vorbereitung für die Sinai-Inschriften) könnten in Einzelfällen weiterhelfen, jedoch vor allem die regionalen Sonderheiten verdeutlichen (Knauf: regionaler Pluralismus).

Region QA: Wādi Sirḥān

Durch das Wādi Sirḥān verläuft eine wichtige Karawanenroute, die den Ḥeǧāz und Süd-Arabien und Gerrha am Persischen Golf und Indien mit dem Ḥaurān und Syrien verband. Zum Nordende und zu den transjordanischen Abzweigen vgl. Region G.

Der Survey von Glueck 1944 u.a. betraf nur den Norden. Die Bedeutung der Route als "Lebensnerv" der Nabatäer ist von ihm überschätzt worden. Seinem negativen Befund hinsichtlich der Präsenz von Nabatäern steht aufgrund neuer Surveys der Nachweis nabat. Siedlungen, Heiligtümer und Keramik gegenüber: Winnett-Reed 1970; Adams-Parr et alii 1977, 36-39 Taf. 4 (Karte); Parr-Zarins et alii 1978, 33f. Taf. 21 (Karte); Ingraham et alii 1981, 79f.

Um Ithra im Norden und um Dūmā im Süden gruppieren sich mehrere nabat. Ortslagen. Bei Ithra konnte Salz abgebaut werden. Ohne direkten Nachweis nabat. Denkmäler weisen Winnett-Reed 1970, 182 in diesem Raum auch El-Ḥadīṯe, Manwā, El-Kāf und Qarqar ins 1. Jh. n. Chr., die Zeit nabat. Kontrolle der Route.

1. Qaṣr es-Saʿīdī: Tempel(?), Keramik: Winnett-Reed 1970, 62, 181f. (1. Jh. v./n. Chr.); Adams-Parr et alii 1977, 36f. (site 200-12).

2. Ithra: Inschrift: Winnett-Reed 1970, 160 Nr. 130 Taf. 33; Roschinski 1981b, 37 Anm. 39.

3. Rās el-ʿĀnīye: Tempel, Temenoshof mit rechteckiger Cella: Winnett-Reed 1970, 59f., 181 Abb. 74. Das Heiligtum wurde später von den Thamūd übernommen (ähnlich

Iram; O 19) (ebd. 60); Philby, GJ 62, 1923, 248f. sah noch Reliefs und Inschriften beim Tempel.

Keramik: Winnett-Reed 1970, 60, 181 Abb. 82 Nr. 2-5, 18, 20f. - Lampen: ebd. 60, 181 Abb. 82 Nr. 8-15.

Münze: Winnett-Reed 1970, 60, 182 Abb. 82 Nr. 17.

4. Site 200-115: Keramik: Ingraham et alii 1981, 79.

5. Site 200-127: Keramik: Ingraham et alii 1981, 79.

6. Site 200-23: Keramik: Ingraham et alii 1981, 76.

7. El-Qalʿā: Graffiti: Winnett-Reed 1970, 7, 142-44 Nr. 1-14 Taf. 10, 26.

8a. Sakāka: Graffiti: CIS II 348; Winnett-Reed 1970, 11, 73, 144 Nr. 15 Taf. 11, 26; vgl. ebd. Abb. 8.

8b. Sakāka: Festung?, Keramik: Adams-Parr et alii 1977, 38 (site 201-7).

9. Eṭ-Ṭuwēr: Keramik: Adams-Parr et alii 1977, 38f. Taf. 17 Nr. 1-21 (1. Jh. v. Chr.?) (site 201-4); Parr-Zarins et alii 1978, 42-44 Taf. 32-34.

Graffiti: Euting 1885, 6 Nr. 31f. Abb. 2; CIS II 346, 347.

Der Ort wurde vor dem 1. Jh. n. Chr. aufgegeben, als Dūmā sich als Vorort der Region behauptete.

10. Al-Ǧauf (Dūmā/Damaitha): gegen 60 v. Chr. nabat. (vgl. Roschinski 1981b, 45, 55), als die Nabatäer begannen, den Ḥeǧāz machtpolitisch zu übernehmen. Militärposten, Heiligtum des Ḏū Šarā von Gaia (44 n. Chr. bezeugt): Savignac-Starcky 1957; Roschinski 1981b, 39 Anm. 61, 55 (Inschrift).

Grabinschrift: Winnett-Reed 1970, 19, 73, 144f. Nr. 16 Taf. 32 (26 n. Chr.). - Graffiti: CIS II 346-48; Winnett-Reed 1970, 73, 144-46 Nr. 17-21 Taf. 26 (Nr. 17: 226 n. Chr.?).

Keramik: Parr 1978, 204; Adams-Parr et alii 1977, 38 Taf. 16 Nr. 20-33 (1./2. Jh. n. Chr.) (site 201-19).

Münze: Adams-Parr et alii 1977, 38.

Region QB: Dūmā - Ḥāyil

11. El-Bēḍa: Keramik, Terrakotten ?(Votive): Atlal 5, 1981, 155 Taf. 123b.

12. Ǧobbe: Graffito: Euting 1885, 7 Nr. 33 Abb. 2; CIS II 345.

13. Ḥāyil: Graffiti: CIS II 338-45 (östlichste nabat. Denkmäler).

In Ḥāyil (und Dūmā) liefen die Routen nach Gerrha am Persischen Golf zusammen. Die Gerrhäer brachten Weihrauch und Aromata auch nach Petra, besonders wohl in der Phase der Sperrung der N-S-Weihrauchstraße durch Saba' im 2./1. Jh. v. Chr. (vgl. Agatharchides, De Mari Erythraeo 87).

- Gerrha?: Handelsmetropole am Persischen Golf.-Knauf 1985b nimmt hier eine nabat. Kolonie an. - Milik in: Hadidi 1982, 264 versteht das Gebiet um Gerrha (El-Ḥasā) als den Bereich des nabat. Stammlandes. - Nabat. Funde werden in den Publikationen über Gerrha nicht genannt (u.a. Groom 1982).-Zu den "Apataioi" Knauf 1986,74 (gegen Milik 1982).
- Ausgeschieden: Thaj: vgl. Parr 1965a, 533 Anm. 14; Starcky in: Kat. München 1970, 81.

Region QC: Ḥāyil - Taimā' (vgl. Huber 1891 Atlas Blatt 6f., 9f.)

14. Ǧebel Misma', Alā'ī: Graffiti: Euting 1885, 7 Nr. 34-36 Abb. 3; CIS II 340-43.

15. Neḍīm el-ʿIrqōb: Graffito: Euting 1885, 7 Abb. 3 Nr. 37; CIS II 344.

16. Abū Muġēyir: Graffiti: CIS II 324-29.

17. Laqat: Graffiti: Euting 1885, 8f. Nr. 38 (an D̲ū Šarā) und ohne Nr., Abb. 5; CIS II 338, 339.

18. Taimā': älteste Stadt der Region, oft beschrieben, jedoch setzt die archäologische Erforschung erst jetzt ein: vgl. Grohmann 1963, 36-44; Winnett-Reed 1970, 22-29; bes. Bawden-Edens-Miller 1980, bes. 86f., 92, 97f. (Ruinen, Keramik des 1. Jhs. n. Chr.); Bawden 1981, 152; Grabung 1980 durch Abu Darak, Livingstone et alii 1983.

Säulenfragmente im Stadtzentrum wies Philby 1955, 125

einem nabat.-römischen Tempel zu, was aber noch ganz ungeklärt ist.

In der persischen und hellenistischen Zeit war Taimā' Sitz der Šalamū, die im 2. Jh. v. Chr. ihre Bedeutung verloren und dann mit den Nabatäern verbündet waren (vgl. Wissmann 1970b, 966; Roschinski 1981b, 51-55).

Zu Taimā' als Vermittler des Aramäischen für die nabat. Schrift vgl. Roschinski 1981b, 40f.

Die altaramäischen "Augenidolstelen" von Taimā' (vgl. Euting 1885, 9 Abb. 6; CIS II 116; Grohmann 1963, 51 Abb. 8; Roschinski 1981b, 32 Abb. 5) könnten die Vorläufer(?) der nabat. Stelen sein, die stärker ornamental gefaßt sind.

Inschriften: Euting 1885, 10f. Nr. 40f.; CIS II 336, 337; RES 1282; Milik in: Cat. Bruxelles 111 Nr. 84 Abb. (34 n. Chr., an die Göttin TRH); Livingstone et alii 1983, 111f. Taf. 97a (mit Korrektur Altheim-Stiehl V 1 Taf. 56).

Region QD: Taimā' - Ḥegrā (vgl. Huber 1891 Atlas Blatt 9; JS II Karte Taf. 58)

19. El-Ḫebā eš-Šarqīye: Graffiti: JS II 157 Nr. 338-41, S. 222f. Nr. 336-41 Taf. 119. - Nr. 337 nennt Masʿūdū, König der Liḥyān (vgl. Q20).

20. El-Ḫebā el-Ġarbīye: Graffiti: JS II 131, 157, 220-22 Nr. 332-35 Taf. 119. - Nr. 334 und 335 (vgl. Nr. 337; Q19) nennen Masʿūdū, König der Liḥyān (in Dedan), der ins 2. Viertel des 1. Jhs. v. Chr. datiert wird (vgl. Wissmann 1970b, 966; Roschinski 1981b, 58).

21. Abraq es-Sibāʿ: Graffito: CIS II 330.

22. Ǧebel ed-Duǧš: Graffiti: JS II 158, 223 Nr. 342f. Taf. 119.

23. Umm Ruqēbe: Graffiti: JS II 158, 223f. Nr. 344f. Taf. 119.

24. El-Muqattabe: Graffito: JS II 128 und 220 Nr. 331 Taf. 119.

25. Ḫašāḫīš el-Qirān: Graffito: JS II 220 Nr. 330 Taf. 119.

26. El-Furǧe: Graffiti: JS II 159, 224 Nr. 346-72 Taf. 119f.

27. Ḫešem el-Ǧebale: Graffito: JS II 126, 219 Nr. 329 Taf. 119.

28. Ungenannter Ort: Graffiti: Winnett-Reed 1970, 37, 146-48

Nr. 22-38 Photo 6, 104f. Taf. 32, 27f.

29. Ungenannter Ort: Inschrift: CIS II 323.

30. El-Haḍab: Graffito: Euting 1885, 13 Nr. 42 Abb. 8; CIS II 308.

31. Šaqa'iq eḏ-Ḏī'b: Graffiti: JS II 120, 217-19 Nr. 321-28 Taf. 118f. - Nr. 321 von 106 n. Chr. setzt keine nabat. Dominanz über die Region voraus (Starcky 1966, 919).

32. Rōḍat en-Nāqe: Graffito: JS II 114, 217 Nr. 320 Taf. 118.

33. Wādi Maḏbaḥ: Graffiti: JS II 111, 216f. Nr. 317-19 Taf. 118.

34. Riqāb el-Ḥağar: Graffito: CIS II 321.

Region QE: Tabūk - Ḥegrā (vgl. JS I Karte Taf. 2; Gilmore-Ibrahim-Murad 1982 Karte Taf. 2)

35. Wādi Ġarīb, Ḥarrat el-ʿUwērid: Graffito: CIS II 322.

36. Ḫubbet eṯ-Ṯemāṯīl: Graffito: CIS II 331; RES 1196.

37. Site 204-149: Graffito: Gilmore-Ibrahim-Murad 1982, 22.

38. Site 204-146: Graffito: Gilmore-Ibrahim-Murad 1982, 22.

39. Site 204-131: Keramik: Gilmore-Ibrahim-Murad 1982, 18.

40. Site 204-139: Graffito: Gilmore-Ibrahim-Murad 1982, 22.

41. Wādi Ṯarbe: Keramik: Gilmore-Ibrahim-Murad 1982, 18 (sites 204-137, -138).

42. Site 204-135: Keramik: Gilmore-Ibrahim-Murad 1982, 18.

43. Abū l-ʿAẓam: Graffiti: JS I 102, 249f. Nr. 199-201.

44. bei Mizelqād: Graffiti: JS I 103, 249 Nr. 197 Taf. 29. Nr. 198.

45. Mabrak en-Nāqe: Graffiti: JS I 103-06, 243-48 Nr. 174-96 Abb. 65 Taf. 28f. - Nr. 184 wendet sich an Ḏū Šarā und Manūtu (vgl. Nr. 201). - CIS II 316-20; RES 1192-94. - CIS II 320B nennt einen Natanui aus Jerusalem.

46. Ğebel Ḥurēre, Ğebel Ḥu'are: Votivnischen: JS I 134, 434f.

Abb. 226.

Graffito: JS I 134, 243 Nr. 173.

Region QF: Ḥegrā - Dedan

47. Madā'in Ṣāliḥ (Ḥegrā, El-Ḥiǧrū/Egra/El-Ḥigr): nach der Entmachtung von Dedan (um 62/58 v. Chr.) wurde diese Karawanenstation zum wichtigsten Handelsknotenpunkt der Region unter den Nabatäern. Der Ort wurde ausgebaut und war Sitz einer *strategeia* (einer militärisch-administrativen Einheit). Die reichen Felsgrabfassaden im Stil derjenigen der Hauptstadt weisen auf die repräsentative Aufgabe des Ortes.

Älteste datierte Denkmäler sind eine Münze Obodas III. der Zeit zwischen 23 und 10 v. Chr. und das Grab B6 von 2/1 v. Chr. (s.u.). - Die jüngste datierte Grabinschrift ist auf 75 n. Chr. datiert (D).

Um 78/80 n. Chr. ging Ḥegrā an das spätliḥyānische Königreich verloren. Dies wird angezeigt durch ein Absinken des Silbergehaltes nabat. Münzen: Meshorer 1975, Tabelle G; anders, nicht überzeugend Negev 1982, 124.

Zur Erforschung vgl. Grohmann 1963, 37-40; ferner Aramco-World Sept.-Oct. 1965; Winnett-Reed 1970, 37f., 42-53 Abb. 40f., 53-70 Taf. 3f.; Parr-Harding-Dayton 1971, 23, 25f. Taf. 1f.; grundlegend JS I-II (Plan I Taf. 3, II Taf. 37).

Die Stadtanlage selbst bei Ez-Zemēle ist noch weitgehend ungeklärt, weil sie unter dem Sand verschüttet liegt: JS I 131, 302-06 Abb. 113 (Sonnenuhr); JS II 104f. Abb. 46 Taf. 56, 2 (Säulenbasis); Winnett-Reed 1970, 50, 53, 179 Abb. 67; ebd. 179f. Hinweis auf die Ausgrabung von ʿĀ. ʿAyyash 1966 (Stadtmauer mit Türmen; Plan); Parr-Harding-Dayton 1971, 26 Taf. 2 (Brunnen).

Münzen: JS I 132, 441 Abb. (s.o.); Altheim-Stiehl V 1, 32f. (13 Münzen, meist Aretas IV., 2 Malichus II., 1 Rabel II.); Meshorer 1975, 53f. Nr. 87 Taf. 6 (singuläre Stadtmünze, zwischen 9 v. Chr. und 18 n. Chr.).

Keramik: außer allgemeiner Angabe über die Präsenz nur Winnett-Reed 1970, 50, 53, 178-80, 183 Abb. 81 (1. Jh. v./

n. Chr.); Parr-Harding-Dayton 1971, 23.

Beim Ǧebel Eṯlib gibt es eine "heilige Zone" mit vielen kultischen Anlagen.- Der sog. Dīwān ist eher ein Versammlungsraum als ein Tempel: JS I 118, 126, 405-19 Abb. 78, 82, 197-200; Plan Abb. 199; JS II 104 Taf. 46, 1; Grohmann 1963, 66f. Abb. 23; Winnett-Reed 1970, 49 Abb. 60f. - In den Fels sind viele, teilweise gerahmte Nischen mit 1-3 *baityles* geschlagen: JS I 123-28, 134, 221, 411-41 Abb. 83f., 200-25; JS II 104, 106 Taf. 55, 2-3; Winnett-Reed 1970, 50 Abb. 62-66. - Zu den Graffiti s.u. - Weitere Verehrungs- und Opferplätze: JS I 425f. Abb. 215; JS II 103f. Abb. 45 Taf. 55, 1. - Unter den angerufenen Göttern dominiert Ḏū Šarā; daneben Manūtu, Qōs (JS Nr. 3: Hinweis auf einen Tempel, in Ḥegrā?), Allat, Hobal, Tadaī, Šaiʿ el-Qaum, Herr des Tempels. - Von den Idolen sind bes. zu nennen: *baityl* des "Aʿarā, Gott des Rabel, der in Boṣrā ist" vom Jahr 1 eines subnabat.-thamudischen Königs (?) Malichus - ein nabat. König Malichus III. nach Rabel II. ist sonst nicht überliefert - (JS I 126, 417 Taf. 41); ein dem Allat-*baityl* in Iram (O 19) verwandtes Idol (ebd. 411-15 Abb. 201-03); eine sog. Augenidolstele (Al-ʿUzzā?; ebd. 426 Abb. 217; zur Bedeutung der Göttin in dieser Region vgl. Grohmann 1963, 83f.); vgl. die 2. Augenidolstele (mit Relief): Altheim-Stiehl V 1, 33 Abb. 7b; Cat. Bruxelles Abb. 44 (Taimāʾ zugeordnet).

Die wichtigste Denkmälergruppe bilden die 95 Felsgräber mit 81 Fassaden. Von ihnen gehören 20 zum Typus Zinnengrab und 59 zum Typus Treppengrab. 30 Gräber sind durch Inschriften von 2/1 v. Chr. bis 75 n. Chr. datiert. Vgl.: JS I 112-17, 123, 129-31, 307-404 Abb. 71-76, 85, 115-96 Taf. 4, 7, 35-40; JS II 78-103 Abb. 24-44 Taf. 36, 38-54; Puchstein 1910; Grohmann 1963, 59-64 Abb. 17-21; Winnett-Reed 1970, 45, 49, 53 Abb. 53-59, 68f. Taf. 4; Schmidt-Colinet 1983a, 310-12 Taf. 67; vgl dazu die Interpretationen Negev, RBibl 1976; ders. 1976, 33-37 Abb. 51f., 54, 56; ders. 1977, 573-82 Abb. 5-9; Khairy 1980; Schmidt-Colinet 1981, 101 Abb. 27f. Taf. 28f.; ders. 1983b; Balty 1983; McKenzieh 1986.

Die Daten der Gräber zeigen im Vergleich zum Typus und zur Ausstattung, daß die Typologie keinen sicheren Anhalt für die

Zeitstellung der Anlagen bietet, wie man früher annahm. Die Ausführung hing vielmehr vom Status, den Privilegien und den finanziellen Möglichkeiten der Grabinhaber ab. Eine bevorzugte oder reservierte Lage für Grabstätten war die am "Prozessionsweg" zum sog. Dīwān oder auch nur die in der Nähe der heiligen Zone.

Im Fassadenaufbau begegnen wenige Grundtypen mit vielfältiger Variation. Die Kapitell-Varianten hat Grohmann 1963 Abb. 21 zusammengestellt. Im skulpturalen Dekor treten Sepulkralmotive östlicher hellenistischer Prägung auf; bes. für Dauer: Urnen, für Apotheose: Adler, für Schutz: Sphingen, Löwen, apotropäische Maske nach Art der Gorgo und des Bes mit Schlangen, für Glück: Rosetten.

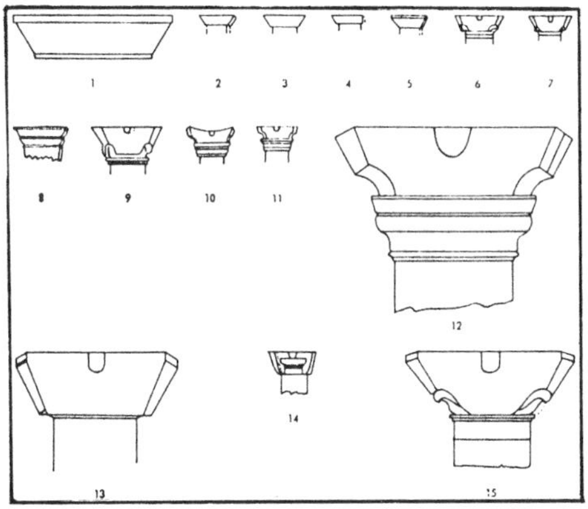

Abb. 27 Ḥegrā. Kapitell-Varianten

Die reichste Ausstattung einer Fassade weisen die Gräber B 1, 7, 22 und 23 auf.

Abb. 28 Ḥegrā.
Zinnengrab B10
Treppengrab B23

Die Grabinschriften nennen häufig den Besitzer des Grabes, die Nutzungsberechtigten (meist nur Mitglieder einer Familie), geben Vorschriften für den Verkauf des Grabes und eine Strafregelung bei Mißbrauch (bes. Geldbußen an den Tempel und an den König) und weisen den/die Bildhauer nebst dem Baudatum nach. Zur Auswertung der Bildhauersignaturen (Familie des ʿAbdʿobodat) und zu den Beziehungen der Künstler nach Petra vgl. Balty 1983; Schmidt-Colinet 1983. Zu anderen gesellschaftsrelevanten Themen vgl. auch Negev, Khairy und Balty.

Für den von Negev u.a. aufgezeigten Anstieg der Inschriften von Offizieren seit 27 n. Chr. muß man nicht mit ihm eine wachsende Bedrohung der "Grenzen" sehen, jedenfalls nicht eine durch die Thamūd. Zu einer Rebellion der Safaiten 71 n. Chr. vgl. Winnett 1973; Graf 1978, 6.

Die Innenräume der Gräber werden nur von JS beschrieben. Die meist recht großen Grabkammern (vgl. bes. JS I Abb. 174-76, 188-90) enthielten Wandloculi (mit nach hinten abgeschrägtem Boden) und Senkgräber für Bestattungen. Es gab aber auch den Brauch der sog. Zweitbestattung (vgl. Negev 1976, 36f.).

Inschriften/Graffiti: Euting 1885, 17-20, 25-71 Nr. 2-29, 51-70; CIS II 197-307; JS I 139-242 Nr. 1-172' Abb. 90-100, 113 Taf. 8-29, 41; JS II 14, 205-16 Nr. 281-316 Taf. 116-18; RES 319f., 838, 1102-38, 1140-96, 1285-88, 1290-92, 2015f., 2121f.; Winnett-Reed 1970, 149-60 Nr. 51-129 Taf. 28-33. - Die jüngsten datierten Inschriften sind: JS Nr. 159 von 126 n. Chr., ebd. Nr. 17 von 267/8 n. Chr. und Altheim-Stiehl V 1, 305-09 Abb. 54 (vgl. Wissmann 1970b, 968f.) von 355/6 n. Chr. (die späteste bekannte nabat. Inschrift).

48. Širawān: Graffiti: Parr-Harding-Dayton 1971, 26, 59.

49. Ungenannter Ort: Graffiti: Euting 1885, 14 Nr. 45-50 Abb. 8; CIS II 309-15.

50. bei Maḫzin el-Ǧindī: Graffiti: JS II 14f., 201-05 Nr. 261-80 Taf. 115f.; CIS II 313, 118, 314.

51. Maqʿad Ǧindī: Graffiti: JS II 195-200 Nr. 238-58 Taf. 114. Nr. 246 nennt Reiter der Garde. - Nr. 255 bezeugt eine Adoption.

52. Haḍbat el-ʿAbīd: Graffiti: JS II 200f. Nr. 259f. Taf. 115.

53. Qubūr el-Ǧindī: Graffiti: JS II 14, 192-95 Nr. 225-37 Taf. 113f. - Nr. 226 nennt einen Mann aus Salḫad (F11). - Nr. 227 nennt einen Reiter. Vgl. dazu die griechischen Inschriften JS II 644-47 Nr. 4-13 vom gleichen Ort, die von der Kameltruppe der centuria Flavia stammen (vgl. auch ebd. 467-69 Nr. 14-17 aus Ḥegrā); Seyrig 1941; Negev 1977, 643f.

54. El-Ḫurēbe (Dedan)?: minäischer Handelsplatz seit dem späten 5./frühen 4. Jh. v. Chr., dann Hauptstadt der Früh-Liḥyān in hellenistischer Zeit, seit 62/58 nabat. Das Datum ergibt sich aus der Chronologie der frühliḥyānischen Könige, der politischen Situation Aretas III. nach der Bildung der Dekapolis und der Expedition des Aelius Scaurus 62 v. Chr. und aus dem Sachverhalt, daß die Häfen am Roten Meer südlich Dedan bis mindestens Leuke Kome schon 25/4 v. Chr. (Feldzug des Aelius Gallus) in nabat. Hand waren.

Dedan wurde von den Nabatäern zugunsten von Ḥegrā aufgegeben. Das erklärt das Fehlen nabat. Funde in der alten Stadt (keine Keramik: Parr-**Harding-Dayton** 1969, 213f. - Inschrift JS Nr. 389f. gehört zu Q55).

Die Erforschung des Ortes ist noch sehr ungenügend. Vgl. Grohmann 1963, 36-40; grundlegend JS II 7-14, 23-77 Abb. 1-23 Taf. 2-4, 6-36; ferner Parr-Harding-Dayton 1969, 204-19 Abb. 4-7 Taf. 6-13, 41; Winnett-Reed 1970, 38-42 Abb. 43-52 Taf. 3; Bawden 1979.

55. El-ʿUlā (und El-Menšīye): Graffiti: Euting 1885, 13f., 24f., 71f. Nr. 1 (Grabinschrift von 8 v. Chr.), 30, 43f.; CIS II 332-34; JS II 7, 31, 33, 38, 187-92, 230-34 Nr. 201'-224, 380-91 Taf. 113, 121 (Nr. 386 von 307 n. Chr.); Winnett-Reed 1970, 148f. Nr. 39-50 Taf. 28.

56. Site 204-1: Bawden 1979, 71 Taf. 44 (hellenistisch-nabat.)

Region QG: Taimā' - Yaṯrib - Makoraba - Nagrān

Diese Route bildet das Mittelstück der Weihrauchstraße bis gegen das südarabische Nagrān. Das Ausmaß nabat. Kontrakte und Kontrollen wird nur in antiken Schriftquellen gespiegelt (vgl. Wissmann 1970a-b; ders. 1976 mit Karte Abb. 1).

Das Teilstück der Straße zwischen Ḥegrā und südlich Yaṯrib (El-Medīna) wurde aufgegeben. Statt dessen wurde Leuke Kome, der alte Hafen von Yaṯrib, neuer Kopf des jetzt küstennah aus dem "Gebiet eines Aretas" herangeführten Handelsweges. Von hier wurden die Waren weitergeleitet, u.a. über Ḥegrā-Petra nach Rhinokorura ans Mittelmeer (vgl. Negev 1977, 561f.).

Südlich des direkten nabat. Herrschaftsbereiches mit dem "Grenzort" Leuke Kome schloß sich das "Gebiet des Aretas" an, eines Verwandten Obodas III., der meist als Vasall des nabat. Königs angesehen wird, aber auch eingesetzter Statthalter Obodas III. gewesen sein könnte. - Zu Makoraba (Mekka) als nabat. Gründung vgl. Milik 1982, 265.

Auch mit der Lokalmacht der Ararēnē im ʿAsīr, deren Bereich bis an die sabäische Grenze bei Nagrān sich ausdehnte, trafen die Nabatäer Abkommen (vgl. Wissmann 1976, 441, 466f.). - Zu Nabatäern in (oder gegen) Nagrān vgl. Wissmann 1976, 467.

Das gesamte südliche Klientelgebiet fiel nach 106 n. Chr. an die Kinaidokolpiten.

Zu "Nabatäern" in byzantinischer und frühislamischer Zeit (Bedeutungswandel der Bezeichnung) vgl. Harmaneh 1982.

57. El-Madbaḥ: Graffiti: Philby 1955, 123f.; ders. 1957, 58.

58. Ḫaibar: Graffito: CIS II 335 (südlichste nabat. Inschrift).

Die folgenden Fundorte könnten die Route zwischen Ḥegrā und Leuke Kome anzeigen (vgl. auch P 17-18 und Q48-56; Karten Ingraham et alii 1981, Taf. 65, 3. 2):

59. El-Ǧeder: Keramik: Ingraham et alii 1981, 75f. (site 205-40).

60. El-Ḥamrā': Keramik?: Ingraham et alii 1981, 76 (site

205-39).

61. El-Ḥaurā: Keramik: Ingraham et alii 1981, 75f. Taf. 82 Nr. 40 (site 204-21).

62. Site 204-16?: Ingraham et alii 1981, 75.

63. Qalʿat el-Fārʿa?: Ingraham et alii 1981, 75f.

64. Site 204-14?: Ingraham et alii 1981, 75.

65. Yanbuʿ el-Baḥr (Leuke Kome/Jambia): seit dem 1. Jh. v. Chr. wichtiger Warenumschlagplatz für Landrouten und die Seerouten aus Süd-Arabien; über das Rote Meer waren u.a. Myos Hormos und Berenike in Ägypten nahe Anlaufhäfen. - Zur Intensität des Handels vgl. Strabo XVI 4, 23f. (Negev 1977, 561f.), speziell zur Situation nach 25/4 v. Chr. und nach der Einbuße infolge des direkten Indien-Ägypten-Handels seit etwa 7 n. Chr. (Währungssturz).- Dennoch werden weiterhin viele Waren auch noch über Leuke Kome gelaufen sein. Dafür spricht u.a. das Zeugnis über einen nabat. Centurio des Malichus II. am Ort (vgl. Negev 1977, 569f.; Bowersock 1983, 70; entgegen Negev 1983, 94 kann nicht Malichus I. gemeint sein, weil zu seiner Zeit der Landweg noch gesperrt war; Wissmann 1970a, 540-43 datiert die Quelle in severische Zeit und versteht Malichus als einen subnabat.-thamudischen König von Qanṭara), der Zollaufgaben wahrnahm. - Nabat. Funde sind noch nicht nachgewiesen. - Zu einer anderen Identifikation von Leuke Kome s. ʿAynūna, P5 (vertreten von Kiernan 1937; Dussaud 1955; Kirwan 1979; Trimingham 1979; Ingraham et alii 1981).

Region R: Süd-Arabien

Obwohl man annehmen darf, daß die Nabatäer in Ḥaḍramaut und Qatabān, ihren Hauptlieferanten, ihre Kontore und Agenten besaßen, liegen darüber weder schriftliche Quellen noch archäologische Befunde vor.

Ganz unklar bleibt noch das Bild des Einflusses jener Kulturen auf die Nabatäer und ggf. auch umgekehrt. Dabei ist u.a. an Gesellschaftsformen, an Elemente der Religion, an Bautechnik (Tempel, Wasseranlagen) und Skulptur (Augenidolstelen, Rankendekore) zu denken.

Der These einer Herkunft der Nabatäer aus dem Süden (oder Osten) Arabiens ist u.a. von Knauf 1986 zu Recht widersprochen worden.

Der sog. Große Umsturz um 125 v. Chr. brachte eine Sperrung der Weihrauchstraße zwischen Ḥaḍramaut und Dedan durch das gegnerische Saba' mit sich, die erst 25/4 v. Chr. im Feldzug des Aelius Gallus aufgehoben werden konnte. Dafür sperrten Saba' und Ḥimyar nun die Meerenge Bāb el-Mandab und unterbrachen damit den Warenfluß aus Indien und Südarabien nach Ägypten und nach Leuke Kome. Mit dem Wechsel von Ḥimyar zu Ḥaḍramaut und Qatabān etwa um 7. n. Chr. fiel auch diese Sperre.

Altheim-Stiehl I 308f. bezogen RES 4196 auf eine nabat. Ära, beginnend mit dem Ende des ptolemäischen Reiches 31 v. Chr. Diese Ärazählung begegnet sonst nicht. Nach Wissmann 1976, 451 mit Abb. 22 ist die Inschrift eher auf die ḥimyarische Ära zu beziehen.

1. <u>Qaryet el-Fa'w (Qaryet ḏāt-Kāhil)</u>: Hauptstadt von Kinda
   Der Ort liegt an der Karawanenroute von Ḥimyar und Marīb nach Gerrha und Charax.
   Keramik: Al-Ansary 1982, 22, 29 Abb. S. 63, 2-5, S. 64, 5 (Lampe). Al-Ansary erwägt, ob die Keramik nabat. Ware nur imitiert; Ghoneim 1980, 324.
2. <u>Ġarrēn</u> auf der Insel Farasān: Keramik: Zarins-Murad-Al-Yish 1981, 27 Taf. 28.
3. <u>Marīb</u>: Keramik: Stucky 1983, 12 Abb. 10f.

Region S: Ägypten

Die Ptolemäer standen in Gegnerschaft zu den Nabatäern. Ab 31 v. Chr. wurde Ägypten aber unter den Römern ein wichtiger Abnehmer der südarabischen Waren, die zuvor minäische Kaufleute direkt dort vertrieben hatten.

Ptolemaios II. gewann die Seeherrschaft über den Golf von ʿAqaba und besetzte Alt-Aila/Berenike/ʿAqaba. Berichte über die Plünderung von Schiffen durch die Nabatäer im Golf von ʿAqaba (vgl. Negev 1977, 533, 539) mögen dem Eingreifen Ptolemaios II. vorausgehen oder auch erst dem 2. Jh. v. Chr. angehören.

Die nabat. Routen nach Ägypten führten zu Land (von Aila? und) von Gaza aus durch den Sinai. Daneben bestanden Seeverbindungen über das Rote Meer zwischen Leuke Kome und Hygra und auf der anderen Seite Berenike, Leukos Limen und Myos Hormos. Von diesen Häfen führten Karawanenwege (380, 173, 181 km) nach Koptos (Quft) und Kainopolis (Qena) am Nil. Graffiti entlang dieser Wege könnten eine gewisse Beteiligung von Nabatäern an den Karawanen anzeigen, soweit sie früh sind.- Zu den römischen Routen vgl. Murray 1925; Meredith 1952 und 1953; Kees 1977, 63-66.- Die Inschriften und Graffiti wurden von Littmann-Meredith 1953 und 1954 (vgl. Starcky 1955b) gesammelt; vgl. ferner noch die Inschrift CIS II 186 von Ezraʿ (C6).

Einige korinthische Kapitellformen und sog. Bossen- oder Hörnerkapitelle - der nabat. Kapitelltyp schlechthin - zeigen Verbindungen zur nabat. Kunst und legen nahe, daß solche Formen, die im ptolemäischen und frühkaiserzeitlichen Ägypten entwickelt wurden, den Nabatäern als Vorbild dienten. Vgl. u.a. Ronczweski 1932, 74 Abb. 28; zusammenfassend Hesberg 1978 mit Börker ebd. 143; vgl. Schmidt-Colinet 1981, 90-95 mit Anm. 35, 37, 40. - Zum Hörnerkapitell in Abukir: Ronczweski 1932, 88 Abb. 37; Alexandria: Breccia 1926, 129 Taf. 68, 4; Fayūm: Rubensohn 1905, 6 Abb. 9; Philae: Borchardt 1903, 79 Taf. 3 (im Befund gesichert?). Vgl. auch A10-12. V5.

1. Tell eš-Šuqāfīye: eine Votivinschrift aus der Zeit 77/76-41/40 v. Chr. weist auf ein Heiligtum des Al-Kutbā: Littmann-Meredith 1924, 227-30 Nr. 81 (site 15); Strugnell 1959, 31-35. Vgl. Y9.

   Untersuchungen von Ph. C. Hammond 1977 und 1981 ergaben keine weiteren nabat. Funde: Holladay 1982, 34.

2. Atribis?: Grabstatue mit Osiris, Torso, gefunden in Petra im sog. Tempel der geflügelten Löwen: Hammond 1977/78, 85 Taf. 57, 2; ders. 1986b, 21 Abb. 3.

3. bei Abū Darag: Graffiti: Littmann-Meredith 1953, 11-17 Nr. 22-49 Taf. 1-5 (site 1); dies. 1954, 245f. (Korrektur)

(Nr. 46a von 266 n. Chr.); Jomier 1954; Starcky 1966, 936 (1 Graffito von 226 n. Chr.).

4. Wādi Umm Dummerāna: Graffiti: Littmann-Meredith 1953, 9-11 Nr. 16-21 (site 2).

5. Bī'r Umm Ḍalfa: Graffiti: Littmann-Meredith 1953, 7-9 Nr. 11-15 Taf. 4 (site 5).

6. Bī'r Umm ʿAnab: Graffiti: Littmann-Meredith 1953, 5-7, 18 Nr. 1-10, 53f. Taf. 6f. (site 6).

7. Wādi Ǧiḍāmi: Graffiti: Littmann-Meredith 1954, 220-23 Nr. 64-73 (site 7).

8. Wādi Ḥammāma: Graffiti: Littmann-Meredith 1954, 219 Nr. 61-63 (site 8).

9a. Site QRS 14: Graffito: Ph. C. Hammond in: Whitcomb-Johnson 1979, 245-47 Abb. 76. - Vgl. ḥimyaritisches Ostrakon: Whitcomb-Johnson 1980, 111.

9b. Quṣēr el-Qadem (Leukos Limen): Keramik: Whitcomb-Johnson 1982, 60, 67 Taf. 21d. - Anlaufhafen für die Nabatäer.

10. El-Ḥamrā: Graffiti: Littmann-Meredith 1953, 17 Nr. 50f.; dies. 1954, 218 Nr. 60 (site 11).

11. Quṣūr el-Banāt: Graffiti: Littmann-Meredith 1953, 17f. Nr. 52; dies. 1954, 215f. Nr. 55-57 Taf. 1 (site 9).

12. Abū Queʿ: Graffiti: Littmann-Meredith 1954, 216-18 Nr. 58f. Taf. 2 (site 10).

13. Wādi Menīḥ: Graffiti: Littmann-Meredith 1954, 223-25 Nr. 74-76 Taf. 3 (site 13). - Nr. 75 gehört vielleicht ins 1. Jh. v. Chr.

14. Wādi Menīḥ el-Ḥēr: Graffiti: Littmann-Meredith 1954, 225-27 Nr. 77-80 Taf. 4f. (site 14). - Nr. 77f. gehören vielleicht dem 1. Jh. n. Chr. an.

Region T: südliches Randgebiet des Toten Meeres (Ġōr)

Schon 312 v. Chr. ist die Region nabat. Besitz. Die Nabatäer gewannen aus dem Toten Meer Asphalt (und Salz) als Handelsprodukte. Gegen einen zu See vorgetragenen Angriff des Hieronymus von Kardia 312 v. Chr. wehrten sie sich erfolgreich.

Um 100/96 v. Chr. ging die Region an Alexander Jannaios verloren, wurde 93/90 v. Chr. wieder zurückgewonnen, aber 82 v. Chr. erneut verloren. Ab 69/63 war sie dann in nabat. Besitz mit Ausnahme der Jahre 34-31 v. Chr., als Marcus Antonius die Oase Zoar (neben Jericho, En-Gedi,ʿĒn Umm Baǵǵeq u. Tamar?) Kleopatra vermachte, die sie dem nabat. König zu Pacht gab.

Die Papyri vom Naḥal Ḥever (Babata-Archiv) illustrieren die administrativen Verhältnisse dieser und der angrenzenden Regionen zwischen 93 und 132 n. Chr.

Die besondere Bedeutung der Region lag in der Kontrollmöglichkeit der Wege vom Negeb und aus Judäa nach Moab (über die Stiege von Luhith: Mittmann 1982) und nach Edom. Beiderseits der Araba führten Routen aus dem Süden herauf.

Surveys führten Frank 1934, Glueck II-III, Rothenberg 1971 und Rast-Schaub 1974 durch.

1. Bāb eḍ-Ḍrāʿ: Keramik: McCreery 1977/78, 152.

2. Umm el-ʿAqārib: Keramik: Glueck II 6 (site 1).

3. Wādi ʿEsāl: Keramik: 1. Jh. n. Chr., Survey L. Jacobs: vgl. Roller 1984, 219f.

4. Ruǵm en-Numēra: Keramik: Glueck II 7 (site 2).

5. Numēra: Keramik: Rast-Schaub 1974, 15.

6. Ḫirbet eš-Šēḫ ʿĪsā (Eṣ-Ṣāfiye/Zoara): von Jos., Ant. als nabat. Stadt bezeugt, jedoch noch keine nabat. Funde. - Vorort der Region.

7. Maḥūzā: Identifikation unsicher. 93 und 99 n. Chr. erwarb hier der Vater der Babata Grundbesitz (Häuser, Höfe, Gärten, Palmenhaine samt Wasserrechte am Wādi) von den Nabatäern. Der Besitz lag neben dem Anwesen Rabel II.: Yadin 1971, 235f. - Besitzrechtsfeststellungen und andere Streitigkeiten wurden je nach Kompetenz vor den Verwaltungen in Eglajim (ʿAgaltain), Rabbat-Moab oder Petra, wo der römische Statthalter Gericht hielt, entschieden.

8. ʿĒn el-ʿArūṣ (Tamar): Festung(?) (1. Phase), Keramik (1. Jh. n. Chr.), Münzen (Aretas IV.) und kleiner Festungsbau(?), Keramik (2./1. Jh. v. Chr.): Rothenberg 1971, 214; Keel-Küchler II 265; bes. Cohen 1984, 201.

9. Qaṣr el-Fēfe (Praesidium)?: umhegter Sammelplatz?: Frank 1934, 210f. Taf. 27 Pläne 11f.; Glueck II 9f. (site 4); ders. III 147 Abb. 51a-b; Rast-Schaub 1974, 12, 17 (Keramik erst ab dem späten 1. Jh. n. Chr.). - = T7?

10. Ruǧm Ḫunēzīr: Keramik: Rast-Schaub 1974, 13.

Region U: Araba

Die Kupfervorkommen in der Region wurden auch von den Nabatäern abgebaut, offenbar aber weniger intensiv als in der Eisenzeit. Die Verarbeitung fand gleichfalls in der Region und bei Es-Sabra (N67) statt. Vgl. jetzt Hauptmann 1986.

Neben einer Vielfalt von Wegestrecken führten die wichtigsten Routen von Ost nach West über die Araba hinweg (bes. die Petra-Oboda-Mittelmeer-Route); sie waren mit geschützten Wasserstellen und Pässen gesichert.

Es liegen Surveys vor von Musil II 1907/08, Frank 1934, Glueck II-III, Rothenberg 1967 und 1971, Cohen (seit 1978 Negev Archaeological Emergency Project; Vorberichte in IsrExplJ). Vgl. Raikes 1985.

1. Qaṣr eṭ-Ṭilāḥ (Toloana): Festung (Karawanserei), Teich, bewässerte Felder mit Randmauern, Keramik, Glas(?), 6 Münzen (davon 1 von 39/40 oder 64/5 n. Chr.): Musil II 1908, 209f. Abb. 147, 148 (Plan); Frank 1934, 213-15 Taf. 29 Plan 13; Glueck II 11-17 (site 6) Abb. 4f. Taf. 31; ders. III 149f. Abb. 52; ders. 1959 Abb. 31a-b; ders. 1965 Taf. 63i-j; Rothenberg 1971, 216.

2. ʿĒn Ḥoṣb (ʿĒn Ḥaṣeva/Eiseiba): Festung (Karawanserei), Keramik, Münzen (1. Jh. v. Chr.): Musil II 1908, 207f. Abb. 144, 145 (Plan); Glueck II 17-20 (site 7) Abb. 6f.; Rothenberg 1971, 216f. (mit einer Korrektur des Planes von Musil); Keel-Küchler II 270-72 Abb. 196.

3. Ruǧm beim Wādi el-Ǧēb?: Wachtturm?: Glueck II 17 (site 6a). Der Posten liegt an der Verbindung zwischen Toloana und Eiseiba.

4. Ḫirbet el-Ǧāriye: Keramik: Glueck II 25 (site 12). Sie deutet vielleicht die Nutzung der eisenzeitlichen Kupferverarbeitungsstätte an (vgl. Vorbehalt Glueck II 34f.).

5. Ḫirbet el-Ġuwēbe: Keramik: Glueck II 22 (site 11). Sie deutet vielleicht die Nutzung der eisenzeitlichen Kupferverarbeitungsstätte an (vgl. Vorbehalt Glueck II 34f.).

6. Ḫirbet en-Naḥās (Nahasch): Keramik: Glueck II 29, 142 (site 10). Sie deutet vielleicht die Nutzung der eisenzeitlichen Kupferverarbeitungsstätte an (vgl. Vorbehalt Glueck II 34f.).- Zu W. Ḫālid vgl. Hauptmann 1986, 38, 41.

7. Ruǧm Ḥamrā el-Fedān?: Wachtturm?: Glueck II 20 (site 8). Der Posten liegt an der Strecke zwischen Moa und Toloana bzw. Eiseiba.

8. Qalʿat Fēnān (Pinon/Phainon): Keramik und Münzen weisen auf die Inbesitznahme und Nutzung dieses eisenzeitlichen Kupferbergwerkzentrums: Musil II 1907 Abb. 150 (Plan); Frank 1934 Plan 19; Glueck II 33f. (site 14); Kind 1965, 62, 72 (3 u. 1? hellenistische, 3 u. 3? nabat. Münzen); Knauf 1984d, 120, 122 Abb. 16, 6f. Vgl. Kind 1965, 62 zu ʿĒn es-Surēb (Rothenberg 1962, 64, nabat.).

9. ʿĒn-Rāḥēl (Meṣad Rāḥēl/Obot?): kleine Festung (1. Phase 1. Jh. v. Chr., 2. Phase spätes 1. Jh. n. Chr.), Keramik: Nahlieli-Israel 1982, 163; vgl. Glueck 1960, 12 (Vogel 1975 Nr. 453). - Unter den Funden auch 2 Kamelknochen mit nabat. Listen in Tinte, Reste von Matten, Körben, einem Teppich, Leder, Kleidung, einem Holzkamm und Spielsteinen. Sie geben Aufschluß über die Lebensweise der Nabatäer!

10. ʿĒn el-Wēbe: Keramik: Kirk 1938, 231; Glueck 1960, 12.

11. Moye ʿAwād: an der Petra-Oboda-Route, verschiedene Anlagen: Frank 1934, 275 Taf. 60f. Pläne 30f.; Glueck 1955, 11 Anm. 12 (Vogel 1975 Nr. 206); Rothenberg 1971, 217 (Keramik, Münzen Aretas IV.-Rabel II.); grundlegend jetzt

Cohen 1982a-b. - Nach Meshel 1973, XXV = Kalguia.

Karawanserei, 1. Phase: (Ende) 1. Jh. n. Chr.; in den Räumen fand man Reste von Fresken (Rahmen, Bänder; vgl. Iram, O 19). - Festung, 1. Phase: 3./2. Jh. v. Chr., hellenistische Keramik, u.a. rhodische Krughenkelstempel, Münzen Ptolemaios III.; 2. Phase: (Ende) 1. Jh. n. Chr., Keramik, Lampen, Münzen: Aretas II. (aus der 1. Phase?), Aretas IV., Rabel II.; Funde von Resten von Körben, Matten, Holz, Kleidung, Früchten und Tierknochen geben Aufschluß über Eß-, Jagdgewohnheiten und Nutztierhaltung der Nabatäer! - Beide Anlagen wurden 106 n. Chr. von den Römern direkt weitergeführt. - Östlich der Karawanserei ein weiteres Gebäude, 1. Jh. n. Chr., Keramik, Münzen: Aretas IV., Rabel II., Reste von nabat. Papyri(!). - Östlich des Gebäudes befinden sich Wohn- und Vorratshöhlen. - Nördlich der Karawanserei liegen ein Teich, ein Kanal und ein Töpferofen (nabat.?).

12. Bīʾr Maḏkūr (Moa?): Festung (Karawanserei) an der Petra-Oboda-Route, Teich?, Keramik, Glas?: Frank 1934, 228 Plan 24; Glueck II 35-37 (site 15) Taf. 6 (Plan), 31B Nr. 25-27. 29. 32-34. 37. 41, Taf. 32A (Keramik); Rothenberg 1971, 217. - Glueck nimmt wegen der Quantität der Keramik Töpferöfen am Ort an.

13. Eṭ-Ṭaiyibe (Aphro?): Festung (Karawanserei), wie Bīr Maḏkūr am Zugang von der Araba nach Petra, Keramik: Frank 1934, 230 Plan 22B; Glueck II 37 (site 16) Abb. 15; Kind 1965, 71 Abb. 8 (Plan).

Östlich der Festung befinden sich Dämme, eine Nekropole, ein Felsgrab, Häuser (Keramik, 40 Münzen) im von den Nabatäern genutzten eisenzeitlichen Bergbaugebiet (Abū Qušēba/Burga): Kind 1965, 64-71 Abb. 3, 5(Pläne); Rothenberg 1971, 217f.-Vgl. Lindner 1986, 182-88 Abb. 14-22.

14. Bīʾr el-Mulēḥ (Meṣad Beʿer Menuḥa): kleine Festung, 1. Jh. n. Chr. (vielleicht schon 1. Jh. v. Chr.), 106 n. Chr. zerstört. - Unter den Funden befinden sich Keramik, Lampen, Münzen (Aretas II., Aretas III., Aretas IV., Rabel

II.), eine Steinschale mit nabat. Inschrift und ein steinernes Räucheraltärchen: Rothenberg 1971, 217; bes. Cohen 1984, 204f.

15. Qaṣr es Saʿīdīyīn: Routenstation, Keramik: Lindner 1976, 92 Abb. S. 91 (Keramik); Bowersock 1983, 180.

16. Ǧarandal (Ariddela): Festung (Karawanserei), Ruinen weiterer Anlagen, Keramik: Musil II 1908, 195f. Abb. 142 (Plan); Glueck II 39f. (site 17).

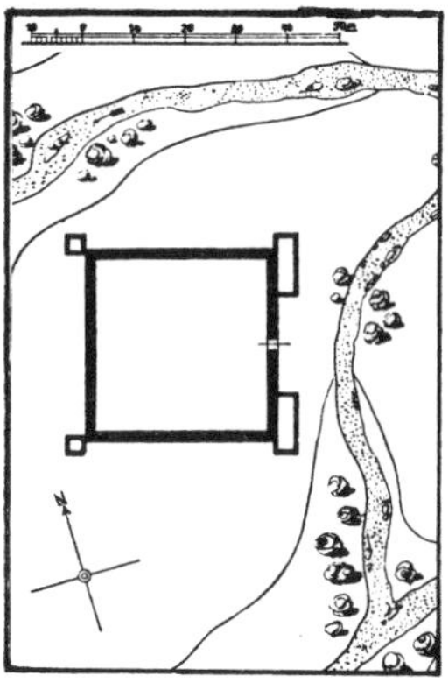

Abb. 29 Ǧarandal. Festung

17. ʿĒn el-Ǧaḍyān (Joṭvātā/Ad Dianam): während keine der Ruinen sich als nabat. erwiesen hat (vgl. Keel-Küchler II 276-78), belegt Keramik die Inbesitznahme des Ortes, nämlich bei der eisenzeitlichen Festung (Glueck 1957, 24; Rothenberg 1971, 218), im Süden bei der byzantinischen Karawanserei (Glueck II 41, site 19) und der frühArabischen Anlage (hier auch 1 Münze aus Askalon, 2. Jh. v. Chr., und 1 nabat.?; Aharoni 1954, 12, 14; Rothenberg 1962, 64; ders. 1967, 140-43, sites 44 u. 11; ders. 1971, 218f.). - Zu einem Doppelgrab mit einem Holzsarg, 1. Jh. v. Chr., vgl. Meshel-Sass 1974, 274 Taf. 60B; dies. 1977, 266f.

18. Ḫirbet Muneʿīye (Timna): Keramik (1. Jh. n. Chr.) und eine Gießerei im ehemaligen Tempelhof weisen auf die partielle Nutzung des eisenzeitlichen Kupferbergbaugebietes: Glueck II 42, 142 (site 20); bes. Rothenberg 1973, 165, 185-88 Abb. 60f. Taf. 71.

19. Ḫirbet Dāfīye (Dafīt/Ḥorbat ʿAvrōnā): Keramik: Rothenberg 1967, 151 (site 47).

20. Ḫirbet el-Ḫulēfi (Ezjon-Geber?): Keramik: Glueck III 3 (site 3). - Es bleibt unklar, ob die eisenzeitliche Festung nabat. genutzt wurde.

21. Ḫirbet Aila (Aila, Ailana): Keramik: Frank 1934, 244; Glueck II 47 (site 24), 15 Taf. 32B Nr. 22-26. 28f. 31; ders. III 1-3 (site 2).

    Der Ort ist noch wenig erforscht, war offenbar aber wie bei anderen nabat. Küstenorten der Hauptort, während ʿAqaba der zugehörige Hafenort war.

22. ʿAqaba (Elat/Berenike): Hafen am Nordende des Golfes von ʿAqaba. Unter Ptolemaios II. um 274 v. Chr. von den Nabatäern an die Liḥyān unter ptolemäischem Protektorat verloren. Erst 31 v. Chr. wieder nabat. und in der Folgezeit mit Ḫ. Aila zusammengewachsen.

    Aila war ein wichtiger Verkehrsknotenpunkt für Routen nach Petra (N u. NO), zum Mittelmeer (NW u. N?) nach Gaza bzw. Rhinocorura und in den Sinai (SW). Eine frühe Ostroute nach Clysma in Ägypten ist fraglich.

- Ausgeschieden: Ḥafrīyat Ġaḍyān (Glueck II 40, site 18). - Karawanserei Site 10 (Glueck III 9, site 10).

Region V: Westufer des Toten Meeres

Verschiedene Schatzfunde aus der Zeit des Bar Kochba-Aufstandes unter Hadrian enthalten nabat. Münzen und Papyri (vgl. auch Wādi Rumāmane: Meshorer 1975, 82 Anm. 207). Nabat. Funde dieser Region können nicht als Hinweis auf nabat. Orte oder Siedler angesehen werden.

1. bei ʿĒn Fešḫa (En-Eglajim?): Münzhort mit 71 nabat. Münzen (15 Aretas IV., 7 Malichus II., 16 Rabel II.): QDAP 2, 1953, 89f.

2. Wādi el-Murabbaʿāt: Papyrus: Benoit-Milik-de Vaux 1961, 171 Nr. 71 Taf. 51.

    Münzhort mit 120 nabat. Münzen (19 Aretas IV., 30 Malichus II., 71 Rabel II.).

3. ʿĒn Gedī: 1 Münze (Aretas IV.): Mazar-Dothan-Dunayevsky 1966, 12 Anm. 42 (Streufund).
Vgl. Babata-Archiv: V4, T7.

4. Wādi el-Ḫabra (Naḥal Ḥever): Versteck der Babata (Briefhöhle, Halle C, Locus 61) mit Gebrauchsgegenständen und 35 Papyri; davon 6 nabat. (93-99 n. Chr.) und 9 griechisch mit nabat. oder aramäischen Unterschriften (-132 n. Chr.). Als zugehörig (Fundort unbekannt) gelten die wohl gleichzeitigen Papyri A-C: Starcky 1954; ders. 1966, 918 (korrigiert die Datierung von Papyrus A); Koffmann 1968, bes. 95-103, 143-46, 188-91; Yadin 1962; ders. 1963; ders. 1971, 33, 43, 59, 143-67, 222-53 mit Abb. - Papyrus A stützt nicht die These von einem König Malichus III. nach 106 n. Chr. (vgl. Bowersock 1971, 223f.). Ein Papyrus von 99 n. Chr. nennt als Sohn Rabel II. einen Obodas.

5. ʿĒn ʿUnēbe (ʿĒn ʿAnavā): Keramik: Vogel 1975 site 9.

6. Masada: Keramik (auf Masada und aus den römischen Lagern von der Teilnahme nabat. Truppen an der Eroberung 73 n. Chr.; Jos., Bell. III 4, 2): Iliffe 1937, 17; Yadin 1965, 81; ders. 1967 (1975[6]), 179, 225 mit Abb.; ders. 1977, 814; anders Negev in: Kat. München 1970, 51, vor 66 n. Chr.
Zu "nabat." Kapitellen vgl. Yadin 1965, 86; bes. Patrich 1984a, 297-300 Abb. 9-11 (zu Recht ablehnend). - Negev 1973, 379f. nimmt die Keramik und "nabat." Treppenhaustürme der Paläste (älter als vergleichbare Türme im Negeb) zum Anlaß der These nabat. Architekten beim Bau von Masada (und anderer Orte mit ähnlichen Befunden). Doch liegen hier eher eigenständig herodianische Architekturelemente vor, die z.T. wie die Kapitelle der Region A alexandrinischen (vgl. Negev 1974e, 422) und nicht nabat. Einflüssen unterliegen.

7. Meqaʿberat Saiyāl: Vogel 1975 site 17.

8. ʿĒn Umm Baǧǧeq (ʿĒn Bōqēq): Keramik, Münzen: Negev 1976c, 128.

Region W: Judäisches Bergland und nördlicher Negeb

Abgesehen von Jerusalem und Herodion ist dies der südliche Teil der Provinz Idumäa, die 125 v. Chr. unter Johannes I. Hyrkan hasmonäisch wurde. Besor und Wādi Bīʾr es-Sebaʿ und Wādi el-Mšāš bildeten eine natürliche Grenze, die nur unter Alexander Jannaios im frühen 1. Jh. v. Chr. wesentlich weiter nach Süden überschritten wurde. Dagegen errichtete Herodes I. an jener Linie orientiert eine Grenzzone mit Festungen und Türmen (vgl. Gichon 1974a) gegen die Nabatäer (vgl. J3. 8); südlichste, vorgeschobene Festung war Arara. Bald nach 72 n. Chr. wurde diese Anlage zum Limes Palaestinae ausgebaut (Gichon 1975a; ders. 1980). Ob der vorgelagerte Teil des Beerschebabeckens (etwa bis zum südlichen Wādi el-Mšāš) und andere Zonen bis an den Wüstenrand herodianisch kontrollierte Gebiete waren, ist noch nicht genügend geklärt. Entgegen Negev 1977, 566 haben die Nabatäer dieses Gebiet nicht von Herodes I. gepachtet. Das Verhältnis der Nabatäer zu den Herodianern war seit 40 v. Chr. gespannt (entgegen Negev 1976a, 56). Darüber darf die (gescheiterte) Heiratspolitik (Syllaios und Salome; Tochter Aretas IV. und Herodes Antipas, vgl. J8) nicht hinwegtäuschen.

Im Katalog werden die Fundorte südlich der Grenzlinie der Region W zugeordnet. Für den Küstenbereich s. Region Y.

Die Funde bezeugen Kontakte der Nabatäer mit ihren direkten Nachbarn; sie blieben auf den grenznahen Bereich beschränkt.

1. Jerusalem: Münzen: Kammerer 1929/30, 531-34 Taf. 149 (Fundort Jerusalem?); B. Mazar in: Yadin 1976, 32; Ariel 1982, 323 (15-17 Münzen; 1 Aretas II., 5 Aretas IV., 1-2 Malichus II., 8-9 Rabel II.).

   Die sog. pseudo-nabat. Schalen (Yadin 1976 Farbtaf. Ib; Amiran-Eitan 1970, 13 Taf. 6C; u.a.) sind auszuscheiden: Avigad 1983, 185 Abb. 201; bes. R. Bar-Nathan in: Netzer 1981, 62f. - Es ist allerdings zu fragen, welche Gründe für diesen Rückgriff auf nabat. Keramik (?) vorliegen.

2. Ǧebel Furēdīs (Herodion): 1 Münze (Aretas II.): Spijkerman 1972, 97 Nr. 1.

3. Ḫirbet eṭ-Ṭubēqa (Bet-Zur): 1 Münze (Aretas II.): Sellers

1933, 73 Nr. 8 Taf. 14; dazu korrigierend Spijkerman 1972, 97 Anm. 1.

4. Ḫirbet el-Muraq: "nabat." Kapitelle, 1 nabat.(?) Ziffer als Steinmetzzeichen neben einer hebräischen Markierung: Damati 1972, 173.

5. Ḫirbet Abū Irqaiyiq (Ḥorbat Rāqiq)?: beschrifteter Kieselstein: Naveh 1979 (ca. 100 v. Chr., früheste "nabat." Kursive; ebd. zur Sonderstellung des Textes).

6. Tell el-Fāriʿ (Schur?): Keramik: MacDonald-Starkey-Harding 1932, 29 Taf. 64, 60; Horsfield 1941, 175 Anm. 2 Abb. 35.

7. Tell ʿArad (Tel ʿArād/Arad): Keramik: Aharoni-Amiran 1964, 144.

8. Tell es-Sebaʿ: Keramik: Iliffe 1934, 133f. Taf. 47; Aharoni 1975a, 166.
   Münzen: mind. 34 Aretas II.: Kindler 1973, 90f., 95f. Nr. 38-63 Taf. 51 Nr. 53; Aharoni 1975a, 165; ders. 1975b, 170.

9. Site 507: Keramik: Vogel 1975 site 507.

10. Ḫirbet el-Maḏba (Ḥorbat Bēt Pelet): Keramik: Glueck, Negeb 1956, 29 (site 209).

11. Tel ʿArʿara (Ḥorbat ʿArōʿēr/Arara): Keramik: Kirk 1938, 216; Gichon 1967, 39; Vogel 1975 site 24; Biran-Cohen 1978, 198.

- Ausgeschieden: Mamre (Glueck 1965, 466 Taf. 152c; das Relief gehört erst hadrianisch-antoninischer Zeit an).

Region X: zentraler und südlicher Negeb

Der Negeb war nabat. Siedlungsgebiet. Die relativ große Zahl an Fundplätzen ist in Relation zur Größe der Region und zur intensiven Erforschung zu sehen. Für eine Reihe von Orten ist fraglich, ob die früher erfolgte Zuweisung an die Nabatäer zu Recht besteht; sie sind hier mit Fragezeichen dennoch aufgeführt. Bei der Erstellung des Kataloges standen verschiedene hebräische Titel nicht zur Verfügung; da zudem viele Ergebnisse des Survey of Israel noch unpubliziert sind, ist die

Zahl der Fundplätze noch wesentlich höher anzusetzen.

Um alle Fundplätze nachzuweisen, ist die Karte dieser Region dreigeteilt (unterschiedliche Größen). Die N-S-Abfolge richtet sich nach den Koordinaten; in der Karte finden sich Abweichungen aufgrund der Karte Vogel 1975.

Die diagonale Südgrenze der Region wird mit dem Darb el-Ġazze angegeben (mit einer Ausweitung auf der Linie El-Qusēme - Wādi el-ʿArīš), ist aber in der Erforschung durch die ägyptisch-israelische Grenze (Raphia - Tāba am Roten Meer) bestimmt worden. Außer dem Negeb ist ein Teil der Wüste Paran (dazu Keel-Küchler II 1982, 308f.) einbezogen.

Zu den frühen Reiseberichten von Seetzen, Robinson, Palmer 1871 und Musil II 1907-1908 und den ersten Surveys von Woolley-Lawrence 1914/15 und Wiegand 1920, als noch keine nabat. Keramik erkannt wurde, treten die von Kirk 1938; grundlegend dann Glueck, Negeb 1953-1965 (dazu die Liste und Karte Vogel 1975; Korrektur einiger Koordinaten Thompson 1975. Der Hauptbericht wurde nicht mehr geschrieben; popularisiert zusammengefaßt in Glueck 1959); Rothenberg 1967; R. Cohen für den Survey of Israel. - Von großer Bedeutung sind die Ausgrabungen und Beiträge (viele Detailaspekte) von A. Negev seit 1958 (Resümee: Negev 1983; dazu Wenning 1985). Die eigentlichen Ausgrabungspublikationen stehen z. gr. T. noch aus. Die unbefriedigende Befunddokumentation und zahlreiche Befundinterpretationen und Thesen erfordern eine ausführlichere Diskussion, zumal die hier vorgelegte Darstellung in verschiedenen Punkten abweicht. Gegenüber der hier benutzten Terminologie (s. vorn) ist die abweichende Bezeichnung "spätnabat." für die Zeit von ca. 70-150 n. Chr. bei Negev zu beachten.

Die These einer Herkunft der Nabatäer aus dem Negeb und ihre Landnahme von hier aus (Negev 1977, 527; ders. 1983, 42-45) kann nicht überzeugen und ist vom Befund her nicht zu halten. - Hellenistische Funde in der Region können auf eine Anwesenheit von Nabatäern weisen. Diese Fundorte (nach Glueck) sind deshalb im Katalog angegeben (nicht auf der Karte), aber ohne eigene Ortsnummer.

Viel Beachtung hat die Petra-Gaza-Route zwischen Moye ʿAwād (U11) und Oboda gefunden: Negev 1966b; Meshel-Tsafrir 1974 u.

1975; Cohen 1982a. Routenstationen mit hellenistischen Befunden sind seit dem 3. Viertel des 3. Jhs. v. Chr. bezeugt. Nach den Berichten über die Ereignisse in Gaza und Petra von 332 und 312 v. Chr. wurde die Route aber schon rund 100 Jahre vorher genutzt. Die Römer haben diese Route seit dem 2. Jh. n. Chr. ausgebaut (Meilensteine), doch wurde sie nicht von ihnen angelegt und von den Nabatäern nur genutzt (Isaac 1982); die Annahme einer Aufgabe der Route nach 106 n. Chr. ist widerlegt (Cohen 1982a). - Der Darb el-Ġazze als Aila-Rhinocorura-(bzw. -Gaza-)Route ist noch wenig erforscht (vgl. Rothenberg 1970, 4; Meshel-Tsafrir 1975, 16-21).

Die Petra-Gaza-Route, der Hauptkarawanenweg, wurde im frühen 1. Jh. v. Chr. aufgegeben, als Alexander Jannaios den Gazastreifen und den nördlichen Negeb besetzte und Saba' die Weihrauchstraße gesperrt hielt. Die Route wurde im 4. Viertel des 1. Jhs. v. Chr. mit Präferenz von Rhinocorura als Zielhafen wiederaufgenommen. Der Großteil der Siedlungen und die "Städte" gehören der mittelnabat. Zeit an. Als Stadt kann nur Oboda gelten; Mampsis, Elusa (und Sobata?) entwickelten sich erst in subnabat. Zeit dazu. In der hellenistischen Zeit bestanden noch keine Städte (Zeltlager: vgl. Negev 1983, 45f., 73f., 273). Das übliche Schema von 2 sukzessiven Städtedreiecken (vgl. Negev folgend u.a. Keel-Küchler II 1982 Abb. 116) ist aufzugeben.

Die Annahme von mindestens 12 Tempeln in der Araba und im Negeb durch Glueck 1961, 15f. ist nicht begründet; nur für Oboda ist bislang ein nabat. Tempel nachgewiesen.

Die Datierung der landwirtschaftlichen Kultivierungssysteme im Negeb ist umstritten (ein Vergleich mit Befunden der Regionen M u. O wäre hilfreich). Nach Vorstufen der Eisenzeit haben die Nabatäer die Sturzwasserlandwirtschaft u.a. durch Terrassierung und Wasserleitungssysteme mit Zisternen ergiebiger gemacht (nicht erst unter Rabel II.). Ihr Ausbau ermöglichte in byzantinischer Zeit die wirtschaftliche Blüte des Negeb. Die meisten Dämme (vgl. Kloner 1973) und die sog. Traubenhügel (Tēlēlāt el-ʿĒnab bzw. Ruǧūm el-Kurūm) gehören u.a. nach der Beobachtung von Y. Aharoni (Zimmerli 1959, 148) erst dieser Zeit an. Zum Ganzen vgl. Glueck 1959b, 4-7; Zimmerli 1959; Mayerson 1962; Schmitt-Korte 1976, 66f.; Evenari et alii

1982, bes. 95-171; Keel-Küchler II 1982, 168f.; M. Evenari in: Lindner 1983, 131-38; Negev 1983, 96, 208-10.

Inwieweit Felszeichnungen im Negeb und Sinai sich als nabat. bestimmen lassen, bleibt unklar. Die Gruppen IV C und V, in deren Kontext nabat. und thamudische Graffiti begegnen (ohne stets mit den Zeichnungen zeitlich kongruent sein zu müssen) (Anati 1955a, 38 Abb.; ders. 1955b, 51 Taf. 6, 2; ders. 1981 Farbtafeln Wādi ʿAbde, Bīʾr eṣ-Ṣuwēr, ʿĒn Ḥudēra; vgl. Evenari 1982 Abb. 9b), gehören nach Anati den Zeitspannen 500 v. - 400 n. Chr. und 70 - 700 n. Chr. an (vgl. auch O 30): Anati 1955a-b; ders. 1956; bes. ders. 1981; ders. 1984. Im Katalog werden nur die als nabat. bezeichneten Petroglyphen aufgeführt, unabhängig der Frage der Richtigkeit dieser Zuweisung.

Weder um 50 n. Chr. (s. X88) noch nach 106 n. Chr. erfolgte ein Siedlungsbruch im Negeb (Cohen 1982a gegen Negev). Die nabat. Bevölkerung verblieb auch nach 106 n. Chr. (Namen: vgl. Negev 1981d, 84-88; Rosenthal-Heginbottom 1982, 7, 110f.). Nabat. Formen lebten fort (z.B. Keramik: Cohen 1982a, 245f.; Treppenhausturm: Negev 1973) und wurden noch in byzantinischer Zeit weiterentwickelt (Kapitell: Negev 1974b). Das subnabat. Mampsis konnte deshalb geradezu als Typus einer nabat. Stadt dargestellt werden, doch ist eine solche Rückprojizierung problematisch.

1. Site 505: Karawanserei?, Keramik: Glueck, Negeb 1965, 26, 28; Vogel 1975 site 505.

2. Site 513: Keramik: Glueck, Negeb 1965, 29 (auch hellenistisch); Vogel 1975 site 513.
   Vgl. hellenistische Keramik: Glueck, Negeb 1965, 21, 28f. sites 509, 511, 512, 514.

3. Ḫirbet Abū Tulūl: Zisternen(?), Keramik: Glueck, Negeb 1956, 33 (auch hellenistisch); Vogel 1975 site 274.

4. Site 515: Keramik: Glueck, Negeb, 19-22, 28f. Abb. 3 (auch hellenistisch); Vogel 1975 site 515.

5. Site 275A: Vogel 1975 site 275A.

6. Site 275: Zisterne?, Keramik: Glueck, Negeb 1956, 33 (auch hellenistisch?); Vogel 1975 site 275.

7. Site 276: Karawanserei?, Keramik: Glueck, Negeb 1956, 35 (auch hellenistisch?); Vogel 1975 site 276.

8. Elusa (El-Ḫalaṣa/Ḥorbat Ḥalūṣā): wichtige Karawanenstation der Petra-Gaza-Route. Zur geopolitischen Lage an der Grenze zum Küstenstreifen vgl. Negev 1976a, 74. Elusa war in byzantinischer Zeit der Hauptort der Region (vgl. Mayerson 1983).- Zur Erforschung vgl. Lombardi 1972, 339-46; Negev 1974a, 9f. Der Ort hat durch Steinraub (vgl. Musil II 1907, 202; Lombardi 1972, 340f.) gelitten, ist z. gr. T. aber unter Dünen begraben (Negev 1976a, 74-76; ders. 1983, 230f). Ausgrabungen (in erst geringem Umfang, der noch keine gesicherte Siedlungsgeschichte erlaubt) 1938 durch die H. D. Colt-Expedition und 1973 u. 1979-80 durch A. Negev (Vorberichte). Pläne: Negev 1976b Abb. 1; ders. 1981c Abb. 7.

Die älteste Keramik stammt aus dem 3./2. Jh. v. Chr.- Das Buch Judit 1, 9 (2. Hälfte 2. Jh. v. Chr.) nennt Elusa als Station auf dem Weg nach Kadesch Barnea. - Eine Inschrift, die einen König Aretas nennt, wird seit Cross 1955 auf den Aretas *tyrannos* 2 Makk 5, 8 (169 v. Chr.) bezogen. Diese älteste nabat. Inschrift (das Original ist nicht mehr erhalten) zeigt noch deutlich die Genese aus dem Aramäischen, doch muß sie deshalb nicht 75-100 Jahre vor die nächstältesten nabat. Inschriften (Petra) datiert werden. Vom historischen Kontext her ist ein Bezug auf Aretas II. - erst dieser nahm die Königskrone - näherliegend, wie aus anderen Gründen schon vor der Einordnung von Cross angenommen wurde.

Keramik: Iliffe 1934, 134 (2. Jh. v. Chr.); Kirk 1941, 62 (rhodische Amphorenstempel); Lombardi 1972, 363 Abb. 3f. Nr. 3-5?; Negev 1974a Abb. S. 10 (=ders. 1977, 546 Taf. 1) oben Nr. 1-4 (3./2. Jh. v. Chr.); ders. 1976b, 89.

Votivinschrift: A. Cowley in: Woolley-Lawrence 1914/15, 145f. Abb. 59; Cross 1955, 160 Anm. 25 (nahe Formen des 3. Jhs. v. Chr., Aretas I.); Glueck 1959, 257f. (Bezug auf Aretas IV.); Cross 1965, 207 (ca. 170 v. Chr.); Starcky 1966, 904, 929 (um 200 v. Chr.); Meshorer 1975, 2 Anm. 4; Bowersock 1971, 221 (3. Jh. v. Chr.); Negev 1977, 546; ders. 1983, 40f. (Aretas I.); Wenning 1985, 454 (Aretas II.)

Negev 1983, 237 nimmt an, daß die Bewohner des mittelnabat. Elusa in einem großen Zeltlager lebten, das er 1979 im O entdeckt hat (ders., ebd. 46, 74, 237f.). Da es weitab von der sog. Akropolis (Theaterzone) liegt, könnte es aber ein zusätzlicher Karawanenrastplatz am Ortsrand/in Ortsnähe gewesen sein. Zur Sicherung des Ortes ist am ehesten eine Festung zu erwarten. Bislang ist aber sonst nur Keramik aus dieser Zeit bekannt. Daß sie im östlichen, "nabat." Stadtteil eher spärlich geblieben ist, läßt sich u.a. damit erklären, daß hier die subnabat. Stadt zunächst den Befund bestimmt.

Keramik: Iliffe 1934, 133f. Taf. 47; dazu Negev 1969, 6; Lombardi 1972, 354 Nr. 1, 362 Abb. 3f.; Negev 1974a Abb. S. 10 oben Nr. 5-9; ders. 1976a, 75, 77; ders. 1976b, 89, 92f.; ders. 1983, 232, 234, 236f. - Die Lampe Negev 1976d, 359 Abb. mit nabat.(?) Dipinto gehört erst dem späten 3./4. Jh. n. Chr. an (vgl. Rosenthal-Sivan 1978 Nr. 433). - Von einer Töpferwerkstatt im S sind der Befund und die Zeitstellung noch unklar. Negev 1974a, 18 Abb. 13; ders. 1975, 113 Taf. 16d; ders. 1976a, 77; ders. 1976b, 94.

Die subnabat. Stadt des 2. Jhs. n. Chr. (vgl. Ptolemaios, Geogr. 5, 15, 7) wurde durch Oberflächenfunde von Hörnerkapitellen im O der spätrömisch-byzantinischen Stadt lokalisiert. Die Kapitelle zeigen eine regionale Sonderheit: der obere Teil entspricht dem sog. klassischen nabat. Hörnerkapitell, hier die Bosse als Dreieck, während der untere Teil zusätzliche Dekorelemente, auch Relikte des korinthischen Kapitells, aufweist, u.a. Blätter, Flechtband, Zahnschnitt. Diese Form wurde bis in byzantinische Zeit fortentwickelt. Negev 1974b, 156-58 Taf. 28f.; vgl. ders. 1974a, 14f. Abb. 2-4, 6f.; ders. 1975, 111-13 Taf. 15f.; ders. 1976a, 76; ders. 1982b, 33.

Theater: auf der Akropolisterrasse wurde ein künstlich erhöhtes Theater angelegt. Die Bauphasen(?) sind noch nicht verdeutlicht. Durch Füllmaterial (mit römischer, aber ohne nabat. Keramik; entgegen Negev 1976b, 93 kaum von Kultmahlzeiten im Theater) vom rückwärtigen Umgang der *cavea* wird das Theater in die 1. Hälfte des 1. Jhs. n. Chr. datiert, könnte aber auch etwas jünger sein. So deuten die konstruktiven Elemente (Tonnengewölbe) eher auf die subnabat. Zeit. Für den späten

Zeitansatz sprechen auch die Lage und die Kontinuität des Theaters bis in byzantinische Zeit (vgl. Inschrift, 544/5 n. Chr.). Der Zugang zur *cavea* (mit Ehrenloge) erfolgte über seitliche Treppensysteme (darunterliegend Kammern mit Gewölben). Bei der *scaenae frons* wurden 2 Hörnerkapitelle (nicht in situ) gefunden. Negev 1974a, 15f. Abb. 8-11; ders. 1976b, 92f.; ders. 1981a, 17-19 Abb. 21 (Luftbild), 22, 25; ders. 1981b, 122-24 Abb. (Pläne); ders. 1981c, 587f., 590; ders. 1981d, 75f. *(theatrocidous odeion)*; ders. 1983, 234f. (Abb. S. 234 vor der Ausgrabung); Wenning 1986 Taf.

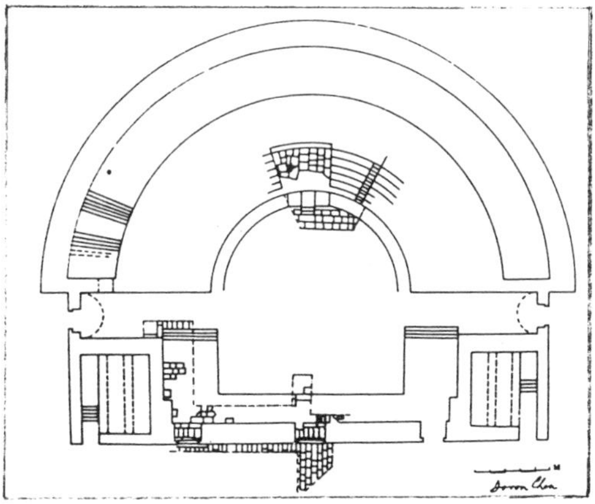

Abb. 30 Elusa. Theater

Die im W anschließenden Anlagen wurden anfangs als Temenos/ Theatron/Tempel/Porticus verstanden (Negev 1974a, 16 Abb. 12; ders. 1976a, 77; ders. 1976b, 93), haben sich aber als Sichtmauer und Anbau byzantinischer Zeit erwiesen (Negev 1983,235).

Negev 1983, 240, 245 nimmt unter der großen Kathedrale im NW des Theaters einen nabat. Temenos mit Tempel an (noch kein Befund), den er in kultische Verbindung zum Theater setzt. Die These eines Theater-Tempel-Nekropole-Komplexes als einheitliche Anlage bzw. in abhängiger kultischer Nutzung (Negev 1976a, 77) überzeugt nicht.

Nach Hieronymus besaß die Stadt einen Tempel der Venus (Al-ʿUzzā oder Allat?), die hier von der arabischen Bevölkerung als Morgenstern verehrt wurde (vgl. Starcky 1974, 19f.; Keel-Küchler II 1982, 152). Der Bezug von Baugliedern auf diesen Tempel durch Negev 1974a, 14 Abb. 2f. (Lucifer-Tempel) ist ganz unsicher.

Hofhaus: Negev 1976a, 76; ders. 1976b, 91f.

Ein Stadium im S (Negev 1976a, 77; ders. 1976b, 94) und ein Hippodrom im N (Negev 1983, 240) sind noch nicht abgesichert.

Nekropolen im N, hellenistisch-subnabat.: Baly 1938, 159 (hellenistisch); Negev 1976b, 94f. - Nekropole im O, mittelnabat.: Negev 1974a, 16; ders. 1976a, 77 (gebaute Gräber); ders. 1983, 235 (Stelen). - Nekropole weiter im O: Negev 1983, 236f. (mehrere gebaute Gräber, 1 Steinsarkophag, von einer "Eigentums-" und Grenzmauer umgeben; Triklinien für Totenmahle; versenkter Kochturm mit Öfen).

9. Ḫirbet Zuhēfe (Ḥorbat Zaḥal): Keramik: Glueck, Negeb 1956, 35 (auch hellenistisch?); Vogel 1975 site 281.

10. Ḫirbet Umm Ruǧūm (Ḥorbat Rōgem): Keramik: Glueck, Negeb 1958b, 34; Vogel 1975 site 382.

Vgl. im W Vogel 1975 site 382A, hellenistische Keramik.

11. Site 126: Vogel 1975 site 126.

12. Ḫirbet Bulēʿis: Keramik: Vogel 1975 site 85.

13. Umm el-ʿAẓām (Ḫarābet el-ʿAsil/Ezem?): Vogel 1975 site 126A.

14. Ḫirbet Zuwērite (Ḥorbat Bōr): Keramik: Vogel 1975 site 16.

15. Site 111: Keramik: Vogel 1975 site 111 (auch hellenistisch)

16. Site 111A: Vogel 1975 site 111A.

17. Ruǧm el-Merkab (Meṣad Ṣāfīt): Keramik: Kirk 1938, 225; Vogel 1975 site 1.

18. Site 116: Keramik: Vogel 1975 site 116 (Koordinaten unstimmig).

19. Bīʾr Zuwērite (Beʾēr Bōr): Turm?: Gichon 1974a, 543 Tabelle 6 Nr. 7.

20. Meṣad Efʿe: Turm, Keramik: Gichon 1974b, 24.

21. Site 279: Vogel 1975 site 279.

22. Site 15: Keramik: Vogel 1975 site 15.

23. Ḫirbet Ruḥēbe: eisenzeitliche Feste nabat. genutzt; Kera-

mik: Glueck, Negeb 1958b, 34; Vogel 1975 site 383.

24. Er-Ruḥēbe (Ḥorbat Reḥōvōt Ba-Negev): von den 1975/76 und seit 1978 durchgeführten Ausgrabungen unter Y. Tsafrir liegen erst wenige Angaben vor, bei denen die nabat. Phase zudem nur gestreift wird. Für die Geschichte des Ortes wird allgemein auf die von Mampsis und Sobata verwiesen. Die ältesten Funde datieren ins 1. Jh. v. Chr. oder in die 1. Hälfte des 1. Jhs. n. Chr. (Rosenthal-Heginbottom 1982, 17). Tsafrir 1977, 423 erwägt eine Identifizierung mit Betomolachon und wie bei Oboda eine Benennung nach einem nabat. König; vom Befund käme dann Malichus I. in Frage.
Negev 1981a, 44 rechnet ein großes Gebäude mit Pferdestall (sog. Ḫān, Areal C, südlich der Zentralkirche) der spätnabat. Zeit zu. Wie andere Stallhäuser (vgl. F38,X 69, 88) dürfte es erst spätrömisch sein. Darauf weist auch, daß erst die tiefe Suchgrabung im Hof einen Befund mittelnabat. Zeit erbrachte (Negev 1983, 246). Vom Gebäude stammt eine griechisch-nabat. Bilingue (ebd.; unpubliziert).
Keramik (bes. im SW-Viertel): Glueck 1959, 263; Keel-Küchler II 1982, 156.

25. Site 384: Vogel 1975 site 384.

26. Site 125A: Keramik: Vogel 1975 site 125A.

27. Ḫirbet es-Saʿadi (Ḥorbat Saʿadōn)?: Keel-Küchler II 1982, 158.

28. Mampsis (Kurnūb/Ḥorbat Mamšīt): erst von Hartmann 1913, 110f. identifiziert. Von Musil II 1908, 25-28 Abb. 10-13; Woolley-Lawrence 1914/15, 122-28 Abb. 55-58 Taf. 30f.; Kirk 1938, 216-21 beschrieben. Zur Erforschung vgl. Negev 1967b, 67-74; ders. 1977b, 722-24. - Ausgrabungen 1956 (S. Applebaum); 1965-67, 1971 und zwischen 1973 und 1979 (A. Negev). - Gesamtplan: Negev 1977a Abb. 24. Luftbild: ders. 1982b Abb. 9.
Eine hellenistische Besiedlung ist nicht erwiesen (Negev 1967a, 48 gegen Kirk 1938, 218); 2 Terra Sigillata bleiben vereinzelt (Kat. München 1970, 99 Kat. Nr. D 16 Abb. 32, 4; Negev-Sivan 1977, 111 Kat. Nr. 1 Abb. 2, 1.
Der Befund der mittel- und spätnabat. Siedlung wird

durch die subnabat./römische Stadt vollständig überlagert. Räumlich war die mittelnabat. Siedlung größer. Entsprechend dürfen ihre Bedeutung und die der sie tangierenden Routen von Petra über T8 und vielleicht noch über U2 nicht unterschätzt werden.

Unter mehreren Gebäuden der jüngeren Stadt wurden Baureste, Keramik und Münzen mittelnabat. Zeit gefunden: Unter Gebäude I: Kat. München 1970, 100 Kat. Nr. D 26 (Lampe); Negev 1977b, 726; ders. 1983, 114. - Turm im Gebäude IV: Negev 1973, 381 Abb. 9 (Plan). - Haus Va unter Gebäude V: Negev 1973, 381f. Abb. 1o (Plan); ders. 1977a, 632. Das Haus nimmt mit dem Treppenhausturm und der Γ-förmigen Pfeilerreihe für einen Holzbalkon im Hof als Zugang für die Obergeschoßräume (ortstypische Sonderheit) Architekturelemente der jüngeren Stadt vorweg (s.u.). Das Haus zeigt, daß steingebaute Wohnarchitektur aus mittelnabat. Zeit auch andernorts erwartet werden kann. - Haus XIX unter Gebäude VII (und der Stadtmauer): Negev 1977a, 632. - Mindestens der NO-Teil der Karawanserei VIII: Negev 1967b, 70; ders. 1976a, 70. - Gebäude X, eine Festung?(noch nicht untersucht): Negev 1977b, 724. - Unter den Türmen des Stadttores: Negev 1967b, 74. - Unter Gebäude XI: Negev 1967b, 74. - Gebäude unter der Westkirche: Negev 1977b, 724. - Unter Gebäude XIV: Negev 1967b, 74. - Die Zuweisung des Turmes II wegen der Bauweise im unteren Bereich ist unsicher: Negev 1983, 113f.

Nekropole im N: 30 Gräber, 5 sog. Tische und 14 Totenmahlfunde. Plan: Negev-Sivan 1977 Abb. 1. Belegt vom 1.-4. Jh. n. Chr. Wichtiger Befund für die Kenntnis nabat. Bestattungsbräuche. Grundlegend Negev 1971a mit Abb. 1-7 Taf. 21-28; vgl. ferner Kirk 1938, 218; Negev 1966d, 148f.; ders. 1967b, 76f. Abb. 13f.; ders. 1967e Abb. S. 17; Rosenthal 1970, 34f.; Negev 1976a Abb. 47; ders. 1977a Taf.-Abb. 62; ders. 1983 Abb. S. 131-34.

Grundtyp ist das versenkte, steinverkleidete Kistengrab mit Erdboden (erst im 3. Jh. n. Chr. Kieselboden üblich) und (5) Decksteinen. Darüber erhob sich eine niedrige Pyramide aus 4-5 Stufen, zu der die Grabstele (*baiṭyl*-Typ) trat (vgl. Grab 105). Neben der Körperbestattung in (4) Holzsärgen oder auf

Bahren fand sich der Brauch der sog. Zweitbestattung der verblichenen Gebeine in Sammelgräbern (Grab 108 wird irreführend als Ossuariengrab bezeichnet) oder einzeln in (3) Ossuarien ("jüdischen Typs"). Die Gräber sind zueinander ohne Plan sukzessiv gebaut worden. Abgrenzungen wie in Elusa bestanden nicht.

An Beigaben fanden sich in (7) Frauen- und Männergräbern Goldschmuck und abweichend in Grab 108 (erst um 300 n. Chr. aus dem Totenmahl S. 147 aufgeschüttet?) Keramik und 1 Münze Rabel II. In 2 Gräbern ist der sog. Charonsgroschen (hier Denare Trajans) bezeugt. Untypisch bleibt das Grubengrab 107; der hier Bestatteten war ihr "Archiv" mitgegeben (vgl. V4), von dem 27 Tonsiegeln hadrianischer Zeit erhalten blieben.

Die sog. Tische, gebaut wie die Sockel der Pyramiden, dienten (anstelle von Triklinien) offenbar dem Totenmahl. Reste von Feuerstellen und Leichenschmaus (Lamm, Ziege, Datteln, Oliven, Getränke) einschließlich zahlreicher, nach Abschluß des Mahles zerbrochener Gefäße (dazu Negev-Sivan 1977) wurden gefunden.

Abgesehen von 4 durch Münzen und Siegel annähernd datierten Gräbern wirft die zeitliche Einordnung der einzelnen Gräber noch Fragen auf. Es wurden 3 Belegungsphasen unterschieden, die zeitlich etwas abweichend umrissen werden (vgl. Negev 1972a, 25; ders. 1976, 72). Fundamentierter ist die Phaseneinteilung von Negev-Sivan 1977, bes. 118f. Danach umfaßt Phase I die mittelnabat. Zeit wie in Oboda, Phase II die spätnabat. Zeit und das 2. Jh. n. Chr., Phase III das 3. (und frühe 4.) Jh. n. Chr. Die mittelnabat. Gräber sind noch zu ermitteln, falls man nicht annehmen will, es habe nur die Zweitbestattung in Grab 108 stattgefunden. In diesem Grab wurde über einen längeren Zeitraum bestattet wie einerseits mittelnabat. Keramik (Negev-Sivan 1977, 113f. Nr. S. 149 Kat. Nr. 149/135. 390. 1301 Abb. 5, 30 u. 3, 14) und andererseits die Münze Rabel II. von 74 n. Chr. bezeugen.

Ob Mampsis schon im 4. Viertel des 1. Jhs. v. Chr. gegründet wurde, ist wegen des Fehlens etwa westlicher Terra Sigillata umstritten (Negev 1969, 9, eher im 2. Viertel des 1. Jhs. n. Chr.), doch mag das andere Gründe haben.

Strittig bleibt die These von einer Siedlungslücke im 3.

Viertel des 1. Jhs. n. Chr. (Negev-Sivan 1977, 119), die in Analogie zu Oboda und aufgrund der Planunterschiede zwischen der mittelnabat. Siedlung und der jüngeren, um 100 n. Chr. datierten Stadt von Negev (1967a, 48, 54 - ders. 1983, 127) aufgestellt worden ist. Ein überzeugender Befund für eine Zerstörung um 50-70 n. Chr. - das angegebene Datum wurde aus dem Ende von Oboda und der Münze von Grab 108 gewonnen - wird nicht namhaft gemacht. Die Keramik trägt die These nicht. Analogien zu Oboda erweisen nur eine Besiedlung in der mittelnabat. Zeit, nicht die Dauer der Besiedlung in Mampsis. So bleibt nur der Zeitpunkt der Ortsaufgabe und der der Stadtanlage zu bestimmen. Hier wird die These einer Siedlungskontinuität bis in hadrianische Zeit vertreten. Die Münze Rabel II., die 2 trajanischen Denare und die hadrianischen Siegeln aus den Gräbern datieren dann nicht die Wiederbesiedlung, wie in Relation zu Oboda angenommen wurde (Negev 1983, 127, 129, um 100 n. Chr.).

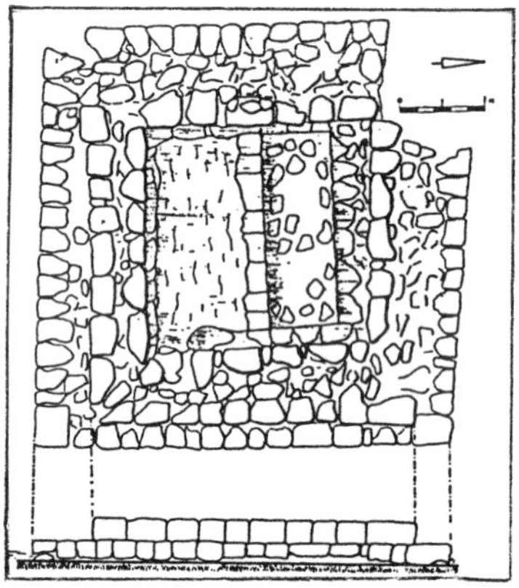

Abb. 31 Mampsis. Grab 108

Die Verlegung römischer Truppeneinheiten nach Mampsis bald nach 106 n. Chr. (vgl. Mann 1969) bedingt keine Neuanlage einer Stadt. Das römische Lager wird im N angenommen (Negev 1976a, 70). Der römische Ausbau der Strecke nach U2 und der Anschluß an die Via Nova Traiana sind von militärischen Aspekten getragen. Daß sie sich auch wirtschaftlich auswirkten, könnten die späten, reichen Gräber 100 und 107 anzeigen. Die Einheiten wurden offenbar in frühhadrianischer Zeit wieder verlegt (vgl. die Geschichte der beteiligten Kohorten und

Legionen).

Von den Gräbern (über die Kremation) des römischen Militärfriedhofes im NO (Negev 1971a, 124f.; ders. 1983, 148f.; ebd. 249 irrig spät datiert) scheint sich Grab 203 an den nabat. Pyramidentypus anzulehnen (Negev 1971a, 124 Abb. 9 Taf. 25A). Ein Stein der Nekropole weist ein D̲ū Šarā-Symbol auf (Negev 1977b, 734).

Besonders Phase II der nabat. Nekropole bestimmt das Ende der nabat.-subnabat. Besiedlung, das eher ins 2. Viertel des 2. Jhs. n. Chr. als erst in die 2. Hälfte des Jhs. (so Negev-Sivan 1977, 119) anzusetzen ist. Die hadrianischen Siegel aus Grab 107 sind die jüngsten Zeugnisse jener Besiedlung. Der Ort wurde spätestens jetzt von den Nabatäern aufgegeben.

Töpferei: aufgrund besonderer Keramiktypen und einer Töpferscheibe angenommen: Negev-Sivan 1977, 115; erst spätnabat.

Keramik: Iliffe 1934, 133f. Taf. 46; Glueck II 114 (site 241); Kirk 1938, 218; Schmitt-Korte 1968, 501, 504; ders. 1983, 189f. - Hinweise für Stadt (und Umgebung): Negev 1967b, 70, 74; ders. 1973, 381; ders. 1977b, 724; ders. 1983, 114, 120. - Von der Nekropole: Kat. München 1970, 99f. Kat. Nr. D 20-35 Abb. 32, 1-3. 5. 7-8; 33, 1. 4-5. 7. 9 (Nr. D 26: Lampe mit Graffito); Negev 1971a, 119, 121, 125, 128; ders. 1972a Abb. 27, 39; ders. 1976a Abb. 40f.; ders. 1977b Abb. S. 728; ders. 1983 Abb. S. 137 (sog. Delphinschale; gegen diese Interpretation zu Recht Rosenthal 1975); grundlegend Negev-Sivan 1977, bes. Kat. Nr. 10-19, 20-25?, 27, 30, 43, 44-45?, 51, 58-59, 62, 64 mit Abb.

Münzen: Aretas IV., Malichus II.: Negev 1977b, 724-26; ders. 1983, 114. - Aus Grab 108 1 Münze Rabel II., 74 n. Chr. (anfangs irrig Malichus II. 44 oder 74 n. Chr. zugewiesen): Negev 1971a, 121 Taf. 27B-C; ders. 1983 Abb. S. 135. - Falls nicht damit identisch eine 2. Münze Rabel II., 74 n. Chr., vom Totenmahl S. 95: nur Negev in: Spijkerman 1978, 276. - 3 (anfangs werden 4 genannt) Rabel II. aus dem Münzhort severischer Zeit (s.u.): Negev 1971b, 117f. Kat. Nr. A 1-3 Abb. 1-3. Vgl. ferner überprägte nabat. Münzen des Trajan aus dem Hort: Negev 1971b, 118f. Kat. Nr. D 6-14 Abb. 6-21 (vgl. dazu Meshorer 1975, 82; Metcalf 1975, bes. 95, 97 Anm. 32 Taf. 12

Nr. 14, Tell Kalak; Weder 1977, in Antiochia).

Die 27 römischen Siegelabdrücke aus Grab 107 (Negev 1969b; ders. 1983, 143-47) sind hier nicht zu behandeln.

Schmuck: grundlegend Rosenthal 1970 mit 99, 101 Kat. Nr. D 4-14, 38 Abb. 17-18; dies. 1985; vgl. ferner Negev 1971a Taf. 26; ders. 1972a Abb. 16f., 25, 33f.; Rosenthal 1975 mit Taf. 21 (zum Delphinmotiv; ohne Sepulkralcharakter); Negev 1983, 139-43 Abb. S. 140f.; Patrich 1984, 39, 42, 44 Abb. 3, 1-3 (zu Al-ʿUzzā-Motiven). Es begegnen Ohr- und Nasenringe, Kettenanhänger und Perlen. Ein Ohrring stellt Aphrodite Anadyomene in einer Ädikula dar (Allat/Al-ʿUzzā?; vgl. Oboda). Inwieweit die Schmuckstücke nabat. Arbeiten sind, ist noch strittig (befürwortend Negev, Patrich; vorsichtiger Rosenthal).

Die römische Bronzebüste (Negev 1971a, 128 Taf. 27A, Zeus-Hadad?) von der Nekropole (Oberflächenfund) stellt Sarapis (Kalathos abgebrochen) dar.

Die sog. spätnabat. Stadt (zuletzt Negev 1983, 93-126) ist nach der hier vertretenen These der Phase III der Nekropole zuzuordnen. Angesichts der Unterschiede im Grabbrauchtum und des Fehlens nabat. Elemente (Negev 1971a, 129; Negev-Sivan 1977, 117-19) kann aus der Wiederbenutzung der Nekropole weder auf eine Siedlungskontinuität noch auf eine verbliebene ethnisch unveränderte Bevölkerung (Negev 1971a, 129) geschlossen werden. Dies unterstreichen auch die "westlichen" Namen in den späten Inschriften (vgl. Negev 1981d, 84). Außerdem wurde die vollständige Negierung der mittelnabat. Bauwerke bei der Errichtung der neuen Häuser als Argument für einen Siedlungsbruch angesehen.

Die scheinbar nabat. Architektur (vgl. u.a. Negev 1980) der römischen Stadt ist aus sich noch nicht datierbar. Das Beispiel der Wiederverwendung des nabat. Treppenhausturmes in römischen Bauten auch andernorts zeigt, daß selbst identische Baukonstruktionen weder ohne weiteres datierendes Gewicht haben noch die Zuweisung an die Nabatäer oder an nabat. Baumeister erweisen. - Für den Turm II in Mampsis hat Negev (u.a. 1983, 113f.) erwogen, ihn (ohne Unterscheidung von Bauphasen) wegen der Bauweise im unteren Teil für mittelnabat. zu halten, während Cohen 1976, 50 Anm. 56 wegen der Übereinstimmung mit dem Stadtturm in Oboda eine Datierung ans Ende des 3. Jhs. n. Chr. erwog.

Vergleiche der Wohnhäuser in Mampsis mit solchen im Ḥaurān (Negev 1969, 9; ders. 1976a, 64f.) sprechen weder für eine Frühdatierung noch für die Zuweisung an die Nabatäer (s. F38).

Das gilt auch für die Stallhäuser XI und XII, die nicht zuletzt wegen ihrer vorzüglichen Bauausführung früh datiert wurden. Doch alle verglichenen Ställe sind spätrömisch zu datieren (F38. X24. 69. 88). Stall XI: Negev 1976a, 67 Abb. 102; ders. 1983 Abb. S. 103. Stall XII: Negev 1967e Abb. S. 14f.; Kat. München 1970 Abb. 12; Negev 1977a, 655 Abb. 28 Taf.-Abb. 58; ders. 1977b Abb. S. 727.

Eine indirekte Datierung erfährt das Stallhaus XII durch den Münzhort severischer Zeit aus diesem Hauskomplex, falls man der überzeugenden Erklärung von Rosenthal-Heginbottom 1980, 51 zustimmt, daß der Schatz durch den Verkauf von Pferden an das römische Heer (Partherkriege der Severer) zustande kam.

Der Münzhort kann nicht für die These einer Kontinuität seit spätnabat. Zeit herangezogen werden. Es lassen sich eine frühe und eine späte Gruppe scheiden; zur späten Gruppe sollten auch die Münzen des Marc Aurel und des Commodus gerechnet werden. Jede Erklärung für die frühe Gruppe, Münzen von Vespasian-Hadrian und 3 Rabel II., bleibt notwendig spekulativ. Diese Grupppe, ein Erbe?, muß nicht auf das Siedlungsgeschehen in Mampsis bezogen werden, sondern kann erst beim Bezug des Hauses durch den Pferdezüchter von auswärts mitgebracht worden sein.

Die späte Gruppe bietet den terminus ante quem für die Anlage der Stadt. Ob sie erst im Kontext der Neugründung von Eleutheropolis um 200 n. Chr. (anders noch Wenning 1985, 455) erfolgte, der Mampsis unterstellt gewesen sein könnte (vgl. Avi-Yonah 1973, 406), oder etwas früher zu datieren ist, sei dahingestellt. - Für die Spätdatierung sprechen auch die Fresken aus Haus XII. In keinem Fall kann Mampsis als Beispiel für nabat. Architektur etc. angeführt werden.

Hier seien die subnabat. Elemente angezeigt: Gebäude I: Treppenhausturm: Negev 1973, 371f. Abb. 7 Taf. 6; ders. 1983

Abb. S. 112. ┌-förmiger Balkon: Negev 1973, 371f. Abb. 7 Taf. 6; ders. 1976a Abb. 95; ders. 1977a, 649 Abb. 25. Basen und Kapitelle: Negev 1967a, 49; ders. 1974b, 156 Nr. 1 und Nr. 2 Taf. 27C. - Gebäude II: Treppenhausturm (s.o.): Negev 1973, 367 Abb. 3. - Gebäude XI: Treppenhausturm: Negev 1973, 368 Abb. 4 Taf. 4a; ders. 1976a Abb. 104. Das Relief Negev 1983, 115 mit Abb. kann nicht für nabat. Volkskunst angeführt werden. - Gebäude XIa: Kapitell: Negev 1974b, 156 Nr. 6. - Gebäude XII: die Unterschiede zwischen dem Wohntrakt und dem Wirtschaftstrakt sind nicht zeitlich (Negev 1967c, 122; anders ders. 1977b, 726), sondern funktional begründet. ┌-förmiger Balkon im Wohntrakt: Negev 1973, 369 Abb. 5; ders. 1977a Abb. 27. Basen und 2 doppelseitige Figuralkapitelle (1. Stierkopf/?, 2. menschlicher Kopf oder Maske/Kantharos) im Wohntrakt: Negev 1967a, 50 Taf. 11B; ders. 1974b, 156 Nr. 5 Taf. 27D-F; ders. 1983, 116 Abb. S. 117. ┌-förmiger Balkon vor dem Stall: Negev 1973, 370 Abb. 6; ders. 1977a Abb. 27f.; ders. 1981a, 22 Abb. 32; mit 4 Kapitellen: Negev 1974b, 156 Nr. 3 Taf. 29F; ders. 1983, 118 Abb. S. 110 (ebd. zur Säulenmarkierung als Datierungsmerkmal des 2. Jhs. n. Chr.). Kapitell vom Stall: Negev 1974b, 156 Nr. 4. 4 Treppenanlagen: Negev 1973, 368-71 Abb. 5f. Das Türsturzrelief von der "Hauskapelle" (Negev 1967b Abb. 9; ders. 1983, 119) steht dem Figuralkapitell Negev 1974b Taf. 27E nahe. Welcher Kult (männlicher Kopf/Maske in Ädikula mit Hörneraltar) angezeigt ist, bleibt unklar. ┌-förmiger Balkon im W: Negev 1977a, 655 (nicht ausgegraben). - Ostkirche: Kapitell?: Negev 1974b, 159 Taf. 29E, Höhepunkt der Entwicklung des klassischen nabat. Kapitells.

Die nabat. Elemente erklären sich durch eine Übernahme aus der aufgegebenen mittelnabat. Siedlung bzw. der in der Region üblichen Bauweise. Bezeichnend ist die Wiederaufnahme des ortstypischen ┌-förmigen Balkons. Während die Konstruktionselemente unverändert blieben, erfolgte bei den Dekorelementen eine Weiterentwicklung.

29. <u>Qaṣr el-Ǧuhēnīye (Meṣad Tāmār)</u>: Wachtturm?, Wegestation (z.T. verbaut im römischen Kastell), Keramik: Kirk 1938,

223; Gichon 1975b, 177; ders. 1976a, 194; ders. 1976b, 91f.; ders. 1977, 451f.; ders. 1978, 1149f., 1152.

30. Höhe 455: Wachtturm?, Keramik: Gichon 1976a, 194.

31. Site 516?: Zisternen?: Glueck, Negeb 1965, 29 (site 516).

32. Site 128A: Vogel 1975 site 128A.

33. Site 128: Keramik: Vogel 1975 site 128.

34. Site 112: Keramik: Vogel 1975 site 112.

35. Ḫirbet Umm Ǧerfān: Vogel 1975 site 112A (auch hellenistisch).

36. Site 11: Keramik: Vogel 1975 site 11.

37. Ḫirbet Reḫmā: Keramik: Vogel 1975 site 120.

38. Tell er-Reḫmā (Givʿat Yeroḥām)?: Vogel 1975 site 83A; anders Glueck, Negeb 1955b, 7; ders. 1959, 79.

39. Site 97: Vogel 1975 site 97.

40. Site 122A: Vogel 1975 site 122A.

41. Site 123: Keramik: Glueck, Negeb 1955b, 10 (Lagerplatz); Vogel 1975 site 123.

42. Qaṣr Reḫmā (Meṣad Yeroḥām): Ruinen, Keramik: Glueck, Negeb 1955b, 7f.; Vogel 1975 site 83; vgl. Cohen 1981b, 11.

43. Site 96: Vogel 1975 site 96.

44. Site 95: Vogel 1975 site 95.

45. Ḫirbet Paqqūʿa: Keramik: Vogel 1975 site 161.
Vgl. im NO Vogel 1975 site 160, hellenistische Keramik.

46. Site 168-30: Cohen 1981a, 11 (site 30) Abb. 3.

47. Site 278B: Vogel 1975 site 278B.

48. Site 446: Keramik: Vogel 1975 site 446.

49. Site 81: Vogel 1975 site 81.

50. Meṣad Naḥal Bōqēr: eisenzeitliche Festung nabat. genutzt: Keramik: Negev 1967, 46; ders. 1969, 9f.

51. Site 193: Vogel 1975 site 193 (auch hellenistisch).
Vgl. im S u. NO Vogel 1975 sites 396 u. 399, helleni-

stische Keramik.

52. Ḫirbet el-Mušērife (Miṣpē Šivṭā)?: sog. Traubenhügel: Glueck, Negeb 1958b, 25 Abb. 4 (site 162); Schmitt-Korte 1976, 66f. Abb. 44.

53. Site 371: Keramik: Vogel 1975 site 371.
Vgl. weiter im S Vogel 1975 sites 351 u. 352, hellenistische Keramik.

54. Wādi Ḫadēriye (Naḥal Aḥdīr) site 168-49: Keramik: Cohen 1981a, 22f. (site 49) Abb. 2.

55. Site 107: Keramik: Vogel 1975 site 107 (auch hellenistisch).

56. Wādi Ḥalēqūm (Naḥal Hā-Rōʿā) site 168-63?: Cohen 1981a (site 63), nur nach Karte 4.

57. Ḫirbet Ṣfar (Ḥorbat Ṣāfīr): Keramik: Glueck II 115 (site 244); Kirk 1938, 226; Cohen 1983, 64.
Glueck 1959, 207 hält auch Qaṣr Ṣfar und Ruǧm Ṣfar für nabat., doch fehlt dafür ein Befund.

58. Wādi Ḫadēriye (Naḥal Aḥdīr) site 168-73: Keramik: Cohen 1981a, 37 (site 73) Abb. 2.

59. Ḫirbet Abū Rutēmāt (Ḥorbat Ritmā): eisenzeitliche Festung nabat. genutzt: Keramik: Cohen 1985, 40; vgl. Meshel 1977, 129-33.

60. Site 76: Vogel 1975 site 76.

61. Site 75: Vogel 1975 site 75.

62. Ǧebel Haẓīre (Harē Ḥaṭīrā) site 168-88: Keramik: Cohen 1981a, 47 (site 88) Abb. 2.

63. Ḫirbet Abū Ahsaya (Ḥorbat Ḥāṣāṣa): Ruine?, Keramik: Cohen 1981a, 42-45 (site 83) Abb. 1-6. - Zugehörig: Biʾār Ḥāṣāṣ (Bōrōt Ḥāṣāṣ): Zisternen: Cohen 1981a, 62-64 (site 101) Abb. 1-6. - Zugehörig: Terrassen Naḥal Ḥāṣāṣ: Cohen 1981a, 61 (site 99). Vgl. Glueck, Negeb 1953, 8.

64. Ruǧm eṯ-Ṯēka: Turm, Keramik: Glueck II 117 (site 246).

65. Ḥorbat Ḥaluqīm: Negev 1961, 131f., Bassin vom Obodatypus aus dem sog. nabat. Tempel; ders. 1973, 382, Treppenhaus-

turm; dazu Cohen 1976, 47 Abb. 12 Taf. 8, 1, erst 2./3. Jh. n. Chr.; Cohen 1981a (site 97), nur nach Karte 4.
Keramik: Cohen 1976, 48.

66. Site 91: Vogel 1975 site 91.

67. Site 87: Keramik: Vogel 1975 site 87.

68. Site 89: Keramik: Vogel 1975 site 89.

69. Es-Subēta (Ḥorbat Šivṭā/Sobata): das Interesse galt stets der großen byzantinischen Stadt (zuletzt Rosenthal-Heginbottom 1982; Segal 1983) einschließlich der landwirtschaftlichen Anlagen der Umgebung (u.a. Kedar 1957; vgl. Segal 1981 Abb. 1: Karte der Umgebung mit Angabe der Widyān-Terrassen; vgl. Wiegand 1920 Taf. 6, Luftbild). - Ausgrabungen der H. D. Colt-Expedition 1934-38 (nur Vorberichte). Jüngere Untersuchungen von A. Negev und A. Segal. - Zum Namen vgl. Keel-Küchler II 1982, 160.
Negev (nur Hinweise) lokalisiert die mittelnabat. (besser subnabat.) Stadt im südlichen Drittel der byzantinischen Stadt: das öffentliche Doppelreservoir mit Anschluß zu Privatzisternen (vgl. Negev 1976e, 552; Evenari 1983, 132 Abb. 17), Treppenhaustürme, Stallhäuser (dagegen zu Recht Segal 1983, 87-123, 162, 164; ders. 1984: 4. Jh. n. Chr.; das "Stallhaus" im N der Stadt besagt entgegen Segal 1983, 164 nichts über die nabat. Siedlung), Abfallhaufen mit Keramik.
Große Zisterne mit Pilaster mit Ḏū Šarā-Nische (vgl. X129) außerhalb in Richtung Ḫirbet el-Mušērife.
Negev 1976a, 73; ders. 1977, 633; ders. 1978, 1116-20; ders. 1981a, 16; ders. 1983, 197-200.
Segal 1983, 36, 42 Anm. 16 Abb. 45 publizierte ein eher subnabat. Kapitell aus dem sog. Teichhaus (5. Jh. n. Chr.).
Keramik: Baly 1935, 172; Crowfoot 1936 Taf. 1-4 (20 Taf. 2, 2, Scherbe mit griechischem Dipinto; dazu Iliffe 1937, 16f.); Glueck II 117 (site 248); Negev 1969, 7f. (1. Jh. n. Chr.; korrigiert Crowfoot 1936); Vogel 1975 site 181.
1 Votivinschrift an Ḏū Šarā: Jaussen-Savignac-Vincent 1905b, 257 Taf. 10; RES 533; Keel-Küchler II 1982, 160 Abb. 125 (1. Jh. n. Chr.). Die Inschrift nennt nicht Are-

tas IV. (Negev 1976a, 73; Segal 1983, 3).

Aufgrund des Vergleichs mit Mampsis, soweit dieser zutrifft, dürfte sich der Ort erst in subnabat. Zeit (Negev 1983, 198, Bildunterschrift: 2./3. Jh. n. Chr.) städtisch entwickelt haben. Doch selbst das ist noch unsicher. Die angeführten "nabat." Belege ließen sich auch mit der Stadtanlage im 4./5. Jh. n. Chr. verbinden. Nur Keramik, die jünger ist und südlich außerhalb (?) der Stadt gefunden wurde, und das als Spolie benutzte Inschriftfragment bezeugen eine mittelnabat. Siedlung.

70. Ḥafīr el-ʿAuǧā (Niṣṣānā/Nessana): Karawanenstation und Wachtposten in hellenistischer und mittel- bis spätnabat. Zeit; durch byzantinische Überbauung und neuzeitliche Eingriffe (1908-1967) stärker gestört. Nicht an der Petra-Gaza-Route gelegen, aber wohl durch eine Nebenroute mit Elusa verbunden. Über den Darb el-Ġazze mit Aila verbunden. Nächster Zielhafen: Rhinocorura, der in mittelnabat. Zeit an Bedeutung gewann. Binnenländische Route (sog. Weg nach Schur) nach Ägypten (Wādi Ṭumīlāt mit S1)? - Name in den Nessana-Papyri (6./7. Jh. n. Chr.) bezeugt. - Ausgrabungen (Akropolis) der H. D. Colt-Expedition 1935-37 (publiziert in: Nessana I 1962). - Zur landwirtschaftlichen Situation vgl. Mayerson 1962.

Erst um die Mitte des 2. Jhs. v. Chr. gegründet (d. h. jünger als Elusa-Oboda, falls nicht die Münze Ptolemaios IV. - lange im Umlauf? - die Gründung vor 212 v. Chr. hinaufdatiert), bestand die frühnabat. Niederlassung (Zeltstadt?: Negev 1977, 547) bis etwa um 65 v. Chr. (vgl. jüngste Amphorenstempel: V. Grace in: Nessana I 1962 Nr. 13, 14, 19). Trotz der hasmonäischen Besetzung von Rhinocorura und der Aufgabe der nabat. Orte an der Petra-Gaza-Route nach 96 v. Chr. bestand das von dieser Route unabhängige Nessana noch kurze Zeit weiter. Ob der Ort jetzt Alexander Jannaios als Station diente, bleibt unsicher.

Keramik: Kirk 1941, 62 (rhodische Amphorenstempel); V. Grace in: Nessana I 1962, 106-30 Taf. 36-39 (rhodische, koische, pamphylische, italische Amphorenstempel: Mitte 2. Jh. - bald nach 69 v. Chr.); T. J. C. Baly, ebd. 270-

303 Taf. 43-61 (auch spätere Keramik); dazu die berechtigte Kritik von Negev 1969, 6f., bes. Anm. 14.

Münzen: A. R. Bellinger in: Nessana I 1962, 70 (ohne Abb.) Nr. 1 (Ptolemaios IV., 212 v. Chr.), Nr. 2 (Ptolemaios VIII., Zypern, 127/6 v. Chr.), Nr. 10-11 (Alexander Jannaios).

Vgl. ferner Lampen: H. D. Colt in: Nessana I 1962, 62f. Taf. 28. - Knochenpalette?: ders., ebd. 51f. Taf. 21 Nr. 23.

Festung (mit Zisterne): H. D. Colt in: Nessana I 1962, 13f.; W. Kendall, ebd. 29f. Taf. 2, 64 (Plan). Die Datierung ins 2. Jh. v. Chr. durch Keramik aus ungestörten Fundamentgräben(?) wird von Negev 1977, 547 bestritten. Die "Parallele", ein Turm in Oboda (Kendall 29f., 45-47 Taf. 68), stammt aus dem 3. Jh. n. Chr.; der Turm ist über eine Toranlage mittelnabat. Zeit errichtet worden (Negev 1969, 7; ders. 1977, 547). Für die Datierung der Festung ist aber dieser Vergleich und Befund nicht stringent. Auch ein Hörnerkapitell, das in Wiederverwendung in der die Festung überbauenden Nordkirche gefunden wurde (Kendall 35 Taf. 19, 4), wird spät datiert (vgl. Negev 1974b, 156). Zwar ist die Prämisse von Negev 1969, 7, es gebe keine nabat. Steinbauten hellenistischer Zeit in diesem Raum, allenfalls für Wohnarchitektur aufrecht zu erhalten (vgl. nämlich U2. 9. 11. 14), doch spricht angesichts seiner Kritik am Befund der Keramik manches dafür, die Festung in mittelnabat. Zeit herabzudatieren.

Ob Keramikfunde am Fuß der Akropolis (Iliffe 1934, 134) auf eine Siedlung auch hier weisen oder ob sie wie andere Funde der Unterstadt erst durch neuzeitliche Aktivitäten dorthin gelangten, läßt sich ohne eine neue Untersuchung der Unterstadt nicht entscheiden.

Keramik: vgl. Wiegand 1920, 107 u. Watzinger, ebd. 121; Iliffe 1934, 133f. Taf. 45, 47; Glueck II 118 (site 249); T. J. C. Baly in: Nessana I 1962, 270-303 Taf. 43-61 (auch andere Perioden), bes. Taf. 60A-B; dazu Negev 1969, 6f.; ders. 1972b, 386f., 390, 396; Vogel 1975 site 287/368 (vgl. X83). -

Vgl. Glas: D. B. Harden in: Nessana I 1962, 76-79 Nr. 1-17 Taf. 20.

Münzen: A. R. Bellinger in: Nessana I 1962, 70 (ohne Abb.) Nr. 3-7 (Aretas IV.), Nr. 8-9 (Malichus II. oder Rabel II.).

4 Inschriften, 6 Ostraka: F. Rosenthal in: Nessana I 1962,

198-210 mit Abb., Taf. 34f. (150-350 n. Chr.); Negev 1969, 6 (eher älter). Inschrift Nr. 4 nennt einen Wächter.

71. Site 74: Vogel 1975 site 74.
Vgl. im O Vogel 1975 sites 68 u. 393, hellenistische Keramik.

72. Meṣad Maʾagāra: eisenzeitliche Festung nabat. genutzt: Keramik: Vogel 1975 site 53 (auch hellenistisch); Gichon 1980, 850.

73. Śede Ṣīn site 168-131: Keramik: Cohen 1981a, 79 (site 131).

74. Qeṣīʿōt?: sog. Traubenhügel: Glueck, Negeb 1958b, 26, 28 Abb. 5f. (site 381).

75. Site 30A: Vogel 1975 site 30A.

76. Site 195: Vogel 1975 site 195.

77. Site 113: Vogel 1975 site 113.
Vgl. im NW Vogel 1975 site 66, hellenistische Keramik.

78. Naḥal Rāvīv?: Terrassen: Glueck 1959, 213f. Abb. 55.

79. Site 437: Keramik: Vogel 1975 site 437.
Vgl. im W Vogel 1975 site 439, hellenistische Keramik.

80. Site 367?: Terrassen, sog. Traubenhügel: Glueck, Negeb 1958a, 11-14 Abb. 1f.; ders., Negeb 1958b, 21; ders. 1959, 216-22; ders. 1959b, 4f.; anders Mayerson 1960, 32 Anm. 7 Abb. 4.

81. ʿĒn el-Murēfiq (ʿĒn ʿĀvedat)?: Vogel 1975 site 99; Glueck, Negeb, passim nennt keinen nabat. Befund. - In der Nähe wurde bei nabat. Feldern 1 Votivinschrift einer Statue des Gottes Obodas (s. X88) gefunden: Negev 1986a.

82. Site 163: Keramik: Vogel 1975 site 163.

83. Site 368?: Keramik?: Vogel 1975 site 368 (irrig benannt; die Zitate betreffen alle Nessana).

84. Site 301: Keramik: Glueck, Negeb 1957, 17; Vogel 1975 site 301.

85. Site 297A?: Felszeichnung?: Glueck 1965, 7 Taf. 207b.-Vgl. ebd. Taf. 207a (ohne Ortsnennung).

86. Site 297?: Felszeichnung?: Glueck, Negeb 1957, 17 Abb. 4; ders. 1965, 7 Taf. 209a; Vogel 1975 site 297; Anati 1981 Abb. S. 64 (Stil V).

87. Site 191: Vogel 1975 site 191.

88. Ḫirbet ʿAbde (Ḥorbat ʿĀvedāt/Eboda/Oboda): wichtige Karawanenstation der Petra-Gaza-Route; in der mittelnabat. Zeit Verwaltungszentrum mit Militärbasis und Heiligtum. - Zur geopolitischen Lage vgl. Musil II 1908, 152. - Zur Erforschung vgl. Negev 1976d, 346. Beschreibungen durch Jaussen-Savignac-Vincent 1904 u. 1905 mit Abb.; Musil II 1908, 106-51 Abb. 64-119; Woolley-Lawrence 1914/15, 28, 93-107 Abb. 24-41 Taf. 23f.; Wiegand 1920, 83-99 Abb. 82-99. - Ausgrabungen 1937 durch die H. D. Colt-Expedition, 1958-60 durch M. Avi-Yonah (1958) und A. Negev und 1974/75-77 durch R. Cohen und A. Negev. - Ein Gesamtplan (grob: Vilnay 1976 Abb. S. 340; Keel-Küchler II 1982 Abb. 236) fehlt (Negev 1977 Abb. 17 = Musil). Instruktive Luftaufnahmen: Segal 1981 Abb. 21; Negev 1981a Abb. 44; ders. 1982b Abb. 3f., 14; Evenari 1983 Abb. 6.

Zur Intensität der landwirtschaftlichen Nutzung des Gebietes vgl. u.a. Kedar 1959; Negev 1961, 131-38; ders. 1963a, 113-17; Applebaum 1966; vgl. auch X129. - Zur rekonstruierten, wiederbewirtschafteten Farm vor der Stadt nach Systemen byzantinischer Zeit vgl. Evenari-Shanon-Tadmor 1982, 181-90; Evenari 1983, 137f.

Die Gründung als nabat. Karawanenstation steht in Bezug zum Ausbau der Petra-Gaza-Route im späten 4. Jh. v. Chr. (Münzen Alexander d. Gr.?: nur Negev 1966c, 14) oder erst im 3. Jh. v. Chr. (2. Hälfte?). Diese Station mit einem Zeltlager auf dem nw Felssporn (Negev 1977, 547; ders. 1983, 46) war durchgängig bis zum frühen 1. Jh. v. Chr. belegt, als Alexander Jannaios (1 Münze, Streufund) Kontrolle über die Mittelmeerhäfen und die Route gewann (vgl. die These Negev 1969, 5 zu Jos., Ant. XIV 1, 4 gegen A. Schalit; vgl. Vorbehalte K6). Die Funde stammen von der sog. (nabat.) Schutthalde Nr. 1, der Aufschüttung der Akropolisstützmauern, dem Zeltlager (in situ) und der Töpferei (hier ohne datierende Funktion).

Keramik (bes. rhodische Amphorenhenkelstempel der Zeit 220-180 v. Chr. und Megarische Becher): Kirk 1941, 62; Negev 1961b, 124; Kat. München 1970, 102f. Kat. Nr. E 15-17 Abb. 34, 1-2 (Megarische Becher, 1. Jh. v. Chr.); Negev 1976a, 56 Abb. 88; ders. 1976d, 346 (rhodische Stempel irrig früh datiert); ders. 1977, 547; ders. 1983, 46.

Münzen: Glueck 1965, 12 Taf. 62 (1 Demetrios I. von Baktrien, 200/190 v. Chr.); Negev 1966c, 14 (Alexander d. Gr., Ptolemäer, 1 Alexander Jannaios); ders. 1974c, 23 Kat. Nr. 42 (Gambrium, Mysien, 4. Jh. v. Chr.), 43 (Palästina, 2. Jh. v.Chr.?); ders. 1976a, 56.

Oboda wird im Zuge der Wiederaufnahme der Petra-Gaza/Rhinocorura-Route bald nach 24 v. Chr. von Obodas III. (bei Negev als Obodas II. gezählt) als regionales Zentrum neugegründet. Ob der Ort gleich nach diesem König benannt wurde oder erst ihm zu Ehren nach seinem Tod (9 v. Chr.) und seiner Vergöttlichung, läßt sich nicht entscheiden. Obodas I. kann (entgegen J. T. Milik in: Starcky 1966, 906) wegen der Besiedlungslücke im 1. Jh. v. Chr. nicht gemeint sein. Die These einer Benennung nach einem sonst unbekannten Karawanenführer des 4./3. Jhs. v. Chr. (Avi-Yonah -Negev 1960, 944) entbehrt der Grundlage und wurde nicht wiederholt.

Kult des "Gottes Obodas" (auch in Petra bezeugt): Uranius (1. Jh. n. Chr.); nabat. Statueninschrift, vor 150 n. Chr. (Negev 1983, 153; persönliche Mitteilung vom 21. 4. 1985; gefunden bei X81; Negev 1986a); subnabat. Graffiti (Jaussen-Savignac-Vincent 1905, 237-42 Nr. 1-2; Nr. 2 von 204/05 n. Chr.); griechische Tempelinschriften des 3. Jhs. n. Chr. (Negev 1981d Nr. 1d, 1f, 3, 4, 6, 13; Nr. 1 von 267/68 n. Chr.; Nr. 13 von einem Stadtturm von 293/94 n. Chr.).

Grab des Obodas in Oboda(?): nur bei Uranius (in: Steph.Byz. Ethnica 482, 15-16) genannt. Es befremdet, daß Obodas III. nicht in Petra (vgl. dort zu Thesen über das Grab dieses Königs in Petra) bestattet sein soll. So ist zu fragen, ob Uranius nicht aus dem Kult des Gottes Obodas und dem Ortsnamen aitiologisch zu seiner Annahme kam.

Sog. Mausoleum des Obodas (sog. Nuṣrā-Grab) im SW: Jaussen-Savignac-Vincent 1905, 82-89 mit Abb. Gegen den Bezug auf Obodas sprechen Typus und Funde spätrömischer Zeit: Negev 1961b, 126; ders. 1983, 155, 157f.; Keel-Küchler II 1982, 320-22. Ein nabat. Türsturz ist sekundär eingebaut (s.u.).

Sog. Höhenheiligtum im S (eine erhöhte runde Anlage mit Zungenmauern): Jaussen-Savignac-Vincent 1905, 235-42 Taf. 8(Plan). Gegen die Deutung spricht die Lage in einem landwirtschaftlich genutzten Sektor (Terrassenfelder, Damm); eher daher (byzantinische) Weinpresse oder dgl.: Avi-Yonah -Negev 1960, 944 Abb. 2; Negev 1961b Abb. 129; Mazor 1981, 52f., 55 Nr. 9 Abb. S. 53, 58. - Die Felsen mit den genannten subnabat. Graffiti (und Votivbildern) in der Nähe zeigen eine davon unabhängige jüngere Verehrungsstätte des 2./3. Jhs. n. Chr. an.

Der spätrömische Zeus Oboda-Tempel (s.u.) ist nach der Inschrift Negev 1981d Nr. 6 dem "Gott Obodas", d. h. dem vergöttlichten Obodas III. geweiht. Zeus Oboda ist deshalb kaum toponym (Negev 1981d, 16; anders ders. 1983, 153) zu verstehen. Angesichts der Kulttradition ist zu erwägen, auch den mittelnabat. Tempel Obodas zuzuweisen (zur Kultstatue? vgl. Naveh 1967, 189).

Das mittelnabat. Oboda war offenbar Sitz der *strategeia* im Negeb (später nach Elusa verlegt?). Tempel, Militärlager und Töpferei, die nur hier gefunden wurden, verdeutlichen diese Funktion (vgl. auch Negev 1983, 100). Neben großen Kamelgehegen im S (Negev 1977, 626) wurde ein großes Zeltlager (mit *baityles*) im O gefunden (Negev 1983, 46, 74 Abb. S. 73). Da Wohnhäuser bislang nicht nachgewiesen wurden (vgl. aber Negev 1976, 62: 10-15 Häuser; bes. ders. 1983, 46; der mittlere Teil des Plateaus ist zudem noch wenig erforscht), nimmt Negev an, daß die Einwohner/Bedienstete in Zelten wohnten (ebd. 72-74).

Um 40/50 n. Chr. wurde das Heiligtum auf der sog. Akropolis durch Brand zerstört; dafür ist jedwede Ursache denkbar. Die Töpferei wurde offenbar mitten im Brennvorgang verlassen (Negev 1974c, 13). Das Militärlager wurde (vorher/nachher?) aufgelöst. Oboda verlor seine Funktion und wurde als Stadt aufgegeben. Ein Wiederaufbau des Heiligtums erfolgte nicht. Die Brandkatastrophe mag partiell geblieben sein (vgl. Negev 1963a, 121f.; ders. später anders). Bemerkenswert ist der Befund des Militärlagers, das offenbar sauber geräumt verlassen wurde (Negev 1977, 624; ders. 1983, 70) (dabei die Holztore in Brand gesteckt?). Daß die Truppe gegen 40 n. Chr. nach Ḥegrā (Q47) verlegt worden sei (Negev 1983, 76), bleibt hypothetisch. Daß die Ortsaufgabe neben der Katastrophe mit der wirtschaftlichen Gesamtsituation (Handelsrückgang) und lokalen Problemen (zu großer Wasserbedarf) zusammenhängen könnte (Negev 1966a, 17, 19), überzeugt noch am ehesten.

Sehr problematisch und abzulehnen ist die These von Negev (u.a. 1967, 46f.; 1969, 10-14; 1976a, 62; 1983, 75, 92; dagegen Bowersock 1971, 225; Gichon 1980, 855f.; Wenning 1985, 455; ders. 1986), thamudische und safaitische Hirtengruppen hätten Oboda (und andere nabat. Orte im Negeb) um die Mitte des 1. Jhs. n. Chr. (anfangs, 1962-1967, auf das frühe 2. Jh. n. Chr. bezogen) zerstört, um sich Wasserstellen und Weideplätze zu sichern. Die von Negev zur Begründung angeführten undatierten Graffiti von einem Hügel im W (Winnett 1959; Jamme 1959) - dort auch nabat. Graffiti - und Felszeichnungen (Negev 1963a, 122 Taf. 18A; ders. 1966a, 24 Abb. S. 11, 28f.; vgl. X85, 86, 91) sind dafür nicht tragfähig und eher im Kontext der Karawanserei des 2./3. Jhs. n. Chr. verständlich (ohne kriegerischen Aspekt). Die Zerstörungen in Oboda haben sich bislang als singulärer Fall erwiesen.

Militärlager: von Jaussen-Savignac-Vincent 1904, Musil II 1908 und Wiegand 1920 untersucht, galt zunächst als spätrömisch (vgl. A. Alt), bis Grabungen von M. Gichon, A. Negev und R. Cohen den Nachweis (Keramik, Münzen, Ostraka) für die mittelnabat. Zeitstellung und Plankorrekturen (u.a. rechteckige Ecktürme, Südtor) erbrachten.

Negev 1961a, 135 Anm. 34; ders. 1976a, 61; ders. 1977, 624; Cohen 1980, 44f. Abb. S. 44 (bester Plan); Gichon 1980, 852, 854 (zu den Ostraka); Negev 1981a, 11 (für 1500-2000 Kamelreiter; ebd. zur Wasserversorgung); Cohen 1982a, 245 (entspricht einer

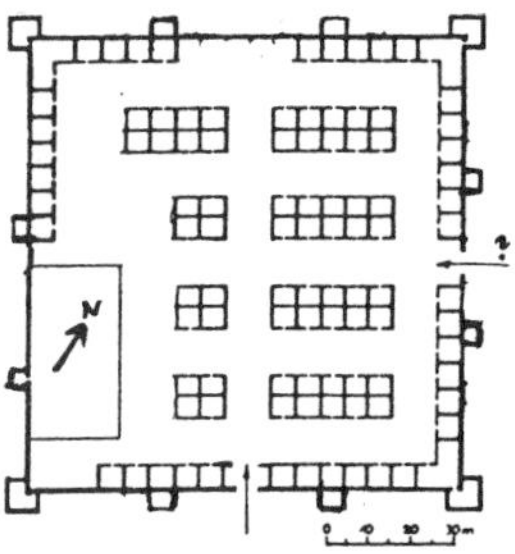

Abb. 32 Oboda. Militärlager

Festung); Negev 1983, 69-72 Abb. S. 69 (Luftbild). - Die Identifikation (Negev 1977, 612; ders. 1981a, 11; ders. 1983, 71) mit dem in CIS II 196 genannten Lager ist abzulehnen (s. K6). Nach Negev bestand das Lager nur bis um 50 n. Chr.; Gichon 1980, 852 und Cohen 1982a, 245 erwägen dagegen (zumindestens) einen Fortbestand ab 106 n. Chr. im Kontext der Petra/Aila-Gaza-Route unter den Römern. Erst unter Konstantin d. Gr. (Münze) wurden Teile der Lagermauern abgetragen.

In der Nähe befand sich ein großes Bordell mittelnabat. Zeit (Negev 1983, 73).

Töpferwerkstatt: einzige näher bekannte nabat. Töpferei (vgl. noch N62. 64, U11, X8. 28), 1959 gefunden; publiziert: Negev in: Kat. München 1970, 48-51, 102-06; ders. 1972b; bes. ders. 1974c (S. 12 Plan, Schnitte u. Taf. 1f. Ansichten; vgl. auch Negev 1976a Abb. 85; ders. 1983 Abb. S. 60f.). - Negev 1983, 80 nimmt aufgrund der Quantität der in Oboda gefundenen Keramik und der Funktion des Ortes hier weitere Töpfereien an. Die einfache Anlage besteht aus Räumen zur Vorbereitung des Tons (zu Lehmlagerstätten vgl. Negev in: Kat. München 1970, 51), zum Drehen, Trocknen und Bemalen der Gefäße und aus dem Brennofen.

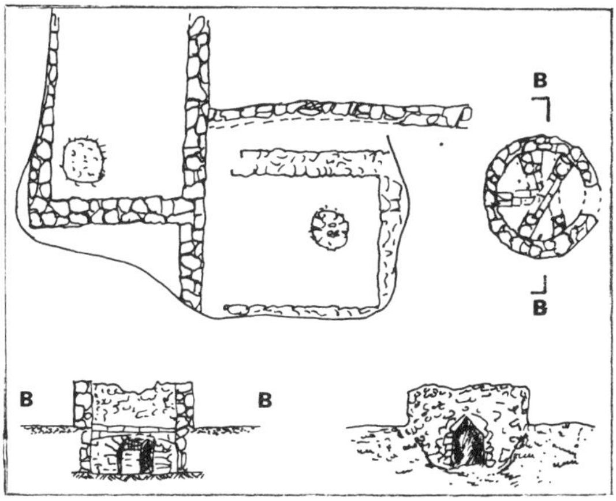

Abb. 33 Oboda. Töpferwerkstatt

Die Datierung konnte aufgrund von Münzen (Aretas IV.) und von importierten Lampen und Terra Sigillata auf 25/20 v. Chr.

- um 50 n. Chr. eingegrenzt werden (kein weiterer stratigraphischer Befund). Diese Datierung wird auf die übrigen Befunde mittelnabat. Zeit in Oboda übertragen. Für die Entwicklung der Formen und Dekore nabat. Keramik ist mit dem datierten Ensemble der Töpferei eine wichtige Beurteilungsgrundlage gegeben. Im Kontext der Besprechung der Töpferei findet sich mehrfach ein Exkurs zur nabat. Keramik allgemein. Einige von Negev der Töpferei zugewiesene Keramikgruppen, wie die sog. nabat. Terra Sigillata, sind inzwischen als Importe erwiesen (vgl. Negev 1983, 84; Gunneweg-Perlman-Yellin 1983).

Sog. nabat. Schutthalde Nr. 1 im "Stadtgebiet": Keramik (3./2. Jh. v. Chr.-1. Jh. n. Chr.; rund 20 000 Scherben bemalter nabat. Keramik), Lampen (-hadrianische Zeit), Terrakotten, Glas, Münzen, Perlen, Goldschmuck, Knochenarbeiten, Tierknochen: vgl. Negev 1961b, 124; Kat. München 1970, 102, 105, 107 Kat. Nr. E 15 Abb. 34, 2. E 52, E 77-78; Negev 1974c, 14, 18f., 21; Rosenthal 1974, 95 Taf. 16D; Negev 1983, 59f.; im übrigen unpubliziert.

Temenos/Akropolis: durch künstliche Erweiterung, Felsabarbeitungen und Stützmauern wurde auf dem westlichen Felsvorsprung ein großer Temenos mit Tempel angelegt (detailliertester Plan: Negev 1976a Abb. 82; daneben mit Phasenkennzeichnung: ders. 1976d Abb. S. 348; leicht abweichend ders. 1983 Abb. S. 66). Votivinschriften (Negev 1961a Nr. 1-3) geben Rahmendaten für die Anlage: 8/7 v. Chr.(?) und bald nach 18 n. Chr.; ein Baubeginn schon unter Obodas III. ist nicht ausgeschlossen. Der Tempel war vermutlich dem vergöttlichten Obodas geweiht (s.o.).

3 Zugänge über Treppentürme: SW-Ecke (durch eine byzantinische Anlage ersetzt), NW-Ecke (vorspringend; Fundort der Inschrift Negev 1961a Nr. 2) und SO-Ecke (vorgelagert, mit Vorhof und *vestibulum* mit 3 Bögen); zum Treppenhausturm der SO-Ecke vgl. Negev 1973, 364-67 Abb. 2 (Plan) Taf. 2a, 3a; ders. 1976a Abb. 84; ders. 1983 Abb. S. 89. Außerdem bestand offenbar ein Torhaus an der NO-Ecke, das in spätrömischer Zeit überbaut wurde (Negev 1969, 7).

Der SO-Turm führte zu einem Vorhof (Fundort der Inschrift Negev 1961a Nr. 3), vielleicht ein Portikus, obwohl die westliche Säulenreihe nur byzantinischer Planung entspricht. An ihn schloß im SO die sog. Schatzkammer an, die über dem *vestibulum* lag.

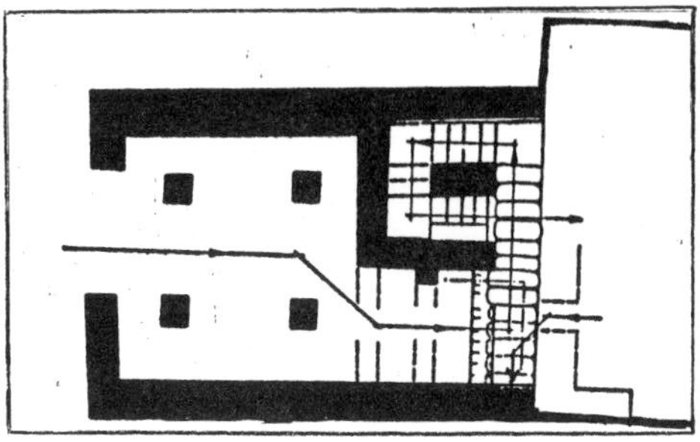

Abb. 34 Oboda. Akropolis. SO-Zugang mit Treppenhausturm

In ihrem Schutt fand man 25(?) römische Kleinbronzen (Negev 1966a, 56 Abb. S. 51-55; Kat. München 1970, 102 Kat. Nr. E 4-13; gelegentlich irrig als nabat. bezeichnet), Goldschmuck (R. Rosenthal in: Kat. München 1970, 35-38), 1 nabat. Inschrift (Negev 1961a Nr. 1) und Keramik. Von den Bronzen ist eine Negerkopflampe nachträglich mit einer nabat. Inschrift (vgl. Negev 1981a Abb. 4) versehen worden. Eine Statuette der Aphrodite Anadyomene mag sekundär als (Allat oder) Al-ʿUzzā verstanden worden sein. Das Motiv kehrt auf einer römischen Bildlampe (Kat. München 1970 Nr. E 73) und auf einem goldenen Kettenanhänger (Avi-Yonah -Negev 1960 Abb. 5) (Werkstattzuordnung unklar) wieder. Patrich 1984b, 44 Anm. 26 nimmt deshalb hier einen Kult der Al-ʿUzzā an; ein Kult der (arabischen) Aphrodite im Temenos ist für die spätrömische Zeit bezeugt (s.u.).

Der um 50 n. Chr. zerstörte Tempel wurde im 3. Jh. n. Chr. unter Verwendung nabat. Bausteine (vgl. Hörnerkapitelle beim Portal: Negev 1966a Abb. S. 47f.) als Tempel des Zeus Oboda wiedererrichtet (s.u.). Das römische Portal steht offenbar an der Stelle des alten Einganges zum Temenos. Auch die seitlich anschließende Säulenstellung könnte eine alte Konzeption anzeigen.

Der Tempel wurde für den Bau der Nordkirche niedergerissen; die Eingänge zur Akropolis wurden verändert. Spolien des mittelnabat. Tempels sind in der Nordkirche und der Südkirche

(Hörnerkapitelle beim Eingang: Negev 1961b Abb. S. 127) und ihrem Atrium verbaut bzw. in die SW-Ecke der Akropolis beiseite geräumt worden. Unklar bleibt, inwieweit die Nordkirche einen älteren Bau (kaum den Tempel selbst) anzeigt (vgl. die Normabweichungen: Negev 1983, 181); unter dem Bodenpflaster wurden weder in der Kirche noch im Hof ältere Baureste gefunden. Das Hofpflaster südöstlich der Kirch scheint vorbyzantinisch.

Zu den Hörnerkapitellen vgl. Wiegand 1920 Abb. 90; Negev 1974b, 155 Taf. 27A-B. - Von den Säulentrommeln sind 13 nabat. Steinmetzzeichen (vgl. O 19, W4, Petra) bekannt (Negev 1965, 185-90 Taf. 33-36; abweichend ebd. 190 Nr. 14 Taf. 37A). - Eine Rekonstruktion des Grundrisses des Tempels ist nicht möglich. Von dem Hinweis auf ein *theatron* (Inschrift Negev 1961a Nr. 2) und im Vergleich zu anderen nabat. Tempeln der Zeit kann an eine Anlage mit Theatron und Quadrattempel gedacht werden (Negev 1965, 191-94). Die markierten Säulen werden dem Theatron (rechts Nr. 1-9, links Nr. 10-12; vom Vorhof bzw. von der Front Nr. 13?) und Halbsäulen werden der Tempelmauer (Außentempel) zugeordnet. - Ein Opferstein (Negev 1976a Abb. 32; ders. 1983, 91 Abb. S. 89) wurde im Boden vor dem römischen Portal gefunden. Ein großer Schacht im Hof diente als *bothros/favissa* (vgl. M65) für Reste des Opfers (Negev 1983, 91). - Von 2 Weihrauchaltärchen aus dem Temenos ist eines propylonartig mit nabat. Pilastern (das Kapitell folgt dem Stil der Kapitelle der sog. Therme in Petra, 4. Viertel des 1. Jhs. v. Chr.; Ismaïl 1980 Abb. 33), Relieffries (Rankengreif) und Götterkopf/Delphin im Feld über dem Durchgangsbogen verziert und trug eine nabat. Inschrift (Avi-Yonah -Negev 1960 Abb. 3; Glueck 1965, 7, 226, 332f. Taf. 8a; Negev 1966a, 61 Abb. S. 62).

Negev 1983, 64 verweist auf ein Bad(?) im NW der Akropolis, das nach dem Plan 1976d aber erst spätrömisch ist.

Der im sog. Nuṣrā-Grab verbaute Türsturz (Jaussen-Savignac-Vincent 1905, 88f. Abb. S. 88; Negev 1966a, 64f. Abb. S. 65; Keel-Küchler II 1982, 321f.) geht den spätrömischen Reliefs in Oboda voraus, ist von den Motiven her nabat. (u.a. Hörneraltar) und könnte der mittelnabat. Zeit (vom Temenostor?) oder dem frühen 2. Jh. n. Chr. angehören.

Nekropolen im N und O des Militärlagers: im N 1 Schachtgrab mit Decksteinen in situ (1 Münze Aretas III.); im O 3 Gräber (5 Münzen Aretas IV.?, 1 Halskette): Negev 1976a, 61f.

Keramik: Avi-Yonah -Negev 1960, 944 Abb. 8f.; Negev 1966a Abb. S. 60; Kat. München 1970, 104-06 Kat. Nr. E 44-68 Abb. 32, 2. 3. 6. 8; Negev 1972b (sog. nabat. Terra Sigillata; Formen 1, 2, 9, 10, 11 in Oboda gefertigt?); ders. 1974c, 14-22 Taf. 3-14 u. ebd. 35, 40, 41f. zu anderen "nabat." Waren u. ebd. 43-46 allg. Abriß; ders. 1976a, 58-60 Abb. (37f.) 87, 90; ders. 1977a, 628f.; Cohen 1980c, 46 Abb. (später Typ des 2./3. Jhs. n. Chr. illustriert die Fortentwicklung der nabat. Keramik); Negev 1983, 58-60, 77-84 mit Abb., allg. Abriß u. ebd. 77f. zu Kultschalen; Schmitt-Korte 1983, 189f., allg. Abriß; Korrektur der Werkstattzuweisungen von Negev durch Gunneweg-Perlman-Yellin 1983, u.a. 14f. - Die These von aus Alexandria abgewanderten Töpfern in Oboda (Negev 1963b; ders. 1976a, 60f.) hat Negev 1983, 82 aufgegeben. - Auf den Namen eines der nabat. Töpfer bezieht Negev 1974c, 37 Nr. 140 das griechische Graffito AB, was unsicher bleibt.

Lampen: Negev 1974c, 28f. Nr. 87-92 Taf. 17; ders. 1976a, 60 Abb. 91. - Nr. 89 weist ein Graffito auf, das Negev als ALT/Allat liest; anders Khairy 1984a, 117f. (mit weiteren Korrekturen ebd. 115). Nr. 91 besitzt eine griechische oder nabat. Töpfermarke. Ob Nr. 82 Taf. 16 (nabat.?) D̠ū Šarā darstellt, bleibt fraglich.

Terrakotten: neben Petra der einzige Fundort dieser Denkmalgattung; zumeist von der Schutthalde Nr. 1: Gottheiten, Kamele, Pferde (auch mit Reitern), Schafe (unpubliziert): Negev 1961b, 124; Kat. München 1970, 106 Kat. Nr. E 74-75; Negev 1976a, 60 (aus Petra).

Schmuck: Avi-Yonah -Negev 1960 Abb. 5; Rosenthal 1970, 35-38 mit 102, 107 Kat. Nr. E 14, 77-78 (teils vom Tempelschatz, teils von der Schutthalde Nr. 1), allgemeine Typen, nicht deutlich nabat.; anders Patrich 1984b, 42, 44f. Abb. 3, 4, nabat.; Negev 1976a, 62 (vom Frauengrab der O-Nekropole), Import?; Rosenthal 1974, 95f. Taf. 16D (von der Schutthalde Nr.1).

Münzen (ohne Abb.): 12+4? Aretas IV.: Negev 1974c, 23f. Kat. Nr. 45-56; ebd. Kat. Nr. 44 nabat. oder Aschkelon (von der Töpferei); 1 Aretas III., 5 mittelnabat.: Negev 1976a, 61 (von den Nekropolen); vgl. ferner Militärlager, Schutthalde Nr. 1.

Die angebliche Stadtmünze von Oboda unter Nero (Hill 1922, XXXII Taf. 49, 17; Kirk 1938, 231, Vorbehalt) ist von Meshorer 1977 (mit Abb. S. 34) richtiger Gabe zugewiesen worden. Damit entfällt die Folgerung von Keel-Küchler II 1982, 317.

Inschriften: Negev 1961a, 127-31 Nr. 1-4. 6 Taf. 28B-29D, 30A. Nr. 1-4 sind Votivinschriften vom Temenos. Nr. 1 nennt 3 Söhne Aretas IV. (bald nach 18 n. Chr.; gegen die Herabdatierung von J. T. Milik in: Starcky 1966, 917 zu Recht Negev 1977, 636; vgl. ferner Khairy 1981). Nr. 2 nennt den Stifter des Theatron (nach 18 n. Chr.). Nr. 3a nennt Aretas (IV.); Nr. 3b gibt das Datum 8/7 v. Chr., falls die Jahreszahl eindeutig als 2 zu lesen ist. Nr. 6 wird als Friesfrag. angesehen. - Schon zitiert wurden die 14 Steinmetzzeichen, das Weihrauchaltärchen, die Negerkopflampe, die 1-2 Lampengraffiti und die Ostraka vom Militärlager. Unklar bliebt Musil II 1908, 117 (vgl. Wiegand 1920, 94).

Eine spätnabat., agrarisch orientierte kleine Siedlung möchte man wegen der landwirtschaftlichen Anlagen und Inschriften, die außerhalb von Oboda gefunden wurden (die genauen Fundstellen/Koordinaten werden nicht alle genannt) annehmen, doch ist dies nicht gesichert und die Stifter könnten aus anderen Orten im Negeb oder aus Petra stammen. Zum Ganzen vgl. Negev 1961a, 131-38 Nr. 7-9 Taf. 30C-31C; ders. 1963a, 113-17 Nr. 10 Taf. 17A; J. T. Milik in: Starcky 1966, 919; Naveh 1967, 187f.; Eissfeldt 1969 (mit neuer Lesung); A. Negev in: Kat. München 1970, 22 mit Kat. Nr. E 2; Meshorer 1975, 70f., 75f.; Negev 1976a, 62; ders. 1977a, 638f., 658f.; ders. 1983, 94f. Abb. S. 90.

Es handelt sich um kleine Steinbassins, die Negev in 3 Gruppen unterteilt: 1. Gruppe (nur diese ist publiziert): 6 Bassins mit Inschriften, paarweise gefunden, Nr. 8-9 4 km sw in situ, Nr. 10 2 km s in situ, Nr. 7a-c sekundär in der Zitadelle; 2. Gruppe: 2 Bassins, einzeln gefunden, eins in X65, eins in den Ruinen eines großen nabat.(?) öffentlichen Gebäudes sö der Zitadelle; 3. Gruppe: 4 Bassins, paarweise bei einem großen nabat. Gebäude des Har Ḥaluqīm gefunden. - In zwei Tälern sind Farmhäuser, Vorratsbauten, Dämme, Reservoire und nabat. Keramik in der Umgebung der Bassins festgestellt worden (Negev 1961a, 132f.; eine genauere Publikation fehlt), ohne daß die Funktion der Bassins (keine Viehtränken) verdeutlicht werden konnte.

Die Inschriften - Nr. 8 und 10 von 88/89 n. Chr. (Meshorer 1975, 70f.: Nr. 10 eher von 76/77 n. Chr.), Nr. 9b von 98/99 n. Chr. - beurkunden die Stiftung von Landwirtschaftseinrichtungen (je nach Lesung Negev: Dämme; Naveh: *mdr*, etwa Kanäle; Eissfeldt: Zumesser, Maß; Roschinski 1981b, 25 Anm. 92: bewässertes Land) durch eine Kultgenossenschaft (*thiasos*) des D̲ū Šarā, Gott von Gaia (vgl. N64) (für die lokale Bevölkerung). Die These einer Beteiligung des Militärs bei der Anlage (Negev 1961a, 135; anders Eissfeldt 1969, 223 Anm. 2) ist schon wegen der Aufgabe des Lagers abzuweisen.-Mit der Urkunde, einer Art Grenzstein, werden die Rechte zur Anlage und über deren Betrieb und Nutzung fixiert. Ob und in welcher Form dabei kultische Handlungen vollzogen wurden (Negev: Libationsaltäre), muß offenbleiben. Die Nennung des Königs (Rabel II.) ist als normaler juristischer Akt zu beurteilen und besagt weder etwas über eine lokale oder regionale Wirtschaftsförderung Rabel II. (Negev an den zitierten Stellen; "Pilotprojekt" noch Wenning 1985, 455) noch kann über diese Befunde der Thronname des Königs interpretiert werden (Negev ebd.; seine einander bedingenden Thesen haben breite Zustimmung gefunden, nicht zuletzt, weil eine andere, befriedigende Erklärung für den Thronnamen nicht gegeben werden kann; anders Meshorer 1975, 75f.; vgl. ferner Petra). Die Nabatäer gingen nicht erst unter Rabel II. zur Landwirtschaft über noch entwickelten sie erst jetzt Bewässerungssysteme (vgl. u.a. O 6 mit Inschrift von 32 n. Chr.; Graf 1983, 654). Die Siedlungsexpansion unter Aretas IV. setzt solche Systeme schon früher voraus (für Oboda selbst vgl. u.a. Evenari et alii 1982, 166 Abb. 100a-c), die fraglos mit zunehmender Erfahrung verbessert wurden.

Oboda bestand nach 106 n. Chr. weiter oder wurde jetzt erst wieder von den Römern als Routenstation in Betrieb genommen und ausgebaut (nur begrenzt erforscht: Negev 1976a, 63; ders. 1983, 129). Darauf weisen 2 nabat. Inschriften von 107/8 und 126/7 n. Chr. und römische Funde (Münzen, Lampen) der Zeit

Trajans und Hadrians.

Die anfangs von Negev (1961b, 125; modifiziert ders. 1963a, 123; anders 1983, 165) aufgestellte These einer Zerstörung 106 n. Chr. bzw. zwischen 126/7 und etwa 150 n. Chr. durch die Thamūd wirkt immer noch nach (vgl. Keel-Küchler II 1982, 318), obwohl es keine Zerstörungshorizonte aus dieser Zeit in Oboda gibt. Vielmehr sprechen die Befunde (vgl. auch Ptolemaios, Geogr. V 16, 4) für eine kontinuierliche Besiedlung (Cohen 1976, 50; Gichon 1980, 847; Cohen 1982a, 246). Die Siedlung wird nördlich der Töpferei lokalisiert. Hier fand man eine Karawanserei des 2. u. 3. Jhs. n. Chr. (Cohen 1980a, 45f. mit Plan; ders. 1982a, 245f.); Beachtung verdient die subnabat. Schale Cohen 1980c Abb. S. 46 (s.o.).

Nördlich des Militärlagers nennt Negev 1976a, 63 einen Kultplatz zwischen 2 turmähnlichen Bauten. - Negev 1983, 118 verweist auf Säulenmarkierungen des 2. Jhs. n. Chr. - Verehrungsstätte im S: genutzt von der lokalen nabat. Bevölkerung und den Hirten (eher als Pilger: Keel-Küchler II 1982, 318), 6 subnabat. Graffiti (und jüngere? Votivbilder): Jaussen-Savignac-Vincent 1905, 237-42 Abb. S. 239, (242). Nr. 1-2 wenden sich an Obodas, Nr. 3 an D̲ū Šarā. Nr. 2 von 204/5 n. Chr.

Inschriften: Negev 1963a, 117-20 Nr. 11-12 Taf. 17B, 18B von 107/8 u. 126/7 n. Chr. - Negev 1961a, 130f. Nr. 5 Taf. 29 E, Grabinschrift in *tabula ansata*, grob ausgeführt. - Weitere nabat. Inschriften des 3./4. Jhs. n. Chr. sind noch unpubliziert (Negev 1963a, 121; vgl. ders. 1981d, 24, Weihrauchaltar). Negev 1961a, 127 nennt für 1958-60 über 40 nabat. (mittelnabat. und jünger) Inschriftfunde; davon sind 1961 u. 1963 12 (mit Unternummern 16) publiziert worden. - Graffiti: Jaussen-Savignac-Vincent 1905, 237-42 Nr. 1-6 Abb. S. 239; RES 527-32.

Die spätrömische (Negev: spätnabat.) Stadt Oboda der Mitte des 3. Jhs.— Mitte des 4. Jhs. n. Chr. interessiert hier nur in bezug auf die subnabat. Elemente. Für den Ausbau der Stadt geben Inschriften von 242 (Grab), 267/8 (Tempel) und 293/4 n. Chr. (Turm) Rahmendaten. Bei einer weiterhin nabat. Bevölkerung - offenbar mit gewisser struktureller Veränderung (vgl. Negev 1963a, 122; der Bezug zu den Thamūd, ebd., ist aufzugeben; ders. 1981d, 18) - ist die Hellenisation soweit vorgedrungen (Verlust der eigenen Sprache und Schrift), daß sie das nabat. Erbe nur noch partiell durchscheinen läßt. Es ist vor allem im religiösen Bereich bewahrt (vgl. schon die Graffiti).

Der zerstörte mittelnabat. Tempel wurde im 3. Viertel des 3. Jhs. n. Chr. wiedererrichtet. Neugebaut wurde auch ein Torhaus im NO der Akropolis (W. Kendall in: Nessana I 1962, 45-47 Taf. 68, hellenistisch; korrigiert von Negev 1969, 7); anhand der noch unpublizierten Fresken (Kendall 46f. mit Verweis auf Iram, O 19) wäre die Zeitstellung zu überprüfen. - Abgesehen vom jetzt restaurierten Portal (Negev 1966a Abb. S. 47; ders. 1976a Abb. 32) mit nabat. Kapitellen und griechischen Votivinschriften der Stifter und Erbauer (nabat. Namen) (Negev 1981d Nr. 1a-g; Nr. 1b von 267/8 n. Chr.; ebd. Nr. 2-9 weitere Inschriften vom Temenos) ist von diesem Tempel wenig bekannt. Er war Zeus Oboda geweiht, jetzt Hauptgott der Stadt (vgl. Inschriften Negev 1981d Nr. 1, 3-6, 13). Nach der Inschrift Nr. 6 ist Zeus Oboda nicht der Zeus der Stadt Oboda (noch Wenning 1985, 456), sondern der seit mittelnabat. Zeit hier verehrte "Gott Obodas", der vergöttlichte Obodas III.

Dem Tempel möchte man die Schmuckbasis mit Lorbeerkranz (Wiegand 1920, 90 Abb. 88i, von einer Ehrenstatue; Negev 1983, 80 Abb. S. 81, Kapitell vom nabat. Tempel) zuweisen. - Dagegen gehört das Figuralkapitell in "nabat." Typus mit der Darstellung von Adler/Mensch (Woolley-Lawrence 1914/15 Taf. 24,4; Avi-Yonah 1942, 138, 6. Jh. n. Chr.; Glueck 1965, 520 Taf. 219b, 220b, byzantinisch; Negev 1966a Abb. S. 33, römisch; ders. 1974b, 155, 159, mit Frühdatierung; MDB 19, 1981 Titelbild) eher zum neuen Bauschmuck der Nordkirche.

Im Temenos wurde außerdem Aphrodite verehrt, wahrscheinlich in einem eigenen Tempel (Inschrift Negev 1981d Nr. 7; Negev nimmt eine gemeinsame Verehrung mit Zeus Oboda an, doch werden die Götter in keiner Inschrift zusammengenannt). Auch hier ist anzunehmen, daß der alte nabat. Kult der Al-ʿUzzā im Temenos (s.o.) fortgeführt oder wiederaufgenommen wurde (vgl. Elusa, X8, "arabischer" Venustempel).

Ein Treppenhausturm am Südrand der Stadt von 293/4 n. Chr. ist das jüngste Beispiel für diesen Bautypus nabat. Art im Negeb (Negev 1973, 373 Abb. 8 Taf. 3b, 4b; die Inschrift

Negev 1981d Nr. 15 nennt u.a. einen Baumeister aus Petra.

2 Stallhäuser (eines in der Stadt) (Negev 1983, 101, 156; Segal 1983, 95f.) gehören dieser Zeitstufe an (vgl. X24. 28. 69); entgegen Negev 1983, 156 zwingt nichts, die "Pferdezüchtersiedlung" weit vor die Mitte des 3. Jhs. n. Chr. zu datieren.

Die vielen Höhlen am Akropolishang wurden z.T. als nabat. Gräber oder Wohnungen (vgl. Jaussen-Savignac-Vincent 1905, 74-82; Wiegand 1920, 96; Glueck 1959, 273f.) angesehen, die in byzantinischer Zeit wiederbenutzt worden seien. Sie gehören aber in unterschiedlichen Funktionen erst der byzantinischen Zeit an (Negev 1961b, 129; ders. 1983, 187-91). - Die ornamentierten Türpfosten eines dieser Häuser (Avi-Yonah -Negev 1960 Abb. 12) zeigen im Vergleich mit denen des Mittelportals der Südkirche (Negev 1983 Abb. S. 184) und anderem Baudekor der Zeit, daß auch diese (entgegen Negev 1983, 184) byzantinisch und keine nabat. Spolien sind.

89. Site 164D: Vogel 1975 site 164D.

90. Site 303: Keramik: Glueck, Negeb 1957, 17 (site 303).

91. Ḫirbet ʿĒn Abū Šihabīye (Ḥorbat ʿĒn Zīq): Ruine, Keramik: Vogel 1975 site 103; Cohen 1985b, 204: 2 Phasen: 3./2. Jh. v. Chr. u. 1. Jh. n. Chr.

Vgl. weiter im O Vogel 1975 site 104, hellenistische Keramik.

92. Site 302?: Felszeichnung?: Glueck, Negeb 1957, 17; Vogel 1975 site 302.

93. Site 210A: Vogel 1975 site 210A.

94. Site 415: Glueck, Negeb 1958b, 30; ders. 1965, 7 Taf. 209b; Vogel 1975 site 415.

95. Site 415A: Terrassen: Glueck 1965, 5, 486 Taf. 212c-d (site 415A).

Vgl. Terrassen (ohne Ortsnennung) Glueck 1959 Abb. 33f.; Mayerson 1962, 231-46 Taf. 40-42; Glueck 1965 Taf. 212b; Evenari 1982 Abb. 61-63, 74-78.

96. (El-Maṭrada) Rāmat Maṭrēd Survey site 113: Ruinen?: Aha-

roni 1960, 27; Abb. 1 gibt dort die nabat. Fundorte des Surveys an, mehr als im Bericht genannt werden. Da Aharoni nabat.-byzantinisch zusammenfaßt, ergeben sich Unklarheiten, ob überall auch ein nabat. Befund vorliegt.

97. Site 407: Vogel 1975 site 407.

98. Site 164C: Keramik: Vogel 1975 site 164C.

99. Site 336: Keramik: Vogel 1975 site 336 (auch hellenistisch).

100. Bīʾr Bīrēn (Beʾērōtayim/Beerot-Bene-Jaakan?)?: Keramik?: Glueck, Negeb 1955b, 20 (site 164) (hellenistische Keramik). - Zum Namen vgl. Negev 1976e, 554.

101. Site 179: Keramik: Glueck, Negeb 1955b, 20; Vogel 1975 site 179.

102. Ḫirbet Bīrēn: Keramik: Vogel 1975 site 164B (auch hellenistisch).

103. Rāmat Maṭrēd Survey site 156: Keramik?: Aharoni 1960,26f.

104. Rāmat Maṭrēd Survey site 120: Aharoni 1960 Abb. 1.

105. Bīʾr er-Rusēsīye (Beʾēr Resīsīm)?: Vogel 1975 site 180. Glueck, Negeb 1955b, 21 nennt keinen nabat. Befund; das wurde bestätigt im "Central Negev Highlands Project": Cohen-Dever 1981, 74.
Vgl. im NW Vogel 1975 site 180A, hellenistisch.

106. Site 43: Vogel 1975 site 43.

107. Site 331: Vogel 1975 site 331.

108. Rāmat Maṭrēd Survey site 158: Keramik, Damm?: Aharoni 1960, 26f., 29.

109. Site 341: Vogel 1975 site 341.
Vgl. im SW Vogel 1975 site 331A, hellenistische Keramik.

110. Rāmat Maṭrēd Survey site 129: Ruinen?: Aharoni 1960, 27.

111. Site 449: Keramik: Glueck, Negeb 1960, 11 (site 449).

112. Rāmat Maṭrēd Survey site 114: Keramik?: Aharoni 1960,26f.

113. Rāmat Maṭrēd Survey site 119: Aharoni 1960 Abb. 1.

114. Rāmat Maṭrēd Survey site 126: Aharoni 1960 Abb. 1.

115. Site 408A: Vogel 1975 site 408A.

116. Site 408: Vogel 1975 site 408.

117. Site 42: Keramik: Vogel 1975 site 42. Vgl. Terrassen?: Glueck, Negeb 1955b, 23f. Abb. 4.

118. Rāmat Nafḥā Sektion der Petra-Oboda-Route, Passage bei Gabelung 3: Keramik: Meshel-Tsafrir 1974, 100.

119. Rāmat Maṭrēd Survey site 164: Ruinen?: Aharoni 1960, 27.

120. Site 212B: Vogel 1975 site 212B.

121. Meṣad Naḥal ʿĀvedat: Ruine, Keramik: Aharoni 1960, 106 Taf. 16E (Keramik) (Rāmat Maṭrēd Survey site 142).

122. Site 450: Keramik?: Glueck, Negeb 1960, 11 (site 450).

123. Rāmat Maṭrēd Survey site 143: Aharoni 1960 Abb. 1.

124. Site 212A: Vogel 1975 site 212A.

125. Site 346?: Wasserleitungsanlagen, Terrassen?: Glueck, Negeb 1957, 20; ders., Negeb 1958a, 10-12 Abb. 3; anders ders., Negeb 1958b, 21-25 (Umfassungsmauer älter, begrenzt einen "heiligen Berg"?) (site 346); ders. 1959b, 6-8 Abb. 2; vgl. dazu Keel-Küchler II 1982, 180-82 (zu X189); vgl. Mayerson 1960, 32 Anm. 7. 35 Anm. 12.

126. Rāmat Maṭrēd Survey site 172: Ruinen?: Aharoni 1960, 27.

127. Rāmat Maṭrēd Survey site 136: Aharoni 1960 Abb. 1.

128. Rāmat Maṭrēd Survey site 169: Aharoni 1960 Abb. 1.

129. Wādi Ramlīye, Wādi ʿAbde (Naḥal ʿĀvedat): Zisternen (z.T.

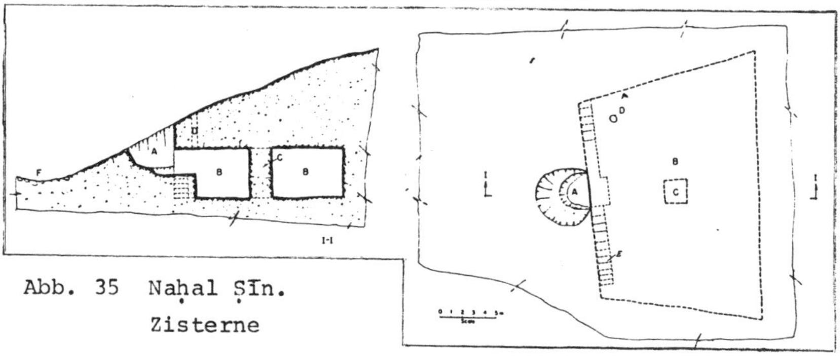

Abb. 35 Naḥal Ṣīn. Zisterne

mit Pfeiler mit Ḏū Šarā-Nischen mit *baityl*), Keramik: Glueck, Negeb 1953, 11; ders. 1959, 223-25 Abb. 38, 41; ders. 1965, 5 Taf. 210 (als site 30 = Wādi el-Abyaḍ angeführt); vgl. Gerster 1961 Abb. S. 126f. (bei Sobata); Negev 1966a, 12 mit Abb. S. 14f., 25 (rund 20 große Zisternen in der Umgebung von Oboda); ders. 1983 Abb. S. 88; Evenari 1982, 159-66 Abb. 97-100.

Graffiti: Anati 1981, Farbtafel.

130. Site 211?: Terrassen?, Felszeichnungen?: Glueck, Negeb 1956, 25 Abb. 5; Vogel 1975 site 211.

131. Site 213B?: Felszeichnung?: Glueck, Negeb 1956, 25; Vogel 1975 site 213B.

132. Site 213A?: Felszeichnung?: Glueck, Negeb 1956, 25; Vogel 1975 site 213A.

133. Rāmat Nafḥā Sektion der Petra-Oboda-Route, nahe der Gabelung 6: Posten, Keramik: Meshel-Tsafrir 1974, 111.

134. Site 448: Keramik: Glueck, Negeb 1960, 11 (site 448).

135. Rāmat Maṭrēd Survey site 165: Aharoni 1960 Abb. 1.

136. Site 39: Vogel 1975 site 39.

137. Site 132E: Keramik: Vogel 1975 site 132E.

138. Site 132: Vogel 1975 site 132.

139. Meṣad Gerāfōn-Vorposten: Ruine, Keramik: Meshel-Tsafrir 1974, 113; dies. 1975, 10 (an der Oboda-Maliattha-Strasse).

140. Meṣad Gerāfōn: Wachtposten der Petra-Oboda-Route, Zisterne, Keramik: Meshel-Tsafrir 1974, 113 Taf. 16B; dies. 1975, 10 Abb. 2 (Plan) Taf. 2A.

1 Münze (Rabel II.): Isaac 1980, 894 Anm. 5.

141. Site 132D: Vogel 1975 site 132D.

142. Site 182: Keramik: Vogel 1975 site 182.

143. Bīʾr el-Ḥafīr (Beʾēr Ḥāfīr)?: Vogel 1975 site 171A. Glueck, Negeb, passim nennt keinen nabat. Befund.

144. Site 166: Keramik: Glueck, Negeb 1956, 23; Vogel 1975 site 166.

Vgl. im NW Vogel 1975 site 342, hellenistische Keramik.

145. Ḫirbet el-Ḥafīr (Meṣad Beʾ ēr Ḥāfīr): eisenzeitliche Festung nabat. genutzt: Turm?, Keramik: Glueck, Negeb 1955, 21 Abb. 3; Aharoni 1960, 108f. Abb. 17 (Rāmat Maṭrēd Survey site 144); Vogel 1975 site 171; vgl. Cohen 1985, 36. - Vgl. Terrassen?: Glueck 1959b, 3 Abb. 1.

146. Site 410: Vogel site 410.

147. Site 37: Keramik: Vogel 1975 site 37.

148. Site 177: Keramik: Glueck, Negeb 1956, 23; Vogel 1975 site 177.

149. Site 176: Vogel 1975 site 176.

150. Site 170: Vogel 1975 site 170.
Vgl. im SW Vogel 1975 site 167, hellenistische Keramik.

151. Site 220A: Vogel 1975 site 220A.

152. Site 175: Vogel 1975 site 175.

153. Site 218: auch Felszeichnung?: Glueck, Negeb 1956, 23, 27 Abb. 3 (site 218).

154. Meṣad Har Saʿad: Keramik: Cohen 1980a, 235 (Area C).

155. Site 220: Vogel 1975 site 220.

156. Site 173: Vogel 1975 site 173.

157. Site 46: Vogel 1975 site 46.

158. Site 38: Vogel 1975 site 38.

159. Site 217B: auch Felszeichnung?: Glueck, Negeb 1956, 21, 23 (site 217B).

160. Site 47/429: Vogel 1975 sites 47 u. 429.

161. Site 452: Karawanserei?, Keramik: Glueck, Negeb 1960, 11f. (mit Wegeverbindung nach Qalʿat Fēnān (U8) über ʿĒn el-Ḥufēra); Vogel 1975 site 452.

162. Site 222B: Vogel 1975 site 222B.

163. Site 174: Keramik: Vogel 1975 site 174 (auch hellenistisch).

164. Site 49A: Keramik: Vogel 1975 site 49A.

165. <u>Meṣad Maʿalē Maḥmāl</u>: Wachtposten der Petra-Oboda-Route, Reservoir, Keramik: Meshel-Tsafrir 1974 Taf. 16C; dies. 1975, 11 Abb. 3 (Plan Meṣad), 4 (Plan Reservoir) Taf. 2B-C; Cohen 1983b, 69f. (Plan S. 70); ders. 1984, 203 (Schale, später Typus des 2./3. Jhs. n. Chr.).

166.-172. <u>Survey Har Ḥamrān (Ǧebel Ḥamrā el-Ḥafīr)</u> (Map 198): 7 sites, Keramik; davon 6 Lagerplätze, 1 mit Ruinen: Cohen 1983c, 83 (durch M. Heiman).

173. <u>Rās Naqb el-Maḥāmle (Rōš Maʿalē Maḥmāl)</u>: Vogel 1975 site 62A.

174. <u>Site 222</u>: Glueck, Negeb 1956, 21, 23; Vogel 1975 site 222.

175. <u>ʿĒn el-Muwēleḥ</u> (Azmon?): Keramik: Rothenberg 1961, 37. - An dem Darb el-Ġazze von Aila nach Nessana gelegen.

176. <u>Ḫirbet Naqb el-Maḥāmle</u> (=X165?): Wachtturm, Keramik, Glas?: Glueck, Negeb 1955b, 11f.; ders. 1959, 226; Vogel 1975 site 62.

177. <u>Site 432</u>: Keramik?: Glueck, Negeb 1960, 8 (auch hellenistisch?); Vogel 1975 site 432.

178. <u>Site 433</u>: Keramik: Glueck, Negeb 1960, 8 (auch hellenistisch?); Vogel 1975 site 433.

179. <u>Site 293</u>: Vogel 1975 site 293.

180. <u>Site 422</u>: Keramik: Vogel 1975 site 422.

181. <u>Site 223</u>: Vogel 1975 site 223.
Vgl. im SW Vogel 1975 site 434, hellenistisch.

182. <u>Site 225?</u>: Felszeichnung?: Glueck, Negeb 1956, 23, 27; Vogel 1975 site 225.

183. <u>Site 44</u>: Keramik: Glueck, Negeb 1958b, 33; Vogel 1975 site 44.

184. <u>Site 45A</u>: Keramik: Vogel 1975 site 45A.

185. <u>Site 63</u>: Vogel 1975 site 63.

186. <u>Site 45</u>: Keramik: Glueck, Negeb 1958b, 33 Abb. 8; Vogel 1975 site 45.

187. <u>Site 56</u>: Keramik: Vogel 1975 site 56.

188. Site 150: Keramik: Vogel 1975 site 150.

189. Site 148: Keramik: Vogel 1975 site 148.

190. ʿĒn el-Qudērāt (Qādēš Barnēaʿ): Wasserleitungsanlagen, Reservoir, Keramik: Glueck II 119 (site 251); Rothenberg 1961, 41f. Abb. IV (Karte), VII (Plan), 10, 14, 88 (Keramik). - Vgl. Survey Wādi el-Qudērāt (Naḥal Qādēš Barnēaʿ): Cohen 1980b, 236 (durch Y. Porath). - Vgl. ferner Z1.

191.-231. Survey Miṣpē Rāmōn (Map 200): etwa 40 sites, meist Lagerplätze, auch Ruinen, Keramik, Mahlsteine etc.: Cohen 1982c, 89f. (durch M. Heiman). Vgl. Glueck, Negeb 1955b, 11f.

232.-239. Survey Makṯēš Rāmōn, West (Map 204): 8 sites, Keramik: Cohen 1982c, 86 (durch S. Rosen). - Hier hinter 269 einzuordnen.

240. Site 143: Keramik: Vogel 1975 site 143.

241. Site 414A: Lagerplatz, Keramik: Glueck, Negeb 1960, 5 (site 414A).

242. Site 423: Keramik: Glueck, Negeb 1960, 5f.; Vogel 1975 site 423.

243. Site 143A: Keramik: Vogel 1975 site 143A.

244. Site 144: Keramik: Vogel 1975 site 144.

245. Site 51: Keramik: Vogel 1975 site 51.

246. Ḫarābe ʿAṭīqa (Maʾagūrat Qedem): Keramik: Glueck, Negeb 1960, 7 (site 438); Vogel 1975 site 48B.

247. Site 424: Glueck, Negeb 1960, 6 (site 424).

248. Site 469A: Zisterne: Glueck, Negeb 1965, 12 (site 469A).

249. Site 145: Keramik: Vogel 1975 site 145.

250. Site 469: Zisterne, Keramik: Glueck, Negeb 1965, 12; Vogel 1975 site 469.

251. Site 149C: Wasserleitungsanlagen, Zisternen?, Keramik: Glueck, Negeb 1955a, 24; ders., Negeb 1955b, 25f.; ders. 1965, 5 Taf. 211b; Vogel 1975 site 149C. Vgl. Evenari 1982, 69.

252. Site 149E: Vogel 1975 site 149E.

253. Site 147C: Keramik: Vogel 1975 site 147C.

254. Site 152A: Keramik: Vogel 1975 site 152A.

255. Site 147/147A/147B: Ruinen, Wasserleitungsanlagen, Zisternen, Keramik: Glueck, Negeb 1955b, 24f.; ders., Negeb 1958b, 33; Vogel 1975 sites 147A, 147B.
Vgl. im SW Vogel 1975 sites 152, 158, hellenistische Keramik.

256. Qaṣr el-Maḥalle (Meṣad Mōḥīlā/Meṣad Šaʿar Rāmōn): bedeutendste Zwischenstation der Oboda—Moyeʿ Awād (-Petra)-Route; von beiden Orten eine Tagesreise entfernt. Identifiziert mit Asoa (Alt), Moahile (Abel), Maliattha (Meshel-Tsafrir 1975, 21).
Festung (Karawanserei) (mit Treppenhausturm): Frank 1934, 273 Taf. 57B (= X258?, so Glueck, Negeb 1955b, 11 Anm. 12); Meshel-Tsafrir 1974, 105, 118 Taf. 18D; dies. 1975, 12-14, 21 Abb. 5 (Plan) Taf. 2D; grundlegend jetzt Cohen 1982c, 87f. (neuer Plan S. 88; entspricht dem der Karawanserei von Moyeʿ Awād (1. Jh. n. Chr.) (U11). - Die These einer Zerstörung um 50 n. Chr. (Negev 1969, 9f.) ist hinfällig.
Keramik: Frank 1934, 273; dazu Glueck II 118; Meshel-Tsafrir 1975, 14 (auch Glas, organische Materialien); Vogel 1975 site 31; Cohen 1982c, 88 (auch Glas, Kamelknochen).
Münzen: Aretas IV., Rabel II.: Cohen 1982c, 88.

257. Site 55: Vogel 1975 site 55.

258. Qaṣr el-ʿĒn: Wachtposten der Petra-Oboda-Route: Glueck, Negeb 1955b, 11 Anm. 12; Vogel 1975 site 33.

259. Site 153: Keramik: Vogel 1975 site 153.

260. Site 158A: Keramik: Vogel 1975 site 158A.

261. Site 157: Keramik: Vogel 1975 site 157.

262. Site 470: Zisterne: Glueck, Negeb 1965, 12 (site 470).

263. kleines Qaṣr Wādi es-Sīq: Posten der Petra-Oboda-Route: Frank 1934, 273; Negev 1966b, 90.

264. Qaṣr Wādi es-Sīq (Meṣad Naḥal Neqārōt): Wachtposten der Petra-Oboda-Route, Turm, Zisterne, Keramik: Frank 1934, 273 Taf. 58A-B, Plan 29; Glueck, Negeb 1953, 13; ders. 1959, 233f. Abb. 40 (Zisterne); Negev 1966b, 90; Rothenberg 1967, 133 Abb. 79-81; Vogel 1975 site 134; grundlegend jetzt Cohen 1982b, 264f. (Anlagen B, C, D) (1. Jh. n. Chr., 106 n. Chr. zerstört).

Münzen: Aretas IV., Malichus II.: Negev 1966b, 96; Cohen 1982b, 265.

265. Site 226: Vogel 1975 site 226.

266. Meṣad Har Massaʿ: Wachtposten der Petra-Oboda-Route, Keramik: Cohen 1984, 205 (1. Jh. n. Chr.).

267. Site 503: Keramik: Vogel 1975 site 503.

268. Qaṣr el-ʿAbd (Qaṣr Umm el-Quṣēr/Ḥorbat Qaṣrā): Wachtturm der Petra-Oboda-Route, Keramik: Frank 1934, 274 Taf. 59B, 60A Plan 30A; Glueck 1959, 234f.; Negev 1966a, Abb. S. 16; Vogel 1975 site 135; Cohen 1982b, 163f. - Die Zisterne Negev 1976a, 55 gehört zu X264.

269. Site 502: Keramik: Vogel 1975 site 502.

232.-239. s.o.

270. Bōrōt Loṣ-Farm: Dar 1982.

Zu Farmen allg. vgl. Evenari et alii 1958, 245f. Abb. 21, 25; ders. 1982, 99-110 Abb. 64-73.

271. Ǧebel Ḫarūf (Har Ḥarīf): Keramik: Glueck, Negeb 1965, 12; Vogel 1975 site 475.

272. Biʾār ʿIdēd Umm Ṣāliḥ (Beʾērōt ʿŌdēd): Vogel 1975 site 199.

273. ʿĒn Muġēra: Keramik: Glueck, Negeb 1965, 6f. (auch hellenistisch); Vogel 1975 site 471.

274. Site 479: Keramik: Glueck, Negeb 1965, 14; Vogel 1975 site 479.

Vgl. weiter im NW Vogel 1975 site 202A, hellenistisch.

275. Ḫirbet Muġēra: Terrassen, Keramik: Glueck, Negeb 1965, 7 (site 471A).

276. Site 270: Terrassen: Glueck 1965, 5, 486 Taf. 212a (site 270).

277. Site 483: Keramik: Glueck, Negeb 1965, 14; Vogel 1975 site 483.

277a. Site 492: Keramik: Glueck, Negeb 1965, 12; Vogel 1975 site 492.

278. Site 484: Keramik: Glueck, Negeb 1965, 14; Vogel 1975 site 484.

279. Site 204: Keramik: Glueck, Negeb 1965, 13; Vogel 1975 site 204.

280. Site 265: Keramik: Glueck, Negeb 1965, 13; Vogel 1975 site 265.

281. Site 485: Felszeichnung?, Keramik: Glueck, Negeb 1965, 13f. (site 485).

282. Site 264: Keramik: Glueck, Negeb 1965, 13; Vogel 1975 site 264.

283. Ǧebel Semāwa (Har Śaggī'): Keramik: Glueck, Negeb 1965, 12; Vogel 1975 site 491. Vgl. X284-304.

284.-304. Survey Har Śaggī' (Ǧebel Semāwa) (Map 225): 21 Lagerplätze: Cohen 1982c, 84 (durch G. Avni). Vgl. X 283.

305. Bī'r el-ʿIdēd el-Miyyet (Be'ēr Gešūr/Be'ēr Karkom)?: Vogel 1975 site 205. Glueck, Negeb 1965, 13f. nennt keinen nabat. Befund.

306. Site 457: Vogel 1975 site 457.

307. Site 487: Glueck, Negeb 1965, 12; Vogel 1975 site 487.

308.-322. Ǧebel el-ʿIdēd (Har Karkom): Felszeichnungen?, Graffiti, Keramik: Glueck, Negeb 1956, 23, 25 (sites 262, 262A-F) Abb. 6f.; ders. 1965, 7 Taf. 208a-b; Anati 1956; ders. 1983, 42f. (Survey): 7 nabat.-byzantinische sites, meist Schafhürden und Hirtenunterkünfte; ders. 1984, 49 (Graffito site HK/38); Anati nennt 31 sites der Periode IVC.

323. Site 499: Karawanserei, Keramik: Glueck, Negeb 1965, 18; Vogel 1975 site 499.

324.-424. Survey Biqʿat ʿUvdā (El-ʿOqfi): 3 sites mit Ruinen, davon 1 Farm; ca. 100 Zeltplätze von Bauern (meist mit *baityles* in unterschiedlicher Form und Gruppierung), bes. im östlichen Teil des Tales (insgesamt eine auffällige Konzentration). Zu den *baityles* vgl. Negev 1983 Abb. S.73.

Meshel-Tsafrir 1975, 20 Anm. 52 nehmen eine Verbindung durch das Tal zwischen (Petra-)ʿĒn el-Ġaḏyān (U17) und Kuntillet el-Ğerāfī an dem Darb el-Ġazze an.

425.-461. Survey Biqʿat ʿUvdā-Elat Road: 37 Zeltplätze (einige mit *baityles*), davon 3 als Wachtposten(?), Gräber: Cohen 1982c, 82 (durch U. Avner).

462.-? Survey Miṣpe Sayyarīm (Map 253): Cohen 1983c, 85 (durch O. Kaminer).

463. Site 498: Vogel 1975 site 498.

464.-? Survey Biqʿat Sayyarīm (Map 256): Lagerplätze, Zeltplätze: Cohen 1982c, 79 (durch O. Kaminer).

465. Har Šānī: Keramik: Cohen 1982c, 84f.

Region Y: Nord-Sinai

Zielgebiet nabat. Handelsrouten für den Warenverkehr über das Mittelmeer. Haupthafen war Gaza mit Ausnahme der Zeit unter Heodes I., als die Nabatäer auf Rhinocorura auswichen (Strabo XVI 4, 24).

In der Perserzeit war die Region unter der Kontrolle der Qedar. Ob man aus Herodot III 8, 3 (Alilat genannt) aus linguistischen Gründen schon auf eine nabat. Untergruppe der Qedar in dieser Region schließen darf (Knauf 1984a, 110; zurückhaltender Starcky 1966, 1002), sei dahingestellt. Die Nabatäer lösten die Qedar im 4. Jh. v. Chr. ab, ohne deren Herrschaftsstrukturen im Delta, im Sinai und Negeb zu übernehmen. Sie verloren bald infolge ptolemäischer und seleukidischer Territorialkämpfe die Dominanz in der Region.

Nach frühen Versuchen schon im 2. Jh. v. Chr. Positionen gegen Ägypten zu gewinnen (vgl. Siedlung D 54: Oren 1982a, 207f.; s.u.), brach wegen der Besetzung der Mittelmeerküste durch Alexander Jannaios die nabat. Aktivität im frühen 1. Jh. v. Chr. in der Region ab. Seit dem 4. Viertel des 1. Jhs. v. Chr. setzte eine verstärkte nabat. Präsenz ein. Eine Konzentration nabat. Umschlagplätze findet sich zwischen Raphia und Rhinocorura (vgl. Rothenberg 1961, 23; Oren 1978; vgl. dazu Karten in: Hadashot Arkheologiyot 29, 1969, 47; Tel Aviv 8, 1981, 26 Abb. 2; entsprechend ist die Anzahl der Fundorte über die des Kataloges hinaus zu erweitern). Unter Herodes I. blieb das Gebiet südlich des Besor, später südlich Raphia (zur Provincia Syria gehörend) den Nabatäern überlassen. Strabo XVI 2, 34 rechnet das nabat. Gebiet bis gegen den Mons Casius.

Zu den Landrouten durch den Nord-Sinai vgl. die Karte Oren 1982b Abb. 1. Die Routen setzen weitere nabat. Stationen (wie Y8) voraus. - In diesen Kontext gehört vermutlich (als Handels- oder Kultobjekt?) eine nichtnabat. Steinschale mit Trägerfigur und thamudischer Inschrift (Typ B, 2./1. Jh. v. Chr.: Roschinski 1981b, 41) angeblich aus dem Gebiet westlich Rhinocorura: Naveh-Stern 1974 (die Spätdatierung ist zu bevorzugen).

Neben verschiedenen neueren partiellen Surveys und Ausgrabungen sind die Untersuchungen von J. Clédat (1910-1924) und bes. von E. D. Oren (Survey of Israel) seit 1972 grundlegend. Zur Erforschung vgl. Oren 1973, 198 Anm. 2.

Der Freistaat Aschkelon ist als nahegelegener bedeutender Mittelmeerhafen im Kontext dieser Region anzusprechen.

1. Aschkelon?: der alte Kult der Derketo/Atargatis, die hier als Göttin mit Fischleib verehrt wurde, ist von Glueck 1965, 61, 312, 382, 391 als Vorbild für die sog. Delphingöttin in Ḫ. et-Tannūr (M65) angesehen worden. Glueck nahm deshalb nabat. Präsenz in Aschkelon (Glueck 1959, 196 bezeichnet den Tempel der Derketo gar als nabat.) und eine Nutzung des Hafens für den nabat. Warenverkehr an (Glueck 1965, 374; ebd. auch für andere Häfen im N wie Caesarea erwogen, was abzulehnen ist). Eine Abhängigkeit von der Derketo ist weder zu erweisen noch überzeugt die These. Für eine nabat. Präsenz gibt es bislang keine Hinweise (der Bezug des Victoria-Atlas-Pfeilers severischer Zeit auf das Victoria-Zodiacus-Relief in Ḫ. et-Tannūr, Glueck 1965, 409, 434, ist abzuweisen).

2. Gaza (Ġazze): größter Ausfuhrhafen Südpalästinas, nie in nabat. Besitz. Der eigentliche Hafen ist Majoumas Gazes (Ḫ. Bēt el-Iblāḫīye). Gaza war der Kopf der Weihrauchstraße mit

Routen von Petra und von Aila aus. Von Gaza führte eine Überlandroute durch den Nord-Sinai nach Ägypten und Schiffsrouten nach Pelusium und Alexandria.

In der Perserzeit war Gaza (mit achämenidischer Garnison) Freihafen der arabischen Händler, zuletzt der Nabatäer. Die arabischen "Söldner" des Batis im Widerstand gegen Alexander 332 v. Chr. dürften Nabatäer gewesen sein, Kontrolleure oder Schutztruppen der Karawanenwege. Die reiche Beute Alexanders (vgl. die Legende bei Plut., Alexander 25) weckte die Begier nach den Reichtümern der Nabatäer (vgl. die Ereignisse von 312 v. Chr.). Die Eroberung nahm den Nabatäern die Handelsprivilegien. Besonders aber die Aktionen Ptolemaios II., den nabat. Handel einzuschränken, wirkten sich auch hier aus. Zwar behielt Gaza seine Funktion (vgl. Zenonpapyri), doch traten neben die Nabatäer oder an ihre Stelle minäische Kaufleute, wie auch sonst im ptolemäischen Reich; vgl. die sog. Hierodulenliste des 3. Jhs. v. Chr. aus Maʿīn (Mlaker 1943; Wissmann 1970b, 956-60; Knauf 1984a, 106).

Seit 198 v. Chr. war Gaza seleukidisch. Die gegen Ende des 2. Jhs. v. Chr. einsetzende nabat. Präsenz wurde durch die Eroberung von Gaza durch Alexander Jannaios 97/96 v. Chr. unterbrochen. Der von den Belagerten erwartete Entsatz durch Aretas II. traf nicht rechtzeitig genug ein bzw. wurde nicht geschickt. Der Verlust der Häfen am Mittelmeer ließ die Petra-Gaza-Route vollends zusammenbrechen, nachdem um 115 v. Chr. die Weihrauchstraße im Süden von Sabaʾ gesperrt worden war.

Als 25 v. Chr. die Sperre gebrochen werden konnte, war Gaza im Besitz des Herodes I. (30-4 v. Chr.). Die Nabatäer wichen nach Rhinocorura aus (anders, ohne zu überzeugen Negev 1983, 53. - Strabo XVI 2, 30 betrifft die vorhergehende und Plin. n. h. V 65. VI 144 die nachfolgende Zeit). Seit 4 v. Chr. gehörte Gaza zur Provincia Syria und war den Nabatäern wohl wieder zugänglich.

Noch keine nabat. Funde; allerdings ist Gaza archäologisch kaum erforscht.

3. Tell el-ʿAǧǧūl: Keramik: Iliffe 1937, 15 Anm. 4 Taf. 3;

Horsfield 1941, 167 Anm. 2 Abb. 24 Taf. 34.
Münzen: 5 Aretas II.: Robinson 1936 Nr. 8-11 Taf. 17; Meshorer 1975, 10.

4. Raphia-Region: Oren 1978 (nabat. Fundorte angezeigt).

5a. Tell Ǧenīn (Tell Šēḫ Zuwēyid/Bitolion?): Keramik: Rothenberg 1961, 23; Aharoni-Ben Arieh 1974, 91 Taf. 29, 1 Nr. 3-4. - Als Hafen ist Tell eš-Šēḫ zugehörig.

5b. Tell ez-Zuwēyid (Tell Abū Selēme/Laban?/Bitolion?): Keramik: Petrie-Ellis 1937 Taf. 25 (ohne Textreferenz).

6. Site bei Sadot: Hadashot Arkheologiyot 65/66, 1978, 58-61.

7. El-ʿArīš (Rhinocorura): nabat. Hafen (Strabo XVI 4, 24). Siedlung, Keramik: Oren 1982b, 26.

8. Bīʾr el-Mazār: Keramik: Oren 1982b, 26.

9. Qaṣr Ġēṭ: Siedlung, Heiligtum, Nekropole: Clédat 1912; Margovsky 1971; Oren-Netzer 1977; Oren 1982a; ders. 1982b, 28-35. - Zur Identifikation (Castrum Autaei?) vgl. Tsafrir 1982; Oren 1982a, 211 Anm. 17 gegen Negev = Stadt von Arabia. Die Inschrift von S1 legt nahe, in *ʾwytw* schon den alten Ortsnamen zu sehen (vgl. Strugnell 1959, 34f.). - Ausgrabungen Clédat 1911 und Oren 1975/76. - Gesamtplan (sites D50-56): Oren 1982a Abb. 2.

Die ältere, weiter östlich gelegene Siedlung D 54 (Zeltlager?) geht ins 2. Jh. v. Chr. zurück (knidische, koische und rhodische Amphoren, Megarische Becher, Lampen): Oren 1982a, 207f.; vgl. 1 ptolemäische Münze (Mausoleum 1): Clédat 1912, 162. - Die jüngere Siedlung D 50 wurde im 1. Jh. v. Chr. angelegt (unter dem Sand teilweise sehr gut erhalten). Baumaterial: Kalkstein und Alabaster/Gypsum vom Gebiet des Sirbonischen Sees.

Der Ort - abseits der O-W-Routen durch den Nord-Sinai - wird als wichtigste Karawanenstation an einer N-S-Route zwischen dem Mittelmeer (Pelusium, Gerrha) und dem Golf von Suez (Arsinoe, Clysma) verstanden (Oren 1982a, 208f.; ebd. gegen die NW-SO-Route Meshel 1973, 208; bes. Tsafrir 1982, aufgrund von Plin. n. h. VI 33, 166-67; vgl. Rokéaḥ 1983, 95). Die anschließende Clysma-Aila-Route scheint erst im 2.

Jh. n. Chr. angelegt worden zu sein; jünger scheint auch die Verbindung Clysma - Fīrān (Z50). - Qaṣr Ġēṭ lag nahe der ägyptischen Ostgrenze, die durch den sog. östlichen Kanal und mit El-Qanṭara, Tell el-Ḥēr und Pelusium bestimmt wurde. Diese strategisch und wirtschaftlich bedeutsame Lage hat ihren Ausdruck in einer reichen Architektur samt Heiligtum gefunden (vgl. mit ähnlicher Funktion C1.2, E4). Auf Kontakte mit dem Delta weisen u.a. die Weihungen an Al-Kutbā hier und in S1. Al-Kutbā ist offenbar der Hauptgott des Gebietes (schon Her. III 8, 3 =Orotalt; vgl. Starcky 1966, 994). Dieser Bezug und die Keramik des 1. Jhs. v. Chr. zeigen an, daß Qaṣr Ġēṭ weniger von der Auswirkung der hasmonäischen Okkupation der nördlicheren Mittelmeerhäfen betroffen war.

Nach 106 n. Chr. ist ein wirtschaftlicher Rückgang festgestellt worden, doch wurde der Ort erst im späten 2./frühen 3. Jh. n. Chr. (unzerstört) aufgegeben (Oren 1982a, 208). Die Funde sind daher z.T. subnabat.

Temenos bzw. "Akropolis" (Clédat 1912, 147f. Taf. 1a) mit sog. westlichem Tempel (A 1), Altar(?), sog. zentralem Tempel (A 2), Hof und Kolonnade(?); umgeben von weiteren Gebäuden: Clédat 1912 Abb. 1 (Plan); Oren 1982a, 203, 205 Abb. 2f. (Pläne).

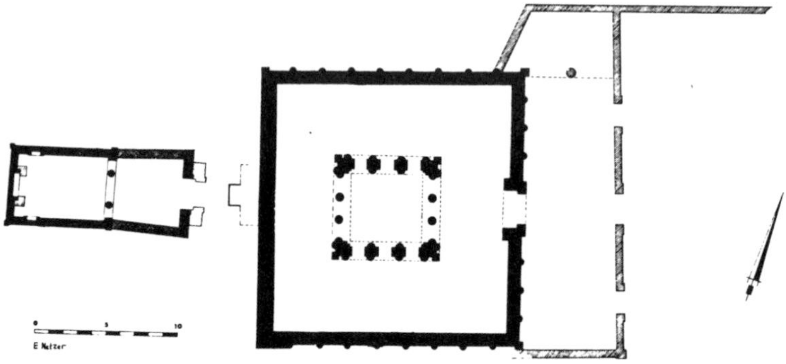

Abb. 36 Qaṣr Ġēṭ. Tempel

Tempel A 1: 1. Jh. v. Chr.; erweitert im 1. Jh. n. Chr. durch einen großen Vorraum mit Portal und in der Cella mit je 3 *baityles* in den 3 Nischen hinter und seitlich des Altars (vor der rückwärtigen Kultbildädikula). Der Altar besteht aus einer einfachen Bank zwischen 2 Sockeln (später vergrößert) für Kultobjekte. Funde: Votivaltäre (1 mit Inschrift an Al-Kutbā), Tonlampen (römisch; auch in den Nischen gefunden), Keramik, Fayencegefäße, Münzen (1 jüdische von 68 n. Chr.), Opferreste. - Clédat 1912, 148, 151-58 Abb. 1-10 Taf. 2b; Kirkbride 1960a, 89f.; Margovsky 1971 Abb. S. 20; Oren-Netzer 1977 Abb. S. 95-97; Oren 1982a, 205 Abb. 3 Taf. 27B; ders. 1982b, 29 Abb. 32. - Strugnell 1959, 35 nimmt an, daß der Tempel Al-Kutbā geweiht war. Tempel A 2 könnte Al-ʿUzzā geweiht gewesen sein.

Tempel A 2: 1. Jh. n. Chr.; vielleicht geht eine frühere Phase voraus. Quadratischer (Außen-)Tempel mit zentraler Cella/Adyton. Die Tempelmauer ist außen im O, N u. S mit Halbsäulen und Eckpilastern verziert. Das Portal im O ist pylonartig erhöht (vgl. M65). Die Cella hat in der Längsachse je 2 doppelseitige Halbsäulen mit dorischen Kapitellen und an den Seiten je 2 doppelseitige Pilaster mit Halbsäulen und gestufte Eckpilaster (Variante der Viertelsäulen). Die gesamte Kalksteinarchitektur war stuckverkleidet. Über dem gestuften Architrav erhebt sich innen ein gebrochener Giebel, der mit einem Zahnschnitt gerahmt und über der Mitte T-förmig abgedeckt ist. Darüber liegt noch der Dacharchitrav. Instruktiv für die reiche Architektur ist die innere östliche Cellawand, die bis auf das Dach erhalten blieb. In der Cella stand ein Altar mit seitlichen Kufen und einem Statuensockel.

Dem Tempel ist ein relativ kleiner (innerer?) Hof mit 3 Eingängen vorgelegt. Die nördliche Hofmauer ist in Richtung auf die Säulenreihen im O verlängert. Die unregelmäßige Ausrichtung der 2 Säulenreihen (Clédat 1912, 151 Taf. 1b; Oren 1982a, 203, Votivträger?) möchte man als Begrenzung eines leicht gewundenen Baches etwa einer heiligen Quelle verstehen, doch sind dafür keine weiteren Hinweise gegeben.

Oren-Netzer 1977 haben wegen der ägyptischen Elemente Architekten aus Ägypten angenommen (anders Oren 1982b). Doch muß gesehen werden, daß die nabat. Architektur stark durch die alexandrinische geprägt wurde und solche Elemente integriertes nabat. Eigengut geworden waren, wie etwa die Fassaden der Felsgräber zeigen (Q47. Petra; vgl. Schmidt-Colinet 1981). Starcky 1966, 980 verglich den Tempel in Iram (O 19); noch enger sind die Bezüge zu Ḫ. et-Tannūr (M65).

Clédat 1912, 148-51 Taf. 2a (Palast); Kirkbride 1960a, 90f.; Oren-Netzer 1977, 95-101 Titelbild, Abb. S. 97-100 (mit Rekonstruktionen); Oren 1982a, 205f. Abb. 3f. Taf. 27A, 28A; ders. 1982b, 29, 31 Abb. 30f.

Nekropole (im S): Clédat 1912, 158-64 Abb. 11-16 (incl. römischer Gräber im NO); Oren-Netzer 1977, 101-03 mit Abb.; Oren 1982b, 31 Abb. 36f. - Typisch sind steingebaute Mausoleen aus oberirdischer Grabkammer mit Steinsärgen und unterirdischer Kammer mit Gewölbe, zu der ein gewölbter Treppengang mit Portal hinabführt. Wichtiger Befund für nabat. Grabanlagen allg.

Keramik: Oren 1982a, 208; ders. 1982b, 31.

Schmuck (aus den Gräbern): Clédat 1912, 159-61 Taf. 3; Oren 1976, Showcase VII 7 (1. Jh. n. Chr.); Oren-Netzer 1977 Titelbild; Oren 1982b, 31. Inwieweit diese Objekte nabat. zu nennen sind, bleibt noch zu untersuchen (vgl. Rosenthal-Heginbottom 1985).

Inschrift (Votivaltar von A 1): Clédat 1912, 157 Abb. 8; Littmann-Meredith 1954, 231f. Nr. 83 (site 18); Strugnell 1959, 35, an die Göttin Al-Kutbā (dagegen Starcky 1966, 993f., Gott). - Diese Inschrift ist mit Littmann-Meredith 1954, 214, 230f., 242f. Nr. 82 (site 17 oder 16) gleichzusetzen: Starcky-Milik 1957, 225. Infolge irriger Ortsangabe und Lesung waren anfänglich als Fund- bzw. Bezugsort Tell Fāramā/Pelusium, El-Maḥmedīye/Gerrha und Mons Casius genannt worden; diese Orte sind hier auszuscheiden.

Region Z: Sinai

Ob die Nabatäer bereits in hellenistischer Zeit das Innere dieser Region oder nur die Küsten besetzt hatten, wie teilweise angenommen wird, ist von den antiken Schriftquellen her nicht zu erweisen und bleibt unsicher. In den Berichten über den sog. Palmengarten/Phoinikon, womit entweder die Oase ʿUyūn Mūsā am NO-Ende des Golfes von Suez oder die Oase Eṭ-Ṭūr im S (so Woelk 1966, 207-16), nicht aber die Oase Fīrān (schon E. Meier; Negev 1977a, 553) gemeint sein muß, ist nicht die Rede von Nabatäern. Weder gestattet die Opferung von Kamelen eine solche Verbindung oder den Gedanken an Dousaria (vgl. Kindler

1983, 81) noch die Nennung von Priester und Priesterin einen Bezug auf die nabat. Götter Tā und Al-ʿUzzā (Starcky 1966, 1003f.). Auch bleibt die alte Gleichsetzung (Moritz 1916, 37f.) der Maraniter mit Pharaniter (noch Tsafrir 1982, 214) problematisch. Allenfalls mag man erwägen, die nabat. Dörfer Agatharchides § 88/Diod. Sic. III 43, 4 nicht nur der West-, sondern auch der Ostküste des Golfes von ʿAqaba zuzuweisen (Woelk 1966, 217). - Zu den Cedrei Plin. n. h. V 12, 65 vgl. Knauf 1984a, 108.

Spätestens seit Ptolemaios II. war die Region ptolemäisches Interessensgebiet. Mit dem Ende des Ptolemäerreiches nutzten die Nabatäer sofort die Chance, sich die reichen Resourcen (Kupfer, Türkis; Datteln) zu sichern (ältester Fund: 1 Münze Obodas III.). Sie erschlossen die Region von Aila und von Ḏahab her. Zentrum wurde die Oase Fīrān mit Tell el-Meḫāret. Ein Tempel lag auf dem Ǧ. Serbāl. Eine Militärbasis befand sich im N bei Ǧ. el-ʿIǧmāʿ. Alle 3 Befunde sind erst ungenügend publiziert. Nabat. Keramik und Münzen wurden an verschiedenen Plätzen nachgewiesen (vgl. Rothenberg 1970, 19; Negev 1976a, 78; bekannt sind bislang Z2. 7. 15. 22. 30. 50. 58. 67).

Zum Verlauf der Route Aila-Fīrān vgl. Rothenberg 1970, 18f., 21 Karte Abb. 2; ergänzt wurde diese Route durch die Route Maqnā (P3)-Ḏahab-Fīrān. An der Westküste ist kein nabat. Hafen nachgewiesen. Die Verbindung Fīrān-Clysma bestand wohl erst in römischer Zeit (Rothenberg 1979, 166-70; vgl. Kowalski 1979 Nr. 9). Während der Darb e-Šaʾawi eine alte Route (aber keine nabat. Fundorte) zu sein scheint, ist der Darb el-Ḥaǧǧ erst in islamischer Zeit angelegt worden und gibt nicht die Verbindung Aila-Clysma wieder (vgl. Rothenberg 1970, 13; Tamari 1982).

Zur Erforschung der Region vgl. Rothenberg 1970, 4f., 9, 11 mit Karten Abb. 2, 7; ders. 1979, 7f. mit Karte S. 112; Negev 1982c, 22. Vgl. ferner die Sammelbände Meshel-Finkelstein 1980 und Meshel-Lachish 1982 (für den Katalog nicht zur Hand gewesen). Viele der Fundorte in Ansichten bei Ubach 1955 und bei neueren Sinai-Bildbänden.

Die bekannteste nabat. Denkmälergruppe des Sinai bilden die über 3000 Felsgraffiti. Bis 1907 (CIS II 1-2 mit Karten 1 S. 352, 358 u. 2 S. 2, 152, 179) waren 2744 publiziert. Die israelischen Surveys 1956/57 und 1967-82 erbrachten viele Nachträge: bes. Negev 1967d; ders. 1971c; ders. 1977c-d; ders. 1981e. Noch sind nicht alle Graffiti publiziert. Entsprechend der Ergiebigkeit der Surveys in der Region ist anzunehmen, daß bei künftigen Erkundungen weitere Graffiti entdeckt werden. Vgl. auch Rothenberg 1961 (dazu die Kritik Negev 1977c, 73f.); Starcky 1966, 935f., 1000, 1003f., 1014; Diez Merino 1969 (mit Spätdatierung; dagegen zu Recht Negev 1977c, 74-76); Meshel 1970; Starcky 1979; Stone 1979; Negev 1982c; ders. 1983, 159-62.

Die Graffiti gehören zur Gruppe der sog. Grußinschriften und geben fast ausschließlich Namen der Schreibenden (wozu viele fähig waren) oder der Adressaten an. In Bedeutung und Funktion der Grüße wird man Unterscheidungen treffen müssen. Eine tragfähige Deutung dürfte sein, daß sich die Genannten dem Schutz ihrer Götter anvertrauten. Dagegen geht jede Erklärung fehl, die Graffiti als "touristische Hinterlassenschaft" von Pilgern usw. zu verstehen.

8 Graffiti sind datiert: 150/1, 190/1, 211, 219, 223/4, 231/2, 266/7 und 267/8 n. Chr. (Negev 1967d; ders. 1981e, 69 Nr. 9; vgl. S3: 226 u. 266 n. Chr.). Einige nabat.-griechische Bilinguen, griechische Graffiti mit nabat. Namen und griechische Graffiti von andernorts nabat. schreibenden Nabatäern (dazu Negev 1977c, 77) sprechen für eine subnabat. Zeitstellung. Obwohl der Sinai 106 n. Chr. zur Provincia Arabia kam, römisches Militär zumindest im NO präsent war und die wirtschaftlichen Aktivitäten im Sinai ohne römische Billigung und ohne die Absatzmärkte nicht verständlich sind, blieb der Einfluß von außen gering. Nabat. Schrift und Religion hielten sich bis zum Einzug des Christentums (jüngstes Graffito mit Kreuz: Negev 1981a, 9).

Ob und welche Graffiti in mittel- und spätnabat. Zeit vordatiert werden können, bleibt unklar. Nabat. Keramik an einigen dieser Fundplätze besagt nichts über das Alter der Graffiti (vgl. R. Rosenthal in: Negev 1977c, 100). Bemerkenswert scheint, daß sich bei Fels IV Wādi Ḥağğāğ mit Konzentration nabat. Keramik eben keine Graffiti fanden, dagegen bei anderen Felsen ohne Keramikbefund (Negev 1977c, 3, 62).

Demographische Untersuchungen (Negev 1982c, 22f.; ders. 1983,

160f.; in einigen Punkten problematisch) zeigen eine gewisse Eigenständigkeit dieser Region (wie auch in den übrigen 3 Großregionen/"Schriftprovinzen" Ḥaurān, Petra/Edom-Moab, Ḥegrā/Ḥeǧāz; vgl. auch Knauf 1986, 77) und deuten an, daß die Graffiti-Leute überwiegend Nachkommen der Sinai-Nabatäer der mittelnabat. Zeit und nicht nur neuzugezogene Bergarbeiter anderer Regionen waren. Die These einer weitergehenden Rückdatierung (Negev 1981a, 5, bis in alttestamentliche Zeit) läßt sich damit kaum begründen.

Von der Verbreitung der Graffiti her und der Wiederkehr von Namen lassen sich Routen ermitteln, die Negev 1967d, 253f. entgegen früheren Erklärungen überzeugend als Wirtschaftswege im Kontext des Kupfer- und Türkisbergbaus erklärt hat. Auf Karawanenwege weisend: Ahlström 1972, 326-29. Zur Nutzung fester Strecken von Mitgliedern einzelner Familien vgl. Negev 1977c, 60f.

An Amtsbezeichnungen (vgl. CIS II; Negev 1967d, 253; ders. 1977d, 229) finden sich solche von Priestern verschiedener Ränge und Aufgaben (zugehörig ist der *mbqr*, ein Aufseher über Opfer?; 121-27mal belegt: Cantineau II 73f.), von einem obersten Verwaltungsbeamten ("dioiketes"; nur der heiligen Stätten?), von Schreibern (vgl. Roschinski 1981b, 38) und von einem hohen Offizier ("Hyparch").

Sieht man von theophoren Namen ab, begegnen an Göttern (vgl. Starcky 1979, 39) Tā, Al-ʿUzzā, KYWBK (ungeklärt), D̲ū Šarā, Al-Baʾlaī. Tā könnte eine Erscheinungsform der Al-ʿUzzā sein. In Verbindung mit Tā und Al-ʿUzzā, den Hauptgöttern der Region, werden Priester genannt. Die Kultstätten der Götter sind noch nicht erkannt worden (Ǧ. Serbāl?, Fīrān?; das Heiligtum auf dem Ǧ. Munēǧa ist erst subnabat., entspricht aber der Zeitstellung der Graffiti).

Ein Teil der Graffiti wird von Felszeichnungen begleitet oder auch überlagert; manche scheinen nabat. Angesichts der Unsicher-sicherheit der Zuweisungen sind keine Petroglyphen in den Katalog aufgenommen worden; Verweise von Zuweisungen sind nachgestellt.

1. <u>Ǧebel Ḥilāl</u>: sites, Keramik: Rothenberg 1961, 56. - Im Kontext der Zone um Qādēš Barnēaʿ (X190) zu sehen.

2. Wādi Umm Sidēra: Lagerplatz, Keramik (auch hellenistisch), Graffiti: Rothenberg 1961, 79f. Abb. 73 (Lage), 74, 79, 84 (Graffiti); ders. 1970, 5, 20, 23 (site 312) (3./4. Jh. n. Chr.). Ein Graffito nennt einen Seemann. Ein Graffito nennt einen Akrabos aus Maqnā (P3), Sohn des Sadia aus Jotbata (Ğezīret Fara'ūn?); diese Lesung und Zuweisung wird von Negev 1977c, 74 bestritten; ebd. 73f. gegen die These einer jüdisch-nabat. Kollaboration.

3. Wādi eṭ-Ṭuwēbe: Graffiti: Alt 1935, 61 Taf. 2f.; Rothenberg 1970, 5, 9, 19, 23 (site 304) Taf. 2; ebd. 9: unvollendete Felsgräber?, kultische Felsmarkierungen?

4. Wādi el-Merāḥ: Graffito: Alt 1935, 60f. Taf. 1A.

5. Bī'r eṣ-Ṣuwēr: Graffiti: Anati 1981 Taf. (ohne Nr.).

6. Wādi Wutā: 11 Graffiti: CIS II 2, 3124-34.

7. Ğebel el-'Iǧmā': Militärbasis: Festung (z.T. ausgegraben), Gebäude, Zisternen, (mittelnabat.) Zeltlager: Avner 1981.

8. Wādi Watīr: 2 Graffiti: CIS II 2, 3160-61.

9. Wādi el-Ḥamr: 21 Graffiti: CIS II 2, 3103-23.

10. bei Rās Naqb Raheb: Graffiti: Negev 1982c, 22.

11. 'Ēn Umm Aḥmad: Graffiti: Negev 1982c, 22.

12. Wādi Naṣb: 91 Graffiti: CIS II 2, 3014-3102, 3231-32, Nr. 3048 nennt KYWBK. Vgl. Rothenberg 1970, 25 (sites 344A, 352, 351); Kupfermine site 352 auch nabat. genutzt.

13. Wādi es-Suwēq: 29 Graffiti: CIS II 2, 2962-87, 3228-30.

14. Bī'r Naṣb: Kupferschmelzstätte auch nabat. genutzt, Graffiti: Rothenberg 1970, 17, 21, 25 (site 350) Taf. 8A; ders. 1979, 166 Abb. 32 (Plan) Taf. 63.

15. Nuwēba: Keramik: R. Rosenthal in: Negev 1977c, 100.

16. Wādi Laḥyān: 26 Graffiti: CIS II 2, 2988-3013. Vgl. Rothenberg 1970, 25 (site 353).

17. Wādi Ḫamīle: 10 Graffiti: CIS II 2, 2952-61.

18. Wādi u. Ğebel Zalaqa: 12 Graffiti: CIS II 2, 3157-59; Negev 1971c, 182f. Nr. 20-28 Taf. 61, 3. 62, 1-3.

19. Wādi eš-Šellāl: Graffito: CIS II 1, 490.

20. Wādi eṭ-Ṭaiyibe: 5 Graffiti: CIS II 2, 2947-51.

21. Naqb Budēra: 3 Graffiti: CIS II 1, 491-93.

22. ʿĒn Ḫudēra: Lagerplatz, Keramik, Graffiti: Rothenberg 1970, 28 (site 397); ders. 1979 Taf. 79; Anati 1981 Taf. (ohne Nr.).

23. Wādi Qēni: 63 Graffiti: CIS II 1, 699-761.

24. Wādi Barq: 9 Graffiti: CIS II 2, 3225-27; Negev 1971c, 183f. Nr. 29-34.

25. Maġāra: Türkisminen auch nabat. genutzt: Rothenberg 1970, 26 (site 357) (Wādi Iqna).

Wādi Maġāra: 67 Graffiti: CIS II 1, 636-98; 2, 3206; Nr. 698 nennt KYWBK; Negev 1967d, 250-52 Nr. 1, 1a, 2 Taf. 48 A-B; Nr. 1 von 266/7, Nr. 2 von 267/8 n. Chr.

26. zwischen Wādi er-Ratama und Wādi Qarqūr: 19 Graffiti: Negev 1971c, 180-82 Nr. 1-19 Taf. 59-61, 1-2.

27. Wādi Umm Ṯemām: Türkisminen, Graffiti: Rothenberg 1970, 26 (site 356).

28. Wādi Muʿarǧe: 13 Graffiti: CIS II 1, 762-74; Nr. 766 nennt einen Tā-Priester.

29. Wādi es-Sidre: Graffiti: Rothenberg 1970, 29 (site 400).

30. Wādi Haǧǧāǧ: sites, Keramik, 87 Graffiti: CIS II 2, 3135-56 (Rīdān Eškāʿ); Rothenberg 1970, 20, 28 (site 387 und site bei 387) Taf. 9; bes. Negev 1977c, 3, 9 (Plan), 11 (Fels I mit 12 Graffiti), 13-15 Nr. 11-22 Abb. 10-16, S. 26 (Fels III mit 17 Graffiti), 53-61 Nr. 207-38 Abb. 84, 88, 93f., 96, 98, 101, 157-79, S. 60f. (zu Routen), 62 (Fels V mit 18 Graffiti), 70f. Nr. 252-58 Abb. 193-98, S. 71 (Fels VI mit 7 Graffiti), 71f. Nr. 260-65 Abb. 199-202, S. 72 (Fels VII mit 2 Graffiti) Nr. 266f. Abb. 202, S. 73-76 Diskussion; Negev deutet das teilweise beigefügte Y ebd. 76 als cornucopiae (die alte Deutung als *wusūm* ist vorzuziehen; vgl. dazu Roschinski 1981b, 51 mit Abb. 7).

Keramik: R. Rosenthal in: Negev 1977c, 99f. Abb. 4 Nr. 1?. 5 Nr. 1-5.

Vgl. Savignac 1913, 435-38 Nr. 1-14 (Ruēs el-Eberīq) Abb. S. 436; RES 1477-86.

Negev 1981e, 66-68 Nr. 1-3 (Gruppe A weiter westlich; vgl. Karte Abb. 1) Taf. 7B.

31. Šeḫ es-Sidre: 142 Graffiti: CIS II 1, 494-635; Nr. 506 nennt einen Tā-Priester, Nr. 526 einen Priester, Nr. 572 KYWBK, Nr. 611 einen Al-ʿUzzā-Priester; vgl. Rothenberg 1970, 29 (sites 402, 401).

32. Wādi Arda: 3 Graffiti: Negev 1981e, 68f. Nr. 6-9 (Gruppe B-C) Taf. 8C-D, 10; Nr. 9 von 223 n. Chr.

33. bei Hügel 942: 3 Graffiti: Negev 1981e, 70f. Nr. 13-15 (Gruppe E) Taf. 9E, 10C.

34. Hügel 934: 2 Graffiti: Negev 1981e, 69f. Nr. 10f. (Gruppe D) Taf. 10B, 9C; Nr. 10 Bilingue; Nr. 11 nennt den Stamm Waḥšu.

35. Ǧebel Šēqer: 4 Graffiti: CIS II 2, 3221-24.

36. Wādi Berrā: 17 Graffiti: CIS II 2, 2930-46.

37. Wādi Mukatteb (Tal der Inschriften): 697 Graffiti: CIS II 1, 775-1471; RES 128f., 1283, 2019f.; Rothenberg 1970, 26 (site 362); Ahlström 1972; Detailansichten häufig abgebildet. Nr. 790 nennt einen "Hyparch" und einen Sklaven, Nr. 825 einen Schreiber, Nr. 912 Ḏū Šarā; Nr. 963 von 211 n. Chr., Nr. 964 von 190/1 n. Chr., "das Jahr, in dem die Araber das Land verwüsteten" (Euting 1891 Nr. 463)(Grundlage aller Thesen über kriegerische arabische Stämme im Sinai und Negeb, s.o.); Nr. 969 nennt einen Priester; Nr. 1044, 1194 und 1192 sind Bilinguen; Nr. 1140 nennt einen Sklaven, Nr. 1205 Aila (U21/22), Nr. 1236 einen Al-ʿUzzā-Priester; Nr. 1325 von 150/1 n. Chr.

38. Ǧebel el-Benāt: 71 Graffiti: CIS II 2, 1573-1643; Nr. 1612 nennt einen obersten Verwalter.

39. Wādi el-Aḫḏar: 8 Graffiti: CIS II 2, 2923-29, 3220.

40. Ǧebel el-Ǧōze: 33 Graffiti: CIS II 2, 1533-39, 1546-72.

41. Wādi eš-Šēḫ: 73 Graffiti: CIS II 2, 2851-2922, 3233; vgl. Rothenberg 1970, 29 (site 405).

42. Wādi Umfūs: 6 Graffiti: CIS II 2, 1540-45.

43. Wādi Fīrān, Ḥesy el-Ḫaṭṭāṭīn: 8 Graffiti: CIS II 2, 1508-15.

44. Wādi Fīrān, Arḍēn el-Ġarēn: 8 Graffiti: CIS II 2, 1500-07.

45. Wādi Tamāra: 176 Graffiti: CIS II 2, 2355-2530; Nr. 2491 nennt einen Tā-Priester, 2501 und 2514 einen obersten Verwalter.

46. Wādi Fīrān, Sēl Neṣrīn: 28 Graffiti: CIS II 2, 1472-99; Nr. 1479 nennt Al-Ba'laī; Nr. 1491 von 231/2 n. Chr.

47. Wādi Fīrān, Ǧebel eṭ-Ṭāḥūne: 1 Graffito: CIS II 2, 2354.

48. Wadi Fīrān, el-Ḥiswe: 17 Graffiti: CIS II 2, 1516-32.
Vgl. Wādi Fīrān allg.: Graffiti: Rothenberg 1970, 29, 26 (sites 404, 365).

49. Wādi Ḥabār: 93 Graffiti: CIS II 2, 2531-2624; Nr. 2593 nennt einen Opferpriester(?).

50. Wādi Fīrān, Tell el-Meḫāret: mittelnabat. Siedlung (ummauert), Nekropole (gebaute Gräber mit Inschriften; vgl. Z53), Keramik (auch hellenistisch), Münzen, Frag. 1 Inschrift: Y. Aharoni in: Rothenberg 1961, 155 Abb. 55; Rothenberg 1970, 20, 26 (site 364) Taf. 11; ders. 1979 Taf. 84 (Oase).- Negev 1977c, 73 nimmt hier und in anderen Oasen mit nabat. Keramik Dattelzucht durch die Nabatäer für den Export an.

51. Wādi es-Suwiq: 34 Graffiti: CIS II 2, 2625-58; Nr. 2648 nennt einen obersten Verwalter.

52. Ǧebel Umm el-Barid: 7 Graffiti: CIS II 2, 1970-76.

53. Wādi ʿAleyāt: Nekropole (von Z50), Keramik, 259 Graffiti: CIS II 2, 2016-2103, 2131-2301; Nr. 2068, 2086 und 2226 nennen einen obersten Verwalter, Nr. 2188 einen Priester; Rothenberg 1970, 27 (site 373).

54. Wādi ʿAǧele: 326 Graffiti: CIS II 2, 1644-1969; Nr. 1748, 1750 und 1885 nennen Tā-Priester, Nr. 1814 und 1969 einen obersten Verwalter.

55. Ǧebel el-Munēǧa: subnabat. Heiligtum/Verehrungsplatz (Tā?), 34 Graffiti, atypisch auf Bausteinen der Anlage, die byzan-

tinisch oder nachantik verändert worden ist (Plan: Negev 1977d Abb. 1): CIS II 2, 2659-79; bes. Negev 1977d mit Taf. 31-35; N. Cohen 1979; Negev 1981a, 9 Abb. 7. Graffiti Nr. 2660, 2665, 2667, 2673-74, 2677-78 und Negev 1977d Nr. 24 nennen Priester (Negev: Tā-Priester), Nr. 2661 und 2667-69 nennen einen Opferpriester, Nr. 2667 einen Schreiber; zu Nr. 2678 (ʿAbdʾehyu) vgl. Starcky 1979, 40; Nr. 2666 von 219 n. Chr. (Negev 1977d, 222f. korrigiert CIS II, 253 n. Chr.).

56. Wādi Naḫle: 52 Graffiti: CIS II 2, 2302-53.

57. Wādi Abū Quṣēb: 39 Graffiti: CIS II 2, 1977-2015; Nr. 1985 nennt einen obersten Verwalter.

58. Ǧebel Serbāl: Tempel (Grabung U. Avner), 1 Münze Obodas III., 27 Graffiti: CIS II 2, 2104-30; Nr. 2106 nennt einen Sklaven, Nr. 2118 einen Opferpriester; Avner 1981; ders. in: Meshel-Lachish 1982, 25-32 Abb. S. 31.

59. Naqb Hawā: 10 Graffiti: CIS II 2, 2748-57.

60. Wādi Solāf: 18 Graffiti: CIS II 2, 2680-97.

61. Wādi Riḍwā: Graffito: CIS II 2, 2747.

62. Wādi Ḥebrān: 49 Graffiti: CIS II 2, 2698-2746.

63. Wādi ed-Dēr: 9 Graffiti: CIS II 2, 2758-66.

64. Wādi el-Leǧā: 93 Graffiti: CIS II 2, 2767-2850, 3207-14; Nr. 2845 nennt einen obersten Verwalter. Vgl. auch Moritz 1916, 6.

65. Ǧebel Ḥoreb (Ǧebel Mūsā?): 4-5 Graffiti: CIS II 2, 3215-19; anders Negev 1977c, 54 Nr. 212f. = CIS II 3215A-B: von Wādi Haǧǧāǧ (Z30).

66. Wādi Qurērāt: 4 Graffiti: CIS II 2, 3180-83.

67. Ḏahab: Hafenort, Festung?, Nekropole?, Keramik: Y. Aharoni in: Rothenberg 1961, 133; vgl. Rothenberg 1970, 28 (site 385); R. Rosenthal in: Negev 1977c, 100; Kowalski 1979, 22.

68. Wādi Naṣb: 18 Graffiti: CIS II 2, 3162-79.

69. Ǧebel Nāqūs: Graffito: CIS II 2, 3205. - Nahe Eṭ-Ṭūr.

70. Wādi Iṣlīḥ: 21 Graffiti: CIS II 2, 3184-3204.

- Zu den "nabat." Felszeichnungen bei den Graffiti vgl. CIS II 1-2 Tafeln; Diez Merino 1969 (mit Kritik Negev 1977c, 74-76); Rothenberg 1970 site 335, 301 mit Taf. 2A, 318, n. 409, 409, 399, 349A, 355, 356, 397, 401, 387, n. 387, s. 387, 362, 386, 406, 369, 366, bei 366, 408, 407, bei 407 (z.T. nur nach Karte Abb. 2); ders. 1979 Taf. 74, 53; Ahlström 1972, 329 Abb. 1; Anati 1981 Tafeln (ohne Nr.); einzelne gute Beobachtungen finden sich in den Katalogen von Negev.

Petra (Raqmu/Reqem):

Als Petra im engeren Sinn dürfte nur das Stadtgebiet im Talkessel von Petra bezeichnet werden, das durch Befestigungssysteme annähernd begrenzt wird. Es ist aber fraglos ebenso richtig, die angrenzenden Widyān, Nekropolen, Kultplätze etc. hinzuzunehmen. Inwieweit einzelne Nahbereiche als Vororte oder Wallfahrtsstätten bezeichnet werden können, ist nicht überall eindeutig. In diesem Katalog wurden N54, 55, 61, 64, 65, 66 und 67 vorab ausgegrenzt. Nachträglich möchte die ein oder andere Örtlichkeit eher hier angeschlossen werden, die nun unter Petra behandelt wird; das gilt für Umm Ṣēḥūn, Ǧebel Qarūn, El-Uᶜēra und Wādi Abū ᶜOllēqa Süd (die Schreibweise der Namen in Anlehnung an Canaan 1930, 33-59).

Petra ist nicht mit dem alttestamentlichen Sela = Fels zu identifizieren, auch nicht Umm el-Biyāra (vgl. eher N12). Der nabat. Name Raqmu, zuvor durch Josephus und jüdische Quellen als Reqem belegt (Starcky 1966, 896-900), ist inzwischen durch eine Inschrift des 1. Jhs. n. Chr. aus Petra bezeugt: Starcky 1965a; ders. 1965b, 45; Hammond 1980, 66f. (verweist ebd. 67 auf eine etwas ältere Quelle aus China!).- Die griechische Benennung Petra = Fels meinte zuerst (312 v. Chr. im Bericht des Hieronymos von Kardia bei Diod. Sic. II 48, 6) nur ein topographisches Merkmal (wohl Umm el-Biyāra). Sie setzte sich aber im griechisch-römischen Raum durch. - Zum Eigennamen Petraios vgl. A1; Starcky 1965b, 44.

Die Erforschung Petras setzte mit J. L. Burckhardt 1812 ein. Vgl. BD I 192-94 (Verzeichnis der Besucher bis 1902) und 480-507, II 339-42, III 363-68 (Bibliographie bis 1908); Kammerer

1929, 5-11; Robinson 1930, 445-54; Lindner 1983, 9-16; Parr 1983; Hadidi 1986. Grundlegend sind BD I, 1904, 125-408 (mit 831 angeführten Denkmälern unter Betonung der Felsfassaden; viele der Zeichnungen bedürfen allerdings einer Korrektur); Musil II 1907, 44-150; Dalman 1908 und 1912 (mit 804 angezeigten Denkmälern und Nachträgen unter Betonung der kultischen Anlagen); Bachmann-Watzinger-Wiegand 1921 (für das Stadtgebiet). Dazu treten als wichtige Bildbände Kennedy 1925; Horsfield 1938 (sehr gute Qualität).

Abgesehen von Ausgrabungsberichten bieten neben anderen folgende Arbeiten einen Überblick über die sich heute z.T. rasch verändernde Beurteilung der Denkmäler Petras: Harding 1961, 127-50 (typisch für die sz. übliche Spätdatierungen); Starcky 1966; Browning 1973; Hammond 1973; Negev 1976a, 8-31; MDB 14, 1980; Lindner 1983; ders. 1985; Scheck 1985, 334-425; Lindner 1986; ferner die Kataloge der Nabatäer-Ausstellungen 1970 in München, Nürnberg; 1971 Tongeren; 1976 Hannover; 1977 Frankfurt, Krefeld, Nürnberg; 1978 Bonn, Lyon, Paris; 1979 Madrid; 1980 Brüssel, Wien; 1983 Lausanne.

Erst 1929 fanden unter G. Horsfield u. A. Conway (Horsfield) Ausgrabungen in Petra statt, fortgesetzt 1932-36 (El-Ketūte mit cut A u. F, Zibb ʿAṭūf, Gräber; 1934 W. F. Albright, ʿArqūb el-Ḥīše); 1937 A. M. Murray, J. A. Saunders u. J. C. Ellis (2 Höhlen Wādi Abū ʿOllēqa); dann erst wieder 1954 P. J. Parr (Stadtgebiet am Wādi Mūsā); 1955 W. H. Morton (Survey Umm el-Biyāra); 1955-56 D. Kirkbride (sog. *cardo maximus*); 1958-65 P. J. Parr (1959 u. Ph. C. Hammond) (trenches I-IX: El-Ketūte, *cardo*, Propylon u. Temenos u. Tempel Qaṣr Bint Fīrʿōn, Wādi Abū ʿOllēqa, ʿArqūb el-Ḥīše, Sīq-Eingang); 1959 Ph. C. Hammond (El-Ḥabīs); 1960 G. R. H. Wright (Restaurationen); 1961-62 Ph. C. Hammmond (Theater); 1962 M. M. Khadija (Restauration Theater); 1962-65 C.-M. Bennett (Umm el-Biyāra); 1967-68 M. M. Khadija (Zone bei Propylon u. Restauration, Thermen); 1973, 1976, 1978, 1980 M. Lindner u. F. Zayadine (BD I Nr. 812, 813, Area A 1-2, B 1-5, C); 1973 Ph. C. Hammond (Survey Stadtgebiet); seit 1974 Ph. C. Hammond (sites I-III mit sog. Löwen-Greifen-Tempel/Nord-Tempel); 1977-80 M. M. A. Khadija (Restaurationen u.a. BD I Nr. 772); 1977-83 F. Zayadine (Propylon, BD I Nr. 70, Wādi eṣ-Ṣiyyaġ) u. F. Larché (Qaṣr Bint Fīrʿōn) u. M. M. Khadija u. N. Qadi (Es-Sīq, BD I Nr. 64B); 1981 N. Khairy (El-Ketūte); 1982-83 M. Lindner (Survey Dēr-Plateau).

Von den Ausgrabungen seit 1954 ist bis auf Hammond 1965 (Theater) noch keine abschließende Publikation vorgelegt worden. Auch wenn einige Vorberichte ausführlich sind, bleibt gerade für die britischen Ausgrabungen, u.a. wegen ihrer stratigraphischen Relevanz (Parr 1970 ist die derzeitige Grundlage für eine archäologische begründete Stadtgeschichte), dieser Verzug wenig verständlich.

Zur Topographie vgl. BD I 125-36 Taf. 3-20, 23, Textabb. parallel zur Denkmälerbeschreibung; Dalman 1908, 1-25 Abb. 1-18, Karte, Textabb. zu den Denkmälern; Kennedy 1925, 1-15 mit Luftbildern (1923/24) Taf. 1-3 u. 2 Tafeln im Anhang, Karte; Canaan 1930, 14-32, Karte; Horsfield 1938, 2-14 Taf. 1f.; Lindner 1983, Karten im Anhang; ders. 1985; ders. 1986.

1965 begann P. J. Parr mit einer korrekteren Konturkarte 1:25 000 (Parr-Atkinson-Wickens 1975 mit der Karte Abb. 1); vgl. Zeitler 1983, 299f. Abb. 9, ergänzt um Befunde der NHG Nürnberg, M. Lindner). Unabhängig begann 1969 das Institut Géographique National de Paris (Ph. Hottier, M. Gory) mit photogrammetrischen Aufnahmen von Architekturdenkmälern (BD I Nr. 12, 34, 35, 62, 462, 649, 763, 765, 770) und 1974 mit der Erarbeitung eines Photoplanes (Gory 1976b Taf. 39f.) und detaillierteren Karten (davon zunächst 1:10 000 in 20 Exemplaren 1978 aufgelegt). Vgl. Gory 1976a; Zayadine-Hottier 1976; Gory-Hottier 1980; Zayadine 1981b; Zeitler 1983; Hadidi 1986, 14.

Der reiche Denkmälerbefund und die ebenso umfangreiche Sekundärliteratur werden hier selektiv mit folger Gliederung vorgelegt: Petra in hellenistischer Zeit; Skizze einzelner Zonen in einem "Rundgang"; Denkmalgruppen und Hinweise zu übergreifenden Arbeiten.-Bei manchen Befunden ist die Beurteilung relativ unscharf, was die Zeitstellung oder die Zuweisung an nabat. Werkstätten betrifft. Unter Heranziehung neuerer Studien wie z.B. die zur unbemalten Keramik von N. Khairy oder zu griechischen und römischen Importen ließen sich manche Altbefunde präzisieren; diese Arbeit konnte hier aber nicht geleistet werden. Der Befund wird wie in der Literatur vorgefunden referiert, wobei die eigene Stellungnahme eingebracht ist. Römische

Denkmäler sind in der Regel nicht aufgenommen. In den nachfolgenden Hinweisen werden die bekannten Gräber, Kammern, Nischen, Verehrungsplätze, Wasseranlagen etc. summarisch mit Verweis auf BD I, Musil und Dalman aufgeführt. Additiv-selektiv werden nur ergiebige Besprechungen und Abbildungen zitiert.

Petra in hellenistischer Zeit

Der Bericht des Hieronymos bei Diod. Sic. (s.o.) weist aus, daß die Nabatäer bereits 312 v. Chr. Petra als Stützpunkt, Stapelplatz und Fliehburg auf der Handelsroute nach Gaza nutzten. Die Anwesenheit von Alten, Frauen und Kindern spricht für eine wie immer geartete "Ansiedlung" in Petra oder der Region. Doch war Petra nicht der Ort der jährlichen "nationalen" Versammlung!

Die ältesten Funde - von neolithischen und eisenzeitlichen Befunden ist hier nicht zu berichten - stammen aus dem südlichen Stadtgebiet (El-Ketūte, Ez-Zanṭūr; meist von Schutthalden, so daß die Provenienz nicht eindeutig ist) und sind wie im Negeb griechische Importe: Horsfield-Conway 1930, 369f., 379, 382 (4. Jh. v. Chr.); Horsfield 1939, 89f., 93 (um 300 v. Chr.). Ältestes Fundstück ist offenbar ein attisches Lampenfragment (Typ Agora 25B?) der Zeit um 300/275 v. Chr.: Horsfield 1941 Nr. 108 Taf. 16 (aus cut F). Weder die Häuser auf Meʿarras Ḥamdān/Muʿēṣra-Fels (Horsfield-Conway 1930, 384) noch die "Festung" Ez-Zanṭūr (Horsfield 1939, 89f.; der angenommene Bezug zu den Schutthalden bleibt fragwürdig) lassen sich so früh datieren. Die sog. hellenistische Stadtmauer (Horsfield 1938, 6; 1939, 87-89) hat Parr 1960b, 127-30 (trench I) als Teil eines Hauses des 1. Jhs. n. Chr. erwiesen. Die metertiefe Schuttschicht unter dem Haus dürfte aber hellenistische Funde enthalten. Zur Kritik an der "Stratigraphie" der Horsfields vgl. Parr 1983, 140f., 146f.

Horsfield 1939, 87, 92f.; bes. 1941 (Fundkatalog incl. am Ort erworbener Objekte) führen aus hellenistischer Zeit folgende Importfunde an: Schwarzfirnisware, 3. Jh. v. Chr., Nr. 10, 80f., 85, 108, 472 Taf. 7, 15, 48; rhodische Amphorenstempel, ca. 220-167 v. Chr., Nr. 41, 91-103, 461 Taf. 48; knidische Amphorenstempel Nr. 104-06; Megarische Becher Nr. 34, 465f. Taf. 10, 48; Terra Sigillata (auch "nabat."), 2./1. Jh. v. Chr., Nr. 33, 36, 40, 72, 74, 82-84, 86, 462-64, 467-71 Taf. 9f., 14-16, 48; Lampe, vor 50 v. Chr., Nr. 107 Taf. 16; Terrakotta, ca. 200 v. Chr., Nr. 112 Taf. 17; vgl. Nr. 442-44 Taf. 47; Skarabäus (aus Petra?), 5./4. Jh. v. Chr., Nr. 474 Taf. 32; Gemmenabdruck, 3./2. Jh. v. Chr., Nr. 117 Taf. 17; Bronzegefäß, 3./2. Jh. v. Chr., Nr. 209 Taf. 26; Schmuck, 3./2. Jh. v. Chr., Nr. 208, 210 Taf. 26; Pfeilspitze, 312 v. Chr. (ganz hypothetisch), Nr. 475 Taf. 48. Außerdem werden als "nabat." Arbeiten dem 2./1. Jh. v. Chr. zugewiesen: Nr. 70, 202-05 Taf. 14, 26.

Einen gesicherten Befund für die hellenistische Zeit bietet trench III Parr unter dem *cardo* (Vorbericht: Parr 1970 mit Abb. 1, Schnittzeichnung). Phase I (ebd. 352, 354, 369f.): auf dem natürlichen Uferschotter des Wādi Mūsā werden einfache Häuser aus lokalem Baumaterial mit Erdböden errichtet (Parr 1965a Taf. 131, 1). Die Funde (1 Münze Arados, Amphorafrag., Scherbe Abb. 2 Nr. 1) datieren diese erste Bebauung ins 3. Viertel des 3. Jhs. v. Chr. (Parr 1965a, 528; ders. 1965b, 253 noch mit Frühdatierung). Diese Bebauung setzte sich unter stetiger Erneuerung im 3./2. Jh. v. Chr. (Phasen II-IV; Keramik Abb. 2 Nr. 2-6) und im 1. Jh. v. Chr. fort (Phasen V-VIII; Keramik Abb. 2-5 Nr. 7-57 Taf. 44 Nr. 2-4, 7-9, 11).

Phasen I und V enthielten Münzen aus Arados (vgl. Parr 1962a Abb. 6, um 240 v. Chr.). Parr 1965a, 530 verweist auf weitere phönikische, seleukidische und ptolemäische Münzen des 3./2. Jhs. v. Chr. Kirkbride 1960b, 119 fand 1 Münze aus Arados (2. Jh. v. Chr.) nördlich des *cardo* (Raum 2). Lindner 1983, 491 erwarb 1 Münze aus Arados (3. Jh. v. Chr.) in Petra. Horsfield 1941 Nr. 121 nennt 1 ptolemäische Münze (El-Ketūte-Schutt).

Aus trench III Parr stammen ferner griechische Schwarzfirnisware (Parr 1962a Abb. 8; ders. 1965a, 530; ders. 1970, 358), 1 Lagynosfrag. (Parr 1965a, 531 Taf. 132, 2; 2. Jh. v. Chr.), 3 Räucheraltärchen und 4 kleine Augenidolstelen (Bennett 1962, 237f. Abb. S. 239; zu jenen und 6 unpublizierten Altärchen vgl. O'Dwyer Shea 1983, 93, 102f. Abb. 4b). - Aus site I Hammond Phase XIX stammen Schwarzfirnisware und 7 rhodische Amphorenstempel (Hammond 1977/78, 82f. Taf. 49, 2-3).-Vgl. 1 Stempel in N67.

Ob die Häuser und Gräber in Area B Lindner (s.u.) noch ins 2. oder frühe 1. Jh. v. Chr. hinaufreichen (Müller-Schmid 1978, 100f.), bleibt noch abzuklären. - Vgl. ferner RB 73, 1966, 585.

Die Phasen V und VII in trench III Parr enthielten je 1 Münze Aretas II. (nach Parr 1965a, 530 viele Münzen dieses Typus). Vgl. 9 Aretas II.: Robinson 1936, 290; 38 Aretas II: Kirkbride 1937; ders. 1947, 5; 2 Aretas II.?: Cleveland 1960, 72f. Nr.9, 13. - Vgl. ferner 1 Tigranes: Horsfield 1941 Nr. 476.

In Phase V begegnet die früheste bemalte nabat. Keramik (Parr 1970, 358 Abb. 2 Nr. 10-12, 16). Trench III bietet eine stratigraphisch abgesicherte Abfolge der nabat. Keramik!

In Phase VII entstanden die ersten Sandsteinbauten mit Steinböden (ebd. 358, 360 Taf. 43). Als etwa gleichzeitig wird ein Gebäude aus Phase VIIA angesehen (ebd. 360). Erst eine Vorlage aller Funde und die Erarbeitung der Chronologie der nabat. Keramik wird erlauben, diese Angaben innerhalb des 1. Jhs. v. Chr. präziser einzuordnen. Die Bauaktivität ist im Kontext der zunehmenden Bedeutung von Petra zu sehen.

Aretas II. nahm den Königstitel an. Petra wurde Hauptstadt des neuen nabat. Königreiches. Die These einer Doppelhauptstadt Gaia-Raqmu, nach der Raqmu/Petra um die Mitte des 3. Jhs. v. Chr. neben den älteren Vorort Gaia (N64) getreten wäre (Milik 1982, 265), überzeugt in dieser Weise nicht und verkennt den Charakter der frühen Siedlungsform.

Als frühestestes Zeugnis dafür, daß Petra als Ort gewisse Bedeutung erlangt hatte, kann die Inschrift aus Priene (A5) bald nach 129 v. Chr. gelten.

Die älteste datierte nabat. Inschrift aus Petra, 96/95 v. Chr. (Jahr 1 des Obodas I.) (Dalman 1912, 99-101 Nr. 90 Abb. 68 u. S. 172, mit Bezug auf Obodas II.; Starcky 1966, 906, 928), bezeugt die Stiftung eines kultischen Komplexes durch Aṣlaḥ mit dem Triklinium BD I Nr. 21 (Dalman 1908, 107; ders. 1912, 40 Nr. 17 Abb. 34f.) für Ḏū Šarā, Gott des Manbatu. Diese Versammlungsstätte einer Kultgenossenschaft(?; vgl. CIS II 354) erweiterte sich in der Folgezeit durch Votivnischen etc. zum sog. Heiligtum von Bāb eṣ-Sīq. - Nur wenig jünger ist die Inschrift von einer Restaurierung/Neuaufstellung der Statue Rabel I. 70/69 oder 68/67 v. Chr. (CIS II 349 Taf. 45; BD I Nr. 405 Abb. 343; Cantineau I 15, II 1f.; Altheim-Stiehl I

294-97; Starcky 1966, 905, 928-30; Milik 1980, 14 Abb. 11; Roschinski 1981a, 13f.). Die Statue war später im Temenos des Qaṣr Bint Fīr'ōn aufgestellt.

Jos., Ant. XIV 1, 4 bezeugt die Residenz des Aretas III. in Petra. Keiner der bisherigen Lokalisierungsversuche kann derzeit überzeugen.

Man hat häufig den Titel *Philhellenos*, den Aretas III. indes nur als König von Koile Syria trug (vgl. B3), herangezogen, um eine starke Hellenisierung Petras unter ihm zu begründen. So wurden etwa die "hellenistischeren" Felsfassaden in seine Zeit gewiesen, bes. El-Ḫazne (zuletzt Schmidt-Colinet 1981, 98). Doch ist diese Deduktion nicht stringent. Vorerst geben nur die genuin nabat. Münzen und die nabat. Keramik Hinweise auf den Grad hellenistischen Einflusses. Stuckverzierte Anlagen reichen ins 3. Viertel des 1. Jhs. v. Chr. hinauf (Zayadine 1986, 247).

Die Anlage des Theaters im frühen 1. Jh. n. Chr.(s.u.), bei der Fassadengräber abgearbeitet wurden, gibt einen Anhalt, Zinnen- und Treppengräber hier ins 1. Jh. v. Chr. zu datieren (vgl. Schmidt-Colinet 1981, 85f.). Die Monumentalisierung der Felsgräber kann als Ausdruck des neuen Königtums verstanden werden. Eine wesentlich frühere Datierung (u.a. Dalman 1908, 47f.; Hadidi 1981, 104f.) ist nicht begründet. Eher ist sogar zu erwägen, ob nicht die Beurteilung von Negev 1978, 956f. zutrifft, daß die Fassaden erst der 2. Hälfte des 1. Jhs. v. Chr. angehören.

Während viele Befunde die Tatsache erhärten, daß spätestens unter Aretas IV. (Frühzeit) grundlegende Veränderungen in der Siedlungsstruktur von Petra erfolgten, läßt sich der Zeitpunkt, wann diese Entwicklung einsetzte, noch nicht sicher festlegen. Es scheint, daß der Prozess unter Obodas III. begann.

62 v. Chr. führte M. Aelius Scaurus eine römische Strafexpedition gegen Petra, ohne die Stadt einnehmen zu können/wollen. Doch mußte Aretas III. die Oberhoheit Roms anerkennen (vgl.u.a. Münze, 58 v. Chr.: Schmitt-Korte 1976, 17f. Abb. 7). Petra war seitdem Klientel Roms!

Während die Entwicklungsstadien Petras an der Hinwendung zur hellenistischen Umwelt beurteilt werden, bleibt das nabat. Element für diese Zeit wenig greifbar. Doch deutet die Aṣlaḥ-Inschrift an, daß bereits früh etwa mit ausgereiften Kultkomplexen zu rechnen ist. Die frühen Kultstätten - Tempel erst seit mittelnabat. Zeit - sind fast gänzlich unbekannt.

"Rundgang", topographische Zonen

1. El-U'ēra: nabat. Wachtposten unter der Kreuzfahrerfestung (BD I Nr. 851): Treppen u. Zisternen im W, Kapitell (Spolie?), Keramik?: Horsfield 1938, 14 Taf. 41, 1.
   Am Weg nach El-Bēḍā: Dalman 1908 Nr. 33-38. - Inschrift: Dalman 1912 Nr. 91.

2. Šu'b Qēs: Dalman 1908 Nr. 39-41; Kennedy 1925, 14 Abb. 49; Gunsam 1983, 306 Abb. 3. - 2 Inschriften: Milik-Starcky 1975, 126-29 Nr. 7 Taf. 47; davon 1 Votivinschrift eines Ingenieurs (wohl der Wasserleitung) zu Ehren des Ḏū Šarā.
   Östlicher Teil der nördlichen El-Ḫubṭa-Wasserleitung: grundlegend Gunsam 1983 (mit Plänen S. 304 u. im Anhang), bes. 304, 306f. Abb. 1-4; vgl. auch Musil I 1907 Abb. 20f.; Dalman 1908, 39f. Abb. 19; Kennedy 1925 Abb. 48; Murray-Ellis 1940 Taf. 3, 1; Lindner 1978, 86f. mit Abb.; ders. 1983, 76.-Diese Leitung führte von 'Ēn Mūsā über die 2 Reservoire (El-Birke; Musil II 1907 Abb. 5f.; Gunsam 1983 Abb. 1) östlich Er-Ramle über Šu'b Qēs nach NO, dann nach SW über Wādi el-Maṭāḥa nördlich um El-Ḫubṭa und endete in einer Zisterne nördlich BD I Nr. 765.

3. Südliche Wasserleitung von 'Ēn Mūsā, sog. Stadtkanal, doppelläufig durch den Es-Sīq geführt, teilweise durch Tonröhren geleitet; unterschiedliche Systeme, funktional und vielleicht zeitlich zu trennen; nur z.T. untersucht, z. T. noch verschüttet: BD I 174f.; Dalman 1908, 37-39; ders. 1912, 17f. Abb. 5f.; Horsfield 1938, 9 Taf. 24, 2; Browning 1973, 112, 128 Abb. 14, 59; Al-Muheisen 1980, 41 Karte 3; Lindner 1983, 19 Abb. 3, S. 76; vgl. Zayadine 1983, 227, 229; Scheck 1985 Karte S. 360f.
   Ed-Dārā: BD I Nr. 1-4 Abb. 221-23 Karte Taf. 3; Musil II 1907 Abb. 8-10; Dalman 1908 Nr. 1-5 Abb. 25; ders. 1912, 51 Abb. 50.
   Zu beachten sind Grab BD I Nr. 3 mit dem sog. Heiligtum von Er-Ramle und Grab BD I Nr. 4 (El-Ḫān) mit architekto-

nisch gefaßtem Binnenhof (1961 von Hammond untersucht und photogrammetrisch aufgenommen; unpubliziert; vgl. Hammond 1973, 103).

4. Er-Ramle: Dalman 1908 Nr. 27 (Bogengrab), 28.

5. Bāb eṣ-Ṣīq (incl. Eṭ-Ṭnūb, Eḏ-Ǧerēdī): BD I Nr. 5-28, 30, 32-36 Abb. 140-42, 197f., 224, 234-41 Karte Taf. 3; Musil II 1907 Abb. 11-15; Dalman 1908 Nr. 6-26, 29-32, 42-49 Abb. 2, 26-32; ders. 1912, 40, 49, 100 Abb. 33-35; Kennedy 1925 Abb. 189; Zayadine 1975, 335 Abb. 1; ders.-Hottier 1976 Abb. 1; Lindner 1983 Abb. 1 S. 17.

Weder die Gräber noch die (Ḏū Šarā-)Heiligtümer dieser Zone (und der von El-Madras) müssen eher Gaia (N64) als Petra zugewiesen werden (Starcky 1966, 952). Eine solche Trennung ist nicht angezeigt. Fassadengräber in Petra können aber durchaus auch von Bewohnern der Vororte in Auftrag gegeben worden sein. Die Kultstätten waren, abgesehen vielleicht von solchen, die bestimmten Kultgenossenschaften unterstanden, der nabat. Bevölkerung offen, wie die Inschriften bezeugen.

Freistehende Grabtürme (BD I Nr. 7-9, 30), die hellenistische Vorbilder aufnehmen (vgl. Zayadine 1983b, 233f.; bes. zu BD I Nr. 9 nahe steht das sog. Absalom-Grab in Jerusalem, frühes 1. Jh. n. Chr., Mazar 1979 Abb. 40 Taf. 126; der Vergleich mit indischen Tempeln, Goetz 1974, trifft nicht), bilden einen markanten Typus (sog. Sahrīǧ; aber keine Wasserbehälter) dieser Zone. Zayadine hat 1978/79 BD I Nr. 9 untersucht (Zayadine 1979, 192, 194 mit Schnitt Abb. 4, Taf. 93; Maurer 1980 Abb. S. 12; Zayadine 1983b, 213, 227, 235; Scheck 1985 Abb. 59; Zayadine 1986, 217, 219-21 Abb. 7) und ein Senkgrab in der Oberseite gefunden (also kein Kenotaph/*nefeš*). Der gestörte Befund des offenbar mindestens seit byzantinischer Zeit offenliegenden Senkgrabes darf nicht veranlassen, die Funktion des Monumentes als Grab in Frage zu stellen. Ob ein Aufbau (Spitzpfeiler?) vorhanden gewesen sein kann, ist strittig. Das Senkgrab war wohl nur mit Steinplatten abgedeckt, während der Grabturm vielleicht ähnlich BD I Nr. 70 einen Zinnenrahmen als Krönung aufwies. Gegen die These, daß die Grabtürme vielleicht dem von Strabo XVI 4, 26 angezeigten Brauch der Totenaussetzung (diese Interpretation wird von Zayadine 1986 abgelehnt) gedient hätten, spricht schon die geringe Zahl dieses Typus. Zayadine datiert das Grab ins 3. Viertel des 1. Jhs. n. Chr. Die herkömmliche Frühdatierung ist aufzugeben.

Eine singuläre Grabbekrönung mit 4 monumentalen Spitzpfeilern besitzt BD I Nr. 35 (sog. Obeliskengrab); vgl. auch Negev 1976a, 12f.; Cat. Bruxelles Abb. 13; Zayadine 1981b. 111f. Abb. 2 (photogrammetrisch), 3 Taf. 15; ders. 1983b, 220f.; Lindner 1985 Abb. S. 6f. (der Plan S. 5 gehört zu BD I Nr. 34).

Die Spitzpfeiler sind (entgegen Browning 1973, 106f.) weder ägyptisierende Obelisken noch D̲ū Šarā-Symbole, sondern Grabmal im wörtlichen Sinn (*nefeš*). Zayadine verbindet die Anzahl von 4 Pfeilern plus Nischenfigur mit den 5 loculi des Grabes (vgl. entsprechend Makkabäer-Grab in Modeïn: 1 Makk 13, 27-30). Von der für die Datierung wichtigen Nischenfigur des Grabinhabers (vgl. BD I Nr. 772) sind keine Detailaufnahmen veröffentlicht. Eine weitere Besonderheit des Grabes ist die Rahmung des rückwärtigen loculus (vgl. BD I Nr. 462).

Vor dem Grab befindet sich ein Stibadium, eine Kochstelle für das Totenmahl. Das unter dem Grab gebaute *triclinium funebre* BD I Nr. 34 ist von der topographischen Situation, der Funktion und der Achsenabstimmung der Eingänge (trotz optischer Täuschung) als zeitgleich (im technischen Nacheinander von oben nach unten) anzusehen. Ungewöhnlich sind die Fassade und 2 rückwärtige tiefe Nischen (für Ossuarien?), die auf eine Nutzung auch als Grabstätte deuten. Die seitlichen Kammern dienten für Bestattungen weiterer Mitglieder der Familie (von BD I Nr. 35).- Das Triklinium (vgl. auch Negev 1976a, 12f.; Zayadine 1981b, 111f. Abb. 2, photogrammetrisch; ders. 1983b, 221-23) wird aufgrund der Formen (vgl. BD I Nr. 766) ins 3. Viertel des 1. Jhs. n. Chr. datiert. Als Stütze dafür kann eine Bilingue (Milik 1976; ders. 1980b, 12f. Nr. 1 Abb. 9) aus der Zeit Malichus II. am gegenüberliegenden Fels herangezogen werden, die die Anlage eines Grabmals (*maqberā/mnemion*) durch Abmankū bezeugt; damit ist am ehesten BD I Nr. 35 gemeint.

Das Motiv des Spitzpfeilers begegnet gerade in dieser Zone häufig (Dalman 1908 Nr. 4b, 14, 43a-b, 45, 47a, c, 49h), speziell in den 2 Gruppen von 12 flachen Reliefstelen (Grundform:

Altarbasis mit Inschrift, darauf ein Spitzpfeiler mit Krönung) mit Inschriften (davon1 griechisch) gegenüber dem Ausgang des Es-Sīq (Starcky 1965a-b; Parr 1967, 45 Taf. 2b, 3a-b; Milik 1980b, 13 Nr. 2 Abb. 2). 5 der Inschriften (etwa 3. Viertel des 1. Jhs. n. Chr.) geben ihre Funktion als *nefeš* an. Die Stele des Petraios, gestorben in Garšu (H8), überliefert den nabat. Namen von Petra: Raqmu. Sie verdeutlicht auch, daß solche Stelen ohne architektonischen Kontext Gedenktafeln waren. Eine andere Stele nennt einen Zimmermann. Die Reliefs gehen der Anlage der Straße durch den Es-Sīq (s.u.) voraus.

Die Fassade des Treppengrabes BD I Nr. 32 mit Seitennischen ist ungewöhnlich. - In der Zone finden sich mehrere Senkgräber, u.a. Musil II 1907 Abb. 13f.; Dalman 1908 Nr. 21; Zayadine 1983b Abb. 2.

Von den Nischengruppen beiderseits des Wādi Mūsā sind außer Dalman 1908 Nr. 42 u. 44 (mit 69 Nischen) die des sog. Heiligtums von Bāb eṣ-Ṣīq, Nr. 15-20, zu nennen. Aus dem Triklinium Nr. 17 stammt die Aṣlaḥ-Inschrift von 96/95 v. Chr. an D̲ū Šarā (s.o.); zur Stiftung des Aṣlaḥ gehörten neben Nr. 17 auch die Kammern Nr. 16 u. 17' und die Zisterne Nr. 19.

Ungewöhnlich sind die (apotropäischen) Reliefs der Grabkammer Dalman 1908 Nr. 47 (vgl. auch Maurer 1980 Abb. S. 15; Zayadine 1983b, 218f. Abb. 4; ders. 1983c, 186f. Taf. 8c [auf dem Kopf]; Scheck 1985 Abb. 68). Ein Relief stellt einen Reiter oder nach Zayadine ein Pferd mit einem *baityl* dar, ein anderes zeigt 2 Schlangen, einen Schakal(?) jagend. Die Zeitstellung ist ungeklärt, doch dürfte das Grab noch ins 1. Jh. n. Chr. gehören.

Direkt vor dem Es-Sīq wurde unter (Malichus II. oder) Rabel II. ein Damm erreichtet (1964 modern erneuert), dem eine Brükke und Rampe zur neuen Straße in den Es-Sīq vorgelagert waren. Sturzwasser konnten so nach N durch einen Tunnel (El-Moẓlem) ins Wādi el-Muẓlem abgeleitet werden: BD I Nr. 29, 31 Abb. 232f.; Musil II 1907 Abb. 16, 19; Bachmann-Watzinger-Wiegand 1921, 4-6 Abb. 4 (Plan, Rekonstruktion); Kennedy 1925 Abb. 190, 194; Horsfield 1938 Taf. 20, 1-2; Starcky 1965c Abb. S. 11; Parr 1967 mit Plan Abb. 1, Taf. 2; Browning 1973 Abb. 15, 53 (Rekonstruktion), 54; Al-Muheisen 1980, 41 Abb. 71.

Weitere Inschriften: vgl. BD I Nr. 12, 26.

6. Wādi Umm Dfēle (sog. Adlerschlucht): Dalman 1908 Nr. 50-54 (Heiligtum) Abb. 33f.; Kennedy 1925 Abb. 191f.; Lindner 1986, 135 Abb. 11.

Seitenschlucht des Wādi el-Muẓlem, von Dalman nach dem Motiv der Votivnische Nr. 51e (vgl. auch Kennedy 1925 Abb. 192; Glueck 1965 Taf. 143; Hammond 1973b, 25-28, zur Verbindung mit dem *baityl*, in den Thesen aber problematisch) benannt. Der Adler ist aus der nabat. Kunst im Ḥaurān und in Ḥegrā gut bekannt. In jenem, allgemein als "römisch" empfunden Typus begegnet er als Akroter bei den Gräbern Ḥegrā A 5 (31 n. Chr.), B 19 (1 n. Chr.), B 21, E 18 (31 n. Chr.). Besonders zu vergleichen ist ebd. das Nischenrelief JS I Abb. 218. Nichts nötigt zu einer Datierung erst nach 106 n. Chr.

7. El-Madras: BD I Nr. 33, 37-56 Abb. 243-49 Karte Taf. 4; Dalman 1908 Nr. 55-111 Abb. 35-58; ders. 1912, 47, 101, 108 Abb. 40, 44; Kennedy 1925 Abb. 173; Horsfield 1938, 36 Taf. 64; Bennett 1983 Abb. S. 27; Lindner 1985 Abb. S. 85f.; Scheck 1985 Abb. 62 (irrig bezeichnet), 63.

Wegen einiger Höhlen von Horsfield 1938, 11, 36 als "Vorort" bezeichnet. Vornehmlich aber verschiedene Verehrungsplätze, durch Treppen erschlossen, von denen Dalman die Nordterrasse (Plan Dalman 1908 Abb. 36) als sakrosankten Bezirk, als das Heiligtum von El-Madras anspricht, das aber aus mehreren Anlagen mit Höfen besteht. Besondere Beachtung verdient die Mittelgruppe aufgrund vieler Grußinschriften, von denen CIS II 443 an D̲ū Šarā, den Gott von Madrasa, gerichtet ist, und einer Votivinschrift (eines Vorsitzenden einer Kultgenossenschaft?; vgl. Titel) von 7/8 n. Chr., CIS II 442 (der Gegenstand der Weihung ist nicht bekannt). Charakteristisch ist die Anlage einer Opfermahlstätte (Plan Dalman 1908 Abb. 50). - Alle Nischenidole der Zone haben die Form des Block-*baityls*, die primär mit D̲ū Šarā zu verbinden ist. Dalman 1912, 47 Abb. 44 (aus der sog. Cella Nr. 76) verweist außerdem auf 1 Augendidol neben einem *baityl*, Al-ʿUzzā darstellend.

Inschriften: CIS II 441-63 (vgl. BD I Nr. 40a-o, 41a-b,

44b-f; RES 622, 1449); Dalman 1908 Nr. 64, 106; Milik-Starcky 1975, 116-19 Nr. 3 Taf. 40f., 5 Graffiti, davon A, B, (D), E mit dem theophoren Namen Taym'alkutbā.

8. Es-Sīq: BD I Nr. 57-66 Abb. 250-63 Karten Taf. 4f.; Dalman 1908 Nr. 135-90 Abb. 5, 64-82; Musil II 1907 Abb. 46; Dalman 1912, 25f., 44, 48, 53-55, 108 Abb. 13, 38, 47, 54f.; Kennedy 1925 Abb. 198-200; Horsfield 1938, 8f. Taf. 24; Browning 1973 Abb. 61f., 66 Taf. 2; Negev 1976a Abb. 15; Zayadine 1981a, 352 Taf. 99f.; Lindner 1983, 19 Abb. 3; Zayadine 1986, 221-24.

Zu den Wasserleitungssystemen s.o.

Hauptzugang nach Petra. Unter Rabel II. mit gepflasterter Straße und einem monumentalen Stadttor (vgl. alte Stiche; 1896 eingestürzt) ausgebaut (danach ein Anwachsen der Votive im Es-Sīq deutlich). Der Torbogen (weder ein Aquaedukt noch ein Triumphbogen Hadrians) war im Durchgang mit Nischen verziert: BD I Nr. 57; Bachmann-Watzinger-Wiegand 1921, 4-6 Abb. 4; Horsfield 1938, 8f. Taf. 21-23; Browning 1973 Abb. 56, 58 und Rekonstruktionen Abb. 53, 57; Lindner 1978, 85 mit Abb.; ders. 1980, 27 mit Abb.; Zayadine 1981a, 352 Taf. 99, 1; Lindner 1985 Abb. S. 8.

Neben 4 Felsgräbern und 1 Triklinium weist der Es-Sīq über 60 Votive auf, was seiner exponierten Lage entspricht, ohne daß man ihn als Prozessionsstraße (Zayadine) verstehen muß. Von den Votiven seien genannt: architektonisch gerahmte Nische mit *baityl* und Augenidolstele (Zayadine 1979, 194, 197 Abb. 5 Taf. 94, 1: 1. Hälfte 1. Jh. n. Chr.; Scheck 1985 Taf. 1), Nische mit 10 *baityles* nebeneinander (Kennedy 1925 Abb. 197), um sich der Wirkkraft des Ḏū Šarā zehnfach zu vergewissern, und Nische mit Spitzpfeileraltar und 6 uräenartigen *baityles* über der Ädikula (Dalman 1912, 54f. Abb. 55); auch hier sind entgegen Dalman kaum mehrere Götter oder mehrere Stifter angezeigt.

Eine Gruppe von Votiven läßt sich durch die Reliefs und die griechischen Inschriften als subnabat. (2./3. Jh. n. Chr.; vgl. auch BD I 191 Anm. 3) erweisen und auf Stiftungen der Panegyriarchen der Actia Dousaria von Derʿa (H2) zurückführen (BD I Nr. 60, 1-11; Musil II 1907 Abb. 39;

Dalman 1908 Nr. 149-72; ders. 1912 Nr. 94; Starcky 1966, 990, 1009; Zayadine 1982, 365 Taf. 117, 1; ders. 1986, 223f. Eines der Reliefs zeigt wie die Münzen aus Derʿa ein Omphalos-*baityl*. Wenn die *baityl*-Nische Dalman 1912 Abb. 35 aus dem Aṣlaḥ-Triklinium (s.o.) nicht wesentlich jünger sein sollte als die Inschrift darüber, wäre dieser Typus schon früh bezeugt.- Die Stele des Sabinos zeigt eher eine Allat (Thea Megiste?) zwischen 2 Löwen (zum Typus vgl. Starcky 1981) als einen Gott auf Löwen stehend (Zayadine). Auch wenn Allat sonst in Petra nur noch indirekt in einem der "Propylon-Reliefs" bezeugt zu sein scheint, war ihre Verehrung gerade im Ḥaurān, woher der Stifter kam, ausgeprägt. - Als subnabat. hier anzuschließen ist der Votivaltar des Victorinus mit griechischer Inschrift, der dem Zeus Hagios geweiht ist, der nach der Interpretation von Parallelen aus dem Stadtgebiet und von Umm el-Biyāra mit Zeus Dousares (oder Baʿal-Schamin?) identifiziert wird.

Abb. 37 Petra. Es-Sīq, Votivnische

<u>El-Ḫazne (Ḫaznet Fīrʿōn, Ḫarābet el-Ǧarra)</u>: BD I Nr. 62 mit S. 179-86 Titelbild, Abb. 206-19, 257-60 Taf. 2; Dalman 1908 Nr. 179 Abb. 77-79; ders. 1911 mit Taf. 15-17 (Grundriß, Zeichnung der Fassade von Newton, Schnitt); ders. 1912, 59-78 Abb.

57-66; Bachmann-Watzinger-Wiegand 1921, 8-10 Nr. 4 Abb. 6-9; vgl. K. Wulzinger, ebd. 18-26 (Projektionsthese zur Erklärung der Fassadenarchitektur; umstritten); Ronczewski 1932 (grundlegend zu den Kapitellen); Wright 1961, 29f. Abb. 9 (zur Restauration einer Frontsäule 1960); ders. 1962 (Spätdatierung; nicht überzeugend); Parr 1965a Taf. 132, 5; Wright 1973 mit Abb. 1 (zum Motiv der Göttin mit Dioskuren; für die Datierung besagen die Vergleiche aber wenig); Lyttelton 1974, 70-83 Taf. 74, 76, 80, 82; Parr-Atkinson-Wickens 1975, 34f., 38 Abb. 2; Negev 1976a Abb. 16 u. Umschlagbilder; Zayadine-Hottier 1976 Taf. 41-43 (photogrammetrisch); Ismaīl 1980 Abb. 31, 34; McKenzie 1980; Hammond 1981d Abb. S. 33; Schmidt-Colinet 1981, 89-95, 98 Abb. 31-33 (mit treffender Beurteilung des stilistischen Kontextes); Zayadine 1981b, 112-14 Abb. 4-6 Taf. 22-25, 49-53.

Der El-Ḫazne ist das bekannteste Monument aus Petra und das in der Klassischen Archäologie am stärksten rezipierte. Die Diskussion führte zu ganz unterschiedlichen Folgerungen, sowohl in der Frage der Zeitstellung, 1. Jh. v. Chr. oder 2. Jh. n. Chr., als auch in der Frage nach der Funktion, Grabbau oder Tempel (der Isis, Al-ʿUzzā, Thea Megiste, Manūtu, Šaiʿ el-Qaum) bzw. Mischform. Auch der figurale Dekor wurde verschieden interpretiert. Das Bildprogramm verdiente eine erneute Bestimmung.

Die üblichen Zuweisungen des Monuments an einen der nabat. Könige gehen von ungenügenden Argumenten aus, daß viele eher abzuweisen bleiben, solange nicht eine neue stilkritische Gesamtanalyse architektonischer Konzeption und Details vorliegt. Folgt man Ronczewski muß der El-Ḫazne der frühen Kaiserzeit, d.h. für Petra gesehen etwa der Zeit Obodas III./Frühzeit Aretas IV. zugewiesen werden. Die Stilelemente zeigen dominant alexandrinische Formen/Einflüsse, aber auch Anklänge an italisch-römische Arbeiten.

Der sepulchrale Charakter des Dekors, Grundrißtypus und die Innengestaltung des Bauwerks lassen nur die Deutung als Grabanlage zu. Es handelt sich offensichtlich um den Grabbau einer hohen Persönlichkeit, König oder Königin. Die Überlegung von Dalman 1908, 154, die Hauptbestattung könnte im (Prunk-)Sarkophag erfolgt sein, dürfte zutreffen, zumal dieser Brauch in Petra belegt ist. Sollte sich erweisen lassen, daß die Anlage der Grabbau für Obodas III. war, der wohl nicht in Oboda bestattet worden ist (vgl. X88) und der nach seinem Tod 9 v. Chr. vergöttlicht wurde, mag man den El-Ḫazne auch als Heroon verstehen. Diese Bedeutung scheint Nachbestattungen in loculi und Senkgräber ausgeschlossen zu haben. Daß der Bau in Details unvollendet geblieben zu sein scheint, könnte dann mit dem plötzlichen Tod dieses Herrschers zusammenhängen. Ob dagegen eine Heraufdatierung in die Zeit Aretas III. möglich ist (vgl. Lyttelton 1974, 75; Schmidt-Colinet 1981, 98), müssen erst weitere Untersuchungen zeigen. Zwar geht der El-Ḫazne dem Qaṣr Bint Fīrʿōn voraus, aber wohl nicht um diese Zeitspanne.

Das Bauwerk weicht so sehr von anderen nabat. Arbeiten ab, daß es nicht als nabat. bezeichnet werden kann. Hier waren auswärtige Bildhauer am Werk, die man an den nabat. Königshof geholt hatte. Die Wirkung des Monuments in Petra auf die nabat. Kunst kann gar nicht überschätzt werden. Sie ist viel größer als oft angenommen wird, weil zu sehr auf die Nachbildung der Fassadenkomposition geachtet wurde. Doch auch Einzelheiten der Architektur und des Dekors wurden mit Ausnahme der großen Figurenreliefs vielfach aufgegriffen.

Das Treppengrab BD I Nr. 64B gegenüber dem El-Ḫazne wurde 1979/80 vom metertiefen Wadigeröll befreit (Zayadine 1981a, 352f.; ders. 1982, 365-73 mit Plan Abb. 1, Taf. 118-22; ders. 1986, 224-28 Abb. 13-19). Das Grab zeigt das Wegeniveau des Es-Sīq an. Der El-Ḫazne wurde dagegen offenbar aus Schutz vor den Sturzwasserfluten so hoch angelegt (der Zugang, Treppe?, ist noch ungeklärt, ebenso ob sich ein Triklinium unter dem El-Ḫazne befindet). Die Gräber BD I Nr. 64A (noch verschüttet) und 64B liegen etwas geschützter hinter einem Felsvorsprung.

Das Grab 64B (nicht voll ausgearbeitet) wurde mehrfach bis ins 4. Jh. n. Chr. belegt. Der nabat. Befund ist dadurch gestört, doch ist ein wichtiges Element bewahrt: vor den gerahmten loculi Nr. 4-6 befanden sich Stelen mit eingeritztem *nefeš*. An nabat. Funden sind außer den Stelenfragmenten die Lampe Nr. 11 (frühes 1. Jh. n. Chr., in römischer Wiederverwendung) und ein Dipintofrag. von einer loculus-Verschlußplatte (vgl. BD I Nr. 813) mit dem Namen des/der Toten erhalten. Dazu kommt ein Inschriftfrag. (frühes 2. Jh. n. Chr., - in Wiederverwendung? -

Deckstein von Senkgrab Nr. 11), das die Grabinhaberin nennt und u.a. Hinweise auf die Beigaben gibt. Da der Grabeingang bei späterer Nutzung verändert wurde, muß offenbleiben, ob die Inschrift usprünglich innen (Zayadine) oder außen über dem Eingang angebracht war oder ob sie doch in situ (vgl. BD I Nr. 813) aufgefunden wurde. - Das Senkgrab Nr. 9 könnte noch zur frühen Anlage gehören (zum Holzsarg und den Bronzeglöckchen vgl. u.a. Area B Lindner).

Grab BD I Nr. 66 (vgl. Dalman 1908, 154) mit einer griechischen Inschrift und 2 ungewöhnlichen Nischen oder Fassadenteilen ist wegen der architektonischen Details allenfalls noch subnabat. zu nennen, während der Dekor (vgl. auch Bennett 1983 Abb. S. 14) und bes. das Tympanonrelief (Totenmahl?) fremde Elemente sind.

Welchem der Gräber Triklinium BD I Nr. 65 (vgl. auch Kennedy 1925, 73f. Abb. 198) zugehört, das meist wegen seiner Größe dem El-Ḫazne zugeordnet wird, ist ungeklärt.

9. Wādi (Zarnūq) el-Hurēmīye: Savignac 1906; Dalman 1908 Nr. 112-19 Abb. 59f. (gut erhaltenes Triklinium Nr. 117 im sog. Klammheiligtum); ders. 1912, 11, 31 Abb. 20; Kennedy 1925 Abb. 37; Horsfield 1938, 28f. Taf. 57, 2-3 (eher Hauskomplex).

Inschriften: Savignac 1906, 593f. Nr. 1-3; RES 837; vgl. Dalman 1908 Nr. 117c, f.

10. Zarnūq (Sidd) u. Wādi el-Ǧarra (incl. Ǧebel Umm Ḥassān, Ǧebel el-Qanṭara): Musil II 1907, 78f., 98-102 Abb. 43, 67-70; Dalman 1908 Nr. 120-34 Abb. 9, 20, 61-63 (nennt 4 "Heiligtümer" und einen Aquaedukt von ʿĒn Brāq); ders. 1912, 16f., 48 Abb. 47; Kennedy 1925 Abb. 188.

Inschriften: Dalman 1912 Nr. 86-89; vgl. Musil II 1907, 79, 101f.; Dalman 1908 Nr. 129.

11. Ende des Es-Sīq (sog. Outer Sīq) zum sog. Vorkessel (unter Auslassung der Denkmäler von El-Ḫubṭa; s.u.): Ausläufer der sog. Theaternekropole.

BD I Nr. 67-79 Abb. 135, 145, 264-66, 455 Karte Taf. 6, nennt 14 Gräber; Dalman 1908 Abb. 8, 81b; Kennedy 1925 Abb. 103, 199; Cat. Bruxelles Abb. 7; Erträge Bonn Taf. 42.

Grab BD I Nr. 67 wurde 1959 untersucht (Parr 1968, 12-15 Abb. 1 Taf. 6). Erst im Giebel befindet sich eine Öffnung zur Grabkammer. Reste von bemaltem Stuck bei der Fassade. - Der freistehende Grabturm BD I Nr. 70 (vgl. auch Browning 1973 Abb. 70; Schmidt-Colinet 1981, 70 Abb. 11 Taf. 14, mit Verweis auf ʿAmrīt als Vorbild) wurde 1979 von Zayadine untersucht (Zayadine 1983b, 227, 229, 236). 2 Seiten tragen eine Fassadenkomposition; der Zinnenkranz ist aufgemauert. Ungewöhnlich sind die Kapitelle mit nach innen gekehrten Voluten. Im Grab lassen sich 3 Phasen nachweisen (vgl. BD I Nr. 64B), eine nabat., von der nur noch Funde aus einem Senkgrab zeugen, eine spätrömische und die wohl noch spätere mit der Führung eines Kanals quer durch die Grabkammer.

12. Sog. Theaternekropole: BD I Nr. 94-183 Abb. 117f., 121f., 124f., 127-29, 147, 149, 152f., 159, 174f., 178, 266, 285-93 Karten Taf. 6f., nennt 101 Gräber; Dalman 1908 Abb. 11; Kennedy 1925 Abb. 68, 88f., 182, 203; Hammond 1963 Abb. 7; Negev 1976a Abb. 4 (irrig bezeichnet), 6, 20; Maurer 1980 Abb. S. 30-35; Erträge Bonn Taf. 11, 40f.; Lindner 1983 Abb. 32 S. 89; Zayadine 1983b, 224-26, 236, 238f., 241 Abb. 7-11, 26; Dexinger-Oesch-Sauer 1985 Abb. 70, 86.

Die Gräber sind in Etagen frei übereinander angeordnet. Der Fels ist nicht voll ausgenutzt; doch spricht der Befund gegen die Annahme, die Nekropole sei nach der Errichtung des Theaters ganz aufgegeben worden. Zinnengräber herrschen vor; über vielen Türen befindet sich eine Nut für das einzusetzende Gesims (vgl. vollausgeführte Gräber; nicht für Holzbalken mit Namen: u.a. Schmidt-Colinet 1981, 69 Abb. 10). - Eine Sonderform bilden die Bogengräber (BD I Nr. 124, 141, 154, 182; vgl. auch Hadidi 1981, 105 Abb. 2). Der Typus wird allgemein aus dem syrischen Raum hergeleitet, doch bedarf dies noch weiterer Untersuchungen. - Bei Grab BD I Nr. 148, jetzt freigeräumt, ist z.T. die Stuckatur der Pilaster erhalten. Die Keramik (2. Hälfte 1. Jh. n. Chr.) aus dem Grab wird als hereingespült angesehen (Zayadine 1983b, 239), könnte aber auch von Bestattungen hier oder anderer Gräber stammen.

Für die Anlage des Theaters wurden einige Zinnen- und Treppengräber abgearbeitet. Dadurch ist ein Datierungsanhalt für diese Typen gegeben. Die Chronologie der Fassaden ist aber noch zu unsicher, um typologische Entwicklungen von einfachen zu komplexen Formen als eine zeitliche Aufeinanderfolge zu verstehen. Angesichts von Keramikfunden nur aus dem 1. Jh. v. und n. Chr. in dieser Zone (Zayadine 1983b, 236) sollten die Gräber hier nicht ins 2. Jh. v. Chr. (oder noch höher, s.o.) hinaufdatiert werden (noch Zayadine ebd. 226, 238). Eher ist eine Herabdatierung zeitlich bis eng an den Bau des Theaters zu empfehlen.

(Großes) Theater: BD I Nr. 161 Abb. 291f. u. S. 190; Musil II 1907, 102f. Abb. 73-75; Bachmann-Watzinger-Wiegand 1921, 29-32 Nr. 6 Abb. 23 (Plan), 24; grundlegend Hammond 1965 (Publikation der Ausgrabung 1961-62; zuvor ders. verschiedene Vorberichte); Browning 1973 Abb. 78 (Rekonstruktion der Außenansicht mit hoher Bühnenrückwand); Bennett 1983 Abb. S. 29.

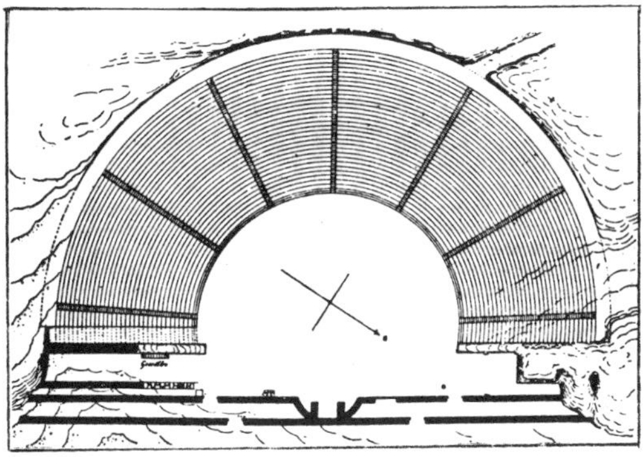

Abb. 38 Petra. Theater

Hammond unterscheidet 8 Bauphasen mit Unterphasen und Benutzungsniveaus. Phase Ia: Errichtung des Theaters, Zeit Aretas IV.; Phase Ib: Erneuerung mit geringfügigen Änderungen, Zeit Malichus II. (oder erst Rabel II.?); Phase Ic, Erneuerung mit bedeutenden Planänderungen und Zusätzen, nach 106 n. Chr., vielleicht antoninische Zeit; Zerstörung durch das Erdbeben 363 n. Chr. (Phase IV). - Das Theater (Plan Folder C) folgt eng dem von Vitruv beschriebenen kanonischen Modell, zeigt aber auch einige lokale Abweichungen (Hammond 1965, 58f.). Von der Konstruktion bzw. der Ausstattung der Phasen Ia-b stammen u.a. nabat. Kapitelle (ebd. Taf. 34, 4), 41 nabat. Steinmetzzeichen (ebd. Taf. 47-50. Vgl. Parr 1957 Nr. 18 Taf. 12B?; vgl. Nord-Tempel, Dēr-Plateau?; vgl. O 19, W4, X88), Keramik (Hammond 1965 Taf. 51, 1-2. 53, 1-2. 54, 1. 56, 1. 57) und Münzen Aretas IV. und Rabel II. (ebd. 61, 64); vgl. ferner Terrakotten (ebd. Taf. 39, 1-2) und Fresken (ebd. Taf. 39, 3) (wohl römisch sind 2 Torsi des Hercules und 1 der Venus). Es scheint kein stratigraphischer Befund vorzuliegen, der eine absolute Datierung innerhalb der mittel- bis spätnabat. Zeit erlaubt (ebd. 62; zu negativ Parker 1985, 75). Entgegen dem Versuch von Hammond (ebd. 62-65), eine Engführung aufgrund der politischen, ökonomischen und kulturgeschichtlichen Situation - seine Skizze hierzu ist in einigen Punkten kaum annehmbar - zu erlangen, kann die präzise Datierung nur aufgrund weiterer Detailstudien der Architektur und der Kleinfunde ermittelt werden. Eine Datierung ins frühe 1. Jh. n. Chr. scheint sich abzuzeichnen.

Zur Lage des Theaters *extra muros* und inmitten einer Nekropole, an der kein Anstoß genommen werden muß, ist Hammond ebd. 55-57 zu vergleichen. Entgegen Negev 1976a, 14f., 22; ders. 1977a, 601 hatte das Theater keine Sonderbedeutung im Totenkult. Es war in seiner Funktion den Theatern anderer Städte gleich (vgl. DeBlois-Smelik 1983, 343; Sauer 1985, 96f.) und konnte 7-8,5 Tsd. Besucher fassen.

13. Zibb ʿAṭūf (sog. Obeliskenberg) (mit Zuwegen): galt früher irrig als Ort der frühesten Ansiedlung und als der 312 v. Chr. genannte Fels (s.o.).

Zarnūq (Wādi) (Umm) el-Maḥafīr (sog. Ostweg): BD I Nr. 80-84, 86-88 Abb. 266f., 278-80 Karte Taf. 6; Musil II 1907 Abb. 49; Dalman 1908 Nr. 191s-192c Abb. 91f. u. S. 182 (erklärt BD I Nr. 86-88 als Reste von Steinbrucharbeiten); ders. 1912, 45, 51 Abb. 39; Horsfield 1938 Taf. 36, 2; Starcky 1965d Abb. S. 15; Browning 1973 Abb. 150.

Inschriften: CIS II 394-99 (vgl. BD I Nr. 81a-b, 83a-b, 84a-d).

Der Weg, wie die übrigen mit Treppen ausgebaut, passiert

die künstliche Terrasse mit 2 monumentalen Spitzpfeilern, die z.T. als Idole des Dū Šarā und der Al-ʿUzzā angesprochen wurden (noch Browning 1973, 207f.). Diese bei Steinbrucharbeiten stehengelassenen sog. Obelisken müssen von ihrer Form her aber als *nefeš*-Male interpretiert werden. Ob sie eine bestimmte Funktion der Terrasse anzeigen, etwa als Ort der Aussetzung der Leichname von Königen und Vornehmen, wenn denn dieser Brauch in Petra bestand (s.o.), läßt sich nicht beantworten. Andere Thesen: Erinnerung an "in der Fremde" bestattete ältere Fürsten und Könige (Heroen).

Spitzpfeiler: BD I Nr. 89, 90 u. S. 157, 173, 188; Musil II 1907, 96; Dalman 1908 Nr. 200, 201 Abb. 96-98; Kennedy 1925, 74 Abb. 164; Horsfield 1938, 12 Taf. 37. 38, 1; Negev 1976a Abb. 24; ders. 1977a Taf.-Abb. 28; Béguerie-Tournus 1980 Abb. 83, 85; Maurer 1980 Abb. S. 61; Dexinger-Oesch-Sauer 1985 Abb. 79; Scheck 1985, 373f. mit Abb.

Der Weg erreicht die sog. Zitadelle (Qaṣr el-Qanṭara): BD I Nr. 85 Abb. 268f. (Kreuzfahrerburg); Musil II 1907, 80-82 Abb. 50, 51 (Plan), 52; Dalman 1908 Nr. 192 Abb. 96 u. S. 34f.; ders. 1912, 12-14 Abb. 3, 4 (Plan); Bachmann-Watzinger-Wiegand 1921, 3 (byzantinische Burg); Kennedy 1925 Abb. 202, 207; Horsfield 1938, 12f. Taf. 37. 38, 2; Browning 1973 Abb. 45; Lindner 1983, 29.

Die Anlage ist noch wenig untersucht, so daß ihre Bestimmung noch unbefriedigend bleibt. Sie stellt sich nach den alten Planskizzen als eine Befestigungslinie mit Türmen dar, die sich nach W hin fortsetzt. Von der Lage her und aufgrund der Steinbearbeitung dürfte die Datierung in nabat. Zeit zutreffen. Bereits Dalman erwog eine Toranlage darin zu sehen; Lindner und Knauf sprechen von "Propyläen" des Heiligtums BD I Nr. 85a (vgl. Scheck 1985, 372). Außer dem sog. Ostweg mündeten hier der sog. Südweg (s.u., En-Numēr) und der sog. Westweg aus dem Wādi Farasa Ost. Es drängt sich auch der Eindruck auf, daß die Kultstätten untereinander in einer Art Prozessionsweg verbunden waren.

Die bedeutendste Anlage auf Zibb ʿAṭūf ist eine guterhaltene Kultstätte (sog. Großer Opferplatz, High Place, Maḏbaḥ): Savignac 1903; BD I Nr. 85a Abb. 270-77; Musil II 1907 Abb. 53-61; Dalman 1908 Nr. 191 Abb. 83 (Plan), 84-90 u. S. 65, 68f.;

Robinson 1930 Abb. S. 123, 323 (Plan); Horsfield 1941 Nr. 308, 313, 321, 347f., 354, 365f., 371, 459 Abb. 41f., 46, 50, 54 Taf. 37f., 40-42 (nabat. Keramik von der Ausgrabung der Spendeschale); Glueck 1965, 63f. Taf. 92; Starcky 1965d Abb. S. 12f.; Negev 1976a Abb. 30; ders. 1977a Taf.-Abb. 29; Zayadine 1980 17 (*mōtab*); Dexinger-Oesch-Sauer 1985 Abb. 80; Lindner 1985 Abb. S. 69, 71.

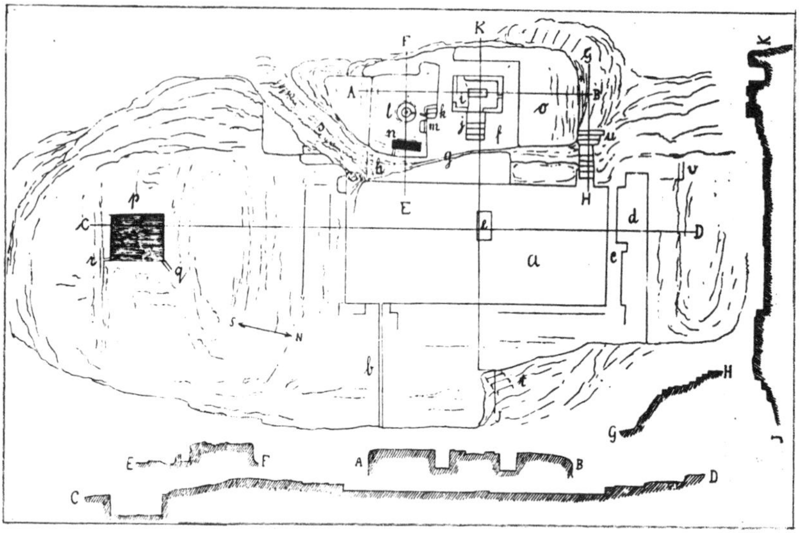

Abb. 39 Petra. Zibb ʿAṭūf, sog. Großer Opferplatz

Die Kultstätte besteht aus einer Altarplattform als Zentrum (nach W orientiert) und aus kultischen Installationen ("Weihwasserbecken", Libationschale?) auf dem benachbarten Felsblock, dem Hof mit Ruheplätzen (Triklinium) und einem etwas abseits gelegenen großen Wasserbassin. - Die kleine, nur wenig erhöhte Felsplatte im Hof mag eher zum Bereitstellen des Opfermahls als zum Aufstellen von Opfergaben (Dalman: *mensa sacra*) gedient haben; sie erinnert an die "Tische" für das Totenmahl bei den Gräbern von Mampsis (X28). - Die Altarplattform (sog. Gottesthron; *mōtab*) trug wohl ein oder mehrere *baityles* (vgl. A2) und konnte für Kulthandlungen (am *baityl*) über die vorgebaute Treppe betreten werden. Ein anderer Kultvorgang bestand offensichtlich im Umgehen der Plattform (ṭawāf-Brauch), wie aus der Anlage ersichtlich ist. Die Annahme von Opferpraktiken, wie sie Browning 1973, 209-11 skizziert, bleibt problematisch. Die Plattform war kein Brandopferaltar und ein Schlachtaltar nur im Sinne von Dalman 1908, 168. - Die Herrichtung des Opfermahls könnte am sog. Westweg (ebd. 177f.) erfolgt sein.

Daß hier Ḏū Šarā verehrt worden sein dürfte, darauf weisen u.a. auffällige *baityl*-Nischen an den Zuwegen (s.u.). Zur Bedeutung der Kultstätte sind die Einschränkungen von Dalman 1908, 158 zu beachten. Instruktiv für die in der räumlichen Größe leicht zu überschätzende Anlage sind Abbildungen mit Besuchern wie Bennett 1983 Abb. S. 12 und Lindner 1985 Abb. S. 69. Daß die Kultstätte in vornabat. Zeit zurückreicht, wie gelegentlich behauptet wurde, ist nicht erwiesen.

Ein (schwieriger) Zugang direkt von der Stadt her, der sog. Nordweg, begann bei BD I Nr. 187/188 und führte über den sog. Theaterberg hinauf: Musil II 1907, 91, 94 Abb. 64f.; Dalman 1908 Nr. 202-18 Abb. 99-104 (2 "Heiligtümer") u. S. 178-80, 185, 188; Horsfield 1938, 12f.

An diesem Weg liegt eine *baityl*-Nische, die von Halbsäulen mit Halbmonden als Bekrönung flankiert wird: Dalman 1908 Nr. 199 Abb. 95. Die Monde (vgl. Dalman ebd. Nr. 593, 595, 618) könnten auf Allat oder Al-ʿUzzā als Begleiter des Ḏū Šarā weisen, bestimmen aber nicht den *baityl*. - In der Kammer Dalman 1908 Nr. 210 befindet sich das Relief einer Schlange über einem Sockel/Votivbank (ebd. Abb. 103; vgl. auch Lindner 1976, 93 mit Abb., mit Hinweis auf das Lararium des Vettierhauses in Pompeji); eine zweite Figur(?) ist kaum erkenntlich.

Inschriften: CIS II 406-14 (vgl. Musil II 1907, 94; BD I 269 ohne Nr. a-i; Dalman 1908 Nr. 212d).

Ein wichtiger Weg (sog. Westweg) zum Zibb ʿAṭūf begann am Ende des Wādi Farasa Ost im sog. Gartental: Dalman 1908 Nr. 249-55 Abb. 119-21 u. S. 75, 83, 178; ders. 1912, 15f.; Kennedy 1925 Abb. 170, 206, 208, 210; Robinson 1930 Abb. S. 273.

Eine Station des Weges ist ausgezeichnet durch einen großen Hörneraltar in Hochrelief (vgl. auch Kennedy 1925 Abb. 170) (später Steinböcke eingeritzt) und ein monumentales Löwenrelief (vgl. auch Orr-Ewing 1927; Horsfield 1941 Nr. 478 Taf.49, 2). Beide Denkmäler stehen aber primär im Zusammenhang mit Wasserleitungen hier.

Höher am Weg befindet sich eine *baityl*-Nische, über der ein

Reliefmedaillon mit einer Büste (bestoßen) angebracht ist: Starcky 1965d, 10f. mit Abb. (auf dem Kopf stehend); Hammond 1968 mit Abb. 1f.; ders. 1973b, 22 Taf. 2E; Starcky 1980 Abb. 46; Zayadine 1983a, 110 Abb. 2. Nach Hammond ist im Medaillon Atargatis dargestellt, während Starcky und Zayadine hier Ḏū Šarā sehen (je nach Interpretation von Frisur und Kranz; entgegen Lindner 1983, 30 jedoch kein Porträt).

Inschriften: Dalman 1912 Nr. 24f.; vgl. Lindner 1983, 30. - Bei Turm IV: vgl. Musil II 1907, 82.

14. Stadtgebiet (City): umschreitet man den sog. Theaterberg ist das eigentliche Stadtgebiet im Talkessel von Petra erreicht, das zu großen Teilen noch unerforscht ist. Die ansehnliche Ausdehnung des bebauten(!) Gebietes läßt (entgegen Negev 1977a, 604) keinen Zweifel am urbanen Charakter Petras zu (Dalman 1912, 12: 40 Tsd. Einwohner), auch wenn der Kranz von Verehrungsplätzen und Nekropolen den Gesamteindruck des Ortes (heute) beherrscht. Daß die Bebauung nicht erst unter den Römern erfolgte, haben Ausgrabungen an mehreren Stellen erwiesen. - Das erst nach N, dann bald nach W abbiegende Wādi Mūsā bildet die zentrale Achse der Stadt. Das Gebiet nördlich wird mitunter als "Ober-" und das südlich als "Unterstadt" bezeichnet, worin aber keine Bewertung zu sehen ist. Ins Wādi Mūsā münden das Wādi el-Maṭāḥa und am Westende das Wādi Abū ʿOllēqa.

Die älteren Karten (L. de Laborde 1829 = Zeitler 1983 Abb. 2; BD I Taf. 12; Musil II 1907) skizzieren noch einen ausgedehnten Ruinenbefund, während die späteren nur mehr die Planaufnahme des Zentrums von Bachmann-Watzinger-Wiegand 1921 Abb. 1 u. Beilage 1 übernehmen (die Kritik von Hammond 1973a, 44f. am erhobenen Oberflächenbefund ist nur als ein Hinweis berechtigt, daß der gewonnene Plan natürlich nur einen Rahmen abgeben kann, der erst durch Ausgrabungen zu präzisieren ist). - Der 1973 von Hammond mit magnometrischen Messungen durchgeführte Survey des Stadtgebietes ist noch unpubliziert (vgl. Hammond 1975, 5-7).

Gesamtansichten: Kennedy 1925 Abb. 5, 14, 25 u. Luftbild

bei S. 18; Horsfield 1938 Taf. 1f. (mit Legende!), 3, 6; Parr 1962a Abb. 5; Browning 1973 Abb. 1, 112, 151 u. Karte 4 (Plan mit Nachtrag der Ergebnisse neuerer Ausgrabungen = Cat. Bruxelles Abb. 2); Gory 1976b Taf. 39f. (Photoplan); Negev 1976a Abb. 14; ders. 1977a Taf.-Abb. 6; Cat. Bruxelles Abb. 10; Maurer 1980 Abb. S. 53; Erträge Bonn Taf. 5, 34f.; Lindner 1983 Abb. 45; Parr 1983 Abb. 5; Wanke 1983 Abb. 2.

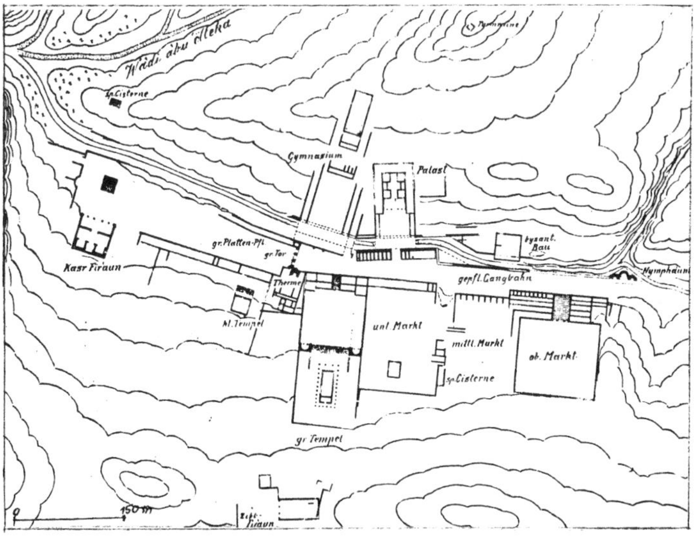

Abb. 40 Petra. Stadtmitte

a) Die Verkehrsverbindungen und Karawanenrouten, Burgen und Wachtposten und die <u>Stadtmauern</u> wurden zuerst von Dalman 1908 u. 1912 dargestellt (vgl. auch Bachmann-Watzinger-Wiegand 1921, 3). Horsfield 1938, 6f. Plan B, Taf. 1f., 8f. 14, 2. 17; dies. 1939, 87-93 Abb. 1, 3 Taf. 43f. 46, 2 unterschieden eine 1., hellenistische N- und S-Stadtmauer und eine 2., römische N- und S-Stadtmauer für ein verkleinertes Stadtgebiet. Alle Mauern begannen unterhalb El-Ḥabīs. Die 1. N-Mauer führte nach NO hoch bis ʿArqūb el-Ḥīše und schloß bei BD I Nr. 763 an El-Ḫubṭa an, die 2. N-Mauer bei BD I Nr. 765. Die 1. S-Mauer führte hinter Ez-Zanṭūr nach Zibb ʿAṭūf (bei BD I Nr. 189/190).

Die britischen Ausgrabungen 1957/58 (trenches I u. V Parr)

ergaben dann, daß die 2. S-Mauer im El-Ketūte-Schutt eine Hausmauer des 1. Jhs. n. Chr. und der sog. Conway High Place an der Spitze der 1. N-Mauer lediglich ein Turm einer Befestigungsanlage waren. Gemäß ihrer Datierung stammt die "hellenistische" Stadtmauer aus mittelnabat. Zeit (nach Hammond 1973a, 44 spätnabat.) und die innere Mauer aus (spät-) römischer Zeit: Hammond 1960, 28-30 mit Abb. 2; Parr 1960b, 127, 133; ders. 1962c; ders. 1983, 140-42.

Weitere Untersuchungen seit 1964 (Vorbericht Parr-Atkinson-Wickens 1975, 31, 40-45 Taf. 11f. mit Karte Abb. 1; vgl. auch Parr 1965b, 255f.; Browning 1973 Abb. 166f.; Parr 1983, 146f. Abb. 6) stellen den Verlauf der äußeren Stadtmauern stark in Frage, zumindest als durchlaufende Mauerzüge. Die 2. S-Mauer ist generell aufzugeben; der 1. S-Mauer - nur unverbundene Strecken? - läßt sich ein defensiver bzw. abgrenzender Charakter nicht absprechen. - Von der 1. N-Mauer ließ sich nur ein separates Befestingungswerk auf ʿArqūb el-Ḥīše nachweisen, zu dem flankierend weitere Anlagen an dieser relativ offenen Stadtseite getreten zu sein scheinen, jedoch keine Stadtmauer; darauf sind verschiedene Posten, Sperren etc. zu beziehen, die noch näherer Untersuchung bedürfen. - Unabhängig von diesem System ist die innere N-Mauer als eine eigentliche Stadtmauer. Ob die ursprüngliche Spätdatierung (zuletzt Scheck 1985, 403 mit Karte S. 360f., byzantinisch; so schon Th. Wiegand) aufrecht erhalten werden kann, ist erneut zu prüfen. - Insgesamt bleiben derzeit zu den Stadtbefestigungen noch viele Fragen.

Abgesehen vom großen Stadttor zu Beginn des Es-Sīq (s.o.) sind Hinweise auf Stadttore nur schwer verifizierbar: Bachmann-Watzinger-Wiegand 1921, 3f. Abb. 1(3 Tore in der S-Mauer); Horsfield 1938, 4, 8; dies. 1939, 88, 93 Anm. 2; Parr-Atkinson-Wickens 1975, 40, 44 (Lücken in den Mauerstrecken im N und S). Separat davon sind die Sperrvorrichtungen der Zuwege zu einigen Kultstätten zu sehen.

Zum kaum erforschten Straßennetz vgl. Bachmann-Watzinger-Wiegand 1921, 2-4, 75 Abb. 1; z.T. anders Horsfield 1938, 8, 10 Taf. 23, 2. 29, 1; dies. 1939, 87f.

Inwieweit die Angabe von Strabo XVI 4, 26, daß die nabat. Städte nicht ummauert waren, auch auf Petra sz. zutrifft, ist nicht vollständig geklärt, gewinnt aber durch die Angabe ders. XVI 4, 21, daß Petra (nur) durch Felsen ringsum geschützt sei, an Gewicht.

b) Der von der Einmündung des Wādi el-Maṭāḥa bis zum Propylon des Temenos des Qaṣr Bint Fīr'ōn in etwa längs des Wādi Mūsā führende 'grand boulevard' ist von D. Kirkbride 1955/56 und P. J. Parr 1958/59 (trench III) und 1964 untersucht worden: Vorberichte Kirkbride 1960b mit Taf. 7, 1; Parr 1960b, 130f.; Bennett 1962, 237f. Abb. S. 236; Parr 1965b, 253f.; bes. ders. 1970, 350-52, 362-70 mit Abb. 1 (Schnitt), Taf. 42f.; Browning 1973 Abb. 18 (Rekonstruktion).

Dieser fast 300 m lange Straßenzug - nach O hin nicht erhalten bzw. in anderer Art gebaut gewesen - wird meist als *cardo (maximus)* bezeichnet. Richtiger (entgegen Sauer 1985, 96) nennt ihn Negev 1977a, 602 eine *via sacra* (vgl. F7). Stets ist die gepflasterte Straße damit gemeint, nicht die ihr vorausgehenden Wegeniveaus. Sie war von Kolonnaden begleitet (10 Säulen wurden wiedererrichtet; zu den dorisierenden Kapitellen vgl. Schmidt-Colinet 1983a, 310f. Taf. 67a. c), in die im 4. Jh. n. Chr. Geschäfte eingebaut wurden. Während die Stratigraphie für die römisch-byzantinische Zeit noch strittig ist, geben mehrere Befunde einen Anhalt für den Zeitpunkt der Anlage der Pflasterstraße: 1. als terminus ante quem der Bogen Trjans beim Oberen Markt, inschriftlich 114 n. Chr. datiert (zum hier genannten Titel *Petra Metropolis* vgl. Schmitt-Korte 1978); 2. vier ausgegrabene Räume im N, die stratigraphisch älter als die Strasse sind, mit Funden des 1. Jhs. n. Chr.; 3. Befunde im trench III; 4. die Annahme der Gleichzeitigkeit mit der Pflasterstraße durch den Es-Sīq unter Rabel II. (s.o.); 5. die Parallele zu Boṣrā (F7). Der Ausbau muß nicht erst zwischen 106 und 114 n. Chr. erfolgt sein, sondern dürfte eine Maßnahme Rabel II. gewesen sein.

In trench III Parr (zum Befund hellenistischer Zeit s.o.) beginnt mit Phase IX eine vollständig neue Konzeption. Die alten Wohnhäuser werden aufgegeben. Eine 15 m breite künstliche Terrasse wird angelegt. Parallel zu einer ersten *via sacra* in O-W-Richtung, später von der Pflasterstraße aufgenommen, reihen sich Räume aneinander. 1 Münze Aretas IV. gilt als terminus post quem (Parr 1970, 364; dagegen Parr 1965a, 529 noch: 1. Hälfte 1. Jh. v. Chr. u. danach irrig Lindner 1983, 56); Keramik: Parr 1970 Abb. 5 Nr. 58-63 Taf. 45, 1? 5. 10. 12?-Aus den Phasen X-XII stammen 2 Münzen Aretas IV. und 1 Rabel II. (ebd. 366); Keramik: ebd. Abb. 5-7 Nr. 64-105 Taf. 44, 6. 45, 3-7.-Phase XIII bezeichnet die Anlage der Pflasterstraße; Keramik: ebd. Abb. 7 Nr. 106-10 Taf. 45, 1-2. Als terminus post quem dient die Münze Rabel II. (zwischen 75/6 u. 101/2 n. Chr. Da die Münzen noch unpubliziert sind, ist eine engere Datierung nach Meshorer 1975 nicht möglich. Die Frühdatierung der Pflasterstraße durch Negev 1978, 948f. ist nicht annehmbar). Phase XIV (Keramik: ebd. Abb. 7 Nr. 111-15) reicht in die subnabat. Zeit hinein; Schale Nr. 113 zeigt die Kontinuität bemalter nabat. Keramik (vgl. ebd. 370).

Die Anlagen im S u. N der *via sacra*:

c) Das sog. südliche Nymphäum(?) (Bachmann-Watzinger-Wiegand 1921, 36 Nr. 9 Abb. 29) kann noch nicht beurteilt werden; wohl eher zufällig oder von den Gegebenheiten bedingt ist die mit den westlichen Bauten übereinstimmende Orientierung.

Im einzelnen noch ungeklärt sind die auf Terrassen gelegenen 3 Märkte (entgegen Browning 1973, 138 kaum eine Palästra): Bachmann-Watzinger-Wiegand 1921, 37-41, 74f. Nr. 10 Abb. 30-32; Browning 1973, 137f. Abb. 83 (Rekonstruktion Unterer Markt); Negev 1976a, 24.

Sehr große Höfe sind teilweise von Lager- und Verkaufsräumen umgeben. Der Obere Markt wird durch eine große Freitreppe mit Markttor von der *via sacra* aus zugänglich. Ob der Bogen (oder ein Tetrapylon?) des Trajan über der *via sacra* von 114 n. Chr. auch den Markteingang betraf, ist nach den Vorberichten (Kirkbride 1960b, 119f., 122) nicht entscheidbar. Seitlich der Treppe befanden sich Kammern, 4 Geschosse hoch.-Wiegand erwähnt 2 nabat. Kapitelle an der Grenze zum Mittleren Markt; eines bei Parr 1957, 11 Nr. 13 Taf. 9A. Es gehört zur Gruppe der spätnabat. dorisierenden Kapitelle, die Schmidt-Colinet 1983a besprochen hat (verschleppt von der Kolonnade?). Der Mittlere Markt scheint lediglich eine Verbindung mit anliegenden Lagerräumen (entgegen Browning keine Kamelställe) gewesen zu sein.-Beim Unteren Markt befindet sich im S ein kleiner Tempel(?); ungewöhnlich bleiben die Seitentüren. Einige der Mauern, Einbauten und Architekturglieder der Märkte stammen erst aus römischer Zeit.

d) An den Unteren Markt schließt die Terrasse des Temenos eines großen peripteralen Podientempels an: Dalman 1908, 64; bes. Bachmann-Watzinger-Wiegand 1921, 41-45 Nr. 11 Abb. 33-37 Beil. II (Plan); Browning 1973, 140f. Abb. 20, 82, 83 (Rekonstruktion); Negev 1976a, 24, 26; Busink 1980, 1317, 1319f.; Lindner 1983, 56 Abb. 9; ders. 1985 Abb. S. 18.

Eine Treppe ähnlich der zum Oberen Markt führt von der *via sacra* zum Vorhof (*theatron*) empor. Die Portiken enden in Exedren, zwischen denen eine zweite Treppe zum Tempelhof führt, der gleichfalls von Portiken (mit Archiven?) gerahmt wurde. Südlich des Unteren Marktes befand sich eine Seitenpforte.

Der Peripteros bestand aus einem Langhaus und einem (über einem Gewölbe) hochgelegenen Opisthodom. Die Front war um 2 Säulen verringert, um Raum für eine Treppe zu schaffen, da der Tempel auf einem Podium stand. Die stark griechische Prägung des Tempels könnte ein Anhalt sein, ihn wie die Gesamtanlage der spätnabat. Zeit (Rabel II.) zuzuordnen (vgl. Busink: Zeit Malichus II.). Andererseits bleibt zu beachten, daß die korinthischen Kapitelle dem El-Ḫazne-Typus verwandt scheinen. Erst weitere Untersuchungen und die gebotene Ausgrabung werden die Baugeschichte klären.

Aufgrund eines überlebensgroßen Tychekopfes vom Vorhof erwog Wiegand eine Zuweisung des Tempels an Tyche als Stadtgöttin. Ein solcher Kult ist in nabat. Zeit jedoch noch nicht erweisbar (vgl. erst Negev 1969b, 94f.), so daß andere "Stadtgöttinnen" genannt wurden. Browning sprach sich für Manat aus, doch ist diese Göttin in Petra nicht bezeugt. Auf die alternativ genannte Al-ʿUzzā wird allgemein der Nord-Tempel bezogen (vgl. jedoch unten). Negev verband die Anlage mit dem Aphrodiseion, das in einem Papyrus vom Wādi el-Ḫabra (V4) von 124 n. Chr. erwähnt wird (vgl. dazu Yadin,

1963, 234-37, mit Bezug auf den Qaṣr Bint Fīr'ōn; dagegen Parr 1967b), und mit Gerichtshöfen im Vorhof. Ohne diese Möglichkeit ausschließen zu wollen, bleibt vorerst jede Benennung spekulativ.

e) Nach W folgt eine Thermenanlage in abweichender Orientierung: BD I Nr. 408 u. S. 179; Bachmann-Watzinger-Wiegand 1921, 45-47 Nr. 12 Abb. 39-41 (Abb. 39 Plan, Schnitt); Ronczewski 1932, 89 Abb. 39; Parr 1967/68, 7-9; Zayadine 1971a, 154; Browning 1973, 147-50 Abb. 88; Ismaīl 1980, 28 Abb. 33, 38 (Kapitell mit Maske); Khadija 1983, 208f. Abb. 3f.; Zayadine 1986, 217 Abb. 5f.

Die Therme (mehrere Bauphasen) und die Bauten zum Propylon des Qaṣr Bint Fīr'ōn hin wurden 1967-68 untersucht (M. M. Khadija), noch unpubliziert. Südlich des Propylons liegt ein vom Temenos zugängliches Vestibül, das in eine säulengestützte Halle führte. Hinter dieser nach W geöffneten Halle liegen mindestens 3 Räume einer Therme (Variante des Reihentypus?). Sie wurde von W oder eher noch von O betreten. Im O befindet sich ein Treppenhaus, das aber vielleicht etwas jünger ist und Zugang zum Peripteros gestattet haben mag. Hier sind rot-gelbe Stuckpaneele und Säulen erhalten. Im NW liegt ein runder Kuppelraum mit Nischen mit Muschelschluß zwischen 8 Halbsäulen und reicher farbiger Stuckatur. Die korinthischen Kapitelle bilden eine Variante zu denen des El-Ḫazne. Der Raum dürfte als Frigidarium (oder Caldarium) gedient haben; er wurde mit Thermen in Pompeji verglichen. Die übrigen Kuppelräume sind quadratisch.

Neben der Bauform sichern Wasserbehälter und Kanäle die Bestimmung der Anlage als Therme. Der Bautypus, die Stuckatur (1979 von Zayadine neuuntersucht, noch unpubliziert) und die Kapitelle sprechen für eine Datierung etwa gleichzeitig mit dem Qaṣr Bint Fīr'ōn ins 4. Viertel des 1. Jhs. v. Chr./frühe 1. Jh. n. Chr. (die Spätdatierung und die abwegige Deutung einer angenommenen Vorgängeranlage von Browning sind abzuweisen). Die Lage im Schnittpunkt von zuletzt 4 Tempeln spricht nicht für ein öffentliches Bad, sondern für eine kultische, purifikative Funktion der Therme (vgl. O 19; E4, erst römisch?; X88, erst römisch?), die zunächst dem Qaṣr Bint Fīr'ōn gedient hat.

Skulpturenfunde vom Thermenbereich (Bachmann-Watzinger-Wiegand 1921, 47f. Abb. 38, 42) sind nicht konkret zuordenbar; der Nereidenfries könnte aber vom Motiv her (und der Zeitstellung) zugehörig sein. Zu den Funden aus dem Vestibül s.u.

f) In gleicher Orientierung wie die Therme liegt auf einer Terrasse(?) ein kleiner Podientempel im Typus eines prostylen Hexastylos mit breiter Freitreppe und quadratischer Cella (ebd. 48f. Nr. 13 Abb. 43, Plan; Parr 1967/68, 8f.; Browning 1973, 151f.; Negev 1976a, 29), der noch nicht untersucht worden ist. Die offensichtlich bestehenende Relation zum Temenos des Qaṣr Bint Fīr'ōn und zur Therme ist im einzelnen noch unklar. Vielleicht führte eine Freitreppe vom Temenos herauf(?). Obwohl Wiegand die Bauweise für gering (und spät) hielt, ist von der Lage her und aufgrund der Cellaform eine frühe Datierung im Kontext der Bauten im W naheliegend.

g) Das im O an der Nordseite der *via sacra* gelegene Nymphäum wird der römischen Zeit zugewiesen. Ein einbezogener Mauerrest weist auf eine ältere Anlage hier (Bachmann-Watzinger-Wiegand 1921, 34f.). Der anschließende Bereich bis zum Nord-Tempel ist weitgehend zerstört (ebd. 74 Abb. 3) und war in spätrömisch-byzantinischer Zeit stärker überbaut.

Dies wird u.a. durch site I Hammond illustriert, 1974-77 ausgegraben: Hammond 1977/78, 81-84, 100f. Taf. 43-49; vgl. ders. 1981d, 31f.; ders. 1982, 232f., 235-37.

Über ein hellenistisches Niveau (Phase XIX) wurde in der Phase XVII ein Haus (Plan: Hammond 1977/78 Taf. 44; vgl. Taf. 45, 1) errichtet (1. Jh. n. Chr.). Nabat. Funde (ebd. Taf. 46, 5 -48): Keramik, Münzen, Schmuck (Perlen, Glöckchen), Statuetten aus Stein und Ton, 2 Räucheraltärchen, 1 Hörneraltärchen und(?) 1 "kultisches" Kästchen aus Knochen mit Reliefdekor, 2 Ostraka. Hammond betont, daß nach 106 n. Chr. keine Veränderung eintrat und die (bemalte) nabat. Keramik bis in die spätrömische Zeit fortbestand. Die Funde von einer kleinen Augenidolstele und von Räucheraltärchen bei der spätrömisch-byzantinischen Nekropole über dem nabat.

Haus sollen auf eine Fortdauer nabat. Kulte weisen (vgl. Area A Lindner). Da das Haus nur angeschnitten wurde, ist noch ungeklärt, ob es als privates Wohnhaus anzusprechen ist oder sich einem größeren Komplex einbindet. Die Relation zur älteren *via sacra* und zur Pflasterstraße wurde nicht untersucht.

Zu vergleichen sind 4 Räume (N 2-5) zwischen der *via sacra* und dem Wādi Mūsā, die D. Kirkbride 1955/56 ausgegraben hat: Kirkbride 1960b, 118f. Taf. 7, 2 -8; Negev 1969a, 13; Parr 1983, 143f.

Sie gehen der Pflasterstraße voraus und wurden bei deren Bau aufgegeben (aber noch 2 Münzen der Antoninen). Zu den wichtigsten nabat. Funden zählen Keramik (1. Hälfte 1. Jh. n. Chr.), Terrakotta, Münzen (7 Aretas IV., 4 Rabel II., 5 unbestimmt; vgl. 1 Augustus, 1 Trajan) und Ostraka auf nabat. Keramik in einer Kursivschrift, die dem frühen Arabischen nahekommt (vgl. auch Inschriften site II Hammond).

Ferner zu beachten ist das zweigeschossige Gebäude in trench III Parr: Parr 1960b, 131 Taf. 18B, 19A; Browning 1973, 139.

Es geht in der ersten Bauphase ebenfalls der Pflasterstraße voraus. Das Untergeschoß lag am Wādi, das Obergeschoß an der *via sacra*. Das Obergeschoß ruhte auf Bögen und war über eine schmale Treppenflucht erreichbar (1954 durch die moderne Wādischutzmauer überbaut). Entlang des Wādi führte ein Uferpfad.

h) Seit 1974 wird der von Wiegand vorbehaltlich als "Palast" bezeichnete sog. Löwen-Greifen-Tempel/Tempel der geflügelten Löwen (Hammond) - hier Nord-Tempel genannt - samt Nebenbauten von Ph. C. Hammond (site II-III) ausgegraben: Bachmann-Watzinger-Wiegand 1921, 68-74 Nr. 19 Abb. 60f.; Parr 1957, 11 Nr. (13), 15, 17 Taf. 10B, 11B (10 Nr. 9 Taf. 7B ist eher vom Temenos des Qaṣr Bint Fīr'ōn verschleppt); Hammond 1975 mit Abb., Taf. 1-10; ders. 1977 mit Abb. 1-7 (Diskussion der Kapitelltypen); bes. ders. 1977/78, 84-101 Taf. 43. 49, 1. 50-62 (Taf. 50, Plan); Maurer 1980 Umschlagbild innen; Zayadine 1980, 18 Abb. 15; Hammond 1981a; ders. 1981b, 32-34 Abb. S. 29-34; ders. 1981c; ders. 1981d, 31-39

Abb. S. 35-39 (S. 35 Rekonstruktionen!, S. 38 Malerei, Farbabb.); Schmidt-Colinet 1981, 62 Abb. 6 ("Stadttempel"); Hammond 1982, 232-37; Bennett 1983 Abb. S. 29 oben; Hammond 1983/84; Lindner 1985 Abb. S. 26f.; Hammond 1986a, 23-25 Abb. S. 21f. (S. 21 Plan); bes. ders. 1986b mit Abb. 1-22.

Die überaus reichen Funde vom Tempel und die aufschlußreichen Befunde der angrenzenden Räume geben dieser sorgfältigen Ausgrabung eine eminente Bedeutung.

Der Tempel geriet um 110/14 n. Chr. durch Unachtsamkeit oder infolge eines leichteren Erdbebens in Brand. Dabei wurden das Dach zerstört und die Innenausstattung beschädigt. Es kam aber zu keiner Restauration! Vielmehr wurden bald Dekorteile und Baumaterialien entnommen. Die Erdbeben von 363 und 551 n. Chr. führten zum völligen Einsturz der Ruine.

Hammond unterscheidet 25 Phasen (1981a, 7; verändert gegenüber früheren Zählungen). Der Bau entstand unter Aretas IV. im 1. Viertel des 1. Jhs. n. Chr. (Phase XXV). Dies wird durch eine Weihinschrift vom (34.? oder) 37. Jahr Aretas IV., d.h. (25/6 oder) 28/9 n. Chr. (in den Vorberichten unstimmig) gesichert. 3 vorhergehende Phasen sind nicht näher untersucht. Die Abweichung in der Orientierung von den westlichen Bauten der Zone und die Relation zu den sog. Gymnasien sind noch nicht erklärt. Wie beim Theater wies Hammond auch hier die Anwendung Vitruvscher Regeln in einigen technischen Details nach. Insgesamt zeichnet sich der Tempel durch eklektische Züge, nabat. überprägt aus.- Unter Malichus II. (oder erst Rabel II.?) kam es zu einer grundlegenden Umgestaltung des Dekors (Phase XXIV). Sie war offenbar noch nicht abgeschlossen, da die Werkstätten noch tätig waren, als der Brand ausbrach (Phase XXIII), der zur Aufgabe führte. Das Datum für die *renovatio* übernahm Hammond von seiner Theatergrabung. Doch auch dort schien die Phase Ib möglicherweise in die Zeit Rabel II. zu gehören; zudem ist diese Parallelisierung nicht zwingend (1 Münze Rabel II. stammt erst aus einer jüngeren Phase: Hammond 1975, 16 Taf. 2, 2; ders. 1977/78, 90; vgl. ders. ebd. 95: 2 Aretas IV., 2 unbestimmt). Erst die Analyse der Einzelfunde wird die *renovatio* datieren helfen, die eine bemerkenswerte gesellschaftliche und kulturgeschichtliche Reaktion war. Sollte sie wirklich mit Rabel II. zu verbinden sein, müßte man überlegen, ob sein

Thronname "der sein Volk wiederbelebt/erneuert und errettet hat" sich auf diese *renovatio* beziehen läßt; dann müßten bei anderen Anlagen, auch andernorts, ähnliche Veränderungen aufweisbar sein.

Eine Brücke über das Wādi Mūsā führte zu einem monumentalen, etwa 85 m langen Aufgang in Absätzen zum Tempel. Dieser Weg, eine *via sacra* für sich, war von Portiken flankiert, die mit farbigem Stuck reich verziert waren.

Der Zugang zum Tempel erfolgte über Treppen im W und(?) O zu einem Vorhof. 2 schmale Durchlässe in der Tempelfront führten in ein Pronaos. Die Vorbauten ruhen auf Gewölben. Die Ecken der Tempelmauern waren durch Vorsprünge (offset-inset-Typus) verstärkt. Die Front war mit Marmor und Stuck verkleidet.

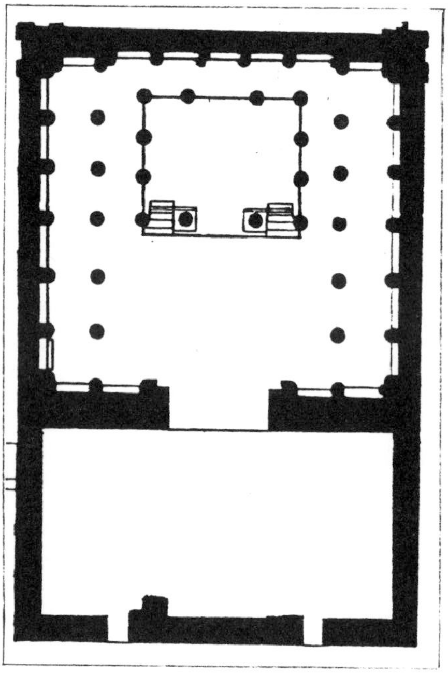

Abb. 41 Petra. Nord-Tempel

Die Cellafront war weit geöffnet, so daß Hammond hier Falttüren erwägt. Die Cella bildet ein Quadrat, in dessen hintere Hälfte eine Altarplattform (*mōtab*) gesetzt ist. Marmorpflaster in der Cella. Ringsum liefen Halbsäulen um, die kunstvoll verzierte Nischen rahmten. Davor befanden sich freistehende Säulen. So war eine Art Portikus (für den ṭawāf-Brauch?) gegeben. Die Säulen waren stuckiert. Auch die korinthischen Kapitelle, hergeleitet von denen des El-Ḫazne, besaßen Stuckblumen im Rankenwerk. Die Säulenbasen waren durch "Krägen" vorgetäuscht. Die Wände waren marmorverkleidet (*crustae*), stuckiert (vgl. Qaṣr Bint Fīr'ōn) und bemalt (auch Blattgold). Neben geometrischen und floralen Elementen (darunter Blitzmotiv) werden Darstellungen von Eroten (vgl. N54) und Kantharoi zwischen Delphinen und auf zentralen Paneelen Fresken mit Büsten und Mysterienszenen(?) (Hammond 1977/78 Taf. 61, 1) genannt. Unter den Stuckresten fanden sich viele Gesichter, Masken und vollständige Figuren (ebd. Taf. 57, 1. 60, 1-6. 62, 2. 4; ders. 1975 Taf. 10, 5-6). Auch die Decke war stuckiert. Bei der *renovatio* wurden die figürlichen und alle zu prachtvoll scheinenden Elemente des gesamten Dekors überdeckt oder ausgewechselt.

Die Altarplattform (vgl. Qaṣr Bint Fīr'ōn; M65) war dreiseitig von Halbsäulen umgeben, die oberhalb freigestellt waren. In der Front befanden sich 2 ganz freistehende Säulen. Die korinthischen Kapitelle trugen statt der Voluten geflügelte Löwen und statt der Abacusblüte einen Kopf (Eros?, mit torques?); die Löwen wurden von verschiedenen Steinmetzen gearbeitet. Die Plattform könnte mit Vorhängen (Haken) verkleidet gewesen sein (2. Phase?). Zwischen den 2 Frontsäulen und den Ecksäulen führten 2 Treppen auf die Plattform. Diese Zugänge waren mit Eisentüren verschließbar. Der Boden besaß ein geometrisches Mosaikpflaster. Rückwärtig war in die Plattform ein verschließbarer Raum mit Regalen eingelassen, entweder als "Sakristei" für die Paraphernalia oder als Schatzkammer oder als *favissa* für nicht mehr benutzte Kultobjekte.

Nördlich des Tempels werden Unterkünfte für Priester und Tempelpersonal und westlich Werkstätten der Tempelbauschule (2. Phase mit Kontinuität der Besiedlung bis 363 und teilweise bis 551 n. Chr.) angegeben. In der Marmorwerkstatt fand man neben über 1000 Marmorstücken in allen Stadien der Bearbeitung noch Steinblöcke, nummeriert mit nabat. Buchstaben (Hammond 1981d Abb. S. 37; vgl. Hinweise oben, Theater), die bei der *renovatio* nicht mehr/noch nicht versetzt worden waren, und 3 Inschriftfragmente (für die *renovatio* zwischenzeitlich abgenommen?), davon nennen 2 Aretas IV. (u.a. die Bauinschrift von 28/9 n. Chr.). Aus der Malerwerkstatt stammen neben nabat. Keramik (auch technische Gefäße) Reste der Farben.

Von den übrigen nabat. Funden site II-III seien aufgeführt: Keramik seit dem frühen 1. Jh. n. Chr.; Münzen; 1 nabat. Name auf einer stuckierten Säule, überstuckiert; 1 Inschrift beim sog. Līwān; 1 Bodenstein mit 2 nabat. Buchstaben; Ostraka; Schmuck; Glöckchen (*tintinabulae?*); Bronzegefäße und figurale Henkel von Bronzegefäßen; Terrakotten; bärtiger Kopf mit phrygischer Mütze (Gott?, nabat. Stil; dieser bedeutende Fund ist noch nicht abgebildet) (u. Zeh) einer etwas überlebensgroßen Statue; Arm einer Bronzestatuette; bronzenes Pantherköpfchen; thronende Isis (Hammond 1977/78 Taf. 57, 3; vgl. ferner Zayadine 1982, 387: u. 2. Isisfigur?); Torso einer Osirisfigur von einer ägyptischen Grabstatue in Wiederverwendung als Votiv, aus Atribis (S2) (Hammond 1977/78 Taf. 57, 2; ders. 1986b Abb. 3; Zayadine 1980, 18, 6. Jh. v. Chr. Der Typus begegnet in der 25./26. Dynastie. Die Bedeutung des Fundes wird von Hammond wohl überbewertet); 2 kleine Augenidolstelen (Hammond 1977/78 Taf. 57, 4; Cat. Bruxelles Nr. 56 mit Abb.); bes. 1 große Augenidolstele (Block mit Fassade; 2. Phase) mit der (vollständigen) Inschrift "(dies ist) die Göttin des Ḥayyān, Sohn des/der Nāybat". Das Idol ist bekränzt (das einst eingesetzte Medaillon fehlt) und ist in eine Scheinädikula gesetzt. Hammond hat die Göttin als Atargatis, Zayadine (1979, 197; weist ebd. zu Recht die Gemme mit Nereide aus diesen Kontext) richtiger als Al-ʿUzzā benannt. Nach Knauf 1984a, 111 mit Anm. 607 wäre anzunehmen, daß bei den Nabatäern unter verschiedenen Namen und Wesensdarstellungen durchaus gleiche Götter gemeint sein können, in diesem Fall Al-ʿUzzā und Allat (vgl. auch Zayadine 1983a, 115).

Aufgrund der Stele, der geflügelten Felinen, der Delphinmotive, der (Nereiden-)Gemme und der Beziehungen zu Ḫ. et-Tannūr (M65) bezog Hammond den Tempel auf Atargatis, später auf Al-ʿUzzā-Atargatis. Wie die Befunde anderer nabat. Tempel lehren, bleibt es problematisch, aus dem Baudekor auf den Tempelgott zu schließen. Die geflügelten Löwen schützten hier allerdings den zentralen Tempelteil. Sie begegnen sonst bei Allat (vgl. O 19), so daß auch ihr der Tempel zugewiesen werden könnte.

Die Augenidolstele wird auf Al-ʿUzzā zu beziehen sein. Es finden sich aber auch sonst Weihungen an Götter, die nicht die jeweiligen Tempelgötter sind (vgl. z.B. F11). Bei der starken Verehrung der Al-ʿUzzā in Petra, die die der Allat übertroffen zu haben scheint, wäre gerade ein Votiv an sie hier nicht ungewöhnlich. Jedenfalls ist die Stele nicht das Tempelkultbild.

Der Tempel kann wegen seiner frühen Aufgabe nicht das noch 124 n. Chr. bezeugte Aphrodiseion (in der Nachfolge eines Al-ʿUzzā-Tempels) gewesen sein (entgegen u.a. Zayadine 1983a, 114). Letztlich ist nicht auszuschließen, daß der Tempel der Isis geweiht war, die in Petra besonders verehrt wurde. Darauf könnten die Isis-, Osiris- und Serapisstatuetten, das Mysterienfresko, die hybride Ausstattung und Reminiszenzen an den El-Ḫazne weisen. Diesem Ansatz wäre nachzugehen.

i) Den Abschluß der Anlagen an der *via sacra* bilden im NW die sog. Gymnasien: BD I Nr. 407, 421-22 Abb. 348; Bachmann-Watzinger-Wiegand 1921, 65-68, 73 Nr. 18 Abb. 56-59, 64; Horsfield 1938 Taf. 5, 1; Browning 1973, 139f. Abb. 168.

Eine Brücke über das überwölbte Wādi Mūsā führte mit einer Treppe zu den Terrassen, auf denen hintereinander die "Gymnasien" lagen. Die südliche Brückenfrontmauer wies Nischen zwischen Halbsäulen auf. Das Brückentor zeigte Viertelsäulen (2., spätnabat. Phase?); seitlich befanden sich Statuenbasen. Wiegand wies dem Torbogen als Schlußstein ein Relief mit einer Nike mit Palmzweig und cornucopiae zu; anderer Ansicht nach stammt das Relief vom Propylon(?) oder aus dem Temenos des Qaṣr Bint Fīrʿōn (vgl. Parr 1957, 8 Nr. 3 Taf. 4A; vgl. auch Scheck 1985 Taf. 9; entgegen Parr keine Tyche).

Zuerst wurde ein Hof mit Portiken erreicht. Am Nordende nahm Wiegand gemäß seiner Interpretation der Gesamtanlage ein Ephebeion an, das aber im Oberflächenbefund nicht gesichert werden konnte. Der Front eines derartigen Baues wies er 3 Friesfragmente zu, die im Hof gefunden wurden und Eroten zwischen geflügelten Löwen zeigen, diese nach Art des "Herrn der Tiere" bändigend (vgl. auch BD I Nr. 422 Abb. 348; Parr 1957, 9 Nr. 5 Taf. 5A-B). Bevor nicht die Bauten der Terrasse geklärt sind, bleiben diese Annahme und Versuche einer Zuweisung an den Temenos des Qaṣr Bint Fīr'ōn und den Nord-Tempel hypothetisch.

Die Baustrukturen der beiden oberen Terrassen konnten nur ungefähr ermittelt werden. Ein "Säulenhof" auf der obersten Terrasse lag nochmals erhöht.

Die Anlage bedarf dringend einer eingehenden Untersuchung. Neben der alten Benennung wird man für andere Bestimmungen offenbleiben müssen. Für die Frage der Datierung (und Funktion) dürfte neben den Reliefs und Architekturelementen auch die Ausrichtung der Anlage entsprechend der Therme und dem Propylon Bedeutung haben.

j) Zu den 3 Baueinheiten des Heiligtums des Qaṣr Bint Fīr'ōn, nämlich Propylon, Temenos und Tempel, liegen zu den jüngeren Untersuchungen seit 1958 nur Vorberichte vor.

Das zuerst als Triumphbogen (L. de Laborde), dann als Straßentor (Th. Wiegand) geltene Propylon zum Temenos wurde mit dem Nachweis von vorgestellten Säulen und Türen im O durch Parr in seiner Funktion gesichert: BD I Nr. 406 Abb. 204f., 344-46; Kohl 1910, 16 Abb. 14; Bachmann-Watzinger-Wiegand 1921, 49-56 Nr. 14 Abb. 44-47 (Abb. 45 Rekonstruktion W-Seite); Ronczewski 1932, 89 Abb. 38; Parr 1960b, 131f. Taf. 19B-22 (trench IV; wichtiger stratigraphischer Befund); Wright 1961c mit Abb. 1-3, 5f. (Abb. 1 Plan); Starcky 1966, 947f. (Zeit Rabel II.); Wright 1966 mit Abb. 5 Taf. 26-28; Parr 1967b, 556f.; ders. 1967/68, 7f., 17 Taf. 1, 11 (Gesamtplan des Temenos); Wright 1967/68, 20 Taf. 12-15; ders. 1970 mit Abb. 1-9 Taf. 17; Browning 1973, 141-47 Abb. 18, 23, 86 Taf. 4 (Abb. 86 Rekonstruktion O-Seite, 23 Ansicht L. de Laborde 1829); Lyttelton 1974, 63-65 Taf. 70, 75 (Frühdatierung); Negev 1976a Abb. 33f.; ders. 1977a, 602 Taf.-Abb. 22; Cat. Bruxelles Nr. 1, 7; Ismaīl 1980 Abb. 32, 36; Maurer 1980 Abb. S. 51, 53; Hammond 1981d Abb. S. 27; Schmidt-Colinet 1981, 62 Taf. 3, 5-7, 36-38; Zayadine 1981a, 353 Taf. 101 (Korrektur der Restauration); Lindner 1983, 91, 94; ders. 1985 Abb. 27, 29.

Warum das Propylon sowohl von der Achse des Tempels und des Temenos als auch von der der Pflasterstraße abweicht, ist unklar. Beiderseits des Tores schließen Turmbauten dicht und hoch an; der südliche Bau diente als Vestibül vom Temenos zur Therme (s.o.).

Das Propylon weist 3 Durchgänge auf, von denen der mittlere durch Größe und Dekor betont ist. Im O sind 4 freistehende, verkröpfte Säulen, wie der Bogen insgesamt auf Postamenten, vorgesetzt. Die zwischenzeitliche Restauration mit relativ dünnen und zu kleinen Säulen und zoomorphen flachen Kapitellen ist wieder abgebaut worden. Zu den Kapitellen mit Delphinprotomen, die noch nicht zuordenbar sind, vgl. Wright 1961c, 127, 134 Anm. 1 Abb. 4; Lyttelton 1974 Taf. 77; Erträge Bonn Taf. 7, 37; Zayadine 1981a, 353 Abb. 8; vgl. auch N66!

Die Pilaster, die den mittleren Durchgang im O rahmten, waren mit Reliefpaneelen und einem Rankenkapitell verziert. Das Kapitell steht in der Tradition des El-Ḫazne-Typus. Die Paneele zeigten im Wechsel Rosettenblüten (vgl. M80) und Götterbüsten. Von den 6 Büsten sind 4 noch in Umrissen deutlich. Ihre Benennung ist strittig und noch nicht überzeugend. Sie kann nur im Kontext weiterer Büstenreliefs aus dem Bereich des Propylons erfolgen, die z.T. aus dem Bauschutt des sog. Vestibüls (2. Phase des südlichen Turmbaues?) stammen (infolge einer *renovatio* wie beim Nord-Tempel entfernt?). Diese und andere Skulpturen hier sind erst in Auswahl und unzureichend bekannt geworden: Dalman 1912, 23; Parr 1957, 6-10 Nr. 1f., 4, 6f., 9 Taf. 1-3, 4B, 6f.; Glueck 1965 Taf. 153c (verkantet); Wright 1967/68, 21-25 Taf. 16-18 (12 Reliefs); Zayadine 1971, 154 Taf. 42a, c; Cat. Bruxelles Nr. 4 mit Abb.; Schmidt-Colinet 1981, 62 Abb. 2 Taf. 64f.; Zayadine 1981c, 117 Taf. 2, 1; Lindner 1986, 161 Abb. 4.

Diese Funde lassen sich nach Form und Inhalt zu Gruppen zusammenstellen. Die qualitätvollen Büstenreliefs entsprechen denen am Propylon. Sie könnten als Epistylkröpfe/Attikapaneele (doppelt wie in der Skizze Wright 1966 Abb. 5?) über den Säulenstellungen (vgl. z.B. BD I Nr. 772) oder auch auf der W-Seite angebracht gewesen und relativ früh (guter Erhaltungszustand) abgenommen worden sein. Da Maßangaben durchweg fehlen, können manche Erwägungen zur Anordnung noch nicht abgesichert werden. Das gilt auch für die alternative Zuweisung an den

Qaṣr Bint Fīr'ōn und seinen Altar. Daß nicht alle hier gefundenen Reliefs dem Propylon zuzuweisen sind, könnten die Reliefs mit Meerwesen und die mit Waffen (einer Galatomachie; Typus, entgegen Wright nicht historisch auf Petra zu beziehen) sprechen, die zusammengehören und von einem Monument stammen, das den Sieg von Actium (31 v. Chr.) feierte, an dem die Nabatäer beteiligt waren. Es liegt nahe anzunehmen, daß man sich damit bei Augustus (in Konkurrenz zu Herodes I.) einschmeicheln wollte.

Die Götter sind in griechischer Formulierung in einer Stilmischung aus späthellenistisch östlichen Elementen und augusteischen Klassizismen dargestellt (spätes 1. Jh. v. Chr./frühes 1. Jh. n. Chr.). Manche Götter (Ares, Hermes) begegnen mehrfach. Man ist versucht, den griechischen Göttern solche der Nabatäer zu unterlegen: u.a. Dionysos/D̲ū Šarā, Athena/Allat, Aphrodite/Al-'Uzzā, Ares/"Ares", Hermes/Al-Kutbā, Adler/Qōs. Einige der Reliefs wurden in Ḫ. et Tannur (M65) nachgebildet (vgl. Glueck 1965 Tafeln). Das mit den Reliefs verbundene Programm ist noch zu ermitteln. Zur Annahme, diese Reliefs seien von auswärtigen Bildhauern am nabat. Königshof gearbeitet worden, vgl. man Strabo XVI 4, 26.

Die Pilaster der seitlichen Durchgänge waren im O mit einem Rankenrelief mit Rosettenblüten und mit einem Gebälkkapitell verziert. - Der obere Teil des Propylons ist nur hypothetisch ergänzbar.

Im W waren die Säulen als Halb- bzw. Viertelsäulen eingebunden. Sie trugen nabat. Hörnerkapitelle, wie sie vielleicht auch für die vorgestellten Säulen im O anzunehmen sind. Die Pilaster des mittleren Durchganges variierten die Dekormotive der O-Seite (ohne Büstenreliefs?). Im Durchgang hat Lindner 1983, 94 ein nabat. Steinmetzzeichen bemerkt.

Während Wiegand und Starcky das Propylon spätnabat. (und vor den Bogen in Boṣrā, F7) ansetzten, datierten es Parr und Wright ins späte 2. Jh. n. Chr., frühestens in trajanische Zeit (darauf beruht die Verwechslung mit dem Trajansbogen beim Oberen Markt von Scheck 1985, 408), jedenfalls nach der Pflasterstrasse. Lyttelton brachte dagegen Argumente für eine Frühdatierung (vgl. auch Schmidt-Colinet). Mit diesen stilkritisch und bautypologisch begründeten Ansätzen ist der stratigraphische Befund aus trench IV Parr zu korrelieren.

Das Pflaster der sog. piazza im O besteht zwar aus kleineren Steinen als das in den Durchgängen, doch mag das bereits die ursprüngliche Gestaltung sein oder erst die einer Umgestaltung beim Anschluß der neuen Pflasterstraße. Sie läßt sich aber kaum als Argument für ein neues Tor anführen. Das niedrige Niveau ist bereits durch die Türvorrichtung bedingt und nicht erst in einer 2. Phase so gelegt.

Im Fundamentschutt unter dem Pflaster fand man u.a. 1 stukkiertes Pilasterfrag., das auf ein abgetragenes/zerstörtes Bauwerk/Tor an dieser Stelle bezogen wurde, was ganz hypothetisch bleibt. Bedeutsamer ist der Stumpf einer Mauer nördlich des N-Postamentes und rechtwinklig zum Propylon. Auf dieser Mauer ruht der Turmbau im NW, der das Propylon begrenzt. Man hat angenommen, daß die Mauer für das Propylon und das Pflaster der sog. piazza niedergelegt worden sei und mit dem Turm den Rest einer älteren Anlage anzeige. Doch scheint es sich eher um eine Substruktionsmauer zu handeln, die ein seitliches Abrutschen und Verschiebungen des Fundamentschuttes verhindern sollte und die zugleich Schutz vor dem Wādi Mūsā bot. Sie ist deshalb als zeitgleich mit dem Propylon anzusehen.

Die These (Parr), daß das jetzige Propylon sekundär in eine bestehende Anlage hineingesetzt worden sei, bedürfte weiterer Begründung. Vorerst scheint es richtiger, zur Gleichzeitigkeit von Tempel, Temenos und Propylon, gebaut unter Obodas III.(-Aretas IV.), zurückzukehren. Unabhängig davon mögen Bauphasen/ Veränderungen konstatierbar sein, die u.a. den Dekor (Reliefs) und im Anschluß der Pflasterstraße unter Rabel II. die sog. piazza betrafen.

Die *via sacra* setzte sich hofartig verbreitert (vgl. E4) im Temenos gut 150 m fort und mündete ohne Abtrennung (entgegen der Rekonstruktion von Bachmann) in den Altarhof. Seitlich wurde sie von Bankreihen und anderen Anlagen begleitet. Die N-Seite am Wādi Mūsā ist stark erodiert; nur einzelne Mauerteile sind noch kenntlich. Dagegen konnten die Pflasterung, die S-Mauer und die ihr vorgesetzten Anlagen 1963-65 näher untersucht werden, obwohl manche Fragen offenblieben. Römische Votivinschriften des 3. Jhs. n. Chr. zeigen den Fortbestand des Heiligtums an.

BD I Nr. 401f., 404f. u. S. 178, 304 Abb. 333-37; Dalman 1912, 52f.; Bachmann-Watzinger-Wiegand 1921, 56-61 Nr. 15f. Abb. 48-50 (Abb. 50 irrig ergänzter Plan); Kennedy 1925 Abb. 134; Horsfield 1938, 10 Taf. 29, 2; Wright 1961b, 10; Starcky 1965c,18 Abb. S. 16, 18; Starcky-Strugnell 1966 mit Taf. 8f. (Inschriften); Parr 1967b, 553-57; bes. ders. 1967/68, 7-14, 16, 19 Taf. 1-6, 9, 11 (Plan); Starcky-Bennett 1967/68, 48f. Taf. 21, 26b-c (Inschriften); Wright 1967/68, 26-29 Taf. 20; Browning 1973, 150-56, 161f. Abb. 23, 89f., 92, 94; Negev 1976a, 29-31 Abb. 39; ders. 1977a, 602-04 (folgt noch irrig dem Plan von Bachmann); Maurer 1980 Abb. S. 53; Parr 1983 Abb. 5.

Direkt vor dem Eingang des Vestibüls südlich des Propylons befand sich ein niedriges Podium mit einer Wandbank. Über die Funktion sind nur Spekulationen möglich.- Dann folgte eine Treppe(?), die als Zugang zum Hexastylos (s.o.) gilt. Angesichts des Mauerbefundes, bes. in Vergleich zur nach W folgenden wirklichen Treppenanlage, erheben sich Bedenken gegen diese Annahme, die vor allem durch den Achsenbezug gestützt wird. Die These von Browning, die "Terrasse" mit der Freitreppe sei ursprünglich nicht durch eine Temenosmauer unterbrochen gewesen und beim Mauerbau sei dann die Treppe entfernt worden, wird dem Befund nicht gerecht. Es ist zumindest zu erwägen, ob der vorhandene Rest nicht eher mit einem Langanathem zu verbinden ist.-Warum das Pflaster vor dieser Anlage ausgespart blieb, ließ sich wiederum nur spekulativ beantworten. - Wohin die schon genannte Treppenanlage weiter westlich führte, ist nicht bekannt/untersucht.- Daß die hinter der S-Mauer liegende "Terrasse" den Priestern vorbehalten war, bleibt Mutmaßung. Bemerkenswert scheint, daß sich der Temenos hier und an weiteren Stellen (s.u.) öffnete.

Auf einer Länge von 73 Metern folgte dann eine zweistufige Sitzbankreihe; eine 3. obere Bankreihe diente als Sockel für Votive. Diese Anlage, eine Art *theatron*, weist 2 Bauphasen und Additionen römischer Zeit auf. Die letzten 7 Meter im W sind deutlich jünger, aber nach Art der östlichen Bänke restauriert. Es ist weder deutlich, was im W ursprünglich gestanden hat (Bänke oder Monument?) noch warum diese Änderung erfolgte

(Browning: eine zuweitgehende Vorbereitung in der Umgestaltung weiter westlich nötigte zur Restauration). - Vom Abschnitt im W stammen die Inschriften A-F (zu F korrigierend Bowersock 1983, 160). Die jüngsten, lateinisch (F) und griechisch (A), gehören der trajanischen und hadrianischen Zeit an. Während B-E (E griechisch) eine Einheit bilden, dürften jene später hinzugesetzt worden sein. Die älteste Inschrift, nabat., nennt eine Votivstatue Aretas IV., gestiftet von einem Priester. Eine 2. nabat. Inschrift, näher beim Propylon gefunden, bezeichnete ein kostbares Votiv und war in die Zeit Malichus II. datiert. Anzuschließen ist eine 3. Inschrift von der Freitreppe des Qaṣr Bint Fīr'ōn, die Ša'udat, Tochter Malichus II. nennt (Zayadine 1981a, 354f. Taf. 102, 2; wohl hierauf bezieht sich die Fehldatierung des Tempels von Hadidi 1986, 12). Für 2 weitere Inschriften (Namen) fehlt der genaue Fundort. Aus dem Temenos soll auch die Inschrift einer Statuenbasis Rabel I. von 70/69 oder 68/7 v. Chr. in erneuter Wiederaufstellung stammen (s.o.).

Der Inschrift Aretas IV. kommt für die Datierung des Heiligtums besonderes Gewicht zu. Der Inschriftblock ist integraler, nicht sekundärer Bestandteil der Sockelbank. Da diese bereits eine 2. Phase anzeigt und die Inschrift paläographisch ins frühe 1. Jh. n. Chr. datiert worden ist, muß die 1. Phase mit der Anlage des Tempels und des Temenos vorausgehen. So ergibt sich eine Zuweisung an Obodas III. (-Aretas IV.). Selbst wenn die Inschrift erst spätnabat. sein sollte, kann die Datierung des Heiligtums beibehalten werden, da sich für sie auch andere Argumente (s.u.) anführen lassen. Lediglich die Restauration der W-Bänke (und weitere Anlagen im W) wäre(n) dann später anzusetzen.

Im Anschluß an die Bankreihe ist die S-Mauer für ein monumentales Tor geöffnet. Es wird von Pilastern und Viertelsäulen gerahmt. Wohin dieser Eingang führte (das Niveau lag 1 m höher), ist noch nicht untersucht (die Rekonstruktion von Bachmann ist hypothetisch). Ob sich von hier parallel zur S-Mauer eine 2. Mauer nach O hinzog, ist noch nicht abgesichert. - Die S-Mauer setzte sich bis auf wenige Meter zum Tempel hin fort. Ein hohes Postament lag davor.

Die S-Mauer bog dann nach S um und bildete die östliche

Grenzmauer des Tempelbezirkes. Die Relation zum Tempel bekundet die Gleichzeitigkeit der Anlage von Tempel und Temenos. Der Tempel war dreiseitig relativ eng von dieser Temenosmauer umgeben.-Nach N war ein großer Hof mit Altar vorgelagert. Der Plan von Bachmann ist im ganzen aufzugeben. Nur im W war eine Exedra mit Viertelsäulen in den Innenecken der vorgezogenen Anten vorhanden. Im neuen Plan von Parr sind die inzwischen erodierten Mauerreste im W außerhalb nachzutragen, die u.a. einen Uferweg nach El-Ḥabīs anzeigen könnten. - Einen weiteren, monumentalen Eingang axial im N nimmt man aufgrund der nach S umknickenden N-Mauer (nur Ansatz erhalten) an. Jenseits (einer Brücke über das Wādi Mūsā) findet sich ein paralleler Mauerzug. Der Befund bedarf noch weiterer Klärung.

Der monumentale Altar (die Zeichnungen BD I sind nicht zutreffend; entgegen Wiegand keine späte Zisterne) besteht aus einem hohen Podium und einer breiten Freitreppe im S, dem Tempel zu. Die ursprüngliche Schmuckverkleidung (Marmor, Stuck, Reliefs?) ist nicht mehr erhalten.

Der Qaṣr Bint Fīr'ōn wurde 1958/59 und 1963-65 (P. J. Parr) und seit 1978/79 (F. Zayadine) mehrfach untersucht. Da er teilweise noch bis zu 23 m Höhe erhalten ist, beschränkte man sich auf die Restauration der eingestürzten SO-Ecke, eine Freiräumung im Innern (noch nicht abgeschlossen), partielle Ausgrabungen entlang der Außenseiten und eingehende Beschreibungen. Die Monographie von Kohl 1910 ist zwar in einigen Punkten (bes. der Rekonstruktion) überholt, aber weiterhin grundlegend. Sie wird ergänzt durch die Gesamtdiskussion von Wright 1961b.

L. de Laborde 1829 = Browning 1973 Abb. 23, 93; BD I Nr. 403 u. S. 175-77 Abb. 199-203, 338-42; Kohl 1910 mit Abb., Taf.; Bachmann-Watzinger-Wiegand 1921, 59-61 Abb. 50f.; Watzinger 1935, 77 mit Anm. 1 (tiberianische Zeit); Amy 1950, 108f.; Parr 1960b, 133 (trench X) Taf. 23-24A; Harding 1961 Taf. 19a; Wright 1961b mit Abb. 2-11 (u.a. Pläne, Schnitte; antoninisch-severische Zeit) Taf. 1f.; Yadin 1963, 235-37 (= Aphrodiseion; dagegen Parr 1967b; s.o.); Starcky 1965c, 17f. Abb. S. 18; ders. 1966, 975-78 (Zeit Aretas IV.); Parr 1967b (Spätdatierung ebd. 556 aufgrund der Aretas IV.-Inschrift widerrufen); ders. 1967/68, 13-19 Taf. 6-8, 10f.; Wright 1967/68, 27f. Taf. 19f.; Browning 1973, 154-64 Abb. 10, 91-98 (Abb. 94 und 98 Rekonstruktionen), 184 Taf. 5b; Lyttelton 1974, 65-68 Taf. 67; Negev 1976a, 30f. Abb. 23, 39, 44 (abweichende Datierung Mitte 1. Jh. n. Chr.); ders. 1977a, 603f. Taf.-Abb. 24f.; ders. 1978, 949-52; Busink 1980, 1297-1317; Cat. Bruxelles Nr. 58 mit Abb.; Ismaïl 1980, 28 Abb. 35; Maurer 1980 Abb. S. 52; Zayadine 1980, 19 Abb. S. 18; Hammond 1981d, 33 Abb. S. 34; Schmidt-Colinet 1981, 62 Abb. 4 (überzeugende Gegenüberstellung mit Ranken der Ara Pacis Abb. 5) Taf. 8f., 38a; Zayadine 1981a, 354f. Taf. 102; ders. 1982, 374-80 Abb. 7-9 Taf. 123-30; Bennett 1983 Abb. S. 29 unten (mit dem Nord-Tempel verwechselt); Parr 1983, 146 Abb. 5; Zayadine 1983, 239 Abb. 27; Hammond 1983/84, 252; Larché 1984 mit Abb. 18f., 65f. (Abb. 65 neuer Plan); Barbet 1985, 50 Abb. 26b; Lindner 1985 Abb. S. 28, 30f.; Wright 1985 mit Abb. 3f.; Zayadine 1986, 237-48 Abb. 34-36, 39-47 (Abb. 44, 47 neue Rekonstruktionen F. Larché).

Der Tempel wurde offenbar noch im 3. Jh. n. Chr. zerstört (Zayadine erwägt einen Einfall der Zenobia, 270 n. Chr.) und wurde fortan seiner Marmor- und Stuckverkleidung und vieler Steine beraubt. Die Erdbeben von 363 und 551 n. Chr. hinterließen weitere Schäden. Einbauten und Nutzungsniveaus umfassen die byzantinische und die frühislamische Zeit bis ins Mittelalter. Trotzdem ließen sich der Ruine und den Ausgrabungsbefunden eine relativ genaue Rekonstruktionsbewchreibung und manche technische Einsichten (z.B. Verwendung von Holz in der Konstruktion) abgewinnen. Es fehlt noch an Vorlagen der inzwischen vermehrten Architekturglieder (u.a. Kapitelle). Ein ionisches Pilasterkapitell (vgl. N67) ist noch nicht zugeordnet. Die Verwendung des nabat. Hörnerkapitells, wie in den Rekonstruktionen angenommen, ist nicht belegt.

Der nahezu quadratische Tempel stand auf einem Podium. Eine breite Freitreppe von 14+8 Stufen war vorgebaut. Obwohl sich u.a. stuckierte Architekturglieder (vgl. den Befund vom Propylon) eingebaut fanden, gibt es doch keinen Hinweis auf einen Vorgängerbau. Jene Spolien müssen nicht unbedingt von einem älteren öffentlichen unbekannten Bauwerk stammen, sondern könnten verworfene Stücke der Vorbereitungsphase des Tempelbaues sein.

Tempel und Altarhof gründen unmittelbar auf Fels und Wādischwemmsand mit eingespülter früher nabat. Keramik. Zwar fanden sich spärliche Mauerreste, aber nicht solche von größeren Bauten. Dieser Befund entspricht genau dem von trench III Parr (s.o.).

Der Tempel steht somit nicht über einer alten Verehrungsstätte, sondern wurde im Kontext der Neukonzeption dieser Zone neugegründet. Die N-S-Ausrichtung ergab sich infolge der Orientierung am Wādi Mūsā. Sie wurde für weitere Tempel dieser Zone bestimmend bzw. galt für diese der gleiche Grundsatz und nun auch die Relation zur *via sacra*. Der versuchte Bezug auf die Šarā-Berge (Parr) überzeugt nicht. Bei der Neukonzeption ist nicht eine Stadtplanung mit einer Hauptstraße zu sehen, sondern die Anlage eines zentralen sakrosankten Komplexes. Ob hier ein dynastisches oder ein nationales Heiligtum gesehen werden muß, läßt sich nicht entscheiden. Profane Bauten wurden nach O gerückt. Die Anlage in Sīʿ (E4) ist durchaus vergleichbar, auch in der Zeitstellung.

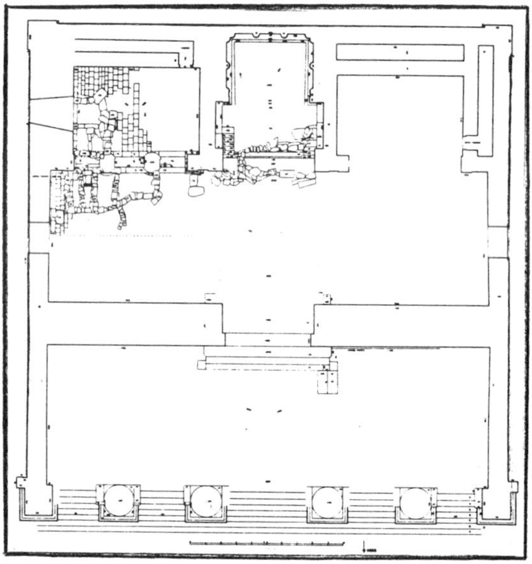

Abb. 42 Petra. Qaṣr Bint Fīrʿōn

In der Front standen 4 Säulen mit Balustraden zwischen weitvorgezogenen Anten. Die Anten waren als Pilaster dreiseitig mit Stuckpaneelen verziert. Die Paneele zeigten rein ornamentale Muster. Figürliche Ausbildungen fehlen auffälligerweise; sie sind auch für die Epistylkröpfe nicht erwiesen (vgl. anders die "Nachahmung" BD I Nr. 468; Larché rekonstruiert ohne Epistylkröpfe). Die Kapitelle stehen in der Tradition des El-Ḫazne-Typus. Im dorischen Metopen-Triglyphen-Fries zeigten die Reliefs der Metopen große Rosettenblüten. Ob auch an der Front wie an den Langseiten im Wechsel (3:1) Götterbüsten (entgegen Lindner keine Porträts) in Medaillons dargestellt waren, ist unsicher. Während die Büsten am Tempel wie die beim Propylon von Ikonoklasten (vgl. dazu Parr 1968, 11) verstümmelt wurden, vermittelt ein zuvor abgestürztes Relief mit der Darstellung des "Helios"/Baʿal-Schamin ein eindrucksvolles Zeugnis von der Qualität dieser Büsten. In anderer Weise als bei den "Propylon-Reliefs" tritt hier das hellenistische Erbe dominant hervor (vgl. z. B. den kolossalen Helioskopf von Rhodos, für den eine verwandte architektonische Bindung angenommen wird: G. Neumann, AA 1977, 86-90 Abb. 1. Zu Recht hat Zayadine generell auf pergamenische Vorbilder verwiesen).- Noch ist der Frage nicht nachgegangen worden, ob das Büstenrelief einen Hinweis auf den Tempelgott geben könnte. Die Büstenreste am Tempel wären genauer zu beschreiben, um zu sehen, ob weitere Götter wie beim Propylon dargestellt waren oder ob sich der Heliostypus wiederholte. In diesem Zusammenhang darf eine griechische Votivinschrift von der östlichen Seitenkammer der Cella nicht außer Acht gelassen werden, die Zeus Hypsistos (= Baʿal-Schamin) nennt (vgl. B2). In Gaia (N64) ist Baʿal-Schamin als Gott Malichus I. bezeugt.

Vom (vorgeblendeten) Giebel scheint ein Eckakroterfragment (Palmette) gefunden worden zu sein. Das ionische Geison führte die Plastizität des Frieses fort. Der Tempel war flachgedeckt, vielleicht in Terrassen. Busink und Wright erwogen eine Analogie(?) mit dem Tempel Herodes I. in Jerusalem.

An der O- und W-Seite war eine eingeschossige Portikus bis zur halben Höhe angebaut. Mit ihr korrespondierten je ein vorspringender kleiner Pilaster neben der Ante und eine Pilasterarchitektur in Stuck. Sie zeigte je 2 Pilaster mit Giebel oder Bogen im Wechsel in fortlaufender Reihe.- Auf der S-Wand war dieser Stuckdekor um die einbezogene Darstellung eines Schreins erweitert (relativ gut erhalten). Der Schrein wurde durch 6 Pilaster/Halbsäulen mit gebrochenem Giebel und Segmentbogen und einer kleinen, zentralen Ädikula gebildet. Im Architravfries waren girlandentragende Eroten (vgl. "Propylon-Reliefs") und auf den Pilasterepistylkröpfen (auch in der Pilasterarchitektur der Langseiten) Büsten dargestellt. Unter der Ädikula befand sich eine weitere Girlande. Die von Kohl angenommene Giebelarchitektur über dem abschließenden Sims war nicht vorhanden.-Auch an der Tempelfront wiederholte sich die Pilasterarchitektur in Stuck. Darüber befand sich hier eine Quaderimitation (vgl. BD I Nr. 849, gemalt; vgl. N54) mit Rankenabschluß und Gesims (vgl. Rekonstruktion Larché). In der SO-Ecke fand sich zudem eine das Sims stützende Karyatide in Stuck.-Die gesamte Architektur des Tempels war innen und außen mit Marmor und Stuck (bemalt und z.T. vergoldet) verkleidet. Ein Vergleich mit dem Dekor des (jüngeren) Nord-Tempels drängt sich auf. Aufgrund von Parallelen ist der Stuckdekor ins 4. Viertel des 1. Jhs. v. Chr. datiert worden.

Pronaos, Cella und Adytonreihe bildeten 3 Breiträume. Eine hohe Wandnische an der W-Wand des Pronaos war architektonisch gerahmt. 3 Stufen führten in die Cella (Tür). Der hintere Entlastungsbogen über dem Durchgang ist noch erhalten. Die Cella wurde durch ein Fenster der O-Wand erhellt.

Die hintere Hälfte der Cella umfaßte 2 Seitenkammern und das Adyton. Die Front dieser Reihe war fassadenmäßig gestaltet. Über den Seitenkammern (mit Gewölben) befanden sich Obergeschosse (Balkons), zu denen (und zum Dach) Treppen in der Rückwand (im O) bzw. der Außenwand (im W) emporführten. Im Untergeschoß standen 2 Säulen zwischen Pilastern; darüber befanden sich Bögen. Im Obergeschoß (nur mit einer Brüstung?) ist diese Architektur nicht erwiesen. Die älteren Rekonstruktionen sind hier zu korrigieren. Die Kapitelle folgten wiederum dem El-Ḫazne-Typus. Die östliche Kammer (Brandspuren) besaß ein Fenster in der O-Wand.

Das reichverzierte Adyton, ohne Obergeschoß, aber auch mit Gewölbe, war zweigeteilt. 7 (nicht 12) seitliche Stufen führten zu einer Altarplattform (*mōtab*), auf der man das Kultbild anzunehmen hat. Für diesen Bautypus verweist Zayadine 1986, 248 auf südarabische Vorbilder. Die Plattform war von 8 Halb- und Viertelsäulen und Frontpilastern gerahmt. - Die Rückwand war durch den jetzt noch sichtbaren Entlastungsbogen verstärkt.

In der Front des Adytons hat man einen Bogen über 2 Pilastern anzunehmen. Für die Rückwand über dem Gewölbe rekonstruiert Larché eine Pilaster-Giebel-Architektur.

Zu Recht wurde der Tempel stets auf die Hauptgottheit von Petra (und damit die der Nabatäer) bezogen, in der man anfangs Allat, dann richtiger D̲ū Šarā sah und neuerdings Al-ʿUzzā erwägt (bleibt fraglich). Nach einer bei Suidas bewahrten alten Notiz wurde D̲ū Šarā in Petra in einem reich verzierten Tempel voller Weihegaben in einem schwarzen *baityl* von 4x2 Fuß Größe auf einem vergoldeten Postament verehrt (vgl. u.a. Stockton 1971, 51-58). Der Bezug auf den Qaṣr Bint Fīrʿōn ist naheliegend.-Eine nicht unproblematische Notiz des Epiphanius (4. Jh. n. Chr.; vgl. Stockton 1971, 57f.; Starcky 1966, 992; Zayadine 1983a, 111) wurde von Zayadine 1986, 247 angeführt, um eine Verehrung von D̲ū Šarā und Al-ʿUzzā im Tempel zu belegen. Zwar ist die gemeinsame Verehrung der beiden Götter geläufig und eine kleine Augenidolstele, ein Votiv vom Adyton, könnte auch in diese Richtung weisen, aber die Quelle berichtet nur über eine bestimmte Kultfeier. Gegen die Annahme, daß der Tempel beiden Göttern geweiht war, spricht schon die Darstellung bei Suidas.-Alternativ muß erwogen werden, den Tempel dem Baʿal-Schamin zuzuweisen (s.o.). Nach der These von Knauf (s.o.) wäre es denkbar, daß Baʿal-Schamin und D̲ū Šarā nur zwei Formulierungen für den höchsten Gott darstellen (bei regional unterschiedlicher Gewichtung und Präferenz).

Das von Parr bei der Fronttreppe gefundene Handfrag. einer Kolossalstatue dürfte von einer römischen Votivstatue (Gott oder Kaiser) stammen und kann kaum auf das Tempelkultbild bezogen werden.

Die bislang vorgelegten Befunde sprechen für eine Datierung des Tempels in die Zeit Obodas III. Dies wird durch eine Analyse der Architekturformen, des Stuckdekors und der Reliefs zu erhärten sein.

k) Weder das Gebiet zwischen dem sog. Vorkessel/Theaterzone und dem nachweisbaren Beginn der *via sacra* beim Nymphäum noch das Gebiet beiderseits des Wādi el-Maṭāḥa nach N zu sind auch nur annähernd untersucht (O-Hälfte: vgl. Karten de Laborde u. Musil; BD I Nr. 412-15 u. S. 135), doch wird eine dichte Bebauung/Ruinenbefund angezeigt; z.T. gehören die Ruinen erst römisch-byzantinischer Zeit an (römisch sind auch die Bildnisstatuen BD I Nr. 412 Abb. 347; Horsfield 1941 Nr. 246 Taf. 17; Parr 1957 Nr. 22 Taf. 15A).

Lediglich das sog. Kleine Theater, das jetzt völlig zerstört zu sein scheint, wurde von Bachmann-Watzinger-Wiegand 1921, 32f. Nr. 7 Abb. 25 (Plan) (vgl. auch Horsfield 1938 Taf. I, 55) näher beschrieben. Die Zeitstellung und selbst die Funktion (entgegen Negev 1976a, 22 nicht für den Totenkult einer kleineren, älteren Stadt. Negev folgt Wiegand in der Annahme, daß dieser Bau älter sei als das sog. Große Theater) sind ungeklärt. Offenbleiben muß auch die Frage, ob die Lage des Theaters den Beginn der Pflasterstraße markiert hat (vgl. Horsfield 1938, 9 Taf. 23, 2).

Zu den nabat. Funden der sog. Schutthalde D (zur Lage vgl. Horsfield 1938 Taf. I Nr. 68) siehe Horsfield 1941 Nr. 217f., 260 (Terrakotta), (265-69), 284, 297, 303b, 305-07, 309-11, 318, 322, 324f., 327-29, 331, 334-36, 342, 346, 351, 360, 369, 382, 385 Abb. 19, 23, 30, 38f., 43, 49, 51-53 Taf. 27, 30-32, 36-43.

Entlang des Wādi el-Maṭāḥa finden sich auch im Stadtgebiet Überwölbungen und Brücken wie beim Wādi Mūsā (BD I Nr. 417, 419-20 u. S. 179; Horsfield 1938, 7 Taf. 2 Nr. 15, Taf. 18, 1-2). Unter den Ruinen der nördlichen Stadt (vgl. u.a. Luftbild Horsfield 1938 Taf. 2) werden "Tempel" (de Laborde; BD I Nr. 423-24), eine Exedra(?) (BD I Nr. 418) und eine späte Zisterne, die über einen Kanal von der ʿĒn Abū ʿOllēqa gespeist wurde, neben noch jüngeren Bauten genannt.

l) Im südlichen Stadtbereich (vgl. bes. Horsfield 1938 Taf. I) sind neben Teilen der "Befestigungsmauern" (s.o.) einige Anlagen teils im Oberflächenbefund, teils durch Ausgrabungen bekannt geworden. Ein ausgedehnter Ruinenbefund vor allem in der westlichen Hälfte wird in der Karte von Musil angezeigt.

Zu den nabat. Funden der sog. Schutthalde C (vgl. zur Lage Horsfield 1938 Taf. I Nr. 40; dies. 1939, 92f. Taf. 43. 46, 2) siehe Horsfield 1941 Nr. 15, 23, 26, 51f. (Terrakotten Löwe, Pferd), 65, 68 (Münze Rabel II.) Taf. 8f., 12f. - Zu den nabat. Funden der sog. Schutthalde B (vgl. Horsfield 1939, 92f. Taf. 43. 46, 2) siehe Horsfield 1941 Nr. 12, 18, 21f., 27, (44) Taf. 7, 9f.

1929 untersuchten G. u. A. Horsfield die Schuttzone El-Ketute mittels cut A: Horsfield 1938, 6 Taf. 14, 1; dies. 1939, 90-93 Abb. 2 Taf. 45f.; dies. 1941 (nabat. Funde; zu den hellenistischen Funden s.o.) Nr. 1f., 14 (1 Münze Aretas IV.; 1939, 91 werden 2 Münzen Aretas IV. genannt), 17, 19f., 24f., 28-31, 42f. (Lampe Nr. 43 mit Graffito), 50, 53f. (Terrakotten Kamele), 64, 66, 67 (1 Münze Malichus II.), 71, 73, 75-78, 109f. u. 111 (Terrakotten Pferd, Figuren) Taf. 6-16. Die Aufarbeitung der Stratigraphie (zur Kritik s.o.) muß in der Endpublikation der britischen Nachgrabung erfolgen. Ebenso ist die Klassifikation der Kleinfunde einer generellen Prüfung zu unterziehen.

1958/59 legte P. J. Parr nahe cut A seinen trench I: bes. Parr 1960b, 126-30 Abb. 1 Taf. 16f.; vgl. auch Hammond 1960, 27f. Abb. 1; Bennett 1962, 238-40 Abb. S. 240; Parr 1962b, 789 Abb. 1; ders. 1965, 529 Taf. 131, 2-4 (Taf. 131, 4 Plan); Browning 1973, 40, 193-95 Abb. 9.

Hier wurde die NW-Hälfte eines großen Gebäudekomplexes mit mehreren Phasen ausgegraben, der selbst über einer älteren Mauer und einer mehrere Meter dicken Schuttschicht gebaut worden war. Aufgrund 1 Münze Aretas IV. und arretinischer Keramik ist die Anlage um 25 n. Chr. datiert worden. Sie bestand bis zum Ende der nabat. Zeit, wie 2 Münzen Malichus II. und 6 Rabel II. von den oberen Fußböden belegen (vgl. die Befunde bei Khairy 1986). Das Gebäude wird als ein großes Wohnhaus angesehen. Von der Innenausstattung sind Stuckreste, z.T. bemalt, gefunden worden. Der Eingang lag im NO und führte in einen langen, relativ schmalen Hof, an dem Seitenräume (mit Gurtbögen) lagen. Sie waren nur durch die vorderen Räume zugänglich, nicht vom Hof her. Seit etwa severischer Zeit lag das aufgegebene Haus in einer als Schutthalde genutzten Zone des verkleinerten Stadtgebietes. Die Funde der Halde (meist 1./2. Jh. n. Chr.; vgl. auch Murray-Ellis 1940 Taf. 8-14, 36, u.a. Statuetten) sind in ihrer Provenienz nicht lokalisiert.

Aus trench I stammen viele nabat. Funde, von denen erst wenige publiziert sind: Bennett 1962 Abb. S. 241; Parr 1962b, 790f.

Abb. 2-14, 16-21 (u.a. Terrakotten); ders. 1965 Taf. 131, 3. Genannt werden auch 2 Ostraka und Schmuck.

1981 führte N. Khairy südöstlich des Qaṣr Bint Fīr'ōn eine Ausgrabung durch: Khairy 1984; ders. 1986 mit Abb. 1-20 Karten 1-4 (Pläne Karten 3f.); vgl. auch Lindner 1985 Abb. S. 51.

In Area B fand Khairy eine gepflasterte Terrasse eines Temenos(?), vielleicht mit Teilen des Einganges. An der S-Seite befanden sich 2 Räume und 2 Treppen zu einem höheren Niveau. Aufgrund von Münzfunden wurden 3 Phasen unterschieden: Phase Ib Anlage der Terrasse über (3) große, überwölbte Kanäle, die als Wasserspeicher gedient haben könnten, in der späteren Zeit Aretas IV. (nach 18 n. Chr.); Phase II unter Malichus II.; Phase III unter Rabel II.-Architekturteile, u.a. Hörnerkapitell, wurden im 6. Jh. n. Chr. hier für andere Bauten wiederverwandt.

Area C mit einem Pflaster aus hexagonalen Platten (vgl. Dēr-Plateau; vgl. O 19) wies die gleiche Phasenfolge auf, aber auch noch eine ältere Phase Ia aus der Frühzeit Aretas IV. Dies wiederholte sich in Area D, einem Wohnraum. Aus Area D wurden einige Funde vorgestellt (nabat.): 1 Lampe mit Graffito R'YT, 2 Terrakotten der "Atargatis", 1 weiblicher Kopf, den Khairy für ein Bildnis einer Königin oder Prinzessin hält (nach der Abb. 14 noch nicht zu beurteilen; nicht mit der Statuette Negev 1974d vergleichbar; alexandrinisch beeinflußt), und Schalen (vgl. ferner Khairy 1985, Trinkbecher). Singulär ist eine Schale mit der skizzenhaften Darstellung eines Adoranten(?) (Khairy 1986, 72f. Abb. 19f.).

Auf der Felskuppe Ez-Zanṭūr lag auf 3 Terrassen eine noch nicht erforschte Anlage, die Horsfields als Festung mit Türmen und als (hellenistische) Königsresidenz verstanden haben: Horsfield 1938, 6 Taf. I Nr. 28, Taf. 13f.; dies. 1939, 89f., 92 Taf. 43, 45; anders Browning 1973, 193 (Kulthöhe). Eine hier gefundene Bauinschrift eines Reiterobersten, datiert auf 9/10 n. Chr., könnte auf einen militärischen Komplex weisen (Starcky 1971; Cat. Bruxelles Nr. 50 mit Abb.).

Unerforscht sind auch die Baureste bei der Zibb Fīr'ōn: BD I Nr. 409 u. S. 179; bes. Bachmann-Watzinger-Wiegand 1921, 62-64 Nr. 17 Abb. 1, 52-55 (Abb. 53 Plan); Horsfield 1938 Taf. I Nr. 21, Taf. 13, 1; dies. 1939, 89 mit Anm. 1 Taf. 43; Browning

1973, 191f. Abb. 123f. (der Hinweis auf Säulenpaare vor altorientalischen Tempeln trifft nicht; die schräge "Rückwand" gibt eine jüngere Situation wieder und ist nicht die alte Gebäudemauer); Maurer 1980 Abb. S. 54.

Neben der sog. Zibb Fīrʿōn ist eine 2. Säule auszumachen, so daß man eine Säulenreihe ergänzen möchte. Diese liegt dann einem Tempel(?) mit 2 Säulen *in antis* weitvorgebaut vor. Nach N befindet sich seitlich eine Portikus oder ein Vestibül(?) mit 8 (oder 10) Säulen oder Pilastern. Wiegand erwog eine Deutung als Palast mit Säulenvorhof. - Beide zuletzt genannten Anlagen verdienten eine nähere Untersuchung. Auch ihre Relation zueinander(?) wäre zu klären.

Aus cut F noch in der Schuttzone weiter westlich sind zwar hellenistische Funde (s.o.), aber abgesehen von 1 Münze, vielleicht Malichus II. (Horsfield 1941 Nr. 13), keine sicheren nabat. Funde nachgewiesen.

15. <u>Wādi Farasa Ost (mit NW-Hang des sog. Obeliskenberges)</u>: BD I Nr. 184-248 Abb. 111f., 162, 179-83, 294-309 Taf. 27 Karten Taf. 7f.; Dalman 1908 Nr. 220-48 Abb. 105-18; Puchstein 1910, 29-32; Dalman 1912, 15, 24, 49; Bachmann-Watzinger-Wiegand 1921, 75-94 Nr. 21 Abb. 66-76; Kennedy 1925 Abb. 81, 101, 108f., 123f., 128f., 171, 201; Horsfield 1938, 24, 33f., 40f. Taf. 53, 1. 60, 2. 61, 1. 62, 1. 70-73; dies. 1939, 93; Starcky 1966, 961f., 972; Browning 1973, 195-204 Abb. 129, 134-36, 139; Parr-Atkinson-Wickens 1975, 34, 38 Abb. 3 (photogrammetrisch); Negev 1977a, 599 Taf. 17; Maurer 1980 Taf. 56-60; Tarrier 1980 Abb. 67; Hammond 1981d Abb. S. 40; Schmidt-Colinet 1981, 79, 81 mit Anm. 25 Abb. 22-24 Taf. 18, 43, 54, 56; Bennett 1983 Abb. S. 26; Lindner 1983, 30 Abb. 16; Schmidt-Colinet 1983a, 311 Abb. 1 Taf. 66 Nr. f; Zayadine 1983b, 241f.; Scheck 1985 Taf. 7.

Vom System einer Innenverkleidung zeugen Dübellöcher in der Kammer BD I Nr. 184. - In ihrer Funktion noch unklar ist die Kammer BD I Nr. 188 mit 12 Nischen, vielleicht ein Triklinium (Horsfield 1938, 24: Haus). - BD I Nr. 197 gibt ein Beispiel, wie durch sekundäres Einschneiden von Frontfenstern ein Grab zu einem Wohnraum umgestaltet werden konnte.

Während der NW-Hang mit 41 Gräbern noch nach der Art der Theaternekropole strukturiert bzw. ein Teil von ihr ist, beginnt mit BD I Nr. 228 eine "exklusivere" Gruppe von Grabanlagen. Die hinteren sind durch Quermauern im Wādi geschützt und separiert.- Grab BD I Nr. 228 zeigt 4 Halbpilaster mit Viertelsäulen und einen gebrochenen Giebel. Eine große Treppe führte zum Eingang. Erst Horsfield haben verdeutlicht, daß ein Triklinium, Zisternen und ein hexagonales Brunnenbassin im Fels zur gartenartigen Anlage gehörten. Eine Datierung in die Zeit Malichus II. ist zu erwägen. - Das sog. Renaissance-Grab BD I Nr. 229 weist Eckpilaster mit Viertelsäulen, einen Giebel und Urnenakrotere auf. Der Eingang wird doppelt gerahmt; der äußere Rahmen ist mit einem Giebelbogen abgeschlossen (von Zayadine mit dem Bogengrab BD I Nr. 154 verglichen). Der Vorplatz ist noch nicht geklärt. Zeit Malichus II.?

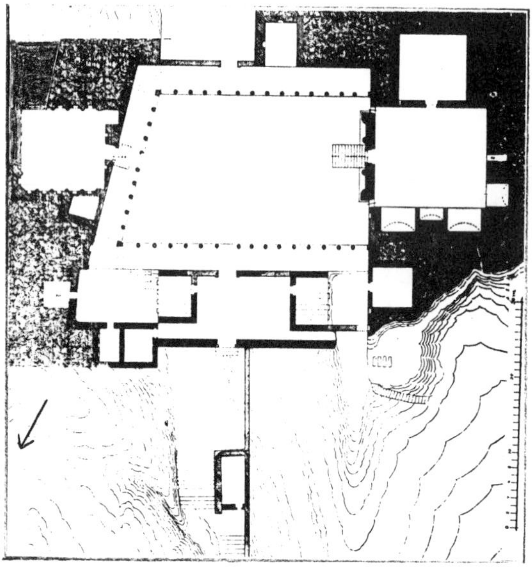

Abb. 43 Petra. Grabkomplex BD I Nr. 235/239

Hinter der 1. Quermauer (mit Tür) liegen mehrere ungewöhnliche Bauten eines erst von Bachmann und Watzinger als zusammengehörig erkannten Grabkomplexes (vgl. Bachmann-Watzinger-Wiegand 1921 Pläne u. Rekonstruktionen; vgl. auch Browning

1973 Abb. 135). Für diese Anlage wurden ältere Gräber etc. (u. a. Dalman's sog. 1. Heiligtum) (wie beim Theaterbau) abgearbeitet oder eingebunden. Ein Torbau öffnet sich auf einen Peristylhof (dreiseitig flachgedeckte Portiken) als Vorplatz des sog. Soldatengrabes (BD I Nr. 239).-Dieses Giebelgrab mit vorgelegten Stufen, 2 Halbsäulen und Eckpilastern mit Viertelsäulen und einer Giebeltür zeigt als Besonderheit 3 hohe Nischen mit etwas überlebensgroßen Statuen in Hochrelief (Dalman sieht sie zu Unrecht als sekundär an). Während die beiden seitlichen Figuren (nackte Jünglinge mit Mantel und Lanze bzw. Schwert; Heroen?, Dioskuren?) noch nicht sicher benannt sind, kann man für die Panzerstatue der Mittelnische Schmidt-Colinet in der Datierung in trajanische Zeit folgen. Es läßt sich weder eindeutig sagen, ob die Anlage noch in die Zeit Rabel II. oder unmittelbar danach gehört, noch ob hier ein nabat. hoher Offizier oder ein hoher römischer Offizier bestattet worden ist. Wenn hier zwar nur spekulativ erwogen werden soll, den Komplex als Grabanlage Rabel II. anzusehen, so lassen sich zumindest ebenso gute Argumente dafür anführen (u.a. die räumliche Großzügigkeit, die Auflassung alter Gräber, die Pracht der Anlage, ihre Abgeschlossenheit und Sicherung, die Lage nahe Zibb ʿAṭūf, Bezüge zu BD I Nr. 772) wie für den üblichen, gleichfalls hypothetischen Bezug auf BD I Nr. 462 (Ed-Dēr). Rabel II. als heroisierter Triumphator (vgl. den Thronnamen) scheint in subnabat. Zeit wohl darstellbar. 3 Nischen (Grabnischen?) befinden sich in der N-Wand der großen Grabkammer (die 4. Nische in der Rückwand gilt als jünger). Südlich gegenüber lag die eigentliche Bestattungskammer (mit Sarkophag); der Durchgang war reich verziert. Im Grab wurde 1936 das Frag. eines Sarkophages gefunden.

Dem Grab gegenüber liegt mit Stufenzugang, aber ohne Fassadenschmuck das Triklinium (BD I Nr. 235). Die durch die Felswand bedingte Schräge des Hofes wird im Eingang geschickt überspielt, so daß dahinter ein quadratischer Saal (Wiegand: *oecus*) möglich wurde. Die aufwendige Innengestaltung mit stuckierten Halbsäulen in den Ecken und 3x5 m großen Nischen ist für Triklinien in Petra singulär (eine grabartig geöffnete Nische gilt als moderne Störung). Die besonders gefaßte Mittelnische der Rückwand nahm ursprünglich die Kultstatue (Statue des vergöttlichten Rabel II.?) auf. Die Säulen mit dorisierenden Kapitellen und ionischem Gebälk waren im unteren Drittel glatt und oben kanneliert. Bei der Freiräumung 1934 wurden die Triklinienbänke, ∏-förmig mit gestuftem Durchlaß zur Mittelnische, freigelegt. - Eine Benennung der einzelnen Bauten der Anlage ist in Anlehnung an CIS II 350 versucht worden.

Aus diesem "Temenos" gelangte man im S über eine Treppenflucht zu einer 2. Terrasse mit dem sog. Gartengrab (BD I Nr. 244), benannt nach dem sog. Gartental davor nach S zu. Es wird zumeist als Tempel/Kapelle verstanden (anders Wiegand: Wohnhaus). Vor dem "Gartentempel" wird ein kleiner Peristylhof angenommen. Die Fassade mit 2 Pilastern und 2 Säulen ist giebellos. Der Innenraum ist zweigeteilt mit Hinführung auf die hintere Kammer. Hier gibt es späte Petroglyphen (ebenso bei BD I Nr. 235); man fand auch eine byzantinische Grabstele.-Browning hielt den "Gartentempel" für etwas älter als den unteren Grabkomplex, in den er sekundär einbezogen worden sei. Falls das Gebäude für sich allein stand, ist außer dem üblichen Bezug auf den Grabkomplex auch einer zur Zisterne daneben und einer zum sog. Westweg nach Zibb ʿAṭūf (vgl. Robinson 1930 Abb. S. 273) zu erwägen. Das scheint jedoch nicht der Fall; denn BD I Nr. 246 (mit Nischenarchitektur und Tonnengewölbe; unfertig geblieben?) ist als Triklinium zugehörig und erweist das "Gartengrab" als Mausoleum. Viele Ungewöhnlichkeiten beider Bauten im Vergleich zu nabat. Denkmälern sprechen dafür, sie später als den unteren Grabkomplex zu datieren, den sie zu imitieren trachteten.

Inschriften: CIS II 405, 415-19 (vgl. BD I Nr. 200a-d); Dalman 1912 Nr. 26f.

16. <u>Wādi Farasa West (mit ʿArqūb el-Manzīl/Eš-Šuʿb el-Ḥamar)</u>: BD I Nr. 249-83 u. S. 161f. Abb. 185-87, 310-13 Karte Taf. 8 (nennt u.a. 22 Gräber); Dalman 1908 Nr. 256-72 Abb. 122-28 (beschreibt weitere Stibadien und 1 sog. Tropfwand); Puchstein 1910, 31; Dalman 1912, 18 Abb. 7; Kennedy 1925 Abb. 11; Bachmann-Watzinger-Wiegand 1921, 92f.

Nennenswert ist das Giebelgrab BD I Nr. 258 wegen seiner

Verwandtschaft mit Fassaden im Wādi Farasa Ost. - Bogengrab BD I Nr. 262 zeigt als Giebelschmuck ein Treppenmotiv, abgeleitet vom Typus Treppengrab. - Für das Giebelgrab BD I Nr. 269 auf einer künstlichen Plattform wurde ein älteres Grab entfernt. - Saal BD I Nr. 281 besitzt in der Rückwand ein Nischenrelief mit einem Hörneraltar.

Inschriften: CIS II 393, 420 (vgl. BD I Nr. 264, 281; Dalman 1908 Nr. 271c u. Abb. 126, Spitzpfeiler).

17. <u>Wādi Numēr, Ǧebel en-Numēr, En-Numēr</u>: BD I Nr. 93, 93a, 284-92 Abb. 283f., 314-16 Karten Taf. 8f.; Dalman 1908 Nr. 194a-98, 273-98[1] Abb. 10, 93f., 129-37; ders. 1912, 16, 39f., 45, 48f. Abb. 32, 48; Kennedy 1925 Abb. 11, 209; Horsfield 1938, 13 Taf. 39; Starcky 1966, 1015; Erträge Bonn Taf. 57; Lindner 1983, 28f., 70 Abb. 14; ders. 1985, 70f. Abb. S. 70; Scheck 1985, 380f.; Lindner 1986, 137 Abb. 1.

Mehrere Versammlungsräume, Verehrungsplätze und Kultstätten, z. T. mit nabat. Keramik, bei gleichzeitigem Fehlen von Gräbern weisen eine sakrosankte Zone aus. Beim Wādi sind die unfertigen Kammern BD I Nr. 285/86 für die Arbeitsweise der Steinmetzen instruktiv. Es finden sich auffällig wenig Anlagen im Wādi.

Zum Ǧebel en-Numēr führten rund 800 Stufen hinauf, darunter steile Abschnitte (vgl. Horsfield 1938 Taf. 39). Das sog. 2. Heiligtum (Dalman) auf dem Gipfel versteht Lindner nach der Auffindung von Architekturfragmenten (Säule, Architrav) als Tempel(bezirk).

Ein 2. Treppenweg führte vom Wādi nach En-Numēr (viele Graffiti) mit der Obodas-Kapelle (BD I Nr. 290). Die nach vorn (jetzt) offene, verzierte Kammer besaß in der Rückwand eine Nische für die Kultstatue. Innen ist ein Giebel(?) gestaltet, der die wichtige Inschrift CIS II 354 von 20/21 n. Chr. trägt (vgl. auch BD I Nr. 290; Dalman 1912, 57, 107; Cantineau II 4-6; Starcky 1965d Abb. 5; ders. 1966, 1015; Lindner 1983, 70). Neben Angaben über die Königsfamilie in der Datierungsformel bezeugt die Inschrift die Aufstellung einer Statue Obodas III. (vgl. X88) zu Ehren des D̲ū Šarā/D̲ū Tarā(?), Gott des Ḥoṭaišu, auf dem heiligen

Fels(?) des Ahnherrn (Heros Ktistes?) Peṭamon. Viele Graffiti im näheren Bereich. Diese stark frequentierte "private" Kultstätte dürfte von der Kultgenossenschaft des Peṭamon betreut worden sein.

Über den sog. Südweg war die Kultstätte mit Zibb ʿAṭūf verbunden (Graffiti). Der Obodas-Kult könnte mit einem Opfer auf Zibb ʿAṭūf verbunden gewesen sein.- Zu erwähnen ist die Felsgravur eines *baityl*-Heiligtums (Dalman 1908 Abb. 94; Roche 1980, 34 Abb. 48a-b).

(Gruß-)Inschriften: CIS II 355-89, 393, 393', 400-404' (vgl. auch BD I Nr. 93a-k, 290a, 292a-cc u. S. 532; Musil II 1907, 94; RES 1475); BD I Nr. 292dd-ee; Dalman 1912 Nr. 1-23; Milik-Starcky 1975, 115f. Nr. 2 Taf. 38, 2. 39 u. S. 119f. Nr. 4 Taf. 42, 1; Lindner 1983, 70 Abb. 16f. - CIS II 404 und Milik-Starcky 1975 Nr. 2 sind *nefeš*-Inschriften mit Spitzpfeilern; für CIS II 404 vgl. BD I Abb. 283. - CIS II 393' nennt einen Mann aus Boṣrā. - CIS II 401 wendet sich an D̲ū Šarā. - Dalman Nr. 21 nennt nach Littmann 1914b Qōs und Astarte(?).

18. Rās el-Muġariq (sog. Kegelberg): BD I Nr. 293-98 u. S. 135 Abb. 108 Karte Taf. 9; Dalman 1908, 226.

Gräber wie in Front vor Wādi Farasa.

19. Südweg nach Petra, Eṭ-Ṭuġra (mit Qubūr ʿIāl ʿAwād): BD I Nr. 299-315 Abb. 138, 143f., 317-21 Karte Taf. 10 (nennt 11 Gräber); Dalman 1908 Nr. 299-341 u. S. 41 Abb. 10, 138-64; Kennedy 1925 Abb. 71f., 174, 176f.; Robinson 1930, 150 Abb. S. 367; Horsfield 1938 Taf. 32, 2; Harding 1961 Taf. 20b; Browning 1973, 180f.; Hammond 1973a, 50f.; ders. 1973b mit Taf.-Abb. A-D; Zayadine 1983b, 219; ders. 1983c, 187; Lindner 1985, 57-60 Abb. S. 58f., 61; Scheck 1985, 415f. Abb. 70. Vgl. auch die folgende Zone.

Es lassen sich 2 Komplexe scheiden. Zuerst begegnen 2 Reihen von Nischen mit 36 *nefeš*-Spitzpfeilern (verschiedene Typen) und 4 *baityles*, die Dalman beschrieben hat. Vor den Nischen und im Fels oberhalb befinden sich Schalenvertiefungen für Spenden (zur Funktion vgl. Dalman 1908, 81f. und z.T. Sockel für Gaben.

Von den sog. Südgräbern am Weg zur Araba (U13) bzw. nach

Es-Sabra (N67) verdienen genannt zu werden: 2 freistehende Grabtürme (BD I Nr. 303 u. 307), 1 Zinnengrab (BD I Nr. 313) mit 2 übereinandergesetzten Türen, von denen die obere vielleicht als Ädikula zu verstehen ist, und das sog. Schlangenmonument (BD I Nr. 302). Letzteres, eine monumentale Würfelbasis mit einer pyramidal geringelten Schlange als Bekrönung, ist in seiner Interpretation umstritten. Hammond sah hier ein Ḏū Šarā-Monument, wobei er auf Verbindungen von *baityl* mit Schlange (und Adler) verwies. Ihm hat wohl zu Recht Zayadine widersprochen (u.a. Verweis auf einen Schlangentorso aus Gadara). In einem Punkt wird man Hammond zustimmen, in der Doppelfunktion der Schlange als schützendes und heilendes Wesen. - Einige der von Dalman und Robinson als "Heiligtümer" zusammengefaßten Anlagen (incl. einer großen Zisterne) dürften eher als sukzessiv gewachsene einzelne Grabbereiche verstanden werden.

Zu den Befunden an den Wegen nach Es-Sabra (N67) vgl. Lindner 1985 Abb. S. 79; ders. 1986, 137-46 Abb. 1-12. - Beachtung verdienen eine große Ruine ("Tempel") mit stukkierten Säulentrommeln auf der Wasserscheide und eine 2. große Ruine ("Tempel") mit Säulentrommeln und nabat. Keramik nahe dem Ǧebel el-Barrā. Beide Anlagen sind noch nicht näher untersucht.

20. <u>Wādi Abū ʿOllēqa Süd (beim Wādi Wiǧēt)</u>: Parr 1962d mit Taf. 8-11; Milik-Starcky 1975, 123; Zayadine 1982, 389; bes. Lindner 1983, 272-78 Abb. 1-10; Scheck 1985 Abb. 66; Lindner 1986, 145 Abb. 13; Wenning 1986 Taf.

Klammheiligtum am Südweg nach Petra und am Weg zum Ǧebel Hārūn (N65), 1959/60 von P. J. Parr u. a. und 1977/78 von M. Lindner untersucht. Frühe nabat. Keramik datiert diese Verehrungsstätte der Isis ins 1. Jh. v. Chr. (Zeit Obodas III.?). Vom Heiligtum selbst ist nur die Reliefnische in der Felswand erhalten, die die Statue einer thronenden Isis enthält (vgl. Terrakotten u. Relief W. eṣ-Ṣiyyaġ, 26/25 v. Chr.). Architekturfragmente (stuckierte Säulen, Architrav, Bausteine) lassen den Charakter des Gebäudes (Kapelle, Tempel, Peristyl?) noch nicht erkennen.

In der Umgebung viele Graffiti (unpubliziert), 2 *baityl*-

Nischen und späte Felszeichnungen. Eine der *baityl*-Nischen enthält neben dem *baityl* eine kleinere, grobe Augenidolstele; für die 2. Nische wird das gleichfalls erwogen. Nach Zayadine wäre Isis in Petra mit Al-ʿUzzā zusammengewachsen.

Inschriften: Parr 1962d, 21f. Taf. 9f.; Milik-Starcky 1975, 128; Lindner 1983, 274f. Abb. 5f., 8.

21. Wādi Ḫarābet Ibn Ǧurēme (mit Wādi el-Muġariq): BD I Nr. 316-54, 358-94 u. S. 162f. Abb. 108, 113, 126, 137, 150f., 163, 177, 323-29 Karten Taf. 9, 11 (nennt 70 Gräber); Musil II 1907 Abb. 87; Dalman 1908 Nr. 341-53, 370 Abb. 165f.; Kennedy 1925 Abb. 29, 79, 92; Horsfield 1938, 4 Taf. 1, 7f., 33; Browning 1973 Abb. 43, 104; Bennett 1983 Abb. S. 7, 15, 37.

Nekropole am Fuß der Umm el-Biyāra (sog. SW-Wand) in mehreren Etagen; die südlichen Gräber liegen dem Südweg nach Petra gegenüber. Grab BD I Nr. 320 ist unter dem Einfluß der Gruppe am Südweg mit 3 *nefeš*-Spitzpfeilern versehen.

22. Umm el-Biyāra: BD I Nr. 355-57; Dalman 1908 Nr. 354-69 Abb. 166; Kennedy 1925, 10f. Abb. 29, 31; Glueck II 82; Horsfield 1938, 3f., 27 Taf. 1, 6. 55, 1; Murray-Ellis 1940 Taf. 2; Morton 1956, 29-31, 35 Abb. 2f.; Bennett-Parr 1962, 278f.; Bennett 1966a, 9 Abb. 4 (Tempel); dies. 1966b, 123; Browning 1973, 172-76 Abb. 104-07; Bennett 1980, 210f. Abb. 1-3 (wichtige Pläne); Lindner 1983, 45f. Abb. 5f. u. S. 280-91 Abb. 1-16; ders. 1985, 51-56 Abb. S. 56; Scheck 1985, 413-15 Abb. 65.

1960, 1963, 1965 von C.-M. Bennett untersucht (bes. die edomitische Siedlung; die Abschlußpublikation steht noch aus); sog. Nord-Terrasse 1973, 1976/77 von M. Lindner untersucht. Zur Bedeutung als Fliehburg in hellenistischer Zeit s.o.

Ein Treppenweg mit einem Tor mit Bogen und 2 Felskorridoren führen zunächst zu 2 Terrassen (sog. 2. u. 3. Heiligtum Dalman). Die ungewöhnliche Ausarbeitung der Korridore mit geglätteten Rampen wird in Bezug zu Kulten auf dem Gipfel, zu königlichen Gebäuden dort oder zu solchen auf der Nord-Terrasse gesehen. Der Aufstieg hat defensiven

Charakter.

Kammern auf beiden Terrassen deuten eher auf Wohnräume als auf Gräber oder Heiligtümer. Bemerkenswert ist auf der Nord-Terrasse eine Reihe von 7 Kammern, die z.T. mit Stuck und Marmor- oder Kalksteinplatten verkleidet waren und denen eine prunkvolle Architektur (Reste von Säulen, Kapitellen, Architrav/Geison; sie bestimmen die Zeitstellung) vorgelegt war. Die Funktion dieser singulären Anlage läßt sich derzeit nur spekulativ beantworten.

Die nabat. Ruinen auf dem Gipfelplateau sind erst ungenügend erforscht. Morton deckte im NO Gebäudereste auf, die nach Bennett z.T. zu einem Tempel (Fundament- und Säulenreste) mit einer breiten Freitreppe am Rand des Plateaus gehören (Lindner erwägt alternativ einen Palast). 1 Inschriftstein und 2 Friesfragmente mit girlandentragenden Eroten (vgl. die wohl älteren "Propylon-Reliefs" und die Stuckreliefs des Qaṣr Bint Fīr'ōn) werden zugeordnet. Hier sind weitere Untersuchungen für eine Beurteilung notwendig.

Die Zisternen auf dem Plateau gelten als edomitisch und nabat. wiederbenutzt. - Von den Nischen verdient eine subnabat. Gruppe am NW-Rand Beachtung. 7 Nischen einer Felswand (Grotte?) zeigen noch 2 *baityles* auf Postamenten und 1 Hörneraltar mit eingesetztem *baityl* und 6 Inschriften, nabat. und griechisch (Publikation durch Milik angezeigt). Offenbar wird in einer griechischen Inschrift Zeus Hagios genannt (vgl. Es-Sīq), der hier mit D̲ū Šarā gleichgesetzt worden wäre. - Felszeichnungen, auch nabat.?

Inschriften (unpubliziert): vgl. Bennett 1980, 210f. u. Abb. 1 Nr. 15(?); Lindner 1983, 285 Abb. 9; Lindner 1985, 53, 56; Scheck 1985 Abb. 65.

23. El-Ḥabīs: BD I Nr. 395-400 u. S. 300 Abb. 196, 330-32, 338f., 345 Karten Taf. 11f.; Musil II 1907, 120-22 Abb. 88; Dalman 1908 Nr. 371-85 Abb. 167-75; ders. 1912, 32 Abb. 21; Kennedy 1925, 62-64 Abb. 67, 74, 80, 132-41; Horsfield 1938, 4-6, 15f., 27 Abb. 6 Taf. 1f., 5, 2. 6. 8, 2. 9, 1. 11. 42, 1. 43. 56; dies. 1939, 97-101, 104-06 Abb. 4-6, 9 Taf. 54, 2. 55, 1; dies. 1941 Nr. 122-24, 127-34, 143-47, 149 Abb. 14f. Taf. 18f.; Browning 1973, 164-68, 170-72 Abb.

16, 184; Lindner 1978, 89f. mit Abb.; Hammond 1981d, 40 mit Abb.; Lindner 1983, 26f., 75f. Abb. 21; ders. 1984, 599f.; ders. 1985, 44, 49; Zayadine 1986, 247 Abb. 48.

Von Dalman für das Petra im Bericht des Hieronymos (s.o.) gehalten, was nicht überzeugt. Auch erlauben die Befunde auf dem isoliert am Rand des Stadtgebietes befindlichen Felsen nicht von einer "Akropolis" zu sprechen.

Der S-Gipfel ist von einer fränkischen Burg überbaut (1959 von Hammond untersucht). Spuren einer nabat. Besiedlung, von Lindner aufgezeigt, lassen nicht deutlich genug erkennen, ob hier schon in nabat. Zeit eine befestigte Anlage bestanden hat.

Am Südfuß haben Horsfield einige Grabkomplexe untersucht und auch ungestörte Gräber mit Beigaben gefunden (vgl. ebd. N-Grab). Im einzelnen sind noch nicht alle Gräber und Kammern der rückwärtigen Partien des Felsens bekanntgemacht worden.

Das sog. Kolumbarium im O (BD I Nr. 395) besitzt, wie Hammond wohl zu Recht annimmt, eine rein dekorative, nicht-funktionale Innenausstattung, eine Variante zur Stuckatur anderer Räume. Die Funktion als Grab scheint nicht gesichert. - Die unfertige Fassade BD I Nr. 396 zeigt, daß der Fels von oben nach unten bearbeitet wurde. - Links oberhalb des sog. Kolumbariums ist ein Teil der stuckierten Rückwände abgestürzter Räume erhalten. Der Dekor (Felder und Architekturformen) wird von Zayadine um 40 v. Chr. datiert, könnte aber etwas jünger sein (der Bezug auf stukkierte Architekturteile unter dem Qaṣr Bint Fīr'ōn ist nicht überzeugend). - In der Nähe wurden 3 Graffiti der Zeit Malichus II. entdeckt, die der Faṣa'el, Tochter Aretas IV., mit dem Ehrentitel "Königin", gelten. - Weitere Felsräume mit Fenstern im NO hat Dalman beschrieben. Dazu gehören der sog. Prachtsaal (kein Tempel; jetzt Museum) unbekannter Funktion und eine Galerie mit Geländer. - Für die Aussparungen (Regale oder Kultnischen?) in der Kammer Dalman 1908 Nr. 380 (vgl. auch Kennedy 1925 Abb. 67) vgl. Horsfield 1938, 16f. mit Taf. 44, 2.

Im W befindet sich das sog. 2. Heiligtum (Dalman), ein

Versammlungsplatz mit einem offenen Triklinium für Kultfeiern. Östlich davon liegt ein erst von Kennedy beschriebener Komplex (sog. Klostergruppe); er besteht aus einem aus dem Fels gearbeiteten vertieften Hof mit anliegenden Kammern und Gräbern.

Der N-Gipfel, niedriger als der S-Gipfel, trägt eine kultische Anlage (sog. 1. Heiligtum Dalman) mit einem dreiseitig freigestellten Felsblock für Opfer oder Spenden. Dalman hielt die Anlage für "ungewöhnlich primitiv und roh" und für sehr alt.

Inschriften: Milik-Starcky 1975, 112-15 Nr. 1 A-C Taf. 37. 38, 1.

24. Eṣ-Ṣiyyaġ: BD I Nr. 425-28 Abb. 350-59; Dalman 1908 Nr. 386-403 Abb. 15, 176-86; ders. 1912, 48f. Abb. 45f.; Kennedy 1925, 64f. Abb. 13, 16-18, 63f., 142-46; Horsfield 1938, 4f., 16-19, 27, 38 Abb. 2 Taf. 7, 1. 9, 2. 10. 42, 2. 43, 1. 44. 46. 57, 1. 65; dies. 1939, 94f., 104 Taf. 48; dies. 1941 Nr. 135-37, (142), 150 Taf. 19; Browning 1973, 167-70 Abb. 100-02; Gory 1976a Taf. 37f.; Schmitt-Korte 1976 Abb. 41; Lindner 1978, 92; Roche 1980 Abb. 55; Zayadine 1981a, 355; ders. 1983a, 117 Abb. 9; Lindner 1985, 41-43 Abb. S. 43; Zayadine 1986, 248 Abb. 49 (Fresko).

Fortsetzung des Wādi Mūsā als sog. westlicher Es-Sīq mit der wasserreichen Quelle ʿĒn eṣ-Ṣiyyaġ im hinteren Teil; nur z.T. erforscht und beschrieben. - 3 Räume mit Nischen gegenüber El-Ḥabīs korrespondieren mit solchen dort. Einige der Felshäuser (eigene Zisternen) in Etagen mit Wegen übereinander wurden von G. u. A. Horsfield untersucht. Manche Häuser erstreckten sich über 2-3 Stockwerke. Das Frag. eines steinernen Fenstergitters und Reste von Stuckdekor und Malerei blieben erhalten. 1980 wurde in einem Raum ein Fresko mit einer Architekturdarstellung (Paneele, Scheintüren, Giebel, Adler-/Sphinxakroter) entdeckt, das Zayadine in die Zeit Obodas III. datiert. - Ob man die Wohnhöhlen - man kann kaum von einem Vorort sprechen - in dieser Zone mit Lindner für die ältesten Behausungen Petras halten darf, sei dahingestellt. Noch liegt kein Befund vor, der diese Annahme stützen würde. Es wird auch nicht deutlich, daß die Quelle siedlungsbildend (wie ʿĒn Mūsā) gewesen ist.

Im Nebental Sidd el-Mrērīye wurde 1964 eine Nischengruppe (sog. Isis-Heiligtum) entdeckt, die durch eine Votivinschrift an Isis 26/25 v. Chr. datiert wird. In einer Nische ist die Relieffigur der thronenden Isis im griechischen Typus (vgl. W. Abū ʿOllēqa Süd) dargestellt. In der Nische daneben ist die Relieffigur wohl nur wie die umgebenden Partien stark verwittert und nicht wie meist angenommen *baityl*förmig. Die folgende Nische enthielt 1 *baityl*. Bei 2 der 3 Graffiti der Gruppe sind je 1 *baityl* und einmal 1 Hörneraltar eingeritzt. Nach Zayadine 1982, 389 ist Isis in Petra mit Al-ʿUzzā gleichzusetzen. Hier ist allerdings eigens Isis genannt und Nennungen der Al-ʿUzzā in dieser Zone können die These der Identität nicht stützen.

Eine andere Folge von Nischen (*baityles*) wurde von Dalman irrig als sog. 1. Heiligtum zusammengefaßt. Sein sog. 2. Heiligtum weist u.a. *baityl*-Nischen, 1 Stibadium und 1 hufeisenförmiges Triklinium (kein Stibadium) auf. Die Inschrift der Kultnische des Triklinium nennt Al-Kutbā, dem dieser Versammlungsplatz offenbar geweiht war. - Von vielen neuentdeckten Inschriften ist bisher nur die Votivinschrift eines Dieners der Al-ʿUzzā (neben 1 Block-*baityl*-Nische!) publiziert worden.

Ungestörte Schachtgräber (Gruppe A) mit Beigaben konnten G.u.A. Horsfield aufdecken.

An einer Stelle ist die Schlucht durch intensive Steinbrucharbeiten (Baumaterial für die städtischen Anlagen) beckenartig erweitert. Horsfield haben hier eine nabat. Festung angenommen, für die es aber anscheinend keine weiteren Hinweise gibt. Erst hinter dieser Stelle liegt die Quelle. An den hohen Felswänden finden sich Graffiti und Gravuren (9 Hörneraltäre, 5 Spitzpfeile; 1 Augenidolstele, verschollen?) der Steinbrucharbeiter. Nach Starcky 1966, 1002 wäre CIS II 423 unter der Augenidolstele als Allat-Atargatis zu deuten. Zayadine 1986, 222 liest hier (CIS II 423+422; BD I Nr. 428i-l) "Atargatis von Manbegīta (Membiǧ)". - Ein Bronzetorso einer Artemis, 1954 im Wādischutt gefunden, gehört schon der römischen Zeit an (Toynbee 1964).

Abb. 44 Petra. Eṣ-Ṣiyyaġ, Felsgravuren
Hörneraltäre, 1 *nefeš*-Spitzpfeiler

Inschriften: CIS II 421-23 (vgl. BD I Nr. 428a, k-l); Dalman 1912 Nr. 81-84; Milik-Teixidor 1961, 22f. (Al-Kutbā); Milik-Starcky 1975, 120-26 Nr. 5f. Taf. 42, 2-46, 2 (Nr. 5 Isis, Nr. 6 Al-ʿUzzā).

25. Wādi Meʿarraṣ Ḥamdān (mit Wādi el-Ḫarārīb) (sog. 1. NW-Wādi) und Wādi ed-Dēr (mit Seitenschluchten): Weg zum Dēr-Plateau (Treppen): BD I Nr. 429-61 Abb. 188, 190, 360-62, 372 Taf. 28 Karten Taf. 12f. (nennt 27 Gräber); Dalman 1908 Nr. 404-27(a) Abb. 16, 187-90, 206; Puchstein 1910, 28; Dalman 1912, 10, 24, 31f. Abb. 11, 19; Kennedy 1925 Abb. 32, 73, 87, 93; Ronczewski 1932, 87f. Abb. 36; Horsfield 1938, 11, 41 Taf. 30, 2. 74; Glueck 1965 Taf. 38b; Browning 1973, 183-86 Abb. 31; Béguerie-Tournus 1980 Abb. 86; Maurer 1980 Abb. S. 67; Schmidt-Colinet 1983a, 307 Taf. 66d; Zayadine 1983b, 236, 239, 241 Abb. 25, 29; Dexinger-Oesch-Sauer 1985 Abb. 2.

Der untere Teil war in die Nekropole von El-Meʿēṣara einbezogen; das Wādi el-Ḫarārīb scheint noch nicht näher untersucht. - 2 Bogengräber. Grab BD I Nr. 450 mit sog. Balkenarchitrav in situ. - Reich verziert ist das sog. Löwentriklinium (BD I Nr. 452), benannt nach den 2 Relieflöwen, Wächterfiguren seitlich des Einganges. Die Giebelfassade - ungewöhnlich für ein Triklinium - besteht aus 2 Pilastern mit Halbsäulen, Rankenkapitellen, Reliefs mit Medusamasken auf den Epistylkröpfen, Metopen-Triglyphenfries mit Rosetten, Urnenakroterien und dem Relief einer "Rankenfrau" im Giebel. Anlehnungen an El-Ḫazne sind unverkennbar, die Formensprache ist jedoch nabat. Eine Datierung in die Zeit

Aretas IV. bleibt zu erwägen. Neben dem Triklinium ist eine große *baityl*-Nische angebracht. - Ein Biklinium (BD I Nr. 455), wie Nr. 452 abweichend mit einer Fassadengestaltung, wird in die 2. Hälfte des 1. Jhs. n. Chr. datiert (vielleicht Zeit Malichus II.). Dieser Ansatz kann durch die Kapitellform gesichert werden (vgl. zu ähnlichen Formen Schmidt-Colinet 1983b, 98). Neben der "schlichten, klassischen" Fassade befinden sich Inschriften und Petroglyphen (nabat.?).

Der nach W abzweigende Aufstieg im oberen Teil des Wādi ed-Dēr bildet eine Art Prozessionsweg, begleitet von Votivnischen. Eine der Nischen enthält 6 *baityles*, eine andere die Relieffigur einer Nike(?; noch nabat.?).

Inschriften: CIS II 427, 429-35 (vgl. BD I Nr. 458a-b, 461a-f; Dalman 1912 Nr. 52-54 (Nr. 52 nennt eine Sklavin); vgl. Dalman 1908 Nr. 417.

Qaṭṭār ed-Dēr: Musil II 1907, 134-36, 287 Abb. 95-99; Dalman 1908 Nr. 427(b)-40 Abb. 191-95; Kennedy 1925 Abb. 28; Horsfield 1938, 39 Taf. 66, 2. 67, 1; Milik 1958 Taf. 21; Lindner 1985, 34f.

Eine Verehrungsstätte (sog. Tropfheiligtum) mit Votivnischen (*baityles*) und einem Triklinium (die breite Nische der Rückwand ist entgegen Horsfield kaum ein Bestattungsplatz gewesen; sekundär erweitert?). Bei einer Nische mit 2 *baityles* ist der größere Block sekundär mit einem lothringischen Kreuz versehen worden (die These, daß "Kreuz" deute eine weibliche Gottheit an, vermag nicht zu überzeugen). Neben der Nische befindet sich eine Votivinschrift, die der *massebē (baityl)* der Boṣrā (als personifizierte Stadtgöttin?) gilt und trotz ihres altertümlichen Charakters eher in die Zeit Rabel II. als in die Rabel I. gehört.

Inschriften: CIS II 441 (vgl. BD I Nr. 460 Abb. 363f.; Dalman 1912 Nr. 57); Dalman 1912 Nr. 55-71 (Nr. 63 nennt einen Barbier); Milik 1958, 246-49 Nr. 7 Abb. 3 Taf. 18b (Boṣrā) (vgl. anders Starcky 1966, 988-90; Milik 1980b, 15 Nr. 4 Abb. 12).

Wachtstation(?): BD I Nr. 460; Dalman 1908 Nr. 424; Horsfield 1938, 25 Taf. 54, 2; Browning 1973 Abb. 120; Lindner 1985, 35.

Nach Horsfield geht die christliche Klause BD I Nr. 460 auf

eine nabat. Anlage zurück. Weitere Klausen nach N zu bezieht Lindner auf eine ursprünglich nabat. Wachtstation(?). - Im NO befindet sich ʿĒn ed-Dēr.

<u>Sidd Ḫarārīb ʿIāl ʿAwād (sog. Klausenschlucht)</u>: Musil II 1907, 137-39, (149f.) Abb. 100-02, (119) (Umm ez-Zētūne); Dalman 1908 Nr. 441-42 Abb. 191, 196-205; ders. 1912, 30f. Abb. 18; Kennedy 1925 Abb. 27; Robinson 1930 Abb. S. 363; Horsfield 1938, 24f. Taf. 53, 3. 54, 1. 55, 2.

Mit Dalman kann man 3 Anlagen (D Nr. 441-442^{1}) unterscheiden, die z.T. von christlichen Eremiten verändert worden sind. Es mag sich um Grabanlagen handeln, doch ist dies nur für D Nr. 442^{1} gesichert. D Nr. 441-42 werden von Dalman als Grabheiligtümer, von Horsfield als Hausanlagen verstanden. D Nr. 441 besitzt ein Stibadium mit Vorplatz auf einer separaten Felsknolle. Eine Zisterne mit Speier hat zum Namen El-Ḥammām geführt. Zu D Nr. 442 gehört ein Opfer- und Spendefels mit Treppen. Die Decke in der grossen Kammer (f) ist durch Meißelschraffur in kleine Quadrate unterteilt (Imitation einer Holzdecke?). Bei der Grabkammer D Nr. 442^{1} ist der Eingang mit einer Quaderimitation (vgl. N54; Qaṣr Bint Fīrʿōn) gerahmt.

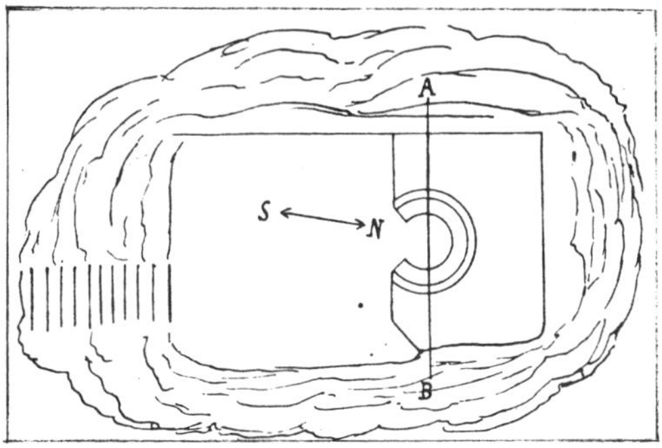

Abb. 45 Petra. Sog. Klausenschlucht, Stibadium Dalman Nr. 441

Inschriften: vgl. Musil II 1907, 139, (150); Dalman 1912 Nr. 72.

26. <u>Dēr-Plateau</u>: BD I Nr. 462-69 Abb. 366-71 Karte Taf. 14 (unstimmig); Musil II 1907, 146-49 Abb. 112-18; Dalman 1908 Nr. 443-45, 448-506 Abb. 206f., 215-23 (Abb. 206 Ge-

samtplan); ders. 1912, 28-30 Nr. 506[1] Abb. 17; Kennedy 1925, 65f. Abb. 147; Horsfield 1938, 11, 25 Taf. 31. 32, 1. 55, 3; Parr 1968, 10f. Taf. 4; Maurer 1980 Abb. S. 72f.; Lindner et alii 1982 mit Abb. 1-25, A-O; vgl. auch, z.T. sich damit überschneidend dies. 1984 mit Abb. 1-12 Taf. 18-36; Lindner 1984, 603-25 mit Abb. 4-27 (Abb. 2 erweiterter Gesamtplan); ders. 1986, 87-98 Abb. 1-13 u. S. 98 Abb. 1.

Das Plateau wurde von Dalman (D-Nr.) und in einem neuen Survey 1982/83 von Lindner eingehend beschrieben; noch keine Ausgrabungen. - Die zentrale Verehrungsstätte auf dem Plateau war der sog. Burgberg (Dalman; Musil = Ed-Dēr). Der Cella BD I Nr. 468 (D Nr. 491) ist auf einer künstlichen Plattform (mit einer Zisterne beim Treppenzugang) ein Peristyl (Lindner 1984 Abb. 9 Plan) vorgelegt (Hörnerkapitelle; 1 Steinmetzzeichen?). Rankenkapitelle bei den Pilastern des zurückliegenden Cellaeinganges (vgl. zur Form Propylon des Qaṣr Bint Fīr'ōn u. BD I Nr. 452) und der Typus der Hörnerkapitelle erlauben (entgegen Lindner) eine Datierung ins 1. Viertel des 1. Jhs. n. Chr. An der Rückwand der Cella ist eine Schreinfassade (auf einem Podium) in eine große Nische gestellt. Der "Eingang" diente als Nische für die Kultstatue (vgl. Höhe, Dübel). Die Pilaster der Fassade (Hörnerkapitelle) zeigen in Anlehnung an den Qaṣr Bint Fīr'ōn unverzierte Paneele. Die Epistylkröpfe tragen 2 Büstenreliefs von Götter (noch unbestimmt) mit cornucopiae (vgl. E4, M65).- Bei der üblichen Bewunderung von BD I Nr. 462 (Ed-Dēr) wird die Bedeutung dieses älteren Wallfahrtsschreins leicht übersehen. Ob es durch jenes ersetzt/erweitert wurde, ist nicht zu entscheiden. Offenbleibt auch, wem es geweiht war. Falls BD I Nr. 453 mit dem vergöttlichten Obodas III. zu verbinden ist (s.u.), müßte man wegen der Kultstatue statt eines Idols diesen Bezug oder den auf einen anderen Königskult erwägen.

Auf dem S-Gipfel des sog. Burgberges standen 2 Rundbauten mit stuckierten Halbsäulen innen (Lindner 1984 Abb. 14 Plan) unbekannter Funktion (Tholoi oft im Heroenkult). Zu vergleichen ist neben den in der Literatur genannten Verweisen noch eine Anlage in trench V Parr (Bennett 1962, 243 mit Abb.; vielleicht auch die "Exedra" BD I Nr. 418). - Die Bauten des N-Gipfels konnten noch nicht näher bestimmt werden (aber kein Kastell); Reste eines Fußbodens mit hexagonalen Platten (vgl.

Temenos Khairy; O 19) und bemalte Stuckfragmente zeigen ihre Bedeutung an (nabat. Keramik des 1. Jhs. n. Chr.).

D Nr 452 u. 453 wurden von Dalman als Tempelbauten erwogen. Für D Nr. 453 (Lindner 1984 Abb. 24 Plan) hat sich diese Annahme verdichtet (Säulenbasis, Architrav, Stuck). Direkt vor der NW-Ecke wurde nabat. Keramik des 1. Jhs. n. Chr. gefunden. - Die Inschrift Dalman 1912 Nr. 73 war von einer Opfergesellschaft (*marzaḥ*) des Gottes Obodas (III.) im Bereich mehrerer Kanäle und Zisternen im O an einer Felswand angebracht. Sie wird für die Interpretation von BD I Nr. 462 als Tempel des Obodas herangezogen (u.a. Zayadine, Lindner). Sie muß jedoch auf BD I Nr. 465 (D Nr. 462) als Versammlungsraum dieser Kultgenossenschaft (vgl. auch En-Numēr) bezogen werden, dem nun der "Obodas-Tempel"(?) D Nr. 453 gegenüberliegt.

Eine seltene Darstellung von Nabatäern bietet das sog. Kamelrelief (BD I Nr. 466). 2 Männer (in Beinkleidern) stehen in Opfer- oder Adorationsgestus neben einer Nische (mit *baityl*?) und vorgestellten niedrigen Altärchen. Sie halten ihre Kamele am Zügel. Die Kamele brauchen nicht als Opfergaben (wie A2, Z) verstanden zu werden. - Im Bereich der sog. Kamelschlucht und der sog. 3. Gruppe von Dalman im O wurden Wasserleitungsanlagen und Hanghäuser (z.T. vorgemauert) festgestellt. Im Anschluß daran fand sich eine kleine Gruppe von Senkgräbern im N; große Grabanlagen bestanden nicht auf dem Plateau. - Im NW wurde eine Hausanlage (Horsfield: Wachtposten) mit einem Wassersammelplatz (dies.: Triklinium), Bassins und Zisternen beschrieben. - D Nr. 506[1] im S wird von Horsfield und Lindner entgegen Dalman als Haus verstanden. - Die Rahmung mit einem Bogen über Pilastern bei der Tür zum Triklinium D Nr. 496 begegnet auf dem Plateau auffällig oft (11x). Die "Altarbank" vor der Nische D Nr. 498 ist wohl eher als Podest für Weihegaben zu verstehen. - Verschiedentlich (späte) Petroglyphen.

Inschriften: CIS II 436-40 (vgl. BD I Nr. 465a-c); BD I Nr. 455? (ungenau lokalisiert); Dalman 1912 Nr. 73-80; vgl. (unpubliziert) Lindner et alii 1982, 78 Abb. 3, S. 87 Abb. 15, S. 88, 94-96 Abb. 25.

<u>El-Faṭūme</u>, üblicher als <u>Ed-Dēr</u> bezeichnet: BD I Nr. 462 u. S. 186-88 Abb. 220, 365; Musil II 1907, 142f. Abb. 103-11; Dalman 1908 Nr. 446f. Abb. 207f., 212-15 (Abb. 212 Grundriß); Starcky

1966, 972 (Mausoleum Rabel II.); Lyttelton 1974, 75, 79-83 Taf. 91 (abweichende Datierung um 30/50 n. Chr.); Negev 1974f Abb. S. 86; Zayadine-Hottier 1976, 103 Taf. 44-47 (photogrammetrische Aufnahme); Maurer 1980 Abb. S. 70f.; Schmidt-Colinet 1981, 97f. Abb. 39 Taf. 27; Zayadine 1981b, 116f.; Lindner 1983, 35, 70f.; Schmidt-Colinet 1983a, 310f. Taf. 67b; Zayadine 1983b, 245 Abb. S. 240; Lindner 1984, 616-20 Abb. 19-22.

Abb. 46 Petra. Ed-Dēr

In einem strengen, leicht pyramidalen Aufbau mit gewichtigem Untergeschoß, leichterem Obergeschoß und gebrochenem Giebel mit Tholosspitze entwickelt sich eine bewußt formal gestaltete Fassade. Das Obergeschoß variiert das des El-Ḫazne. Die 6 Dreiviertelsäulen und die 2 Eckpilaster mit Viertelsäulen tragen unten ein dorisierendes Hörnerkapitell, oben ein Hörnerkapitell des gleichfalls jüngeren Typus mit Blatt. Die 5 Nischen sind nur angelegt und trugen keine Statuen; ebenso blieben die Konsolen frei von Akroteren. Der Metopen-Triglyphen-Fries des Obergeschosses zeigt flache Scheiben in den Metopenfeldern. In gleicher Weise formal und ohne Sepulchralcharakter ist auch die ins Kolossale gesteigerte Urne auf der

Tholosspitze als schon gängiges Dekorelement zu verstehen. Von Angaben über unfertige Partien am Bau können nur die Bossen der Säule links vom Eingang akzeptiert werden.

Der quadratische Innensaal besitzt ein Adyton in der Nische der Rückwand, die auffällig groß und nur gering verziert (Bogen auf Pilaster) ist. 2 seitliche Treppchen führen zu einem Podium (*mōtab*) mit 1 *baityl* auf einer Basis (in christlicher Zeit abgearbeitet) empor (vgl. Qaṣr Bint Fīr'ōn, Nord-Tempel). Diese Anlage sichert die Interpretation als Tempel.

Die Freitreppe zur großen Tür ist nicht mehr zu erkennen; ebenso bleibt die stuckierte Säulenreihe (zumindest) im S des Vorhofes/Temenos, die Lindner nachgewiesen hat, heute kaum sichtbar. Der Vorhof wird von den stehengelassenen Felswänden (mit älteren Anlagen) gerahmt; er war nach W hin offen(?; Bezug zu BD I Nr. 468?). Der Zugang erfolgte von S. - Außerhalb im N lag der Altar mit einer Treppe, rechtwinklig zum Ed-Dēr. - Eine Kuriosität hat Lindner auf dem Dach der Tholos entdeckt, eine eingeritzte Konstruktionszeichnung(?).

Das monumentale Bauwerk (rund 40 m Höhe) wurde zu Recht häufig als zeitliches und stilistisches Pendant zu dem El-Ḫazne dargestellt, als Endpunkt und letzter Höhepunkt nabat. Architektur. Eine Datierung in die Zeit Rabel II. hat sich durchgesetzt. Auf römischen Einfluß wird verwiesen. In der Interpretation bestimmen 2 Vorstellungen: Erinnerungstempel für Obodas III. oder Mausoleum des Rabel II. (anders hier zu BD I Nr. 62 u. D Nr. 453 bzw. BD I Nr. 239, s.o.). Angesichts der Adytongestaltung u.a.m. wird man aber eher zu erwägen haben, daß Rabel II. im Rahmen seines großen Bauprogramms und seiner Stiftungen an große nabat. Heiligtümer (vgl. u.a. E4, O 19) die alte Kultstätte durch einen neuen repräsentativen D̲ū Šarā-Schrein würdigte.

27. Ğebel Qarūn: Lindner 1986, 98-111 Abb. 2-15c.

Über den N-Abstieg vom Dēr-Plateau zu erreichen; am Weg Senkgräber, 1 großer Altar in Hochrelief, Wasseranlagen. Auf dem Gipfel des Ğ. Qarūn nabat. Ruinen ("Heiligtum"), Keramik, Wasseranlagen.

Inschriften: Lindner 1986, 98 Abb. 2; ebd. 106 Abb. 12, Graffito auf Lampenboden.

28. El-Meʿēṣara-Nekropole (vgl. Wādi Meʿarraṣ Ḥamdān) (die Benennungen der einzelnen Schluchten und Felsrücken wechseln, so daß manche Lokalisierungen schwierig sind).

Wādi el-Meʿēṣara el-Ġarbīye (sog. 2. NW-Wādi): BD I Nr. 470-519 Abb. 120, 134, 158, 372-75, 378f., 381 Taf. 28 Karten Taf. 12f., 15 (nennt 55 Gräber); Musil II 1907, 132-34 Abb. 92, 93 (Ritzung: steingebauter Hörneraltar); Dalman 1908 Nr. 507-13 Abb. 224-27 (Nr. 513 Petroglyphen, Zeit?); ders. 1912, 25, 33, 49 Abb. 49; Kennedy 1925 Abb. 9, 33, 148, 172, 175.

Inschriften: CIS II 423A-B (vgl. BD I Nr. 470a-b; Dalman 1912 Nr. 34f.; RES 2125), 426A-F (vgl. BD I Nr. 474a-h; Dalman 1912 Nr. 36f., 45f., 49); Dalman 1912 Nr. 38-44, 47f., 50f. (Nr. 42 u. 49 nennen Sklaven).

Ǧebel el-Meʿēṣara el-Ġarbīye (el-Maʿaiṭere): BD I Nr. 520-64 Abb. 115, 123, 132, 146, 148, 154, 165, 167, 376-86 Karten Taf. 12, 15 (nennt 42 Gräber); Musil II 1907, 131f.; Dalman 1908 Nr. 512, 514 Abb. 16, 226a; ders. 1912, 25, 32-35 Abb. 12, 22-25 (u.a. Senkgräber); Kennedy 1925, 43, 50, 66f. Abb. 9, 85, 94, 106, 110, 149-56; Horsfield 1939, 97, 99, 108-15 Abb. 3, 13-18 Taf. 51, 53, 56 (Gräber Gruppen D u. E mit Beigaben); dies. 1941 Nr. 175-89, 191-94, 197-210 Abb. 18 Taf. 24-26 (u.a. 1 Münze Aretas IV.; Terrakotten Kamel, Pferd; Schmuck Armreifen); Browning 1973, 234f. Abb. 171-73; Zayadine 1983b, 224, 226.

Kennedy hat die kultischen Nebenanlagen des Grabes (kein Tempel) BD I Nr. 559 nachgewiesen.- Beachtung verdient der Opfer- und Spendeplatz ("High Place") oberhalb eines Treppengrabes auf einer Höhe (ders. Abb. 156).- Grab BD I Nr. 550 enthielt Senkgräber mit mit zugeordneten Wandnischen mit *baityles* (1. Jh. n. Chr.). Hier wurde erstmals die Bestattung in ungelöschtem Kalk beobachtet (vgl. jetzt auch in Areale Lindner); im Schachtgrab E 3 Horsfield (2. Hälfte 2. Jh. v. Chr.?) Spuren einer Kremation.

Inschriften (Triklinium BD I Nr. 532): CIS II 424-26 (vgl. BD I Nr. 531a-c; Dalman 1912 Nr. 29f., 32); Dalman

1912 Nr. 31, 33. - Neben CIS II 425 ist eine Sonne mit Gesicht eingeritzt.

Wādi el-Me'ēṣara eš-Šarqīye (sog. 3. NW-Wādi): BD I Nr. 565-611 Abb. 130, 156, 160f., 176, 385-89 Karten Taf. 12, 15 (nennt 42 Gräber); Dalman 1908 Nr. 515f.; Horsfield 1939, 95f., 102f. Abb. 3, 7f. Taf. 52 (Schachtgräber Gruppe B mit Beigaben und Senkgräber Gruppe S); dies. 1941 Nr. 138-41, 151-69, 195f. Abb. 16f. Taf. 20-24 (u.a. 1 Rhyton in Form eines Hasens u. Terrakotten Isis-Maske, Pferd).

Ǧebel el-Me'ēṣara eš-Šarqiye: BD I Nr. 612-15, 622f., 625-27 Abb. 389f., 392 Karten Taf. 12, 15f.; Dalman 1908 Nr. 517-33 Abb. 228-43 (sog. 1.-5. Heiligtum); ders. 1912, 35f., 47 Abb. 26f.; Kennedy 1925 Abb. 157f.; Robinson 1930 Abb. S. 341; Horsfield 1938, 17f., 24, 34-37 Abb. 1 Taf. 10. 45. 52. 62, 2-3. 63 (Häuser u. Triklinien); dies. 1939, 95, 106-08 Abb. 3, 10-12 Taf. 10, 49-51 (Felshäuser bzw. Grabhöhlen Gruppe C); dies. 1941 Nr. 170-74, 190 Taf. 24 (u.a. 1 Terrakottaköpfchen, 10 Kupferglöckchen).

Beachtung verdient das sog. 3. Heiligtum Dalman mit einem Felsaltar mit Idolstein (sog. Gottesthron), mehreren Triklinien, Kammern und Bassins um einen Hof. Der Vorschlag von Horsfield, die Räume seien zu verschiedenen Jahreszeiten benutzt worden, überzeugt nicht. Horsfield 1938 Taf. 63 verdeutlicht wiederum das Größenverhältnis der Triklinien.

Inschriften: CIS II 390-92 (vgl. BD I Nr. 627a-c), 428 (vgl. BD I Nr. 615; anders Dalman 1912 Nr. 93).

29. Wādi Abū'Ollēqa (Nord) (Wādi et-Turkmānīye): BD I Nr. 616-21, 624, 628-44 Abb. 115, 172, 390f., 393-400 Karten Taf. 12, 16 (nennt 22 Gräber); Musil II 1907, 130f.; Dalman 1908, 18, 37 Abb. 13; Puchstein 1910, 25f.; Bachmann-Watzinger-Wiegand 1921, 89f.; Kennedy 1925, 49, 76 Abb. 7f., 104; Cantineau II 2f.; Horsfield 1938, 39f. Taf. 2, 69; dies. 1939, 95 (2 Sarkophage); Murray-Ellis 1940; Milik 1959; Starcky 1965c Abb. S. 22; ders. 1966, 931, 960, 989; Browning 1973, 232-34; Maurer 1980 Abb. S. 82f.; Schmidt-Colinet 1981, 99 Anm. 53; Parr 1983, 142f.; Zayadine 1983b, 235f.

Gräber am Weg nach El-Bēḏā (N55); beim Stadtgebiet die unbedeutende Quelle ʿĒn Abū ʿOllēqa (s.o.).

Das sog. Turkmānīye-Grab (BD I Nr. 633) ist wegen seiner Inschrift, der längsten in Petra, bekannt. Sie datiert das Grab in die Zeit Malichus II.; für diesen Ansatz spricht auch der späte Typus des Kapitells. Die Fassade des Treppengrabes zeigt 2 Halbsäulen und Eckpilaster mit Viertelsäulen. Über dem Architrav liegt eine Attika mit Kurzpilastern, sog. Zwerggeschoß, und eine Hohlkehle. Zwischen den Halbsäulen befindet sich über dem Eingang die fünfzeilige Inschrift, darüber eine kleine Nische mit 2 zerstörten Büsten(?).- Hinter der Fassade liegen der "große Saal" und der "kleine Saal" mit der Grabnische, wie sie in der Inschrift genannt werden. Weitere erwähnte Außenanlagen sind nicht erhalten (vgl. Rekonstruktion J. T. Milik); man verweist dafür meist auf den Grabkomplex BD I Nr. 239 im Wādi Farasa Ost (s.o.). Die Anlage wird D̲ū Šarā (und seinem *mōtab*) geweiht und (als sein Besitz) unter seinen Schutz gestellt. Gemäß dem juristischen Charakter der Inschrift (vgl. Ḥegrā) wird auch die Nachbestattung unter Verweis auf das "Kataster" der Behörde oder der Priester reguliert.

2 Felshäuser wurden 1937 von A. M. Murray, J. A. Saunders und J. C. Ellis am Osthang ausgegraben und 1940 in einer materialreichen Monographie publiziert (die stratigraphischen Beobachtungen sind unbefriedigend).- N cave stellt den einfachen Typus dar: eine Felshöhle, zur Bewohnung zurechtgemacht, durch eine Aufmauerung mit Tür vorn verschlossen, und ein vorgelegter, aus dem Fels geschlagener Hof.- S cave besteht aus einem Komplex von Räumen und einer Schachtgrabanlage auf 2 Terrassen mit einer verbindenden Treppe. Weitere Wohnhöhlen an Terrassenwegen (vgl. Eṣ-Ṣiyyaġ) werden angenommen. Die Funde weisen ins 1. Jh. n. Chr. bis in hadrianische Zeit (Zayadine 1986, 258: 2./3. Jh. n. Chr.) (u.a. 1 Statuettenbasis; 1 Räucheraltärchen mit eingeritzter Figur einer Göttin; Terrakotten weibliche, sitzende Figur, Pferd; 1 Kollier mit 8 Bronzeglöckchen, Perlen, Muscheln und 2 bronzenen Traubenanhängern). Besondere Beachtung verdient die Tonmodel der linken Gesichtshälfte einer Frau/Göttin. Die versuchte Identifizierung als Gattin Obodas III. aufgrund von Münzvergleichen und die eines Bronzekopfes

aus Gaiman im Yemen, jetzt in London, BritMus. Inv. Nr. 127 409 (L 26), als Obodas III. (vgl. auch Lindner 1983, 64, 71) bleiben problematisch. Die Zeitstellung beider Skulpturen ist noch zu klären. Ob der mehrfach als nabat. bezeichnete Bronzekopf in einen solchen Kontext gehört, ist gleichfalls erst noch genauer zu untersuchen.

Inschrift: CIS II 350 (vgl. BD I Nr. 633; Milik 1959).

30. Naǧīr Umm Ṣēḥūn?: Musil II 1907, 131; Kennedy 1925, 13f. Abb. 39-44.

Steinbruch (Zeit?); entgegen Kennedy sind keine kultischen Anlagen deutlich.

31. Umm Ṣēḥūn: Kennedy 1925, 14 Abb. 45, 47; Murray-Ellis 1940, 28f. Taf. 1.

Weit im NO. Gräber, "Kultplatz".

32. ʿArqūb el-Ḥīše: Horsfield-Conway 1930, 375 Abb. 2; Albright 1935; Horsfield 1938, 7f. Taf. 2 Nr. 7f., Taf. 14, 2; dies. 1941 Nr. 221a, (240), 250 (Terrakotta Pferd), 287 u. 291 (Ringe), 326, 345, 353, 356, 358, 373, 439 (Terrakotta Reiter) Abb. 44, 51 Taf. 27, 29f., 32, 38-42, 46 (nabat. Funde der sog. Schutthalde E; zur Lage vgl. dies. 1939, 93 Anm. 3); Cleveland 1960; Hammond 1960, 28-30 Abb. 2; Parr 1960, 133f. Taf. 24B; Bennett 1962, 243 mit Abb. (Rundbau); Parr 1962c mit Taf. 1-6; ders. 1965b, 255-57 Taf. 13; Browning 1973, 228-30 Abb. 166-68; Parr-Atkinson-Wickens 1975, 41-44 Taf. 11f.; Parr 1983, 141f.

Nur die N-Spitze und Partien der W-Flanke sind untersucht. Im S nimmt Musil II 1907, 127 die älteste Besiedlung Petras an.

Der sog. Conway High Place im N wurde von Cleveland 1960 publiziert. Unter den Funden sind nabat. Keramik (ebd. Abb. 5-7 Taf. 16f.), Lampen (ebd. Taf. 18A) und 18 Münzen (ebd. Taf. 18B; u.a. 2 Aretas II./III., 8 Aretas IV., 1 Malichus II.; Klassifikation unsicher). Parr hat nachgewiesen, daß es sich bei der Anlage um ein separates Befestigungswerk handelt (s.o.; anders jetzt wieder Lindner 1985, 74).

Etwas südlicher wurde trench V Parr gelegt. An der "N-Mauer" wurden innen Hausruinen gefunden. Zu einem der Häuser gehört ein runder Raum mit 6 oder 8 Pilastern innen (vgl. Rundbauten bei BD I Nr. 468 auf dem Dēr-Plateau, s. o.). Er gilt als Bad und wird ins 1. Jh. n. Chr. datiert. Auch jenseits der "N-Mauer" wurden unter Schuttschichten schwache Siedlungsspuren bemerkt. Nach Aufgabe der Mauer im 2. Jh. n. Chr. wurde der Bereich für Bestattungen genutzt.

Weiter südlich befindet sich bei Qabr Ġumē'ān ein Turm, der im Kontext der sog. Inneren, 2. N-Mauer zu sehen ist und wohl durch diese datiert wird (s.o.); die Mauer steht hier z.T. auf Ruinen von Häusern des 1. Jhs. v. Chr.

Noch weiter südlich wurden in trench VI Parr 11 nabat. Schachtgräber gefunden. Grab 11 enthielt einen Holzsarg. - Südlich davon nennt Parr 1965b, 257 Häuser mit subnabat. Keramik des 3. Jhs. n. Chr.(?).

Alle Befunde sind erst aus kurzen Vorberichten bekannt.

33. Muġār en-Naṣāra: BD I Nr. 645-60 Abb. 107, 170f., 401-05, 407 Karte Taf. 17 (nennt 13 Gräber); Dalman 1908 Nr. 534-36; Kennedy 1925, 47, 50 Abb. 6, 14, 35, 96, 102, 107, 159; Robinson 1930, 148 Abb. S. 359 (Opfer- und Spendefels); Horsfield 1938, 7 Taf. 2 Nr. 10, Taf. 19, 1; Browning 1973, 225-27 Abb. 162, 165; Zayadine-Hottier 1976, 100 Abb. 4 (BD I Nr. 649 photogrammetrisch); Schmidt-Colinet 1981, 74-77 Abb. 15, 17 Taf. 16f.; Zayadine 1983b, 231f., 236 Abb. 18; Lindner 1985 Abb. S. 95.

Reste einer gebauten Straße (BD I Nr. 646; vgl. Dalman 1908, 30) nach El-Bēḍā (N55). Ein Brückenpfeiler ist im Wādi Umm Zuʿqēqa (Wādi en-Naṣāra) erhalten.

Nekropole (kein Vorort; der "Vorort en-Naṣāra" liegt gegenüber am Hang des El-Ḫubṭa, s.u.). Unter den Gräbern ist auf das Treppengrab BD I Nr. 649 hinzuweisen, das einen Waffenfries zeigt. Dafür wird zumeist der Fries vom Propylon des Athenabezirkes in Pergamon verglichen, doch hat Schmidt-Colinet zu Recht betont, daß das Motiv weitverbreitet war (vgl. auch "Propylon-Reliefs"). Nicht zufällig ist einer der Ovalschilde mit Pelta und Blitzbündel verziert, die auch sonst im nabat. Baudekor begegnen. Da es sich hier um Beutewaffen handeln wird, wären sie als dem Ḏū Šarā geweiht bezeichnet.

34. Wādi el-Maṭāḥa: BD I Nr. 417-20, 661-93 Abb. 107, 155, 157, 169, 406, 408-18 Karten Taf. 12, 17 (nennt 29 Gräber); Dalman 1908 Nr. 537-52 Abb. 12, 244-53 (sog. 1.-4. Heiligtum); Kennedy 1925, 40 Abb. 6, 66, 115, 160f.; Horsfield 1938, 7f. Taf. 2 Nr. 14f., Taf. 18, 1-2; Murray-Ellis 1940, 28f.; Parr-Atkinson-Wickens 1975, 42-44 mit Abb. 1; Lindner 1978, 88 mit Abb.; Zayadine 1983b, 214, 217.

Die nördliche El-Ḫubṭa-Wasserleitung führt am Wādi el-Maṭāḥa entlang (s.o.). Überbrückungen im Stadtgebiet und Brücken im NO werden angezeigt, sind aber noch ebensowenig näher beschrieben wie die Reste der beiden "N-Mauern". Da das Sturzflutwasser zumindest in spätnabat. Zeit über dieses Wādi in die Stadt geleitet wurde, sind entsprechende Schutzbauten notwendig gewesen (vgl. auch die Verstärkungen am nördlichen Nymphäum, s.o.).

Die Zone wurde als Nekropole genutzt. Einige der Felskammergräber wie BD I Nr. 669 weisen die Besonderheit auf, daß sie zusätzlich durch einen Schacht von oben zugänglich waren. - Das Treppengrab BD I Nr. 676 dürfte der Gestaltung nach (Fassadenkomposition, Innenausbau mit 15 loculi) in die spätnabat. Zeit gehören. Lindner hat bei der Fassade einen rötlichen Stucküberzug bemerkt und vor dem Eingang eine überwölbte Zisterne entdeckt.

Von den Verehrungsplätzen sind eine architektonisch gerahmte *baityl*-Ädikula des sog. 2. und auffällige Nischenidole des sog. 1. Heiligtums Dalman zu nennen, nämlich ein grober Al-ʿUzzā-*baityl* neben 1 Hörneraltar und 2 *baityles* mit vertieftem *baityl*-Feld in der Front.

35. Sidd el-Maʿāǧīn: BD I Nr. 694-701 Karte Taf. 17; Dalman 1908, 7 Nr. 553-664 Abb. 4, 12, 254-73; Horsfield 1938 Taf. 19, 2; Gunsam 1983, 307f. Abb. 5, Skizze 3, Plan 2 Nr. 10; Lindner 1985, 91f. Abb. S. 91.

Klammheiligtum mit 95(!) Votivnischen (und dem Triklinium BD I Nr. 697), von Dalman beschrieben. Die Schlucht/Klamm bildet die Mündung des Wādi el-Muẓlem ins Wādi el-Maṭāḥa für die Ableitung des Sturzwassers und war von der nördlichen El-Ḫubṭa-Wasserleitung überbrückt (s.o.). Da die Schlucht wie ein Sammler stets Wasser führt, darf man von einer Art Quellheiligtum sprechen. Die Vielzahl und die Vielfalt der Nischen und die Variation der *baityles* (in Block- und Omphalosform; 1 Hörneraltar) ist bemerkenswert. Mindestens einer der Ädikula-Typen ist einem grösseren Vorbild entlehnt; vgl. Dalman 1908 Nr. 622 Abb. 266 mit BD I Nr. 468 auf dem Dēr-Plateau (Adyton-Typus). Zu erwähnen sind auch Halbmondmotive, auch hier in Verbindung mit *baityles* (vgl. die Nische am sog. Nordweg nach Zibb ʿAṭūf, s.o.), die auf Al-ʿUzzā (als Begleiter des Ḏū Šarā) weisen könnten (vgl. Inschrift).

Inschriften: Dalman 1912 Nr. 28 (Ḏū Šarā und allen Göttern geweiht; unter einer *baityl*-Nische); Milik-Starcky 1975, 126 (nennt Al-ʿUzzā; unpubliziert).

36. El-Ḫubṭa-NW-Hang: BD I Nr. 702-62 Abb. 195, 419-27 Karten Taf. 17f. (NO-Wand); Dalman 1908 Nr. 665-749 Abb. 8, 274-89; ders. 1912, 36, 49, 108 Abb. 28; Horsfield 1938, 10, 31-33 Taf. 28, 1. 58-60, 1. 61, 2; Starcky 1965c Abb. S. 19; Gunsam 1983, 308-12 Abb. 6-11, Skizze 4, Plan 2 Nr. 9-2; Lindner 1983, 76; ders. 1985, 89f. Abb. S. 90; Scheck 1985 Taf. 10.

Der NW-Hang von El-Ḫubṭa war bis zum Wādi (Zarnūq) el-Ḫubṭa hinab eine sakrosankte Zone. Vielleicht besteht ein direkter Zusammenhang zur unteren, letzten Strecke der nördlichen Wasserleitung (s.o.), die diese Zone gleichsam "begrenzt". Nur 1 Grab (BD I Nr. 728) findet sich hier. Eine 2. Grabfassade (BD I Nr. 731), die bis an die Wasserleitung heranreicht (Datierungskriterium), blieb unvollendet.- Die Zone wird durch eine Kette von kultischen Versammlungsstätten (Triklinien, Kammern, Wasseranlagen, Nischen) bestimmt, die Dalman zu 6 "Heiligtümern" gruppiert hat, was nur bedingt Zustimmung finden kann. Horsfield haben einige der Anlagen als Häuser bezeichnet, speziell den sog. Dorotheos-Komplex, und sprechen vom "Vorort en-Naṣāra". Doch ist der kultische Charakter nicht zu leugnen, so daß man besser von einem "Begegnungszentrum" für die vielen Vereinigungen, Kultgenossenschaften etc. in Petra spricht.

Mittelpunkt der einzelnen Komplexe ist in der Regel ein

Triklinium.

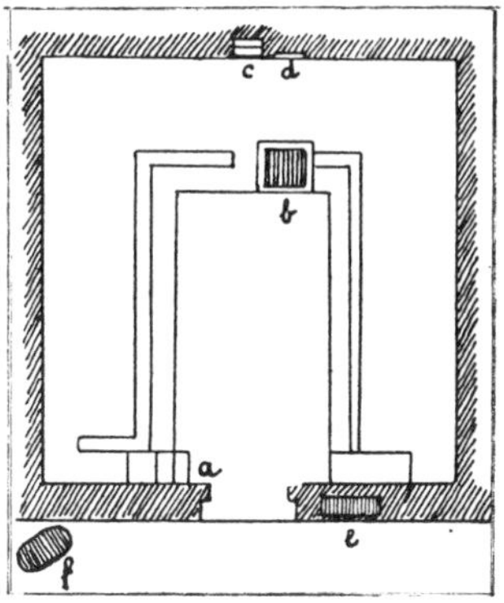

Abb. 47 Petra.
El-Ḫubṭa-NW-Hang,
Triklinium BD I Nr. 704

Saal BD I Nr. 725 enthält eine Art Adytonnische mit einer (*baityl*-)Nische über einem *mōtab* mit Stufen und einer seitlichen Treppe. - Der sog. Dorotheos-Komplex erstreckt sich über 3 Terrassen. Der Hauptraum, Triklinium BD I Nr. 717, fällt durch seine Größe, Höhe, 1 Nebenraum und 3 Eingänge (wie bei Tempeln) auf (Horsfield verstehen die seitlichen Türen als Fenster). Demgegenüber ist das *baityl*-Relief der Rückwand eher grob zu nennen. Der Komplex ist nach der zweifachen griechischen Namensinschrift bei einem Liegeplatz benannt. Ein 2. kleineres Triklinium, gleichfalls mit 1 Nebenraum, befindet sich direkt daneben. Außerdem rahmen 4 kleine Kammern den unteren Terrassenhof. Auf den beiden oberen Terrassen gibt es mehrere *baityl*-Reliefs und 2 Altäre; ein *baityl* steht auf einem großen, vorgezogenen Block, der Altar oder *mōtab* (sog. Gottesthron) sein könnte.

37. El-Ḫubṭa-Nekropole (mit Umm el-ʿAmr): BD I Nr. 763-831 Abb. 109f., 131, 133, 136, 139, 164, 166, 168, 173, 191-94, 428-61 Karten Taf. 12, 18f. (nennt 57 Gräber, NO-Wand); Dalman 1908 Nr. 750-55 Abb. 8, 11, 291-98; Puchstein 1910, 22f.; Dalman 1912 Abb. 8; Kennedy 1925, 48f. Abb. 70, 82-84, 90, 99f., 162, 178, 203f.; Robinson 1930 Abb. S. 209; Horsfield 1938, 9f. Taf. 1, 16, 27. 68, 2; dies. 1939, 93; Browning 1973 Abb. 25, 28f., 71, 151 Taf. 5a; Negev 1976a Abb. 8, 27; Zayadine-Hottier 1976, 103 Taf. 48-51; Maurer 1980 Abb. S. 36f.; Erträge Bonn Taf. 3, 44f.; Gunsam 1983, 310 Abb. 12, Plan 2 Nr. 2-1; Scheck 1985 Taf. 3f.

Die Nekropole erstreckt sich vom Wādi el-Ḫubṭa bis zum Ausgang des Es-Sīq gegenüber der sog. Theaternekropole (s.o.); die Gräber sind in Reihen nebeneinander und in Etagen übereinander angelegt.

Die nördliche El-Ḫubṭa-Wasserleitung mündet direkt vor BD I Nr. 765 in eine große Zisterne. Die sog. Rechtsleitung der südlichen Wasserleitung durch den Es-Sīq ist bis BD I Nr. 824 deutlich zu verfolgen (überschneidet BD I Nr. 825; Datierungskriterium); ihr weiterer Verlauf ist noch zu klären (eine Strecke scheint bis BD I Nr. 816 zu führen; nach Dalman 1908, 38 endete die Leitung nahe BD I Nr. 772). - Nördlich BD I Nr. 765 grenzen die sog. 2. N-Mauer und etwas nördlicher die sog. 1. "N-Mauer" an (s.o.).

Die Nekropole lag dem Stadtgebiet als Ostgrenze gegenüber und konnte für Gräber von hervorgehobenen Personen genutzt werden (vgl. Inschriften von Grab BD I Nr. 813). Repräsentativer Charakter ist bei BD I Nr. 765, 766 und 772 und bedingt bei 813 deutlich (die Achse der *via sacra* trifft in der Verlängerung auf Nr. 766). Ob man allerdings für diese Reihe von Königsgräbern sprechen darf, wie es üblich geworden ist (vgl. u.a. Lindner 1983, 89f.), scheint so nicht zulässig. Nur eines der Gräber wird hier als mutmaßliches Königsgrab angesprochen (s.u. BD I Nr. 772). Dagegen mögen andere, weniger auffällige Gräber durchaus solche des nabat. Adels und Könighauses gewesen sein, wie BD I Nr. 813 lehrt. Angesichts der sich in der *renovatio* äußernden Gegenströmung muß ein Königsgrab nicht notwendig auch ein Prunk- oder Giebelgrab sein. Nimmt man die hier vorgelegte Spätdatierung von BD I Nr. 765 und 766 an (s. u.), war der Hang zur Stadt hin abgesehen von DB I Nr. 772 in nabat. Zeit nicht eigens hervorgehoben, sondern so wie andere Nekropolen strukturiert.

Das nördlichste Grab der Nekropole, BD I Nr. 763, ist ein subnabat. zu nennende Giebelgrab in Petra. Nach der lateinischen Inschrift wurde es für T. Aninius Sextius Florentinus angelegt, der 127 n. Chr. Statthalter der Provincia Arabia war (vgl. Papyrus 14 von Wādi el-Ḫabra, V4). Da für 130 n. Chr. ein anderer Statthalter genannt wird, ist das Grab zeitlich fixiert (späthadrianisch). Vgl. auch Puchstein 1910, 33; Dalman 1912, 23; Horsfield 1939, 94, 101 Taf. 47, 2 (zur Freiräumung 1936); Yadin 1963, 238f.; Browning 1973, 94f., 224; Lyttelton 1974, 62f.; Negev 1976a, 18f.; ders. 1977, 597f. Taf.-Abb. 17 (seine These der Frühdatierung und Wiederbenutzung - vgl. schon Horsfield 1930, 227 - ist verfehlt und abzulehnen); Maurer 1980 Abb. S. 49; Schmidt-Colinet 1981, 86f. mit Anm. 32 Taf. 19 (mit Hinweisen auf Denkmäler in Ephesos, die die Datierung stützen); Zayadine 1981b, 120f. Abb. 12 (photogrammetrisch); ders. 1983b, 243; Lindner 1985 Abb. S. 24.

Die Fassade zeigt Eckpilaster mit Viertelsäulen und 2 Halbsäulen auf einem Podium, das für die Giebeltür (mit 2 Stufen) durchbrochen ist. Über den Halbsäulen ist über dem Architrav ein Bogen mit dem Relief einer "Rankenfrau" (als Büste wie bei El-Ḫazne und in M65) und einem Adlerakroter gebildet. Dem Bogen ist ein zweistöckiges Zwerggeschoß hinterlegt. Das Giebelrelief darüber ist unkenntlich (wiederum "Rankenfrau"?). Die Spitze krönt eine Urne.- Im Innern des Grabes (Grundriß BD I Abb.428) sind 8 loculi ausgehauen. Der mittlere loculus der Rückwand ist betont; der 1. loculus der rechten Wand ist von doppelter Breite. - Alle Bauglieder und Motive der Fassade stehen in nabat. Tradition und man hat zu Recht die Ausführung nabat. Steinmetzen zugeschrieben (ihnen ist vielleicht die Anbringung der Inschrift auf der unteren Architravfaszie anzulasten; kein Datierungskriterium). Die Komposition ist aber unter Aufnahme östlicher römischer Denkmäler weiterentwickelt.- Nur von seiner kunstgeschichtlichen Bedeutung her und aufgrund des hohen Ranges des Bestatteten ist das Grab mit den südlicheren "Königsgräbern" zu vergleichen. In bezug auf die Größe ist es klein und in bezug auf die Lage abseits gelegen (vgl. instruktiv Browning 1973 Taf. 5a), "*extra muros*" und bei/in der sakrosankten Zone des NW-Hanges, zu nennen. Trotz der Absicht, sich jenen Gräbern anzuschließen, wirkt es nur wenig überzeugend angehängt.

In der nördlichen Kammer von BD I Nr. 764 wurde die verschleppte Inschrift Dalman 1912 Nr. 92 gefunden, die Angaben über die Königsdynastie der Zeit Rabel II. enthält (vgl. auch RES 1434; Starcky 1966, 919; Meshorer 1975, 78f.).

Zum sog. Palast- oder Stockwerkgrab BD I Nr. 765 (Grundriß ebd. Abb. 431) vgl. auch Dalman 1908 Nr. 752 Abb. 8, 291; Horsfield 1941 Nr. 290 Taf. 32 (Hand einer Bronzestatuette oder -applike 1936 bei der Freiräumung gefunden); Starcky 1966, 961f., 965; Parr 1968; 11f. (zu den Nischen im Obergeschoß); Browning 1973, 220-22 Abb. 28, 36; Lyttelton 1974, 69 Taf. 86; Zayadine-Hottier 1976 Taf. 53 (photogrammetrisch); Cat. Bruxelles Abb. 11; Maurer 1980 Abb. S. 45-47; Erträge Bonn Taf. 46; Lindner 1983, 10 Abb. 4, S. 90 (Grab Rabel II. und seiner Familie); Schmidt-Colinet 1983a, 310f. Taf. 67d; Zayadine 1983b, 246.

Die durch ihre Höhe und Breite schon ungewöhnliche Fassade besteht aus 3 Geschossen. Im Untergeschoß sind 4 Architravtüren mit Stufen und dahinterliegenden, spearaten Kammern durch 12 aufeinanderabgestimmte Pilaster mit Viertelsäulen zusammengebunden. Das nabat. Hörnerkapitell zeigt Blatteinschnitt. Über dem Architrav werden die Türen außen von Segmentbögen, innen von Giebeln bekrönt. Das 1. Obergeschoß ruht auf einer podiumsartig dazwischengeschobenen Attika und ist für sich komponiert, aber mit dem 2. Obergeschoß korrespondierend. Die Eckpilaster und 16 Halbsäulen tragen dorisierende Hörnerkapitelle. Sekundär sind 6 Nischen angebracht. Der obere Teil des 3. Obergeschosses mit Gesimsabschluß(?) über einem Zwerggeschoß war aufgemauert, weil hier kein Fels mehr anstand, ist aber zerstört. - Die Anlehnung an (römische)Funktionalbauten wie Paläste und Basiliken reicht nicht aus, um diesen Bau aus den Kontext von Grabanlagen zu weisen. Rein spekulativ bleibt die Verbindung mit Rabel II. als Folgerung aus der Königsgräber-These, obwohl die Komposition und Detailformen in spätnabat. Zeit oder bereits ins 1. Viertel des 2. Jhs. n. Chr. (nach BD I Nr. 766 und vor Nr. 763) weisen.

Zum sog. korinthischen Grab BD I Nr. 766 (Grundriß ebd. Abb. 433) vgl. auch Ronczewski 1932, 86f. Abb. 35; Starcky 1966, 971; Browning 1973, 91-93, 218f. Abb. 37a; Lyttelton 1974, 68f. Taf. 73, 92; Negev 1977a, 597 (Grab Malichus II.); Béguerie-Tournus 1980 Abb. 80; Maurer 1980 Abb. S. 42-44; Zayadine 1983b, 245; Scheck 1985 Taf. 2.

Das Grab wurde nach den scheinbar korinthischen Kapitellen benannt, die aber nabat. Rankenkapitelle im Typus El-Ḫazne sind. Die Fassade ist stärker beschädigt. Über einem Podium, das die Tür ausspart, stehen 8 Halbsäulen. Ein flacher Bogen ist über das mittlere Interkolumnium gesetzt. Als Attika folgt ein Zwerggeschoß mit einem gebrochenen flachen Giebel. Darüber, aber wie dahintergestellt wirkend, ist ohne Kontext zum Untergeschoß ein schmaleres Obergeschoß gesetzt, welches das des El-Ḫazne imitiert. Dessen hellenistische Formen werden durch den Verzicht auf skulpturalen Dekor, durch einen Metopen-Triglyphen-Fries und ein Hörnerkapitell unter dem Urnenakroter abgeschwächt.- Zwischen die Halbsäulen sind offenbar nachträglich 4 Türen (und 2 Fensterschlitze?) angebracht worden, die aber in der Ausfertigung unvollendet geblieben sind. Die 3 Türen links führen zu separaten kleinen Kammern. Die "Tür" rechts neben dem Haupteingang diente eher als Fenster. In der Hauptkammer befinden sich 4 breite Grabnischen und 1 loculus. Breite Grabnischen gelten allgemein als für Sarkophagbestattung angelegt; sie waren aber auch einfacher anzulegen als die tieferen loculi, in die ja auch Sarkphage geschoben werden konnten.

Die Kombination der beiden Geschosse ist stets als unglücklich empfunden worden, wobei man auf die überzeugendere Lösung des Ed-Dēr (s.o.) verwies. Ob man dem Versuch, El-Ḫazne einer nabat. formulierten Fassade einzubinden, einen politisch programmatischen Gehalt unterlegen muß und ob das dann stringent auf ein Königsgrab weist, sei dahingestellt. BD I Nr. 765 und 766 wirken eher wie Architektenversuche, deren Extravaganz einen andersgearteten Anspruch ausdrückt. Für beide Gräber könnten ältere Anlagen entfernt worden sein; denn die Fassaden BD I Nr. 770 und 771 stehen weiter vor. Auch zeitlich dürften sich die beiden Gräber nahestehen, während die übliche Datierung in die Zeit Malichus II. von BD I Nr. 766 (Grab Malichus II.: Negev, Lindner) weiterer Begründung bedürfte. Die Relation zu Ed-Dēr wird unter dem Aspekt der gelungeren Gestaltung zeitlich so umgesetzt, daß angenommen wird, BD I Nr. 766 gehe voraus. Doch kann man die Grabfassade auch als versuchte, wenngleich unbefriedigende Weiterführung der Tempelfassade verstehen, darin daß einerseits durch den Kapitelltypus der El-Ḫazne noch getreuer zitiert, andererseits durch das Zwerggeschoß weitere nabat. Elemente eingebracht werden sollten. Erst eine Analyse der einzelnen Architekturglieder kann die Stellung der Großfassaden zueinander und ihre Datierung klären.

Das sog. Bunte Grab BD I Nr. 770 (vgl. auch Dexinger-Oesch-

Sauer 1985 Abb. 78; Lindner 1985 Abb. S. 21) wird von Zayadine 1981, 119 Abb. 10 (photogrammetrisch) in die 1. Hälfte des 1. Jhs. n. Chr. datiert (Kriterien: Eckpilaster mit Viertelsäulen, harmonische Verlängerung durch Zwerggeschoß), doch läßt sich ebenso eine Datierung in die Zeit Malichus II. befürworten. Undeutlich bleibt, ob sich in den Nischen Relieffiguren befinden.

Zum sog. Urnengrab BD I Nr. 772 (Grundriß ebd. Abb. 445) vgl. auch Dalman 1908 Abb. 293f.; Puchstein 1910, 32f.; Bachmann-Watzinger-Wiegand 1921, 90 mit Anm. 98 Abb. 77 (Rekonstruktion eines abgeschlossenen Vorhofes); Horsfield 1939, 93 Taf. 48,1; Starcky 1966, 962 (Grab Malichus II.); bes. Parr 1968, 6-11 Taf. 1-3 (u.a. zu den Nischen und den Büsten); Browning 1973, 213-17 Abb. 29 Taf. 6; Negev 1974f Abb. S. 81; ders. 1976a, 16 Abb. 7, 22; Maurer 1980 Abb. S. 40f.; M. Khadija in: Cat. Bruxelles Abb. 23f. (Restauration); Zayadine 1981b, 119; Bennett 1983 Abb. S. 20; Lindner 1983, 91, 98 Abb. 31, 43; Schmidt-Colinet 1983a, 309 Taf. 66c; Zayadine 1983b, 242f.; Dexinger-Oesch-Sauer 1985 Abb. 87; Hammond 1986a Titelblatt.

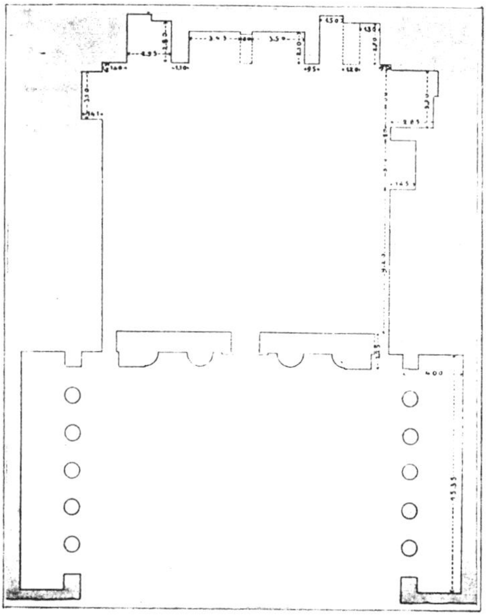

Abb. 48 Petra. Sog. Urnengrab BD I Nr. 772

Das Grab wurde 1962 von J. Brown näher untersucht, 1968 von

Parr photogrammetrisch aufgenommen und 1977-80 von Khadija restauriert (bes. Substruktionen); z.gr.T. unpubliziert.

Die hohe Fassade zeigt Eckpilaster mit Viertelsäulen und 2 Halbsäulen auf einem Podium, das für die Giebeltür offengelassen ist, ein zweigliedriges Zwergeschoß und einen Giebel mit Attika und Urnenakroter (namengebend). Die unteren Epistylkröpfe tragen 4 Büstenreliefs von Göttern (nicht benannt; die Attribute wie cornucopiae oder Szepter sind auf den bisherigen Abbildungen noch undeutlich). Von 3 hochangebrachten Grabnischen (Funde von Textilresten) enthält die mittlere Nische als Verschlußplatte das Relief einer großen Büste eines Mannes in einer Toga(?). - Die Grabkammer ist sehr groß und hoch. 2 seitliche Türen und die Fenster gelten als sekundäre Aufbrüche, als das Grab 446/7 n. Chr. zur Bischofskirche umgewandelt wurde. Dabei sind auch die 3 Bogennischen an der Rückwand ausgehauen worden; die ursprüngliche Gestaltung (nur *baityl*-Nische?) bleibt unklar. - Vor dem Grab ist ein Vorhof angelegt. Seitlich sind Portiken mit je 5 Säulen mit dorischen Kapitellen und Pilastern an beiden Enden aus dem Fels geschlagen. Die Front zur Stadt hin blieb (mit einer Balustrade) wohl offen.- Seitlich führte eine Treppe empor. In byzantinischer Zeit (Zayadine; anders M. M. Khadija in: Lindner 1978, 81; Hammond 1977/78, 85) ist der Hof durch vorgebaute zweigeschossige Substruktionsgewölbe (irrig für Gefängnisse gehalten, was zur populären Deutung der Anlage als königlicher Gerichtshof geführt hat) mit Treppen vergrößert worden.

Es ist Verwunderung darüber geäußert worden, daß bislang für diese bedeutende Grabanlage noch kein Triklinium nachgewiesen werden konnte. Doch ist zu bedenken, daß sich das eigentliche Grab oben im mittleren loculus der Fassade befand und der grosse Saal wie auch die Hofportiken den notwendigen Platz für Versammlungen und Kultfeiern boten. Inwieweit die Anlage als Grabtempel verstanden werden kann, läßt sich noch nicht sicher beantworten.

Parr hat das Grab ins späte 1./frühe 2. Jh. n. Chr. datiert, weil der Brauch der Bestattung im loculus der Fassade nicht wiederaufgegriffen worden sei (ähnlich Zayadine). Starky sah dagegen hier das Grab Malichus II. mit seiner Grabbüste im loculus (ihm folgt Lindner). Allerdings entsprächen diese Darstellung und die Neuerungen in der Anlage nicht dem, was man Malichus II. zuspricht, nämlich Traditionsbewußtsein als Nabatäer und Ablehnung westlicher Ikonographie. Das Argument beruht allerdings auf unsicheren Annahmen, so daß man besser form- und stilkritischen Beobachtungen den Vorzug gibt. Nach Parr 1968, 10 steht die Fassade u.a. in der Form des Simses und in den Büstenreliefs BD I Nr. 468 auf dem Dēr-Plateau (s. o.) nahe (vgl. auch BD I Nr. 452). In der Tat wird ein Ansatz im 2. Viertel des 1. Jhs. n. Chr. der Anlage gerechter. Schon Lyttelton datierte um 40 n. Chr., allerdings aufgrund ihrer irrigen Frühdatierung von BD I Nr. 239 (s.o.) im Wādi Farasa Ost. Die strukturelle Verwandtschaft zwischen diesen beiden Gräbern dürfte darin begründet sein, daß BD I Nr. 239 als mutmaßliches Königsgrab (Rabel II.) sich an das mutmaßliche Königsgrab BD I Nr. 772 bewußt anlehnt. Von der Frühdatierung des sog. Urnengrabes her, das aufgrund seiner Anlage am ehesten noch ein Königsgrab sein wird, ist es als das Grab Aretas IV. zu bezeichnen (so auch jetzt angedeutet von A. Schmidt-Colinet in einem noch unpublizierten Vortrag 1986; allerdings mit einem weniger überzeugenden Verweis auf Monumente in Rom und auf der "Grundlage" guter Kontakte des Königs zu Rom). Die Grabbüste stellt dann Aretas IV. dar.

Unterhalb des sog. Urnengrabes führten Mitglieder der NHG Nürnberg mit M. M. Khadija und F. Zayadine 1973, 1976, 1978 und 1980 Ausgrabungen in 3 Arealen (zur Lage vgl. Lindner 1981 Abb. 2) durch. Vgl. (sich z.T. überschneidend) Lindner 1973, 23f. mit Abb.; Zayadine 1973b, 81f. Taf. 50, 3; bes. ders. 1974a, 135-40, 146-48, 150 Abb. 1-4 Taf. 58-64, 68f.; ders. 1974b, 39-45, 50 Abb. 1-17; Müller-Göbel 1976 mit Abb. (Abb. S. 98 Plan Schachtgrab B 1); Müller-Schmid 1978 mit Abb.; bes. Zayadine 1979, 185-91, 197 Abb. 1f. Taf. 83-89; Schmid 1980, 25f.; Lindner 1981, 127-29, 134-36 Abb. 2-10; ders. 1983, 250-52, 254-56 Abb. 1-7, 13-15; Zayadine 1983b, 216f. Abb. 3, 3a; ders. 1986, 248-58 Abb. 50-64.

Einer Besiedlung des Bereichs im 2. Jh. v. Chr.(?) folgte im 1. Jh. v. Chr. eine Nutzung als Nekropole mit einzelnen Häusern. Damit scheint zugleich ein Datum für den Beginn der Felsfassadengräber angedeutet werden zu können. - In der Wohnhöhle A 1 des 4. Jhs. n. Chr. wurde 1 kleine Augenidolstele gefunden, die als Beweis genommen wird, daß das Christentum sich in Petra noch nicht durchgesetzt habe (vgl. site I Hammond, s.o.) (der Fundort liegt genau unterhalb der Bischofskirche). - Area A 2 wird als Opferstelle bei einer Grabhöhle mit 2 Senkgräbern bezeichnet. - In Area B 1 wurde ein Schachtgrab mit Stufen und Trittlöchern hinab zu 8 Senkgräbern (Zeit Obodas III./Aretas IV.) entdeckt, das in ein Haus (2. Jh. v. Chr.?) eingelassen war. Bei weiteren Hausruinen in Area B 2-4 wurde eine Abfolge von 4 Fußböden seit dem 2. Jh. v. Chr.(?) festgestellt (der frühe Zeitansatz ist nach den Vorberichten noch nicht überprüfbar). In B 5 ergaben sich Funde von Bestattungen. - In Area C fand man 1 Schachtgrab mit 4 Senkgräbern (Zeit Obodas III.). - Alle Gräber waren gestört. Viele bemalte Stuckfragmente in B 1 könnten eher Teile der Grababdeckungen sein als herabgefallener Wandputz des Hauses über dem Grab. Bei Nachbestattungen im selben Senkgrab war eine gipsartige Trennschicht aus Kalk, Sand und Schotter eingezogen. Bestattungen erfolgten z.T. in Holzsärgen (Eisennägel). Viele Kleinfunde, u.a. Keramik, 3 nabat. Lampen, 1 Terrakottafigur, 1 Alabasterpyxis, Glas, 1 Imitation arretinischer Reliefkeramik, 1 nabat. Ostrakon, 5 nabat. Münzen (davon 1 Obodas III.; 1 Aretas IV., nach 20 n. Chr., Typ Meshorer 1975 Nr. 103?), Schmuck (2 goldene Ohrringe, 2 Ohrgehänge, 1 Ring, Perlen, 1 Skarabäus, viele Bronzeglöckchen) und 1 Schwert oder Gürtel aus Bronze.

Einen vollständigen Grabkomplex zwischen BD I Nr. 777 und 778 hat Kennedy 1925, 68 Abb. 165, 167 aufgezeigt. Er besteht aus der Grabkammer mit großem Treppenzugang und einem Freitriklinium mit *baityl* (oder Votivträger) und Wasseranlagen.

Unter den sonst meist kaum erforschten Felskammern am Vorsprung dem Theater gegenüber befindet sich neben BD I Nr. 786 ein von Horsfield 1938, 19f. Abb. 3 Taf. I Nr. 48, Taf. 47 beschriebenes Haus aus 6 Räumen um einen "Saal" nach Art des Atriumtypus. Einer der Räume zeigt noch einen Rest des bemalten Stuckes (kleine Bögen) beim Deckengewölbe (ebd. Taf. 48,1).

Die 1896 von G. Hill gefundene Inschrift CIS II 351 wurde bis 1973 mit dem großen Treppengrab BD I Nr. 808 verbunden, dann aber von Zayadine auf das <u>Treppengrab BD I Nr. 813</u> bezogen, das von ihm und M. Lindner 1973-74 und 1978 freigelegt worden ist. 1984 untersuchte F. Zayadine das zugehörige Grabtriklinium BD I Nr. 812. Vgl. auch (z.T. mit Überschneidungen) Lindner 1973, 25f. mit Abb.; Zayadine 1973b, 81f. Taf. 50, 2; bes. ders. 1974a, 142-47 Abb. 5 Taf. 61, 65-67; ders. 1974b, 45-50 Abb. 18-24; ders.-Hottier 1976, 103 Taf. 48f.; bes. ders. 1979, 192, 197 Abb. 3 (Plan) Taf. 90-92; ders. 1980 Abb. 23f.; Lindner 1981, 131-33, 136 Abb. 11-17 Taf. 13 (irrig als Nr. 808 bezeichnet); Zayadine 1981b, 119; ders. 1983b, 229f., 234f.; ders. 1986, 229-37 Abb. 20-32.

CIS II 351 (vgl. BD I Nr. 808) nennt ʿUnēšu, "Bruder" (epitropos) der Königin Šuqailat, als einen der hier Bestatteten. Der Titel bezeichnet ihn als ihren Wesir/Kanzler (vgl. Strabo XVI 4, 21; Meshorer 1975, 61f.). Sein Name begegnet sonst nicht in den dynastischen Inschriften. Šuqailat II. regierte 70-75 n. Chr. für den noch zu jungen Rabel II. Damit ist das Grab in die spätnabat. Zeit datiert. 2 weitere Inschriften (Nr. 1 und 4) und 2 Dipinti (Nr. 2 und 3) auf Stuckplatten (Zayadine 1974a, 148 Taf. 66; ders. 1979, 192 Taf. 92, 1) nennen offenbar weitere Mitglieder des Königshofes (ob der Dynastie selbst, kann man den Fragmenten nicht entnehmen; denn die Dynastienamen können Datierungsformeln entstammen). Inschrift Nr. 1 wird "Malichus(?)...der Nabatäer", Nr. 2 "Šuqailat", Nr. 3 "Aretas(?)" und Nr. 4 "Königin der Nabatäer" gelesen. Nicht gesehen wurde bislang, daß die Inschrift Nr. 1 bereits von Moulton 1919/20, 90-92 Taf. 2 publiziert wurde. Ebd. publizierte Moulton eine weitere (5.) Inschrift, die "Aretas" nennt und aus dem gleichen Grab stammt. Diese 5. Inschrift scheint identisch mit Vincent 1920. Der Befund beweist, daß die Zuweisung an BD I Nr. 813 statt wie früher an BD I Nr. 808 zu Recht erfolgte.

Die Architravtür des Grabes wird durch einen 2. Rahmen aus Pilastern mit Viertelsäulen und Giebel optisch vergrößert. 3 Stufen sind vorgelegt. Ein niedriger Sockel/Podium hebt die Fassade vom Vorplatz ab. Im Grab befinden sich 11 loculi mit Senkgräbern. Die loculi waren ursprünglich mit Stuckplatten verschlossen, auf die Namen (,Amt und Datum) aufgetragen waren (vgl. auch BD I Nr. 64B). Die Senkgräber waren mit Decksteinen verschlossen, die ähnliche Inschriften trugen. Zayadine erwägt loculus 6 als das Grab des ʿUnēšu.

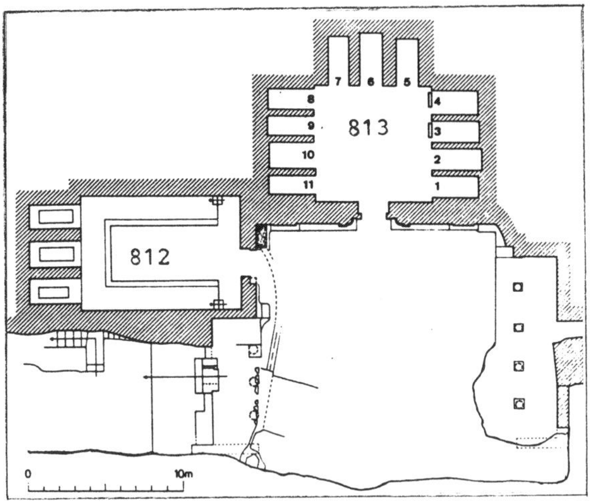

Abb. 49 Petra. Grabkomplex BD I Nr. 812/813

Alle Senkgräber waren aufgebrochen, dennoch sind Funde nabat. Zeit verblieben, u.a. Keramik, 2 Münzen (1 Malichus II., 1 Rabel II.) und Schmuck (Perlen, 1 goldener Skorpion, 1 Ohrring, 1 Ring). Loculus 3 bezeugt eine Bestattung in ungelöschten Kalk oberhalb einer älteren Bestattung.

Eine Ansammlung von Scherben rechts vor der Fassade wird auf ein Totenmahl oder eine Opfergabe etc. bezogen (zum Brauch vgl. Schale in der Schwelle der Tür in den El-Ḫazne: Dalman 1912, 67 Abb. 60f.). Der Vorhof war von 2 Portiken gerahmt, rechts in den Fels geschlagen mit 4, links aufgemauert mit 3 Säulen (vgl. BD I Nr. 772). An der rechten Wand ist der Rest eines *nefeš*-Spitzpfeilers(?) erhalten. In die Wand ist hoch ein loculus eingelassen.- Links liegt das Triklinium BD I Nr. 812, das an der Rückwand 3 Grabnischen besitzt (nur byzantinische Keramik). Neben dem Eingang befindet sich ein Wasserbassin.

Der Grabbau ist auf 2 Wegen erreichbar, von O hoch entlang von Gärten(?) und im Abzweig des Nekropolenweges zwischen BD I Nr. 825 und Nr. 772, an dem 1 Zisterne, 1 Damm und 1 Kammer mit Nischen liegen (vgl. BD I Nr. 809-811).- Die Relation zu BD I Nr. 808 und die Bedeutung dieses Grabes wäre unbedingt zu klären.

BD I Nr. 824 schließt an die freistehenden Grabtürme vor und nach dem Es-Sīq an (vgl. auch Starcky 1965c Abb. S. 14; Zayadine 1983b, 224). Der obere Zinnenkranz war aufgemauert. - Das Innere des Treppengrabes BD I Nr. 825 (vgl. auch Dalman 1908 Nr. 755; Horsfield 1938 Taf. 68, 2; Maurer 1980 Abb. S. 38; Schmidt-Colinet 1981 Abb. 14; Zayadine 1983b, 229) ist mit 14 Senkgräbern im Boden und 3 Wandgräbern dicht belegt. An die linke Wand sind 5 *nefeš*-Spitzpfeiler mit Basen geritzt. Die beiden äußeren Pfeiler tragen Gedenkinschriften (CIS II 352, 353; vgl. BD I Nr. 825). Da ein Bezug zu den Senkgräbern anzunehmen ist, zeigt dies, daß dieses Symbol nicht nur im grablosen Totengedenken Verwendung fand (vgl. auch BD I Nr. 64B, s.o.).

38. El-Ḫubṭa: Molloy-Colunga 1906 mit Abb. S. 583-85; Musil II 1907, 124; Dalman 1908 Nr. 756-94 Abb. 298-312; ders. 1912, 37f., 45-47, 51f., 57 Abb. 29f., 42f., 51f.; Kennedy 1925, 71f. Abb. 178-81, 183-87; Robinson 1930 Abb. S. 355; Horsfield 1938, 14, 24, 38 Taf. 1. 53, 2. 66, 1; Lindner 1983, 33 Abb. 18, S. 75f.; ders. 1986, 130-37 Abb. 2-5, 8-11.

Auf El-Ḫubṭa gibt es oberhalb des sog. Urnengrabes eine wichtige Opfer- und Verehrungsstätte mit einem *baityl* als zentralem Kultbild, zu der weitere Anlagen, u.a. 1 Stibadium, gehören (sog. 1. u. 2. Heiligtum Dalman). Inmitten der Anlagen befand sich ein Wachtturm mit einem aus dem Felsen geschlagenen Wächterhaus und südlich davon 1 große, überwölbte Zisterne (eine 2. große Zisterne ganz im SO beim Hauptgipfel).-Die Stätte war über verschiedene ausgebaute Treppenwege erreichbar, die bei BD I Nr. 772, 765 und 763 begannen. Der sog. NW-Weg führt über eine Felsgalerie mit einem verschließbaren Tor (vgl. Umm el-Biyāra, s.o.).-Am sog. N-Weg wurde eine leere Votivnische mit einer Inschrift (Dalman 1912 Nr. 85; RES 1088) entdeckt, die die Aufstellung der *baityles* oder Augenidolstelen - in der Inschrift als *neṣīb* bezeichnet - der Al-ʿUzzā und des "Herrn des Hauses/Tempels" (Baʿal-Schamin oder Dū Šarā; vgl. Stockton 1971, 54; vgl. ferner Starcky 1966, 995, 1010; dazu Zayadine 1983a, 112f.) in der Nische des Karawanenführers oder Stuckateurs(?) Wahballāhi (Horsfield 1938, 33 = Dorotheos wie in BD I Nr. 717, s.o., was fragwürdig bleibt) bezeugt. - Von den übrigen Denkmälern der Zone seien noch 6 Hörneraltäre, 1 große architektonische Idolnische mit einem Adlerakroter (vgl. Dalman 1908 Nr. 51e, s.o.), 1 kleinere Nische mit 3 *baityles* und ein in den Fels gearbeiteter Verehrungsplatz mit Nische, Votivbank, Bassin und Treppe (erst von Lindner entdeckt) genannt.

Denkmalgruppen und Hinweise auf übergreifende Arbeiten

Im folgenden Abschnitt werden Denkmäler aus Petra ohne genauere Fundortangabe nachgetragen und allgemeine Hinweise zu einigen Denkmalgruppen und zu übergreifenden Untersuchungen gegeben, ohne eine erschöpfende Zusammenstellung, Diskussion oder Analyse aufgrund jener Arbeiten und des hier erstellten Kataloges anzustreben. Einen informativen Überblick unter Beachtung auch der gesellschaftsrelevanten Aspekte bietet Hammond 1973a. Diesem Ansatz folgend sind weitere Untersuchungen zur Kultur der Nabatäer zu fordern.

Streufunde und Objekte aus Privatsammlungen (bes. Keramik, Terrakotten, Münzen) in Murray-Ellis 1940; Horsfield 1941; Kataloge der Nabatäerausstellungen.

Unter dem Oberbegriff "Heiligtümer" findet man eine Vielfalt von Formen kultischer Ensembles, wie sie bes. Dalman 1908, (52-63), 64-98 aufgelistet hat und passim bespricht. Vgl. auch (z.T. mit Diskussion der Termini und Kultaspekte) Dalman 1912, 53-58; Bachmann-Watzinger-Wiegand 1921, 91; Nielsen 1931 und 1933; Starcky 1966, 1005-16; Stockton 1971; Hammond 1973a, 49-51, 98-105; Roche 1980; Tarrier 1980; Lindner 1983, 48, 52; Zayadine 1983b, 219-23.

Nur in wenigen Fällen trifft die Bezeichnung Heiligtum zu, häufiger wird man von Opfer- und Spendeplätzen und Verehrungsstätten und Betplätzen sprechen wollen. Solche Anlagen können sehr einfach bis grob oder sehr aufwendig und durchdacht hergestellt sein. Die jeweilige Funktion ergibt sich aus dem Typus und der Lage. Die Verbindung mit dem Fels wurde gesucht, im Felsmal/*baityl* wurde die Gottheit gesehen. Auch im Grabkontext gilt der Kult den Göttern. Zum Ablauf kultischer Feiern waren verschiedene Einrichtungen notwendig, zu denen das Vorhandensein von Wasser gehörte. Die bedingte Größe der Anlagen wird allgemein damit erklärt, daß diese Stätten von kleineren Gruppen wie Kultgenossenschaften etc. aufgesucht und gepfelgt wurden (vgl. Strabo XVI 4, 26: Symposia mit 13 Teilnehmern). Charakteristischer Typus des Versammlungsraumes ist das Triklinium; das Stibadium für die Zubereitung von Opfermahlzeiten ist ein weiteres lokales Charakteristikum.

Bis zu 16 Tempel wurden in Petra angenommen, von denen allerdings nur 4 derzeit unstrittig Tempel sind. Die Altarplattform an der Rückwand der Cella/des Adytons (*mōtab*) ist ein Wesenszug dieser Bauten, der eng zum D̲ū Šarā-*baityl* gehört (vgl. CIS II 350). 50 weitere nabat. Tempel, davon 16 unsicher, sind aus den anderen Regionen bekannt (die Listen von Glueck III 65f.; ders. 1961, 15f.; ders. 1965, 60-62 sind überzogen). Übergreifend vgl. Amy 1950; Glueck 1965; Wright 1968; bes. Hachlili 1975; Negev 1976a mit Abb. 55 u. 71 (nördlicher und südlicher Typus); Busink 1980. Hinsichtlich der Herleitung müßten südarabische Denkmäler stärker berücksichtigt werden (vgl. etwa Grohmann 1963 Abb. 54-58; Zayadine 1986, 248). Die Aufteilung in nur 2 Grundtypen ist zu überdenken und nicht nur regional, sondern auch funktional zu begründen. Bei der Datierung der Tempel hat sich ein Bezug zu denen in H̲. et Tannūr (M65) oft als problematisch erwiesen, nimmt man die Phasendatierung von Glueck als Basis. Ein Bezug auf die Haupttempel in Petra ist stärker einzubringen.

Götter- und Verehrungsbilder begegnen in der Form des aufgestellten Steines oder bei Fremdkulten (Isis) und in der Hofkunst anthropomorph in griechischer Prägung. Dominant ist der *baityl* in Blockform (Dalman: Pfeileridol), gelegentlich auch im sog. Omphalostypus, der mit D̲ū Šarā zu verbinden ist. So zeigen von 168 publizierten Nischenreliefs und Gravuren 124 einen oder mehrere *baityles*, 22 Altäre, spez. Hörneraltäre, 6 Augenidolstelen (davon 4 neben einem *baityl*), 2 Urnen und anthropomorph 3 Isis, 3 Schlange, 2 Adler, je 1 D̲ū Šarā, Zeus Hagios, Allat(?) und Nike(?). Zu den Nischenreliefs mit Augenidolstelen, die mit Al-ʿUzzā verbunden werden, treten separat 7 kleine Stelen(platten), die große Blockstele aus dem Nord-Tempel und die Darstellung auf einem Hörneraltärchen (Lindner 1973, 40f. mit Abb.). - An dieser Stelle seien auch die kleinen Räucheraltärchen genannt, die auch aus anderen Gegenden aus persisch-hellenistischer Zeit bekannt sind. Zu den 9 von O'Dwyer Shea 1983, 102f. Abb. 4b genannten Funden treten noch Murray-Ellis 1940 Taf. 15 Nr. 12; Horsfield 1941 (Nr. 262 Taf. 31), 277 Taf. 32; Hammond 1977/78, 82f. Nr. 25, 30 Taf. 48, 2; Lindner 1985 Abb. S. 46 (jünger). - Eine eigene Funktion als Gedenkmal haben die (39) *nefeš*-Spitzpfeilerdarstellungen. - Aus der "Volkskunst" liegen ein paar "Wirkbilder" vor, einfache Reliefs und Gravuren, die bestimmte Vorstellungen fixieren, die der Lebensweise, Tradition und Erfahrung des Volkes entstammen. Sie finden eine Fortführung in den Petroglyphen.

Sieht man von den Göttern der architektonischen Büstenreliefs und von theophoren Namen in den Inschriften ab, sind folgende Götter/Kulte in Petra bezeugt: Ḏū Šarā ("Herr des Hauses/Tempels"?, Zeus Hagios), Al-ʿUzzā (Atargatis, Aphrodite), Isis, Al-Kutbā, Obodas Theos, Allat? (Atargatis), Baʿal-Schamin?, (Qōs?). Wie in anderen Regionen dominiert hier ein Hauptgott bzw. ein Götterpaar. Inwieweit die anderen Götter nur als Wesensformen der Hauptgötter anzusehen sind, ist umstritten. Eigene Namen, Darstellungstypen (und Funktionen) sprechen zunächst auch für eine starke Eigenbedeutung dieser Götter. Eine Gleichsetzung scheint dagegen bei den jeweiligen Hauptgöttern möglich, die regional unterschiedlich benannt sind, auch wenn sie gemäß ihrer Genese und lokalen Komponenten in einzelnen Zügen voneinanderabweichen. Ḏū Šarā hat als Hauptgott der Königsstadt Petra seine überragende Bedeutung erhalten.

Für den komplexen Bereich nabat. Religion, Kulte und Götter sei verwiesen auf: Dalman 1908, 49-63(-98); Kammerer 1929, 386-440; Sourdel 1952; Starcky 1966, 985-1016; Hoftijzer 1968, 17-24; Hammond 1973a, 93-105; Teixidor 1977, 76-94; Starcky 1982; Zayadine 1983a. - Zu Ḏū Šarā vgl. auch (bes. für die subnabat. Zeit) Cook 1940; Cat. Damas 1976, 118 Abb. 51; Naster 1982; Kindler 1983, 43-49, 58-60, 79-83, 135f. (Bibliographie); Knauf 1984a, 110f. - Zu Al-ʿUzzā vgl. auch Zayadine 1981c; ders. 1984. - Zu Allat vgl. auch Starcky 1981a-b. - Zu Qōs vgl. auch Weippert 1971, 465-69, 708. - Übergreifend vgl. ferner Grohmann 1963, 81-89; Höfner 1965 und 1970; Fahd 1968; Drijvers 1981. Gerade aus den Aspekten arabischer und syrischer Traditionen wird die nabat. Religion verständlicher.

Zu den Felsfassaden in Petra (Gräber, Triklinien, Heiligtümer) vgl. u.a. BD I 137-73 (A. v. Domaszewski);Puchstein 1910; K. Wulzinger in: Bachmann-Watzinger-Wiegand 1921, 12-28; Kammerer 1929, 471-510; Vallois 1944, 286-364; Starcky 1966, 956-73; Browning 1973, 79-99; Lyttelton 1974, 61-63, 68-83; Gawlikowski 1975-76; Negev 1977a, 591-99; grundlegend Schmidt-Colinet 1981; Balty 1983; bes. Zayadine 1983b.

Neben Versuche, über Typus (Zinnen-, Treppen-, Giebelgrab) und Kompositionen zu einer Chronologie der Fassaden zu kommen, bes. unter Heranziehung der datierten Gräber in Ḥegrā (Q47), die nur bedingt erfolgreich waren, sind jetzt Detailstudien einzelner Architekturglieder (Kapitelle, Simse, Hohlkehlen) getreten (A. Schmidt-Colinet, J. S. McKenzie in Vorbereitung), die eine sicherere Beurteilung erlauben. Sie dürften außerdem Entwicklungen und die einzelnen Aktivitäten nabat. Steinmetzwerkstätten (Familienbetriebe) erhellen (vgl. Schmidt-Colinet 1983b).

Zwar wird man Negev zustimmen, daß die größeren und reicher ornamentierten Gräber, speziell die sog. Prunkgräber, einer Oberschicht zuzuordnen sind, aber im Sinne einer wirtschaftlich besser situierten Gruppe, nicht Klasse. Daß diese Auftraggeber auch ihre eigenen Wünsche und Absichten in die Gestaltung einbrachten, geben z.B. BD I Nr. 765 und 766 an. Wie BD I Nr. 813 zeigt, kann sich das auch in einer konservativeren, "einfacheren" Fassade äußern.

Zu Recht werden die Fassaden als Denkmalgruppe von Schmidt-Colinet in einen größeren kunstgeschichtlichen Kontext gestellt. Er zeigt, wie stark die Nabatäer von der Kunst und dem Brauchtum der sie umgebenden Kulturen konzipierten und wie sehr ihre Werke in eklektischen Neuformulierungen eigenständig und der Herkunft und Tradition der Nabatäer gerecht geworden sind. Die Möglichkeiten, über die nabat. Fassaden Rückschlüsse auf die alexandrinische Architektur zu gewinnen, bleiben daher beschränkt.

An übergreifenden Kapitellstudien für Petra sind zu nennen: grundlegend Ronczewski 1932; Schlumberger 1933, 288f.; Hammond 1977; Ismaʿīl 1980; Schmidt-Colinet 1983a; Patrich 1984a. Einzelne wichtige Beobachtungen finden sich aber auch in vielen anderen Arbeiten. Hinzuzunehmen sind Diskussionen nabat. Kapitelle anderer Regionen (u.a. Butler, PPUAES 1914; JS I-II; Mercklin 1962; Negev 1974b; Hesberg 1978) und allgemeine Arbeiten, speziell über das korinthische Kapitell im hellenistisch-römischen Osten.

Das sog. nabat. Rankenkapitell (El-Ḫazne-Typus) ist eine lokale Variante des korinthischen Kapitells alexandrinischer Prägung. Davon abhängig sind die Sonderformen der Kapitelle des N-Tempels. Die Entwicklung/Veränderung des Typus bis in die spätnabat. Zeit ist im einzelnen noch deutlicher darzulegen. - Das sog. nabat. Normalkapitell, auch Hörner- und Bossenkapitell oder klassisch-nabat. Kapitell oder schlicht nabat. Kapitell genannt, wird als reduzierte Form des korinthischen Kapitells angesehen. Der Verzicht auf vegetabilen Dekor zugunsten des Steincharakters kam nabat. Empfinden entgegen. Dieser Typus zeigt gleichfalls eine Entwicklung. Die jüngeren Kapitelle tragen geritzten oder eingeschnitten Dekor in untergeordneter Form, vor allem in einer Art Imitation des Akanthus oder auch der Voluten blattartige Einschnitte im unteren Teil. Aufschlußreich dürfte eine Untersuchung der Formen des Kapitellhalses sein, da hier mehr Varianten vorliegen zu scheinen. - Eine Sonderform spätnabat. Zeit bieten die sog. dorisierenden Kapitelle (Schmidt-Colinet 1983a).

Für die Bestattungsbräuche sind die Senkgräber mit ihren Beigaben von Interesse, die sich in Felskammergräbern, in Schachtgräbern und ungebunden in den Fels vertieft zahlreich gefunden gefunden haben. Die wichtigsten Befunde in Horsfield 1939 (mit Diskussion); Murray-Ellis 1940; trenches V u. VI Parr; Area B u. C Lindner; BD I Nr. 64B u. 813 (Zayadine). Vgl. auch Zayadine 1983b, 214-18.

Eine vergleichende und auswertende Gesamtuntersuchung dieser Gräber in Petra und anderen Regionen (vgl. u.a. Negev 1971d; L99; N88; P5) steht noch aus. - Allgemein zu nabat. Termini für Gräber etc. vgl. Negev 1971a, 115-17; ders. 1971d. - Zum (angeblichen) Brauch der Totenaussetzung, den Strabo XVI 4, 26 nennt, vgl. Wright 1969; anders u.a. Clermont-Ganneau 1895; Zayadine 1973b, 216f.; bes. ders. 1986, 221 (ablehnend). - Die Grabkomplexe, gerade bei den Felskammergräbern, geben Hinweise auf den Totenkult, soweit die Funktionen der einzelnen

Anlagen ermittelbar sind. Das Beigabewesen (Gefäße, Schmuck, Münzen/Geld, Votivfiguren, apotropäische Glöckchen) gibt weitere Aufschlüsse. Wichtig sind die vielen Grabinschriften. Die Körperbestattung bestimmte die Form des Grabes. Brandbestattungen sind nur in Einzelfällen beobachtet worden. Negev nimmt auch den Brauch der sog. Zweitbestattung an.

Eine neue Bearbeitung wäre auch für die Häuser in Petra geboten. Zur bislang grundlegenden Behandlung von Horsfield 1938 kommen weitere Befunde bei der *via sacra* im Zentrum, El-Ketūte, Dēr-Plateau, Wādi Abū ʿOllēqa und El-Ḫubṭa-Hang. Sie zeigen die Vielfalt der Wohnmöglichkeiten von der einfachen Höhle bis zu mehrräumigen und mehrgeschossigen Felshäusern oder dem gebauten Steinhaus mit kostbarer Stuckatur und Malerei (vgl. Strabo XVI 4, 26; ebd. Brauch des Opfers auf dem Dach der Häuser; vgl. u.a. Zayadine 1986, 257). "Industriell" genutzte Räume sind noch nicht gefunden worden, sieht man vom Befund beim Nord-Tempel ab. Es handelt sich um Wohnhäuser mit partieller Nutzung als Vorrats-, Warenhaus.

Öffentliche Funktionalbauten sind im Stadtzentrum erhalten, Theater, Märkte, Geschäftsläden und die Tempelkomplexe. Dazu treten vielfache Installationen zum Sammeln und Leiten des Sturz- und Regenwassers wie der Abwässer. Wasser wurde u.a. auch für die Begrünung der Stadt, die Hausgärten und die Friedhofsgärten benötigt (vgl. Strabo XVI 4, 21). Großzisternen waren meist mit Gurtbögen versehen überwölbt. Da sie in allen nabat. Regionen begegnen, wäre zu untersuchen, ob sich in der Art der Anlage und Ausführung Unterschiede ergeben oder ob man die wichtigeren Anlagen (vgl. auch bes. die Stausysteme) bestimmten Ingenieuren zuweisen kann, die nach Auftrag und Bedarf überall eingesetzt wurden. Diese Frage stellt sich angesichts anderer Hinweise auf eine zentrale Steuerung bestimmter Bereiche.

In jüngster Zeit hat bes. die Gruppe um M. Lindner den Fragen der Wasserwirtschaft viel Aufmerksamkeit gewidmet. Für Petra vgl. u.a. Dalman 1908, 37-41, (92-95); ders. 1912, 10, 15-18; Bachmann-Watzinger-Wiegand 1921, 4-7, 65; Horsfield 1938, 7-9; J. H. Hayes in: Hammond 1965, 52-54; Al-Muheisen 1980; Lindner et alii 1982, 90f., 95f.; bes. Gunsam 1983;

Wanke 1983, 160f.; Khairy 1986. Vgl. auch N67.

Von den nabat. Inschriften aus Petra (bis 1975 rund 1 000 vgl. Zayadine 1981b, 213) ist erst etwa ein Drittel bekannt gemacht worden; seit langem ist ein Ergänzungsband zu CIS II durch J. T. Milik und J. Starcky angekündigt. Zu den Inschriften CIS II (in BD I wiederholt) und Dalman 1912 (= RES 1379-1450; vgl. die Korrekturen Dalman 1914 u. Littmann 1914b) sind viele weitere aus den Ausgrabungen hinzugekommen; andere wurden verschiedentlich von Milik und Starcky vorgestellt. Eine Liste der griechischen Anthroponymen in nabat. Inschriften gibt Milik 1976, 148-51. Für Petra hat auch die neue dynastische Inschrift aus Gaia (N64; Khairy 1981) Bedeutung.

Ohne genaueren Fundort in Petra sind: Negev 1971b mit Taf. 4, Grabinschrift des Wahballāhi, 17/18 n. Chr. (Verschlußplatte eines Fassadenloculus?); vgl. auch Cat. Bruxelles Nr. 52 mit Abb. (aus Petra?); Milik-Starcky 1975, 129f. Nr. 8 Taf. 46, 3, Grabinschrift des Šullay, Diener des Šu'aydū, des Brautführers. - Zu den Ostraka (auf nabat. Scherben) vgl. MacKay 1951, 79; Hammond 1960, 27; Kirkbride 1960, 118 Taf. 8, 1; Zayadine 1979, 190 Taf. 84, 1; Hammond 1986, 25. - Eine Sondergruppe bilden die Graffiti auf nabat. Lampen(böden). Für Petra vgl. Horsfield 1941 Nr. 42/43, 413-18 Taf. 11, 44; Cat. Bruxelles Nr. 201f. mit Abb. (aus Petra?); Erträge Bonn Taf. 86b; Khairy 1986, 66 Abb. 7; Lindner 1986, 106 Abb. 12; vgl. auch Hammond 1957b; grundlegend Khairy 1984.

Über die nabat. Sprache und Schrift informieren neben den Sammelbänden CIS II (1889-1906 mit 3233 Nr.) und RES 1-8 (1900-1968) bes. Cantineau I-II (mit Wörterbuch u. Bibliographie bis 1930); Starcky 1966, 924-37; Hospers 1973, 311-14 (Bibliographie); Schmitt-Korte 1976, 73-83 (Überblick); bes. Roschinski 1981b; W. W. Müller und G. Endress in: Fischer 1982, 30f., 166-68.

Das Nabatäische ist vom Reichsaramäischen abgeleitet, weist dann eigene Prägung und Entwicklung auf. Das Schriftbild wird von der Kursiven bestimmt. Die Notwendigkeit, sich schriftlich auszudrücken, stellte sich für die Nabatäer erst relativ spät. Daß die Nabatäer 312 v. Chr. ihren Brief an Antigonos aramäisch abfaßten, besagt nichts, da sie sich in Bezug auf ihren

Adressaten der üblichen Kanzleisprache bedienten.

Die Inschriften reichen vom späten 2. Jh. v. Chr. (F7, X8) bis ins 3. Viertel des 4. Jhs. n. Chr. (Q47). Seit dem 3. Jh. n. Chr. setzte sich der ursprünglich arabische Dialekteinschlag dominant durch. Bei der Sprache/Schrift ist das Nachleben nabat. Kultur noch am deutlichsten. Manche Bilinguen.

Die Inschriften, Graffiti, Dipinti, Papyri, Ostraka und Steinmetzzeichen lassen sich nach Form, Inhalt und Funktion gliedern. Neben den sog. Grußinschriften, meist Graffiti, die den Großteil des Bestandes ausmachen, aber praktisch nur Namen bieten (zu demographischen Untersuchungen siehe Region Z), liegen überwiegend Grab- und Votivinschriften vor. Auf den "amtlichen", juristischen Charakter vieler dieser Inschriften wurde hingewiesen. Datierungen (Formeln) erfolgten nach dem Herrschaftsjahr des Königs. Die Inschriften etc. bilden eine überaus reiche Quelle für viele Bereiche der nabat. Gesellschaft und Kultur, die noch nicht ausreichend erschöpft bzw. dargestellt ist.

Von den Handelsgütern der Nabatäer haben nur Aromata und Bitumen allgemeine Beachtung gefunden, wobei sich die Aromata in den Indien-/Südarabien-Handel einordnen. Vgl. Van Beek 1960; Müller 1978; Groom 1981; Gauckler 1983. Zu Bitumen/Asphalt vgl. Hammond 1959a (vgl. auch Horsfield 1941 Nr. 288 Abb. 21 Taf. 32, singuläres Bitumengefäß). Wie aus den Befunden der einzelnen Regionen und den vielfältigen Kontakten der Nabatäer mit ihrer Umwelt hervorgeht, war das Handelsgeschehen jedoch weitaus komplexer (zum Einfluß auf Iudaea vgl. Baldwin 1982). Importwaren unter den Kleinfunden illustrieren solche Kontakte: Keramik, Terra Sigillata, Lampen, Glas, Alabaster, Fayence, Schmuck und Münzen. Der Anteil auswärtiger Künstler am nabat. Hof dürfte nur im 1. Jh. v. Chr. Gewicht gehabt haben (frühe Stuckaturen, Fresken, Skulpturen/Reliefs; El-Ḫazne). Seit Aretas IV. scheint das nabat. Bau- (vgl. Steinmetzzeichen) und Kunsthandwerk (vgl. Inschriften) autark gewesen zu sein.

An nabat. Skulpturen aus Petra wurden noch nicht genannt: Dalman 1908 Nr. 865 Abb. 326; Horsfield 1941 Nr. 278-80 Taf. 32; Parr 1957 Nr. 8, 11, 21, 24 Taf. 7A, 8B, 14A, 15B; Hammond 1973c Nr. 157; Zayadine 1974a, 150 Taf. 63, 30; Cat. Bruxelles

Nr. 6 mit Abb.

Nabat. Skulpturen finden sich als Bauschmuck (daher überwiegend Reliefs) an Tempeln, Altären, Toren/Propyla, Felsfassaden, als Verehrungsbilder im Fels, speziell in Nischen, und seltener als Votivstatuen in Heiligtümern (bes. Stifter, Königshaus). Entsprechend dominieren Darstellungen von Göttern, ihren Symbolen und der von ihnen gewährten Fruchtbarkeit etc. Die griechische Tradition, den Menschen in seinem Wesen darzustellen, die hellenistische Art, Skulptur als Raumelement zu nehmen, oder die römische bürgerliche und staatliche Repräsentation waren den Nabatäern in dieser Intention wesensfremd (vgl. Patrich 1981). Auch ihre Königsstatuen sind Verehrungsbilder, wie die posthume Aufstellung und Hinweise auf den Kult verdeutlichen. Anthropomorphen Darstellungen standen die Nabatäer reserviert gegenüber, lehnten sie schließlich offiziell ab (*renovatio*, s.o.). Wo sich solche finden, liegt eine kulturpolitische Aussage in der Auseinandersetzung mit den hellenistischen Reichen des Ostens zugrunde (bezeichnenderweise unter Obodas III. und Aretas IV. und an öffentlichen Großbauten). Fast nur solche Motive wurden aufgenommen, denen nabat. Geschichte oder Gottesvorstellungen unterlegbar waren (daneben mögen sich Masken und Eroten aus der traditionsschaffenden Vorgabe des El-Ḫazne erklären). Die Vorbilder der Hauptstadt wurden andernorts im Reich imitiert (vgl. M65); nur im Ḥaurān entwickelte sich gleichzeitig mit Petra ein eigenständiger Stil, deutlicher in nabat. Tradition und stärker aus dem syrischen Raum beeinflußt.

Abgesehen von den Besprechungen von M. Avi-Yonah und N. Glueck (bes. Glueck 1965; vgl. auch Hammond 1973a, 87-89; kurze Zusammenstellungen in: Cat. Bruxelles; Wenning 1986 Taf.), die nicht mehr befriedigen und in manchem problematisch sind (s.o.), und wenigen Beiträgen zu einzelnen Funden, gibt es keine Untersuchungen zu dieser Denkmalgattung. Gerade angesichts der Bindung an Baudenkmäler sind Datierungen und Stilentwicklungen aufweisbar. Einige nabat. Bildhauer sind durch Inschriften namentlich bekannt.

Nabat. (bemalte) Keramik, erst 1929 von A. Conway und G. Horsfield identifiziert (vgl. zuvor Dalman 1908, 357), ist in

Petra an fast allen Stellen gefunden worden, ohne daß hier auf jeden Befund hingewiesen werden konnte. Nachzutragen sind Horsfield 1941 passim; Murray-Ellis 1940 passim; Glueck 1965 Taf. 73b, 76, 77d, 78-80; Bennett 1973 mit Taf. 45C; Hammond 1973c mit Abb.; Kat. München 1970 Kat. C 1-76, 92-95, (98-107) Abb. 27-29; Sivan 1977 mit Abb. 1 Taf. 14; Caubert 1978; Parr 1978; Weippert 1979, 102-05, 108 Nr. 2*-7*, 10*-12* Abb. 3f.; Caubert 1980 mit Abb. 56-62; Homès-Fredericq 1980a mit Abb. 85-107; Khairy 1980b, 156-58, 161 Nr. 2f. Abb. 2f. Taf. 25A; ders. 1985 mit Abb. 1-4 (bei den Ausstellungskatalogen ist die Herkunft aus Petra nicht immer gegeben).

Die nabat. Keramik - damit ist zunächst immer die feine, bemalte Ware gemeint - aus Petra bildete die Grundlage für eine generelle Klassifikation durch Hammond 1957a (vgl. ders. 1959b; ders. 1962; ders. 1964), die aus Obodas (X88) eine solche durch Negev 1963b (beide Arbeiten blieben unpubliziert). Sehr gute Einführungen bietet Schmitt-Korte 1968; ders. 1971; Munro-ders. 1976; bes. ders. 1983a; ders. 1984 (Typentabelle: 1976 Abb. 20; Dekorschemata: 1983a Tabelle 1, Abb. 4).

Die stratigraphisch abgesicherten Funde in trench III Parr (Parr 1970) und die der Töpferwerkstatt in Oboda (Negev 1974c) bilden die Basis für die Chronologie dieser Ware, die noch nicht befriedigend dargestellt ist (viele Beobachtungen und Kontextbefunde liegen inzwischen vor); eine größere Studie ist durch K. Schmitt-Korte in Vorbereitung.

Diese Ware diente zuerst N. Glueck als Leitfossil für den Nachweis nabat. Siedlungsplätze in seinen Surveys. Abgesehen von Sondersituationen im Ḥaurān, in Grenzgebieten zu Iudaea und in auswärtigen Handelskolonien erfüllt sie durchaus diese Funktion, da sie nur für den Eigenbedarf der Nabatäer hergestellt und über das gesamte Reichsgebiet (die alte These einer Nordgrenze bei Madeba ist aufzugeben, s.o.) verbreitet, aber nicht exportiert wurde (siehe Region F). Angesichts der Befunde scheint keine Beschränkung etwa der Schalen nur auf kultische Funktion angenommen werden zu müssen, wenngleich dieses feine Geschirr für solche Zwecke bevorzugt wurde (neben noch kostbareren Metallgefäßen).

Charakteristisch sind der rote Ton, die Dünnwandigkeit, der

harte Brand und die rotbraune florale Bemalung (selten figurativ). Die Motiventwicklung führt von naturalistischen zu stilisierten Formen (vgl. Schmitt-Korte 1983b).

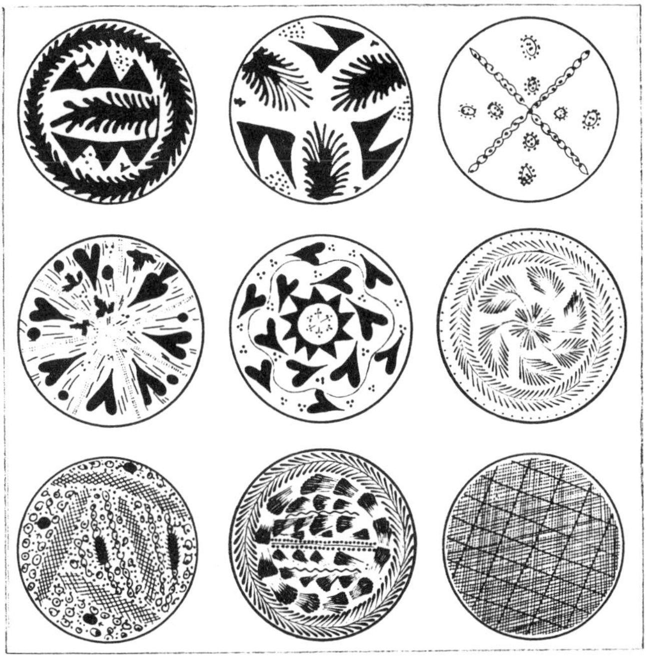

Abb. 50 Dekorschemata nabat. Schalen

Diese Keramik trat unter Aretas III. als Neuerfindung auf und bestand mit Veränderungen (zuletzt Degeneration) bis zum Ende des 3. Jhs. n. Chr. Der Frage nach konkreten Vorbildern bzw. Anregungen für die Dekore ist noch zu wenig nachgegangen worden. Allgemein wurde auf bemalte und reliefierte hellenistische Waren des Ostens verwiesen; von den Befunden drängen sich auch die Megarischen Becher als eines der Leitbilder auf.

Zur unbemalten feinen, meist rötlichen nabat. Keramik (früher z.T. als nabat.-römisch oder römisch klassifiziert), die seit einiger Zeit intensiv durch N. I. Khairy untersucht wird, vgl. Khairy 1975 (unpubliziert); ders. 1980b-c; ders. 1981b; ders. 1982; ders. 1983; ders. 1985; vgl. auch Munro-Schmitt-Korte 1976 Abb. 23, 25, 27; Homès-Fredericq 1980a Nr. 108-92 mit Abb.; Schmitt-Korte 1984; Lindner 1986, 173 mit

Anm. 4 Abb. 4f.

Die Zuordnung der sog. nabat. Terra Sigillata (vgl. Glueck I 75 Taf. 26b, 28; Iliffe 1937, 15-17; Horsfield 1941 Nr. 17, 22, 72, 74, 170f., 212f., 378f. Abb. 19 Taf. 8f., 14f., 24, 27, 43; bes. Negev 1972b; ders. 1974e, 422; ders. 1976a Abb. 37f.; anders Gunneweg-Perlman-Yellin 1983, ETS D, Herkunft noch unklar, aber nicht aus Oboda) u. einiger Gruppen von Reliefkeramik (vgl. u.a. Dalman 1908 Nr. 866 Abb. 327; Horsfield 1941 Nr. 219f. Taf. 27 und Lampen Nr. 50, 245f. Taf. 11, 29 u. Glueck 1970 Abb. 117; Kat. München 1970 Kat. C 113f.; Schmitt-Korte 1976 Abb. 34; Sivan 1977 Nr. 11 Abb. 2 Taf. 14; Zayadine 1979, 190 Taf. 84, 3. 89; K. Parlasca 1986, 192f., 196 Abb. 1f., Priester?; darunter vielleicht auch Darstellungen von Nabatäern) gilt als strittig und bedarf noch weiterer Differenzierung. Ebenso sind verschiedene grobe Waren noch schwer bestimmbar. Das Spektrum nabat. Keramikproduktionen scheint aber wesentlich breiter als die übliche und sich auch in diesem Katalog niederschlagende Einengung auf die bemalte Ware erkennen läßt.

Die einzige erforschte nabat. Töpferei ist die in Oboda (X 88); vgl. ferner N62 (jetzt ausgegraben?), N64, U11, X8, X28; Khairy 1981, 143; Dentzer 1985b, 150f.

Die Nabatäer imitierten östliche und römische Lampen, die als Importe in großer Zahl vorlagen, schufen aber auch einen eigenen Typus unter Anlehnung an späthellenistische (Schulter) und römische (Schnauze) Formen. Schulter und Spiegelrand sind geriefelt ("Strahlen"). 4 kleinteilige Rosettenmotive zieren die Schulter, ein Kelchgefäß (Deutung strittig) den Schnauzenhals. Die Schnauze ist von Voluten eingefaßt. Auf der Unterseite findet sich häufig ein nabat. Graffito (s.o.). Der Typus (instruktiv Shinkel 1980 Nr. 201-06 Abb. S. 155; bes. Khairy 1984a) ist gut belegt, auch außerhalb von Petra (dies stützt die These der mehr zentralen Verbreitung/Verteilung nabat. Tonwaren und die Annahme nur weniger Produktionsstätten).

Erst I. u. K. Parlasca 1986 haben nabat. Terrakotten zum Gegenstand von Untersuchungen; damit ist der Forschungsstand gekennzeichnet (vgl. auch Hammond 1973a, 84-86; Homès-Fredericq 1980b, 148f.). Funde sind nur aus Petra und Oboda (X88) bekannt und wurden offenbar nur in Petra produziert. Es bedarf noch der Untersuchung, ob alle als nabat. bezeichneten Terrakotten genuin nabat. sind; es befinden sich wohl auch Importe darunter. Zu den nabat. Typen rechnet man: Kamele (besonders zahlreich; dazu jetzt I. Parlasca 1986) und (entgegen Strabo XVI 4, 26) Pferde - beide oft mit Zaumzeug, Sattel (vgl. dazu Knauf 1986, 79), Wasserflasche und Waffen -, und verschiedene "Astarte"/Al-ʿUzzā-Typen. Ein Musikantengruppe gemahnt an Strabo XVI 4, 26.

Abgebildet finden sich (mit Vorbehalt bei den Zuweisungen): BD I Abb. 349; Dalman 1908 Nr. 868f. Abb. 326; ders. 1912 Nr. 869^{1-3} Abb. 15b, 16; Horsfield 1941 Nr.(9), 51-54, 109, (110-12), (164f.), 166, 174, 188f., (242-44), 247-61, (262), (438), 440f., (442-44), 445-48 Taf. (7), 12, 16, (17), 22, 24f., 29f., (31), 46; Murray-Ellis 1940 Taf. 36, 7. 9. 22 (zur Porträtmodel ebd. Taf. 39f. s.o.); Parr 1962b Abb. 12f., 16, 19-21 (Publikation der britischen Funde durch E. French in Vorbereitung); Glueck 1965 Taf. (66-68), 81, 82c; Hammond 1965 Taf. 39, 1-2; Schmitt-Korte 1968 Kat. Nr. 44f. Abb. 12; Hammond 1973c Nr. 153-56, 158-63 mit Abb. S. 49; Negev 1976a Abb. 93; Schmitt-Korte 1976 Abb. 26; Hammond 1977/78 (Taf. 48, 1); Homès-Fredericq 1980b Nr. 193-99 mit Abb.; Zayadine 1982 Taf. 136f., 141, 3 (aus N64); Lindner 1985 Abb. S. 46; Khairy 1986, 69f. Abb. 12f.; I. Parlasca 1986 mit Abb. 1-9 (größere Publikation über nabat. Terrakotten in Vorbereitung); K. Parlasca 1986 Abb. 3f., 7.

Es scheint, daß die Produktion etwa der "Astarte"-Typen auch nach 106 n. Chr. noch fortgesetzt wurde (entsprechend dem Fortbestand nabat. Keramik).

Nabat. M<u>ü</u>nz<u>e</u>n (in Silber und Bronze) gehören aufgrund der hervoragenden Klassifikation durch Meshorer 1975 (dazu aber auch Fischer 1979; allg. vgl. auch Hammond 1973a, 86-89) zu der am besten bestimmten und datierten Gattung nabat. Kleinkunst. Inzwischen sind durch Ausgrabungen und durch die Nabatäerausstellungen aus Sammlungen viele weitere Münzen bekannt geworden, die sich seinem Katalog eingliedern lassen (was die Qualität der Abbildungen der neueren Funde allerdings oft nicht erlaubt).

Für Petra sind nachzutragen: Robinson 1936 Nr. 1-6 (5 Aretas IV., 1 Malichus II.) Taf. 17; Murray-Ellis 1940 Taf. 40, 4-5 (Malichus I., Obodas III.); Horsfield 1941 Nr. 460 (Aretas IV.); Glueck 1965 Taf. 58f, 63a-d, k-l (2 Aretas IV., 1 Malichus II.).

An jüngeren Publikationen sind zu nennen: Schmitt-Korte 1976, 59-63 Abb. 36-38; Starcky in: Cat. Lyon 1978, 27-34; Toynbee 1978, 153-55 Abb. 304-11; Naster 1980 Nr. 8, 10-38.

Zu Währungsschwankungen als Reaktion auf politische und ökonomische Veränderungen: Negev, 1982a (nach freundlicher Mitteilung von K. Schmitt-Korte, 9. 4. 1986, muß die zugrundeliegende Graphik über den Silbergehalt der Münzen stärker korrigiert werden). Die jeweiligen Geldentwertungen dürfen aber nicht allein aus der nabat./die Nabatäer betreffenden Geschichte erklärt werden, sondern müssen auch vor dem Hintergrund der zeitgenössischen Finanzverhältnisse im Imperium Romanum generell gesehen werden.

Zur singulären Stadtmünze von Ḥegrā siehe Q47. Dagegen prägte Oboda keine Stadtmünze (siehe X88). - Zur Möglichkeit, nabat. Stilelemente und Stilentwicklungen an den Münzen festzumachen, vgl. Hammond 1973a, 86f. (dabei ist zu beachten, daß sich auch in den Emissionen eines Herrschers, gerade Aretas IV., selbst große Stilschwankungen finden). - Auf die "arabische" Haartracht bei den Nabatäerporträts hat Knauf 1983b, 32f. hingewiesen (zu eng gesehen).

Die frühesten Münzen, um 100 v. Chr., imitieren seleukidische Prägungen und werden Aretas II. zugeschrieben (anders Starcky: Aretas I.?; Fischer: Aretas III.?; Schmitt-Korte: Zeit Aretas IV.). - Aretas III. prägte (nur?) in Damaskus (B3) als König von Koile Syria. Auf seinen Münzen erscheint erstmals das Königsporträt. Der Typus von Vs. und Rs. erklärt sich aus seiner Position (s.o.). Diese Münzen sind allenfalls bedingt als nabat. zu bezeichnen. - Die Annahme einer nabat. Münzemission unter Obodas II. und die darauf beruhende Annahme eines solchen Königs überhaupt wird nicht allgemein akzeptiert (ablehnend u.a. Negev; Fischer 1979, 240 weist jene Münzen mit erwägenswerten Gründen Obodas III. zu. - Die frühesten in Petra geprägten, sicher nabat. Münzen sind dann erst mit Malichus I. zu verbinden (seit 35/34 v. Chr.). - Die Syllaios zugewiesenen Münzen werden von Fischer zumeist in

Frage gestellt. - Unter Aretas IV. erfolgte der bei weitem größte Ausstoß nabat. Münzen. Sie waren sehr verbreitet und liefen lange um (d.h. sie geben in Befunden nur einen terminus post quem, datieren aber nicht notwendig in die Zeit Aretas IV.).

Die Vs. nabat. Münzen zeigt das Bildnis des Königs bzw. des Königspaares, die Rs. eine begrenzte Anzahl verschiedener Motive wie Adler, cornucopiae, stehende Göttin (fraglich, ob die Figur eine Königin darstellt), Porträt der Königin. - Die Legende (Thronname des Königs, Jahr = Datum) ist seit (Obodas II.) Malichus I. nabat.- Die Münzbilder bilden nur ein Beispiel für die den nabat. Frauen generell zugemessene hohe gesellschaftliche Stellung (vgl. auch Inschriften).

Nach Strabo XVI 4, 26 könnte man annehmen, daß Gold- und Silberarbeiten von nabat. Kunstschmieden ausgeführt worden sind (zu Goldlagerstätten im Einflußbereich der Nabatäer vgl. Wissmann 1970b, 954, 969-71). In den Besprechungen des Schmuckes aus Mampsis (X28), Oboda (X88) und Qaṣr Ǵēṭ (Y9) wurde bereits die Schwierigkeit genannt, zwischen Importen und nabat. Arbeiten unterscheiden zu können (vgl. Rosenthal-Heginbottom 1985).

Aus Petra ist an Schmuck bekannt: aus Gold: AA 1913, 463; Cleveland 1960, 59; Zayadine 1974a Taf. 64, 2. 67, 1; ders. 1979 Taf. 91, 2. - Silber: Horsfield 1941 Nr. 193 Taf. 25; Murray-Ellis 1940 Taf. 36, 4; (Erträge Bonn Taf. 87a-d wird von K. Parlasca in: Land des Baal zu Kat. Nr. 199 als südsyrisch, spätes 2. Jh. n. Chr. oder jünger, abgewiesen). - Bronze, Kupfer: Horsfield 1941 Nr. 190, 194, 208, 210, (219), 292 Taf. 24-26, (27), 32; Murray-Ellis 1940 Taf. 36, 2; Müller-Göbel 1976 Abb. S. 100; Hammond 1977/78 Taf. 56, 1; Zayadine 1979 Taf. 86, 1; Schmid 1980; Zayadine 1982, 366. - Eisen: Murray-Ellis 1940 Taf. 36, 3; Hammond 1960, 30 (subnabat.; u.a. Namenssiegel). - Knochen, Bein: Horsfield 1941 Nr. 287 Taf. 32; Murray-Ellis 1940 Taf. 14, 3. 8., Taf. 36, 5 (incl. Wirtel). - Mehrfach Perlen (Halbedelsteine, Glas) und Muscheln. 4 importierte Skarabäen, Gemmen. - Bis auf den Fund aus Grab BD I Nr. 813 bleiben die Schmuckstücke (überwiegend Grabfunde) relativ schlicht (Ohr- und Nasenringe, Armreifen, Fingerringe, Ketten, Anhänger, Fußspange); diese Funde sind mit denen der oben genannten Fundorte zu vergleichen. Es spricht einiges dafür, sie für nabat. zu halten. Eine Besonderheit des Totenkultes sind die apotropäischen Ketten von Bronzeglöckchen.-Zum Grabschmuck vgl. auch die Inschrift von BD I Nr. 64B (Zayadine 1986, 226).

Unabhängig von Petra sind nachzutragen: Hammond 1973a, 70f., 90f.; Schmitt-Korte 1976, 64f. Abb. 39 (dazu K. Parlasca in: Land des Baal zu Nr. 200).

Zur Möglichkeit, von Reliefs, Terrakotten usw. Angaben über nabat. Schmuck zu gewinnen, vgl. Glueck 1962.

Glas kann entgegen Murray-Ellis 1940, 3 noch nicht als nabat. erwiesen werden. Glasfunde sind mehrfach bezeugt.

Unter den Knochen- und Elfenbeinarbeiten sind noch 2 Reliefkästchen erwähnenswert:Hammond 1977/78, 82f. Taf. 48, 3a-b; Shanks 1985, 36 mit Abb. (nabat.?).

Bronzestatuetten, -appliken, -gefäße, -waffen und -halterungen bei Bauwerken mögen z.gr.T. von den Nabatäern angefertigt worden sein, es fehlen jedoch auch hier noch Kriterien für eine sichere Zuweisung. Gerade unter den Statuetten befinden sich wiederum Importe (vgl. X88).-Vgl. allg. Hammond 1973a, 70f. Untersuchungen zu diesen Funden liegen nicht vor.

Sieht man von Haken, Ringen etc. ab, sind für Petra genannt: Horsfield 1941 Nr. (209), (275), 289f. Taf. (26), 32; Murray-Ellis 1940 Taf. 36, 10; Hammond 1977/78, 82f., 85-87 Taf. 56, 2-4 (vgl. auch die Appliken O 19); Schmid 1980, 26; Hammond 1986a, 24.- Zur Bronzetorso der Artemis s.o.

Zum Bergbau und zur Metallverarbeitung der Nabatäer vgl. N67 und die Regionen U und Z; vgl. auch Berufsnamen.

An Gerätschaften aus Stein, noch ganz unbeachtet, sind vor allem Gefäße, Wirtel, Gewichte und Mörser zu nennen. Vgl. u.a. Horsfiel 1941 Nr. 195, 281-84 Taf. 20, 32; Murray-Ellis 1940 Taf. 14f. (F. Petrie, ebd. 16 zu Gewichten); Hammond 1977/78, 82f., 87; Lindner 1983, 286 Abb. 12.

Holzgerät, Flechtarbeiten (Matten, Körbe), Leder, Textilien (Kleidung) haben sich nur selten erhalten (U9.11; Petra: BD I Nr. 772). - In neuerer Zeit sind auch die Knochenfunde und Funde anderer organischer Substanzen beachtet worden, aus denen man Rückschlüsse über Viehhaltung, Anbau, den Handel mit Nahrungsgütern, Eßgewohnheiten und Opferbräuche gewinnen wird.

Immer noch bestimmt das Deckenfresko von El-Bāred (N54) die Vorstellung von nabat. Malerei (vgl. Starcky 1966, 983; Hammond 1973a, 91; Homès-Fredericq 1980c). Ob es allerdings Leitbild für nabat. Malerei sein kann, muß bezweifelt werden. Hier mag gelten, was Strabo XVI 4, 26 nach Athenodorus, seinem Gewährsmann, über Petra mitteilt, daß nämlich Malereien und Stukkaturen importiert, d.h. auch wohl von fremden Künstlern dort hergestellt würden.

Inzwischen sind einige weitere Belege für Bemalungen und Malereien in Petra bekannt geworden, wenn auch noch nicht adäquat publiziert. Vgl. Dalman 1912, 70f.; Horsfield 1938, (18), 20, (27f. mit Anm. 5), (34) Taf. 48, 1. (61, 1); dies. 1941 Nr. 64f. Taf. 13; Parr 1960b, 128; Hammond 1965, 69 Taf. 39, 3; Parr 1968, 14; Zayadine 1974a, 140 (vgl. auch Müller-Göbel 1976, 97, 99; Zayadine 1979, 185, 187; ders. 1986, 251); Hammond 1977/78, 85-87, 91, 93, 96, bes. 99f. Taf. 51, 2. 61, 1. 62, 3 (vgl. ders. 1981d Abb. S. 38!); Lindner 1978, 88 mit Abb.; Schmidt-Colinet 1981, 66 (Abb. 7); Lindner et alii 1982, 81; Khadija 1983, 208f.; bes. Zayadine 1986, 248 Abb. 49.

Bemalte Stuckatur findet sich bei Innenräumen von Tempeln - vgl. die Malerwerkstatt beim Nord-Tempel - und Häusern und bei Grabfassaden (und bei Loculus-Verschlußplatten?). Zumeist handelt es sich um Flächenbemalung oder um abgegrenzte Felder. Ausnahmen bilden eine frühe Architekturdarstellung (Eṣ-Ṣiyyaǧ) und figürliche, szenischen Paneelbilder (Nord-Tempel); auch hier ist aber zu fragen, ob nabat. Arbeiten vorliegen.

Für Belege von Malereien außerhalb von Petra vgl. Es-Silʿ (N12), El-Bāred (N54), Iram (O 19), El-Badʿ (P2), Moye ʿAwād (U11) und Oboda (X88).

Zu Recht wird die ornamentale und figürliche Stuckatur meist im gleichen Kontext genannt. Erst wenn die Befunde des Qaṣr Bint Fīrʿōn, des Nord-Tempels, der Therme und einiger Häuser (bes. El-Ḥabīs) besser vorgelegt sind, wird man zu einem begründeteren Gesamturteil nabat. Raumdekoration kommen. Auch bei den Stuckaturen mag gelten, daß die frühen Darstellungen von Architekturen und Figurenfriesen noch nicht als eigenständig nabat. Arbeiten anzusehen sind (anders Zayadine 1986, 247). Beide Denkmalgruppen sind in einen größeren kunstgeschichtlichen Rahmen zu stellen und zu analysieren (Untersuchungen von F. Zayadine in Vorbereitung).

Neben den schon unter den Verehrungsbildern genannten Felsgravuren bleiben noch die auch aus anderen Regionen bekannten Petroglyphen zu erwähnen. Was hier nabat., subnabat. oder thamudisch etc. genannt werden muß, bleibt noch sehr unklar. Allgemein neigt man dazu, diese Gruppe relativ spät zu datieren (2./4. Jh. - 6./8. Jh. n. Chr.). Für Petra vgl. Dalman 1908, 97 (Überblick); Morton 1956, 32-36 Abb. 4-6; Parr 1959; Lindner et alii 1982, 79 Abb. 6; ders. 1983, 275, 278 Abb. 8, 12; ders. 1986, 97 Abb. 14f.

Eine zusammenhängende neue Darstellung der Geschichte der Nabatäer ist an dieser Stelle nicht zu geben. Auf die wesentlichsten Aspekte wurden zu den einzelnen Regionen und Orten hingewiesen. Unter Einbeziehung der hier vorgelegten Bestandsaufnahme nabat. Denkmäler und mancher neuen Beurteilung wird eine neue Geschichte zu schreiben sein. Dabei ist zu wünschen, daß die antiken Schriftquellen etwas kritischer als z.T. bisher geschehen eingebracht werden.

In einer Auswahl seien einige Arbeiten (mit Ausnahme der Lexikaartikel etc.) angeführt: Kammerer 1929; Tarn 1929; Abel 1937; Dussaud 1955; Starcky 1955a; Riddle 1961; Zahran 1961; Altheim-Stiehl I 1964. V 1, 1968. V 2, 1969; Glueck 1965; Starcky 1966 (noch immer gewichtig); Lindner 1968 und zuletzt 1983, 38-103; Negev 1969a; Broome 1973; Hammond 1973a; Lawlor 1974; Meshorer 1975; Negev 1976c; Schiffmann 1976; Wissmann 1976; Negev 1977a; Peters 1977; Bartlett 1979; Sartre 1979b; DeGeus 1979/80; Roschinski 1981a (zu empfehlen); Eph'al 1982; Milik 1982; Negev 1982a; Sartre 1982a; Bowersock 1983; Negev 1983; Knauf 1984a; Kasher 1985; Knauf 1986 (mit bemerkenswerten Ansätzen, die dem arabischen Charakter der Nabatäer gerechter werden).

Nachfolgend ist eine Liste der durch Jahresangabe datierten nabat. Inschriften zusammengestellt (die Untergliederungen betreffen die Regierungszeiten der nabat. Könige, s.o.).

LISTE DER NABAT. INSCHRIFTEN MIT JAHRESANGABE

Jahr	Kat.
96/5 v. Chr.	Petra 5
70/69	Petra 14j
51/47	F7
26/5	Petra 24
13/2	E4
9	A4
9	A6
8/7	M80
8/7	Q55
8/7	X88
4	A13
2/1	E4
2/1 v. Chr.	Q47
1 n. Chr.	Q47
5	A2
5	Q47
7	Q47
7/8	Petra 7
8	Q47
9	A7
9/10	Petra 14l
11	A2
11	Q47
15	Q47
16	Q47
17/8	Petra
20/1	Petra 17
26	Q10
26	Q47
27	Q47
28/9	Petra 14h
31	Q47
31	Q47
31	Q47
32	O6
32/3	O19
34	Q18
34	Q47
35	Q47
36	N64
36	Q47
37	K6
39	Q47
39	Q47
42	K51
42	Q47
44	Q10
47	E9
48	Q47
50	Q47
56	Q47
57	F11
57	Q47
60	Q47
63	Q47
70	F11
72	Q47
74	Q47
75	Q47
76/7	X88
87	O19
88/9	X88
91	H8
93	F25
93	F39
93	V4
94	B2
95	F11
96	F31
98/9	X88
99	V4
106	Q31
107/8	X88
108/9	K6
124	F20
126	Q47
126/7	X88
148	F7
150/1	Z37
166/9	P11
190/1	Z37
204/5	X88
211	Z37
219	Z37
223/4	Z32
226	Q10
226	S3
231/2	Z46
266	S3
266/7	Z25
267/8	Q47
267/8	Z25
307	Q55
328	D1
355/6 n. Chr.	Q47

FUNDORTE MIT NABAT. DENKMÄLERN. STATISTIK (1986)

Region	A	außerhalb der Lebenswelt der Nabatäer		11 Fundorte
	B	Damaskene		4
	C	El-Leǧǧā		7
	D	Ḥarra		2
	E	Ǧebel ed-Drūz		11
	F	südliche Auranitis		40
	G	östliche jordanische Wüste		8
	H	Dekapolis		11
	I	Ammonitis		7
	J	Peräa		10
	K	nördliche Moabitis		66
	L	südliche Moabitis		122
	M	nördliches Edom		47
		und Wādi el-Ḥesā-Survey		57
	N	zentrales Edom		133
	O	El-Ḥesmā		43
	P	Midian		26
	Q	Nordwest-Arabien		71
	QA	Wādi Sirḥān	15	
	QB	Dūmā - Ḥāyil	3	
	QC	Ḥāyil - Taimāʾ	5	
	QD	Taimāʾ - Ḥegrā	16	
	QE	Tabūk - Ḥegrā	12	
	QF	Ḥegrā - Dedan	11	
	QG	Taimāʾ - Nagrān	9	
	R	Süd-Arabien		3
	S	Ägypten		15
	T	Südostufer des Toten Meeres		10
	U	Araba		22
	V	Westufer des Toten Meeres		8
	W	Judäisches Bergland und nördlicher Negeb		12
	X	zentraler und südlicher Negeb	mind.	474
	Y	Nord-Sinai	mind.	10
	Z	(Süd-)Sinai	mind.	70
				1300 Fundorte

ABKÜRZUNGEN (nach den Richtlinien des DAI bzw. nach BRL[2])

Ferner gelten

AJBA	Australian Journal of Biblical Archaeology
ARCER	American Research Center in Egypt Reports
ASAE	Annales du Service des Antiquités de l'Égypte
AUM	Andrews University Monographs
AUMSR	Andrews University Monographs Studies in Religion
AUSS	Andrews University Seminary Studies
BAH	Bibliotheque archéologique et historique Institut Français d Archéologie du Proche Orient
BARev	Biblical Archaeology Review
BN	Biblische Notizen
BSOAS	Bulletin of the School of Oriental and African Studies
BTS	Bible et Terre Sainte
ESI	Excavations and Surveys in Israel
JANES	Journal of the Ancient Near Eastern Society of Columbia University
JMittNHG	Jahresmitteilungen der Naturhistorischen Gesellschaft Nürnberg e.V.
MDB	Le Monde de la Bible
TRE	Theologische Realenzyklopädie

Abel, F. M.

1906 Le Monument funéraire peint d' El-Bared. *RB 3: 587-91.*

1937 L'Expédition des Grecs à Pétra en 312 avant J.-C. *RB 46: 373-91.*

Adams, R. McC.-Parr, P. J.-Ibrahim, M.-Al-Mugḥannum, A. S.

1977 Saudi Arabian Archaeological Reconnaissance-1976: Preliminary Report on the First Phase of the Comprehensive Archaeological Survey Program.-C. Northern Province Survey. *Atlal 1: 32-40.*

Aharoni, Y.

1960 An Israelite Agricultural Settlement at Ramat Matred. The Ancient Agriculture of the Negev IV. *IEJ 10: 23-36. 97-111.*

1975a Excavations at Tel Beer-Sheba. Preliminary Report of the fifth and sixth seasons, 1973-1974. *TA 2: 146-68.*

1975b Tel Beer-sheba, 1975. *IEJ 25: 169-71.*

Aharoni, Y.-Amiran,R.

1964 Excavations at Tel Arad. Preliminary Report on the

First Season, 1961. *IEJ 14: 131-47.*

Aharoni, Y.-Ben Arieh, S.
1974 Survey between Raphia and the Brook of Egypt. *'Atiqot 7: 88-90 (hebräisch).*

Ahlström, G. W.
1972 A Nabatean Inscription from Wadi Mukatteb, Sinai. *in: Ex Orbe Religionum. Studia G. Widengren I. Studies in the History of Religion 21: 323-31.*

Albright, W. F.
1935 The Excavation of the Conway High Place at Petra. *BASOR 57: 18-26.*

Alt, A.
1935 Aus der 'Araba. II. Römische Kastelle und Straßen; III. Inschriften und Felszeichnungen. *ZDPV 58: 1-59. 60-74.*

1936 Der südliche Endabschnitt der römischen Strasse von Bostra nach Aila. *ZDPV 59: 92-111.*

Altheim, F.-Stiehl, R.
(Hrsg.) Die Araber in der Alten Welt.
I *1964.*
V 1 *1968.*
V 2 *1969.*

Amiran, R.-Eitan, A.
1970 Excavations in the Courtyard of the Citadel, Jerusalem, 1968-1969 (Preliminary Report). *IEJ 20: 9-17.*

Amy, R.
1950 Temples à escaliers. *Syria 27: 82-136.*

Anati, E.
1955a Rock Engravings in the Central Negev. *Archaeology 8: 31-42.*

1955b Ancient Rock Drawings in the Central Negev. *PEQ 87: 49-57.*

1956 Rock Engravings from the Jebel Ideid (Southern Negev). *PEQ 88: 5-13.*

1968 Rock-Art in Central Arabia 1-2. *Bibliothèque du Muséon.*

1972, 1974 id. 3-4. *Publications de l'Institut Orientaliste de Louvain.*

1981 Felskunst im Negev und auf Sinai.

1983 Har Karkom. *ESI 2: 41-43.*

1984 Har Karkom. Montagna Sacra nel deserto dell'Esodo.

al-Ansary, A. R.
1982 Qaryat al-Fau. A Portrait of Pre-Islamic Civilisation in Saudi Arabia.

Applebaum, S.
1966 Researches on Ancient Agriculture in the Central Negev. *Yediot 30: 224-38 (hebräisch).*

Ariel, D. T.
1982 A Survey of Coin Finds in Jerusalem. *Liber Annuus 32:*

273-326.

Augé, Ch.
1984 Ares (in peripheria orientali). *LIMC II: 493-98 Taf. 372-74.*

Avigad, N.
1983 Discovering Jerusalem.

Avi-Yonah, M.
Oriental Elements in the Art of Palestine in the Roman and Byzantine Periods.
1942 *I QDAP 10: 105-51.*
1948 *II QDAP 13: 128-65.*
1950 *III QDAP 14: 49-80.*

1961 Oriental Art in Roman Palestine.

1973 Palaestina. *RE Suppl. XIII: 321-454.*

Avi-Yonah, M. - Negev, A.
1960 A City of the Negev: Excavations in Nabataean, Roman and Byzantine Eboda. *ILN 237: 944-47.*

Avner, U.
1981 New Evidence for the Nabatean Presence in the Southern Negev and Sinai. *in: Papers Eight Archaeological Conference in Israel, Jerusalem 3-4 June 1981: 27.*

Bachmann, W. - Watzinger, C. - Wiegand, Th.
1921 Petra. *Wissenschaftliche Veröffentlichungen des Deutsch-Türkischen Denkmalschutzkommandos 3.*

Baldwin, G.
1982 Nabataean Cultural Influences Upon Israel Until 106 A.D. *Ph.D. Thesis Southwestern Baptist Theological Seminary, Forth Worth.*

Balty, J. Ch.
1983 Architecture et société à Pétra et Hegra. Chronologie et Classes sociales; Sculpteurs et commanditaires. *in: Architecture et société. Actes du Colloque à Rome 1980: 303-24.*

Baly, T. J. C.
1935 S'baita. *PEFQSt 67: 171-81.*

1938 Khalasa. *QDAP 8: 159.*

Baratto, C.
1979 (Hrsg.) Guide to Jordan by Franciscan Fathers^2.

Barbet, A.
1985 La Peinture Murale Romaine.

Bartlett, J. R.
1979 From Edomites to Nabataeans: A Study in Continuity. *PEQ 111: 53-66.*

Bawden, G.
1979 Khief El-Zahrah and the Nature of the Dedanite Hegemony in the al-ʾUla Oasis. *Atlal 3: 63-72.*

1981 Recent Radiocarbon dates from Tayma. *Atlal 5: 149-53.*

Bawden, G. - Edens, C. - Miller, R.
1980 The Archaeological Resources of Ancient Taymā: Pre-

liminary Investigations at Taymā. *Atlal 4: 69-106.*

BD Brünnow, R. E. - Domaszewski, A. v.
Die Provincia Arabia.
I *1904.*
II *1905.*
III *1909.*

Beeston, A. F. L.
1979 Nemara and Faw. *BSOAS 42: 1-6.*

Béguerie, Ph. - Tournus, J.
1980 Voir Pétra. *MDB 14: 46-55.*

Bennett, C. M.
1962 The Nabataeans in Petra. *Archaeology 15: 233-43.*

1966a Des fouilles à Umm el-Biyârah: les Édomites à Pétra. *BTS 84: 6-16.*

1966b Notes and News (Umm el-Biyara). *PEQ 99: 123-26.*

1967/68 The Excavations at Tawilan, Near Petra. *ADAJ 12/13: 53-55.*

1969 Tawilân (Jordanie). *RB 76: 386-90.*

1971 A Brief Note on Excavations at Tawilân, Jordan, 1968-1970. *Levant 3: V-VII.*

1973 An unusual cup from Petra (Southern Jordan). *Levant 5: 131-33.*

1975 Excavations at Buseirah, Southern Jordan, 1973: Third Preliminary Report. *Levant 7: 1-19.*

1977 Excavations at Buseirah, Southern Jordan, 1974: Fourth Preliminary Report. *Levant 9: 1-10.*

1980 A Graeco-Nabataean Sanctuary on Umm el Biyara. *ADAJ 24: 209-11.*

1983 Petra. *ArtInternational 26: 3-38.*

1984 Excavations at Tawilan in Southern Jordan, 1982. *Levant 16: 1-19.*

Bennett, C. M. - Parr, P. J.
1962 Soundings on Umm el-Biyara, Petra. *Archaeology 15: 277-79.*

Benoit, P. - Milik, J. T. - de Vaux, R.
1961 Les Grottes de Murabbaʿât. *Discoveries in the Judaean Desert II.*

BHH
Reicke, B. - Rost, L. (Hrsg.), Biblisch-Historisches Handwörterbuch.
IV mit: Palästina. Historisch-archäologische Karte, bearbeitet von E. Höhne.

Bickermann, E.
1937 Der Gott der Makkabäer.

Bietenhard, H.
1977 Die syrische Dekapolis von Pompeius bis Traian. *ANRW II 8: 220-61.*

Biran, A. - Cohen, R.
1978 Aroer, 1978. *IEJ 28: 197-99.*

Bisheh, G.
1982 The Second Season of Excavations at Hallabat, 1980. *ADAJ 26: 133-43.*

Borchardt, L.
1903 Der Augustustempel auf Philae. *JdI 18: 73-90.*

Bowersock, G. W.
1971 A Report on Arabia Provincia. *JRS 61: 219-42.*

1975 The Greek-Nabataean Bilingual Inscription at Ruwwāfa, Saudi Arabia. *in: Le monde grec. Hommages à Claire Préaux: 513-22.*

1983 Roman Arabia.

Breccia, E.
1926 Monuments de l'Égypte Gréco-Romaine I.

BRL
K. Galling (Hrsg.), Biblisches Reallexikon. *HdbAT 1, 1 (1977²).*

Broome, E. C.
1955 La Divinité Nabatéenne Ras ʿAin La'abān. *RB 62: 246-52.*

1973 Nabaiati, Nabaioth and Nabataeans. *JSemSt 18: 1-16.*

Browning, I.
1973 Petra.
1982 Petra².

Bruneau, Ph.
1970 Recherches sur les cultes de Délos.

Bruneau, Ph. - Ducat, J.
1966 Guide de Délos.

Bunnens, G.
1969 Le zodiaque nabatéen de Khirbet-Tannur. Entre le Victoires Stéphanophores et le anges caryatides. *Latomus 28: 391-407.*

Burton, R. F.
1879 The Land of Midian.

Busink, Th.
1980 Tempel in Nabatäa. *in: Der Tempel von Jerusalem. 2. Band. Von Ezechiel bis Middot: 1252-1320.*

Butler, H. C.
PAAES Publications of an American Archaeological Expedition to Syria in 1899-1900. II. Architecture and other Arts (1903).

PPUAES Publications of the Princeton University Archaeological Expeditions to Syria in 1904-1905 and 1909. Division II, Section A, Southern Syria (1919).
1909 2. Southern Ḥaurān: *63-148.*
1913 3. Umm idj-Djimâl: *149-213.*
1914 4. Boṣrā eski Shām (Bostra): *215-95.*
1915 5. Ḥaurān Plain and Djebel Ḥaurān: *297-363.*

1916 6. Sîʿ (Seeia): *365-402.*
1919 7. The Ledjā (Trachonitis): *403-46.*

Callot, O. - Marcillet-Jaubert, J.
1984 Hauts-lieux de Syrie du Nord. *in: Temples et Sanctuaires. Séminaire de recherche 1981-1983 sous la direction de G. Roux. Travaux de la Maison de l'Orient Nr. 7.*

Canaan, T.
1930 Studies in the Topography and Folklore of Petra.

Cantineau, J.
Le Nabatéen.
I *1930.*
II *1932.*

Carettoni, G.
1983 Das Haus des Augustus auf dem Palatin.

Carlier, P.
1983 Fouille à Qastal. *Liber Annuus 32: 413-15.*

Cat. Bruxelles
D. Homès-Fredericq (Hrsg.), Inoubliable Pétra. Le royaume nabatéen aux confins du désert. Exposition Musées Royaux d'Art et d'Histoire 1er mars - 1er juin 1980.

Cat. Damas
1951 Abdul-Hak, S. u. A., Catalogue Illustré du Département des Antiquités Greco-Romaines au Musée de Damas. I.
1976 Al-ʿUsh, A. - Joundi, A. - Zouhdi, B., Catalogue du Musée National de Damas.

Cat. Lyon
Baratte, F. (Hrsg.), Un royaume aux confins du désert. Pétra et la Nabatène. 1978.

Caubert, A.
1978 Céramique et lampes. *in: Cat. Lyon 99-110.*
1980 La céramique. *MDB 14: 36.*

CIS II Corpus Inscriptionum Semiticarum. Pars II, Tomus II, Fasc. 1, Sectio Secunda, Inscriptiones Nabataeae (1906).

Clédat, J.
1912 Fouilles à Qasr Gheit (Mai 1911). *ASAE 12: 145-68.*

Clermont-Ganneau, Ch.
1895 κόπροσ et le Kophra des Nabatéens. *Études d'archéologie orientale I 2: 146-48.*

Cleveland, R. L.
1960 The Conway High Place, Petra. *AASOR 34/35: 57-74.*

Cohen, N.
1979 A Note on Two Inscriptions from Jebel Moneijah. *IEJ 29: 219f.*

Cohen, R.
1976 Excavations at Ḥorvat Ḥaluqim. *ʿAtiqot 11: 34-50.*

1979 The Negev Archaeological Emergency Project. *IEJ 29: 250f.*

1980a Meṣad Har Sa'ad. *IEJ 30: 234f.*

1980b Kadesh-Barnea, 1979. *IEJ 30: 235f.*

1980c Excavations at ʿAvdat, 1977. *Qadmoniot 13: 44-46 (hebräisch).*

1981a Archaeological Survey of Israel. Map of Sde Boqer-East (168) 13-03.

1981b Negev Caravanserai and Fortresses during the Nabatean and Roman Period. *in: Papers Eight Archaeological Conference in Israel, Jerusalem 3-4 June 1981: 11.*

1982a New Light on the Date of the Petra-Gaza Road. *BA 45: 240-47.*

1982b Negev Emergency Survey **(Project)**. *IEJ 32: 163-65. 263-65.*

1982c Negev Emergency Survey. *ESI 1: 79-94.*

1983a Ma'ale Ṣafir. *ESI 2: 64f.*

1982b Meṣad Ma'ale Maḥmal. *ESI 2: 69f.*

1983c Negev Emergency Survey - 1982/1983. *ESI 2: 81-85.*

1984 Negev Emergency Project. *IEJ 34: 201-05.*

1985a Les Fortresses du Negev Central. *MDB 39: 28-48.*

1985b Negev Emergency Project, 1984. *IEJ 35: 202-04.*

Cohen, R. - Dever, W. G.
1981 Preliminary Report of the Third and Final Season of the "Central Negev Highlands Project". *BASOR 243: 57-77.*

Collart, P.
1971 Orientation et implantation de deux grands sanctuaries syriens. *AAS 21: 217-26.*

Collart, P. - Vicari, J.
1969 Le Sanctuaire de Baalshamîn à Palmyre. I.

Contribution 1984
F. Villeneuve (Hrsg.), Contribution Française à l'Archéologie Jordanienne.

Cook, A. B.
1940 The stone of Dousares. *in: Zeus III 1: 907-20.*

Cooke, G. A.
1903 A Text-book of North-Semitic Inscriptions.

Cross, F. M.
1955 The oldest manuscripts from Qumran. *JBL 74: 147-72.*

1965 The Development of the Jewish Scripts. *in: G. E. Wright (Hrsg.), The Bible and the Ancient Near East. Essays in Honor of W. F. Albright (1961). Pocket-Book: 170-264.*

Crowfoot, G. M.
1936 The Nabataean Ware of Sbaita. *PEFQSt 68: 14-27.*

Dalman, G.
1908 Petra und seine Felsheiligtümer.

1911 The Khazneh at Petra. *PEFA 1: 95-107.*

1912 Neue Petra-Forschungen.

1914 Zu den Inschriften aus Petra. *ZDPV 37: 145-50.*

Damati, E.
1972 Khirbet el-Mûraq. *IEJ 22: 173.*

Dar, S.
1982 An Ancient Agricultural System in the Borot-Loẕ Region. *Qadmoniot 15: 81-84 (hebräisch).*

De Blois, L. - Smelik, K. A. D.
1983 Rezension: ANRW II 8, 1977 (bes. Negev 1977a). *BiOr 40: 338-45 (bes. 342f.).*

De Geus, C. H. J.
1979/80 Idumaea. *JEOL 26: 53-74.*

Dentzer, J.
1979 Apropos du temple dit des "Dusarês" à Sîʿ. *Syria 56: 325-32.*

Dentzer, J.-M. u. J.
1981 Les Fouilles de Sîʿ et la phase hellênistique en Syrie du Sud. *CRAI: 78-102.*

1982 Première campagne de fouilles à Sî (Septembre-Octobre 1977). *AAS 32: 177-90.*

1983 Le Hauran. *MDB 28: 29-31.*

1985a Six campagnes de fouilles à Sīʿ : Développement et culture indigêne en Syrie mêridionale. *DaM 2: 65-83.*

1985b Cêramique et Environment Naturel: La Cêramique Nabatêenne de Bosrâ. *in: Jordan II: 149-53.*

Desreumaux, A. - Humbert, J.-B.
1982 La première campagne de fouilles â Kh. es-Samra (1981). *ADAJ 26: 173-82.*

de Vaux, R.
1939 Glanes archêologiques à Mâʿīn (Transjordanie). *RB 48: 78-86.*

1951 Une nouvelle inscription au dieu arabique. *ADAJ 1: 23f.*

de Vogüê, M.
SC Syrie Centrale. Architecture civile et religieuse du Ier au VIIe siècle (1865-77).

DeVries, B.
1979 Research at Umm el-Jimal, Jordan 1972-1977. *BA 42: 49-55.*

1981 The Umm el-Jimal Project, 1972-1977. *BASOR 244: 53-72.*

1982 The Umm el-Jimal Project, 1972-1977. *ADAJ 26: 97-116.*

1985 Urbanization in the Basalt Region of North Jordan in Late Antiquity: The Case of Umm el-Jimal. *in: Jordan II: 249-56.*

Dexinger, F. - Oesch, J. M. - Sauer, G.
1985 Jordanien. Auf den Spuren alter Kulturen.

Diebner, S.
1982 Bosra: Die Skulpturen im Hofe der Zitadelle. *RdA 6: 52-71.*

Diez Merino, L.
1969 Origen de los signos que acompañan a las inscripciones Nabateas del Sinai. *Liber Annuus 19: 264-304.*

Dothan. M.
1983 Hammath Tiberias.

Doughty, Ch. M.
1884 Documents épigraphiques recueillis dans le Nord de l'Arabie.

1888 Travels in Arabia Deserta. I-II.

Drijvers, H. J. W.
1981 Die Dea Syria und andere syrische Gottheiten im Imperium Romanum. *in: EPRO 93: 241-63.*

Dunand, M.
1934 Le Musée de Soueïda. Inscriptions et Monuments Figurés. Mission Archéologique du Djebel Druze. *BAH 20.*

Dussaud, R.
1955 La pénétration de Arabes en Syrie avant l'Islam. *BAH 59.*

Dussaud, R. - Macler, F.
1903 Mission dans le régions désertiques de la Syrie Moyenne.

EAEHL Encyclopedia of Archaeological Excavations in the Holy Land (Hrsg. M. Avi-Yonah - E. Stern).
I *1975.*
II *1976.*
III *1977.*
IV *1978.*

Eph'al, I.
1982 The Ancient Arabs. Nomads on the Borders of the Fertile Crescent, 9th-5th Centuries B. C.

Eissfeldt, O.
1969 Neue Belege für nabatäische Kultgenossenschaften. *MIO 15: 217-27.*

Erträge Bonn
G. Hellenkemper Salies (Hrsg.), die nabatäer. Erträge einer Ausstellung im Rheinischen Landesmuseum Bonn 24. Mai - 9. Juli 1978. *Führer des Rheinischen Landesmuseums Bonn Nr. 106 (1981).*
= BJb 180, 1980, 129-272 (ohne Tafelteil).
= H. G. Horn-G. Salies (Hrsg.), Die Nabatäer. Ein Königreich in der Wüste. Führer des Rheinischen Landesmuseums Bonn Nr. 86 (1978) (nur Tafelteil).

Euting, J.
1885 Nabatäische Inschriften aus Arabien.

1891 Sinaitische Inschriften.

Evenari, M.
1983 Die Nabatäer im Negev. *in: Lindner 1983: 118-38.*

Evenari, M. - Aharoni, Y. - Shanan, L. - Tadmor, N. H.
1958 Early Beginnings. The Ancient Agriculture of the Negev III. *IEJ 8: 231-68.*

Evenari, M. - Shanon, L. - Tadmor, N.
1982 The Negev: The Challenge of a Desert[2].

Fahd, T.
1968 Le panthéon de l'Arabie Centrale à la veille de l'Hégire.

Fellmann, R. - Dunant, Ch.
1975 Kleinfunde. Le Sanctuaire de Baalshamîn à Palmyre. VI.

Field, H.
1960 North Arabian Desert Archaeological Survey, 1925-50 (Nachdruck 1974).

Fischer, Th.
1979 Rezension: Meshorer 1975. *OLZ 74: 239-44.*

Fischer, W.
1982 (Hrsg.) Grundriß der Arabischen Philologie. I. Sprachwissenschaft.

Frank, F.
1934 Aus der ʿAraba. I.: Reiseberichte. *ZDPV 57: 191-280.*

Freeman, R. B.
1941 Nabataean Sculpture in the Cincinnati Art Museum. *AJA 45: 337-41.*

Frézouls, E.
1959 Recherches sur les théatres de l'orient syrien. I. *Syria 36: 202-28.*

Gatier, P.-L.
1982 Inscriptions religieuses de Gérasa. *ADAJ 26: 269-75.*

Gaube, H.
1974 An Examination of the Ruins of Qasr Burquᶜ. *ADAJ 19: 93-100.*

Gauckler, K.
1983 Die kostbarsten Drogen der Alten Welt: Weihrauch, Myrrhe, Balsam. *in: Lindner 1983: 150-53.*

Gawlikowski, M.
1975/76 Les tombeaux anonymes. *Berytus 24: 35-41.*

Gerster, G.
1961 Sinai. Land der Offenbarung.

Ghoneim, W.
1980 Qaryat (al-Fāw). *AfO 27: 318-24.*

Gichon, M.
1967 Idumea and the Herodian Limes. *IEJ 17: 27-42.*

1974a Towers on the Limes Palestinae. *in: Pippidi, D. M. (Hrsg.), Actes IXe Congrès International Études Frontierès Romains, Mamaïa 1972: 513-44.*

1974b Migdal Tsafit, a Burgus in the Negev (Israel). *Saal-*

burgJb 31: 16-40.

1975a The Sites of the Limes in the Negev. *EI 12: 149-66 (hebräisch).*

1975b Tamara, 1975. *IEJ 25: 176f.*

1976a Excavations at Meẓad-Tamar, 1973-1974. *IEJ 26: 188-94.*

1976b Excavations at Mezad-Tamar - "Tamara" 1973-75. Preliminary Report. *SaalburgJb 33: 80-94.*

1977 Mezad Tamar/'Tamara'. Vorbericht der Grabungen 1973-1974. *in: Studien zu den Militärgrenzen Roms. II. Vorträge des 10. Internationalen Limes-Kongresses in der Germania Inferior: 445-52.*

1978 Tamara. *EAEHL IV: 1148-52.*

1980 Research on the Limes Palaestinae: A Stocktaking. *in: Hanson, W. S. - Keppie, L. J. F. (Hrsg.), Roman Frontier Studies, 1979. BritArchRepInternational Series 71: 843-63.*

Gilmore, M. - Al-Ibrahim, M. - Murad, A. S.

1982 Comprehensive Archaeological Survey Program: Preliminary Report on the Northwestern and Northern Region Survey 1981. *Atlal 6: 9-23.*

Glueck, N.

Explorations in Eastern Palestine.

I *AASOR 14, 1933/34: 1-113.*

II *AASOR 15, 1934/35: 1-202.*

III *AASOR 18/19, 1939: 1-288.*

IV *AASOR 25-28, 1945-49 (1951): 1-711.*

1937a A Newly Discovered Temple of Atargatis and Hadad at Khirbet et-Tannûr, Transjordania. *AJA 41: 361-76.*

1937b The Nabataean Temple of Khirbet et-Tannûr. *BASOR 67: 6-16.*

1938 The Early History of a Nabataean Temple (Khirbet et-Tannûr). *BASOR 69: 7-18.*

1939 The Nabataean Temple of Qasr Rabbah. *AJA 43: 381-87.*

1944 Wadi Sirhan in North Arabia. *BASOR 96: 7-17.*

1952 The Zodiac of Khirbet et-Tannûr. *BASOR 126: 5-10.*

Negeb 1953 Explorations in Western Palestine. *BASOR 131: 6-15.*

1955a Further Explorations in the Negeb. *BASOR 137: 10-22.*

1955b The Third Season of Explorations in the Negeb. *BASOR 138: 7-29.*

1956 The Fourth Season of Exploration in the Negeb. *BASOR 142: 17-35.*

1957 The Fifth Season of Exploration in the Negeb. *BASOR 145: 11-25.*

1958a The Sixth Season of Archaeological Exploration in the Negeb. *BASOR 149: 8-17.*

Negeb 1958b The Seventh Season of Archaeological Exploration in the Negeb. *BASOR 152: 18-38.*

1960 Archaeological Exploration of the Negev in 1959. *BASOR 159: 3-14.*

1965 Further Explorations in the Negev. *BASOR 179: 6-29.*

1956 A Nabataean Painting. *BASOR 141: 13-23.*

1959a Rivers in the Desert. A History of the Negev.

1959b An Aerial Reconnaissance of the Negev. *BASOR 155: 2-13.*

1961 The Archaeological History of the Negev. *HUCA 32: 11-18.*

1962 Nabataean Torques. *BA 25: 57-64.*

1964 Nabataean Dolphins. *EI 7: 40*- 43*.*

1965 Deities and Dolphins. The Story of the Nabataeans.

1967 Nabataean Symbols of Immortality. *EI 8: 37*- 41*.*

1970a The Other Side of the Jordan.

1970b Die nabatäische Plastik von Khirbet et-Tannur. *in: Kat. München: 31-34.*

1978 Et-Tannur, Khirbet. *EAEHL IV: 1152-59.*

Goetz, H.
1974 An unfinished Early Indian Temple at Petra. *East and West 24: 245-48.*

Gordon, A. R. L.
1981 An Interim Report on the Site Survey of Tell edh-Dhahab el-Gharbi. *ASOR-Newsletter, 8, June: 4f.*

Gory, M.
1976a Travaux effectués par l'Institut Géographique National de France. *ADAJ 21: 79-85.*

1976b Établissement d'un Photoplan. *ADAJ 21: 87-91.*

Gory, M. - Hottier, Ph.
1980 Travaux de l'I.G.N. (Institut Géographique National) dans la région de Pétra. *in: Cat. Bruxelles: 43-52.*

Graf, D. F.
1978 The Saracens and the Defense of the Arabian Frontier. *BASOR 229: 1-26.*

1979 A Preliminary Report on a Survey of Nabataean-Roman Military Sites in Southern Jordan. *ADAJ 23: 121-27.*

1983 The Nabateans and the Ḥismā: In the Footsteps of Glueck and Beyond. *in: Meyers, C. L. - O'Connor, M. (Hrsg.), The Word of the Lord Shall Go Forth. Essays in Honor of D. N. Freedman in Celebration of His Sixtieth Birthday: 647-64.*

1986 A Report on the Ḥismā Survey. *DaM 3 (im Druck).*

Grohmann, A.
1963 Arabien. *HAW III 1. 3. 3. 4.*

Groom, N. St. J.
1981 Frankincense and Myrrh: A Study of the Arabian Incense Trade.

1982 Gerrha - A 'Lost' Arabian City. *Atlal 6: 97-108.*

Gualandi, G.
1975 Una città carovaniero della Siria meridionale: Bosra romana. *FelRav 109/110: 187-239.*

Gunneweg, J. - Perlman, I. - Yellin, J.
1983 The provenience, typology and chronology of Eastern Terra Sigillata. *Qedem 17.*

Gunsam, E.
1983 Die nördliche Hubta-Wasserleitung in Petra. *in: Lindner 1983: 303-13.*

Hachlili, R.
1975 The Architecture of Nabataean Temples. *EI 12: 95-106 (hebräisch).*

Hadidi, A.
1970 The Pottery from the Roman Forum at Amman. *ADAJ 15: 11-15.*

1973 Some Bronze Coins from Amman. *ADAJ 18: 51-53.*

1974 The Excavation of the Roman Forum at Amman (Philadelphia). *ADAJ 19: 71-91.*

1981 Nabatäische Architektur in Petra. *in: Erträge Bonn: 103-08.*

1986 Zehn Jahre Ausgrabungen in Petra 1973-1983. *in: Lindner 1986: 11-15.*

Hamarneh, S. K.
1982 The Role of the Nabateans in the Islamic Conquests. *in: Jordan I: 347-49.*

Hammond, Ph. C.
1957a A Study of Nabataean Pottery. *Ph. D. Thesis Yale University.*

1957b Nabataean New Year Lamps from Petra. *BASOR 146: 10-13.*

1959a Nabataean Bitumen Industry at the Dead Sea. *BA 22: 40-48.*

1959b Pattern Families in Nabataean Painted Ware. *AJA 63: 371-82.*

1960 Excavations at Petra in 1959. *BASOR 159: 26-31.*

1962 A Classification of Nabataean Fine Ware. *AJA 66: 169-80.*

1963 The Roman Theatre of Petra Excavated as a possible setting for a modern commemorative festival. *ILN 25. 5.: 804f.*

1964 The physical nature of Nabataean pottery. *AJA 68: 259-68.*

1965 The Excavation of the Main Theatre at Petra, 1961-1962. Final Report.

1968 The Medallion and Block Relief at Petra. *BASOR 192: 16-21.*

1973a The Nabataeans - Their History, Culture and Archaeology. *SIMA 37.*

1973b The Snake Monument at Petra. *AmJArabicSt 1: 1-29.*

1973c Pottery from Petra. *PEQ 105: 27-49.*

1975 Survey and Excavation at Petra 1973-1974. *ADAJ 20: 5-30.*

1977 The Capitals from "The Temple of the Winged Lions", Petra. *BASOR 226: 47-51.*

1977/78 Excavations at Petra 1975-1977. *ADAJ 22: 81-101.*

1980 New Evidence for the 4th-Century A. D. Destruction of Petra. *BASOR 238: 65-67.*

1981a Excavations at Petra (Jordan), 1981. Interim Report. *American Expedition to Petra, Paper.*

1981b Cult and Cupboard at Nabataean Petra. *Archaeology 34, 2: 27-34.*

1981c Ein nabatäisches Weiherelief aus Petra. *in: Erträge Bonn: 137-41.*

1981d New Light on the Nabataeans. *BARev 7, 2: 22-41.*

1982 The Excavations at Petra, 1974: Cultural Aspects of Nabataean Architecture, Religion, Art and Influence. *in: Jordan I: 231-38.*

1983/84 Petra. *AfO 29/30: 251f.*

1986a Petra, the timeless. *Archaeology 39, 1: 18-25.*

1986b Die Ausgrabung des Löwen-Greifen-Tempels in Petra (1973-1983). *in: Lindner 1986: 16-30.*

Harding, G. L.
1946 A Nabataean Tomb at ʿAmman. *QDAP 12: 58-62.*

1961 Auf Biblischem Boden. Die Altertümer in Jordanien.

Hart, St.
1986 Edom Survey Project. 1985. *PEQ 118: 77f.*

Hauptmann, A.
1986 Die Gewinnung von Kupfer: Ein uralter Industriezweig auf der Ostseite des Wadi Arabah. *in: Lindner 1986: 31-43.*

Hauran I
J.-M. Dentzer (Hrsg.), Recherches archéologiques sur la Syrie du sud à l'époque hellénistique et romaine.
1 *1985.*
2 *1986.*

Hengel, M.
1973 Judentum und Hellenismus. Wissenschaftliche Untersuchungen zum Neuen Testament 10^2.

Heritage 1973
Department of Antiquities, Amman, Jordan (Hrsg.), The Archaeological Heritage of Jordan. The Archaeological

Periods and Sites (East Bank) I.; bes. List 10: Nabataean Sites (Map 9): 85-88.

Hesberg, H. von
1978 Zur Entwicklung der griechischen Architektur im ptolemäischen Reich. *in: Maehler, H. - Strocka, V. M. (Hrsg.), Das ptolemäische Ägypten. Akten des internationalen Symposions 27.-29. September 1976 in Berlin: 137-45.*

Heshbon 1968 Boraas, R. S. - Horn, S. H. et alii. *AUSS 7, 1969: 97-239.*

1971 dies. *AUSS 11, 1973: 1-144.*

Pottery 1971 Sauer, J. A. *AUM 7, 1973.*

1973 Boraas, R. S. - Horn, S. H. et alii. *AUM 8, 1975.*

1974 Boraas, R. S. - Geraty, L. T. et alii. *AUMSR 9, 1976.*

1976 dies. *AUMSR 10, 1978.*

Hill, G. F.
1922 Arabia, Mesopotamia and Persia. *BMC.*

Hiller von Gaertringen, Fr.
1906 Inschriften von Priene.

Höfner, M.
1965 Die Stammesgruppen Nord- und Zentralarabiens in vorislamischer Zeit. *in: Haussig, H. W. (Hrsg.), Wörterbuch der Mythologie. Götter und Mythen im Vorderen Orient: 407-81.*

1970 Zentral- und Nordarabien. *in: Gese, H. - Höfner, M. - Rudolph, K., Die Religionen Altsyriens, Altarabiens und der Mandäer. Die Religionen der Menschheit 10, 2: 354-88.*

Hoftijzer, J.
1968 Religio Aramaica.

Holladay, Jr. J. S.
1982 Tell el-Makhuṭa. Preliminary Report on the Wadi Tumilat Project 1978-1979. *Cities of the Desert III.*

Homès-Fredericq, D.
1980a La céramique nabatéenne. *in: Cat. Bruxelles: 112-47.*

1980b Figurines en Terre Cuite. *in: Cat. Bruxelles: 148-52.*

1980c La peinture nabatéenne. *in: Cat. Bruxelles: 79-82.*

Homès-Fredericq, D. - Hennessy, J. B.
1986 Archaeology of Jordan - I. Bibliography. *Akkadica Suppl. 3.*

Homès, D. - Naster, P.
1979 Recherches archéologiques à Lehun au Wadi Mojib. *ADAJ 23: 51-56.*

1982 Premières Fouilles Belges en Jordanie. *in: Jordan I: 285-89.*

Horsfield, G.
1930 The Gorge of Petra. *Antiquity 4: 225-28.*

Horsfield, G. - Conway, A.
1930 Historical and Topographical Notes on Edom: with an Account of the First Excavations at Petra. *The Geographical Journal 76: 369-90.*

Horsfield, G. u. A.
1938 Sela - Petra, The Rock, of Edom and Nabatene. I.-II. *QDAP 7: 1-42.*

1939 das. III. The Excavations. *QDAP 8: 87-115.*

1941 das. IV. The Finds. *QDAP 9: 105-204.*

Hospers, J. H.
1973 A Basis Bibliography for the Study of Semitic Languages. I.

Huber, Ch.
1891 Journal d'un voyage en Arabie (1883-1884).

Ibrahim, M. M.
1971 Archaeological Excavations in Jordan, 1971. *ADAJ 16: 113-15.*

Iliffe, J. H.
1934 Nabatean Pottery from the Negeb. *QDAP 3: 132-35.*

1937 Sigillata wares in the Near East. *QDAP 6: 4-53.*

Ingraham, M. L. - Johnson, Th. D. - Rihani, B. - Shatla, I.
1981 Saudi Arabian Comprehensive Survey Program: Preliminary Report on a Reconnaissance Survey of the Northwestern Province. *Atlal 5: 59-84.*

Isaac, B.
1980 Trade Routes to Arabia and the Roman Army. *in: Hanson, W. S. - Keppie, L. J. F. (Hrsg.), Roman Frontier Studies 1979. BritArchRep International Series 71: 889-901.*

Ismaīl, Z. S.
1980 Les chapiteaux de Pêtra. *MDB 14: 27-29.*

Jamme, A.
1959 A Safaitic Inscription from the Negev. *ʿAtiqot 2: 150f.*

Jaussen, A. - Savignac, R.
1909 Inscription grêco-nabatêenne de Zizeh. *RB 6: 587-92.*
JS I dies., Mission Archéologique en Arabie (Mars-Mai 1907), De Jêrusalem au Hedjaz, Médain-Saleh (1909).
JS II dies., El-ʿEla, d'Hêgra à Teima, Harrah de Tebouk (1914).

Jaussen, A. - Savignac, R. - Vincent, H.
1904 ʿAbdeh (4-9 février 1904) (1). *RB 1: 403-24.*

1905a dass. (2). *RB 2: 74-89. 235-44.*

1905b Ṣbaīṭa. *RB 2: 256f.*

Jobling, W. J.
1981 Preliminary Report on the Archaeological Survey Between Ma'an and ʿAqaba, January to February 1980. *ADAJ 25: 105-12.*

1982 ʿAqaba - Ma'an Survey, Jan.-Feb. 1981. *ADAJ 26: 199-209.*

1983 The Fourth Season of the ʿAqaba - Ma'an Archaeological and Epigraphic Survey 1982-83. *Liber Annuus 32: 396-401.*

1983/84 Survey ʿAqaba - Maʿān. *AfO 29/30: 264-70.*

Jomier, J.
1954 Les Graffiti "Sinaïtiques" du Wadi Abou Daradj. *RB 61: 419-24.*

Jordan 1 1982 Hadidi, A. (Hrsg.), Studies in the History and Archaeology of Jordan. I.

Jordan II 1985 dass. II.

Jordan Blatt 3 Archaeological Map of the Hashemite Kingdom of Jordan 1:250 000. Blatt 3 Maʿān (1950).

Kadour, M. - Seeden, H.
1983 Busra 1980: Reports of an Archaeological and Ethnographic Campaign. *DaM 1: 77-101.*

Kammerer, A.
1929 Pétra et la Nabatène (Text).
1930 dass. (Tafeln).

Kasher, A.
1985 Alexander Yannai's Wars with the Nabataeans. *Zion 50: 107-20 (hebräisch).*

Kat. München 1970
Kellner, H.-J. (Hrsg.), Die Nabatäer. Ein vergessenes Volk am Toten Meer. 312 v. - 106 n. Chr. Ausstellung der Prähistorischen Staatssammlung im Münchner Stadtmuseum 1. 7. - 30. 9. 1970. *Prähistorische Staatssammlung München Kat. 13, Münchner Stadtmuseum.*

Kawerau, G. - Rehm, A.
1914 Das Delphinion. *Milet I 3.*

Kedar, Y.
1957 Ancient Agriculture at Shivtah. *IEJ 7: 178-89.*

1959 The Ancient Agriculture in the ʿAvdat Area. *BIES 23: 203-29 (hebräisch).*

Keel, O. - Küchler, M.
II 1982 Orte und Landschaften der Bibel. Ein Handbuch und Studien-Reiseführer zum Heiligen Land. Band 2: Der Süden.

Kees, H.
1977 Das alte Ägypten. Eine kleine Landeskunde[3].

Kennedy, Sir Alexander B. W.
1925 Petra. Its History and Monuments.

Kennedy, D. L.
1982 Archaeological Explorations on the Roman Frontier in North-East Jordan. *BritArchRepInternational Series 134.*

Kettenhofen, E.
1981 Zur Nordgrenze der *provincia Arabiae* im 3. Jahrhundert n. Chr. *ZDPV 97: 62-73.*

Khadija, M. M. A.
1983 16 Jahre Feldarchäologie in Petra. *in: Lindner 1983: 204-11.*

Khairy, N. I.
1975 A Typological Study of the Unpainted Pottery from the Petra Excavations. *Ph. D. Thesis University of London.*

1980a An Analytical Study of the Nabataean Monumental Inscriptions at Medā'in Ṣāleḥ. *ZDPV 96: 163-68.*

1980b Ink-wells of the Roman Period from Jordan. *Levant 12: 155-62.*

1980c Nabataean Piriform Unguentaria. *BASOR 240: 85-91.*

1981a A New Dedicatory Nabataean Inscription from Wadi Musa. *PEQ 113: 19-25.*
ebd. Milik, J. T.: *25f.*

1981b Die unbemalte nabatäische Gebrauchskeramik. *in: Erträge Bonn: 142-44.*

1982 Fine Nabataean Ware with Impressed and Rouletted Decorations. *in: Jordan I: 275-83.*

1983 Technical Aspects of Fine Nabataean Pottery. *BASOR 250: 17-40.*

1984a Neither 'TLT' Nor 'ALT' But 'RAYT'. *PEQ 116: 115-19.*

1984b Preliminary Report of the 1981 Petra Excavations. *ADAJ 28: 315-20.*

1985 Drinking Pottery Vessels from the 1981 Petra Excavations. *ZDPV 101: 32-42.*

1986 Nabatäischer Kultplatz und byzantinische Kirche. *in: Lindner 1986: 58-73.*

Killick, A. C.
1982 Udruh. 1980 and 1981 Seasons. Report. *ADAJ 26: 415f.*

1983a Udruh. 1980 and 1981 Seasons. *Liber Annuus 32: 410f.*

1983b Udruh - The Frontier of an Empire: 1980 and 1981 Seasons. A Preliminary Report. *Levant 15: 110-31.*

1986 Udruh - eine antike Stätte vor den Toren Petras. *in: Lindner 1986: 44-57.*

Kind, H. D.
1965 Antike Kupfergewinnung zwischen Rotem und Totem Meer. *ZDPV 81: 56-73.*

Kindler, A.
1973 The Coins. *in: Aharoni, Y. (Hrsg.), Beer-Sheba I. Excavations at Tel Beer-Sheba. 1969-1971 Seasons: 90-96.*

1983 The Coinage of Bostra.

King, G.
1982 Preliminary report on a survey of Byzantine and Islamic Sites in Jordan 1980. *ADAJ 26: 85-95.*

Kirk, G. E.
1938 Archaeological Exploration in the Southern Desert.

PEQ 70: 211-35.

1941 The Negev, or Southern Desert of Palestine. *PEQ 73: 57-71.*

Kirkbride, Sir Alexander S.
1937 Note on new Typ of Æ Coin from Petra. *PEQ 69: 256f.*

1947 Some rare Coins from Transjordan. *BASOR 106: 4-9.*

Kirkbride, Sir Alexander S. - Harding, L.
1947 Hasma. *PEQ 79: 7-26.*

Kirkbride, D.
1960a Le temple nabatéen de Ramm. *RB 67: 65-92.*

1960b A short account of the excavations at Petra in 1955-56. *ADAJ 4/5: 117-22.*

1961 Tentousend years of man's activity around Petra: Unknown and little-known sites excavated or explored. *ILN 239: 448-51.*

Kirwan, Sir L. P.
1979 Where to Search for the Ancient Port of Leuke Kome. *Paper Second International Symposium on Studies in the History of Arabia. Riyadh 1979.*

Kloner, A.
1973 Dams and Reservoirs in the Negev. *EI 11: 248-57 (hebräisch).*

Knauf, E. A.
1983a Zum Ethnarchen des Aretas 2Kor 11_{32}. *ZNW 74: 145-47.*

1983b Supplementa Ismaelitica 4.-5. *BN 22: 25-33.*

1984a Ismael. Untersuchungen zur Geschichte Palästinas und Nordarabiens im 1. Jahrtausend v. Chr. *AbhDPV 7 (1985).*

1984b „Als die Meder nach Bosra kamen". *ZDMG 134: 219-25.*

1984c Supplementa Ismaelitica 6. *BN 25: 19-21.*

1984d Zur Keramik von Fenan und Hirbet en-Nahas. *Der Anschnitt 36: 120-23.*

1985 Μαδιάμα. *ZDMG 135: 16-21.*

1986 Die Herkunft der Nabatäer. *in: Lindner 1986: 74-86.*

Koffmann, E.
1968 Die Doppelurkunden aus der Wüste Juda. *Studies on the Texts of the Desert of Judah 5.*

Kohl, H.
1910 Kasr Firaun in Petra. *WVDOG 13.*

Kowalski, T. W.
1979 Les Chemins du Désert Sinaitique. *MDB 10: 18-23.*

Kraeling, C. H.
1938 Gerasa. City of the Decapolis.

1941 The Nabataean Sanctuary at Gerasa. *BASOR 83: 7-14.*

Kurdi, H.
1972 A New Nabataean Tomb at Sadaqah. *ADAJ 17: 85-87.*

Land des Baal Kat. der Ausstellung Land des Baal. Syrien - Forum der Völker und Kulturen (1982).

Lapp, N. L.
1983 The Excavations at Araq el-Emir I. *AASOR 47.*

Lapp, P. W.
1963 Tell er-Rumeith. *RB 70: 406-11.*

Larché, F.
1984 Le Qasr al-Bint de Petra. *in: Contribution 1984: 20-22.*

Lauter, H.
1971 Ptolemais in Libyen. Ein Beitrag zur Baukunst Alexandrias. *JdI 86: 149-78.*

Lawlor, J. I.
1974 The Nabataeans in Historical Perspective.

Levi Della Vita, G.
1938 Una Bilingue Greco-Nabataea a Coo. *ClRh 9: 139-47.*

Lifshitz, B.
1977 Scythopolis. L'histoire, les institutions et les cultes de la ville à l'époque hellénistique et impériale. *ANRW II 8: 262-94.*

Lindner, M.
1968 Die Könige von Petra. Aufstieg und Niedergang der Nabatäer im biblischen Edom.

1973 Eine archäologische Expedition nach Jordanien (1973). *JMittNHG: 20-42.*

1976 Die zweite archäologische Expedition der Naturhistorischen Gesellschaft nach Petra (1976). *JMittNHG: 83-96.*

1978 Die 3. archäologische Expedition der Naturhistorischen Gesellschaft nach Jordanien (1978). *JMittNHG: 81-96.*

1980 Beobachtungen und Entdeckungen. *JMittNHG: 27-32.*

1981 Deutsche Ausgrabungen in Petra. *in:Erträge Bonn: 125-36.*

1982a Neue Petra-Forschungen 1982.-Eine Grabung in Sabra (Jordanien) 1982. Vorläufiger Bericht. *JMittNHG: 65f.-67-73.*

1982b An Archaeological Survey of the Theatre Mount and Catchwater Regulation System at Sabra, South of Petra, 1980. *ADAJ 26: 231-42.*

1982c Über die Wasserversorgung einer antiken Stadt. *Altertum 28: 27-39.*

1983 (Hrsg.) Petra und das Königreich der Nabatäer. *1970¹. 1974². 1980³. 1983⁴.*

Petra - Entdecker, Reisende und Forscher: *9-16.*
Beschreibung der antiken Stadt: *17-37.*
Die Geschichte der Nabatäer: *38-103.*
Ausgrabungen der Naturhistorischen Gesellschaft Nürn-

berg in Petra: *249-57.*
Es-Sela': Eine antike Fliehburg 50 km nördlich von Petra: *258-71.*
Ein nabatäisches Klammheiligtum bei Petra: *272-78.*
Die „Nord-Terrasse" von Umm el-Biyara: *280-91.*

1984 Archäologische Erkundung des Der-Plateaus oberhalb von Petra (Jordanien) 1982 und 1983. *AA: 597-625.*

1985 Petra - Der Führer durch die antike Stadt/The Guide Through the Antique City.

1986 (Hrsg.) Petra. Neue Ausgrabungen und Entdeckungen.
Archäologische Erkundungen in der Petra-Region 1982-1984: *87-188.*

Lindner, M. - Gunsam, E. - Just, I. - Schmid, A. - Schreyer,E.
1982 Archäologische Erkundung des Der-Plateaus oberhalb von Petra. *JMittNHG: 76-98.*

1984 New Explorations of the Deir-Plateau (Petra) 1982/1983. *ADAJ 28: 163-81.*

Littmann, E.
1904 Semitic Inscriptions; bes. Nabataean Inscriptions: *85-95.*

1914a Semitic Inscriptions. *PPUAES IV A.*

1914b Zu den nabatäischen Inschriften von Petra. *ZA 28: 263-79.*

Littmann, E. - Meredith, D.
1953 Nabataean Inscriptions from Egypt (I). *BSOAS 15: 1-28.*

1954 dass. (II). *BSOAS 16: 211-46.*

Livingstone, A. et alii
1983 Taimā': Recent Soundings and new inscribed material: ***Atlal** 7: 102-16.*

Loffreda, S.
1980 Alcuni vasi ben datati della Fortezza di Macheronte. *Liber Annuus 30: 377-402.*

Lombardi, G.
1972 Khalasa - Elusa nella esplorazione archeologica. *Liber Annuus 22: 335-68.*

Lyttelton, M.
1974 Baroque Architecture in Classical Antiquity.

MacDonald, B.
1980a The Wadi el-Ḥasā Survey 1979: A Preliminary Report. *ADAJ 24: 169-83.*

1980b The Wadi el-Ḥasā Survey: Fall, 1979. *ASOR-Newsletter. 3, Dec.: 5-7, 10-12.*

1982a The Wâdi el-Ḥasā Survey 1979 and Previous Archaeological Work in Southern Jordan. *BASOR 245: 35-52.*

1982b Prospection dans la rêgion du Wadi el-Hasa, 1979. *RB 89: 222-25.*

1982c The Wadi el-Ḥasā Survey 1981 (Southern Jordan). *BA 45: 58f.*

1982d The Wadi el-Ḥesā Survey 1981. A Preliminary Report. *ADAJ 26: 117-31.*

1983 An Early Bronze and/or Nabataean Roman Site along the Wadi el-Ḥasā in Southern Jordan. *Liber Annuus 32: 402-04.*

1983/84 The Wādī al-Ḥasā Archaeological Survey, Southern Jordan (1979-1981). *AfO 29/30: 285-88.*

1984 Umm Ubtulah: A Nabataean and/or Roman Military Site along the North Side of the Wadi El Ḥasa in Southern Jordan. *ADAJ 28: 183-90.*

MacDonald, E. - Starkey, J. L. - Harding, L.
1932 Beth Pelet II. Prehistoric Fara. Beth-Pelet Cemetery.

Macdonald, M. C. A.
1982 The Inscriptions and Rock-drawings of the Jawa-Area: A preliminary report on the first season of field-work of the Corpus of the Inscriptions of Jordan Project. *ADAJ 26: 159-72.*

MacKay, D.
1951 A Guide to the Archaeological Collections in the University Museum (American University of Beirut).

Mann, J. C.
1969 A Note on a Inscription from Kurnub. *IEJ 19: 211-14.*

Margovsky, Y.
1971 Three Temples in Northern Sinai. *Qadmoniot 4: 18-21 (hebräisch).*

Maurer, J.-P. u. G.
1980 Petra. Frühe Felsarchitektur in Jordanien².

Mayerson, Ph.
1960 The ancient agricultural remains of the Central Negeb: Methodology and Dating Criteria. *BASOR 160: 27-37.*

1962 The ancient agricultural regime of Nessana and the Central Negeb. *in: Nessana I: 211-69.*

1983 The City of Elusa in the Literary Sources of the Fourth-Sixth Centuries. *IEJ 33: 247-53.*

Mazar, B.
1979 Der Berg des Herrn. Neue Ausgrabungen in Jerusalem.

Mazar, B. - Dothan, T. - Dunayevsky, I.
1966 En-Gedi. The First and Second Seasons of Excavations 1961-1962. *'Atiqot 5.*

Mazor, G.
1981 The Wine-Presses of the Negev. *Qadmoniot 14: 51-60 (hebräisch).*

McCreery, D. W.
1977/78 A Preliminary Report on the Bab edh-Dhra Site Survey. *ADAJ 22: 187-90.*

McKenzieh, J. S.
1980 The Khazne at Petra. *Dissertation Sidney.*

1983 The Nabataean Tombs at Medain Saleh, a Re-Examination.

DaM 3: (im Druck).

MDB 1980 Pétra. La cité rose du désert. *MDB 14.*

Mercklin, E. von
1962 Antike Figuralkapitelle; bes. Syrien (Nabatäerreich): *23-26.*

Meredith, D.
1952 The Roman Remains in the Eastern Desert of Egypt (I). *JEA 38: 94-111.*

1953 dass. (II). *JEA 39: 95-106.*

Meshel, Z.
1970 The Historical Meaning of the Ancient Rock Engravings in Sinai. *Teva Vearetz 12, 5: 204-08 (hebräisch).*

1973 The Roads of the Negev according to the Geography of Ptolemy and the Tabula Peutingeriana. *in: Aharoni, Y. (Hrsg.), Excavations and Studies. Essays in Honour of Prof. Sh. Yeivin: 205-09 (hebräisch).*

1977 Ḥorvat Ritma - An Iron Age Fortress in the Negev Highlands. *TA 4: 110-35.*

Meshel, Z. - Finkelstein, I.
1980 (Hrsg.) Sinai in Antiquity *(hebräisch).*

Meshel, Z. - Lachish, I.
1982 (Hrsg.) Researches in Southern Sinai *(hebräisch).*

Meshel, Z. - Sass, B.
1974 Yotvata. *IEJ 24: 273f.*

1977 Yotvata. *RB 84: 266-70.*

Meshel, Z. - Tsafrir, Y.
1974 The Nabataean Road from ʿAvdat to Sha'ar-Ramon. I. *PEQ 106: 103-18.*

1975 dass. II.-III. *PEQ 107: 3-21.*

Meshorer, Y.
1975 Nabataean Coins. *Qedem 3.*

1977 Was there a Mint at Eboda? *SchwMbll 27. Heft 106: 33-36.*

Metcalf, W. E.
1975 The Tell Kalak hoard and Trajan's Arabian Mint. *ANSMusNotes 20: 39-108.*

Milik, J. T.
1958 Nouvelles inscriptions nabatéenes. *Syria 35: 227-51.*

1959 Inscription nabatéenne de Turkmaniyé à Pétra. *RB 66: 555-60.*

1972 Dédicaces faites par des dieux.

1976 Une inscription bilingue nabatéenne et grecque à Pétra. *ADAJ 21: 143-52.*

1980a La Tribu des Bani ʿAmrat en Jordanie de l'époque grecque et romaine. *ADAJ 24: 41-54.*

1980b Quatre inscriptions nabatéennes. *MDB 14: 12-15.*

1982 Origines des Nabatéens. *in: Jordan I: 261-65.*

Milik, J. T. - Seyrig, H.
1958 Trésor monétaire de Murabba'at. *RevNum 6: 11-26.*

Milik, J. T. - Starky, J.
1975 Inscriptions récemment découvertes à Pétra. *ADAJ 20: 111-30.*

Milik, J. T. - Teixidor, J.
1961 New evidence on the North-Arabic deity Aktab-Kutbâ. *BASOR 163: 22-25.*

Miller, J. M.
1979a Archaeological Survey South of Wadi Mujib: Glueck's Sites Revisited. *ADAJ 23: 79-92.*

1979b Archaeological Survey of Central Moab: 1978. *BASOR 234: 43-52.*

Mittmann, S.
1970 Beiträge zur Siedlungs- und Territorialgeschichte des nördlichen Ostjordanlandes. *AbhDPV.*

1982 The Ascent of Luhith. *in: Jordan I: 175-80.*

Mlaker, K.
1943 Die Hierodulenlisten von Ma'în.

Molloy, V. - Colunga, A.
1906 Lieux de Culte à Pétra. *RB 3: 582-87.*

Moritz, B.
1908 Ausflüge in die Arabia Petraea. *Mélanges de la Faculté Orientale de Beyrouth 3, 1.*

1916 Der Sinaikult in heidnischer Zeit. *AbhGöttingen XVI 2.*

Morton, W. H.
1956 Umm el-Biyara. *BA 19: 26-36.*

Moughdad, S.
1974 Bosra. Guide historique et archéologique.

1976 Bosra. Aperçu sur l'urbanisation de la ville à l'époque romaine. *FelRav 111/112: 65-81.*

1982 La Rôle de la Ville de Bosra dans l'histoire de la Jordanie aux Époques Nabatéenne et Romaine. *in: Jordan I: 267-73.*

Moulton, W. J.
1919/20 Gleanings in Archaeology and Epigraphy. *AASOR 1: 66-92.*

Mouterde, R.
1925 Inscriptions Grecques conservées à l'Institut Français de Damas. *Syria 6: 215-52.*

al-Muheisen, Z.
1980 l'eau à pétra. *MDB 14: 41f.*

Müller, W. - Göbel, K.
1976 Ausgrabungen in Petra - April 1976. *JMittNHG: 97-101.*

Müller, W. - Schmid, A.
1978 Ausgrabungen in Petra - März 1978. *JMittNHG: 99-104.*

Müller, W. W.
1978 Weihrauch. *RESuppl. XV: 700-77.*

Munro, P. - Schmitt-Korte, K.
1976 Keramik. *in: Schmitt-Korte 1976: 41-58.*

Murray, G. W.
1925 The Roman Roads and Stations in the Eastern Desert of Egypt. *JEA 11: 138-50.*

Murray, M. A.
1939 Petra, the Rock City of Edom.

Murray, M. A. - Ellis, J. C.
1940 A Street in Petra.

Murray Jr., S. B.
1917 Hellenistic Architecture in Syria.

Musil, A.
I 1907 Arabia Petraea. Topographischer Reisebericht. I. Moab.
II 1907 dass. II. Edom, 1. Teil.
II 1908 dass. II. Edom, 2. Teil.
1926 The Northern Ḥeǧâz. A Topographical Itinerary.

Nahlieli, D. - Israel, Y.
1982 ʿEn Raḥel. *IEJ 32: 163.*

Naster, P.
1980 Les Monnaies de Nabatène. *in: Cat. Bruxelles: 57-63.*

1982 Le culte du dieu nabatéen Dousarès reflété par les monnaies d'époque impériale. *in: Actes du 9ème congrès international de Numismatique. Berne, Septembre 1979. A.C.I.N.Publication 7: 399-408.*

Naveh, J
1978 Ancient North-Arabian Inscriptions on Three Stone Bowls. *EI 14: 178-82 (hebräisch).*

1967 Somes Notes on Nabatean Inscriptions from ʿAvdat. *IEJ 17: 187-89.*

1979 A Nabatean Incantation Text. *IEJ 29: 111-19.*

Naveh, J. - Stern, E.
1974 A Stone Vessel with a Thamudic Inscription. *IEJ 24: 79-83.*

Negev, A.
1961a Nabatean Inscriptions from ʿAvdat (Oboda). I.*IEJ 11: 127-38.*

1961b Avdat. A caravan halt in the Negev. *Archaeology 14: 122-30.*

1963a Nabatean Inscriptions from ʿAvdat (Oboda). II. *IEJ 13: 113-24.*

1963b The Nabatean Painted Pottery of Oboda and the Chronology of the Nabatean Painted Pottery. *Ph. D. Thesis The Hebrew University Jerusalem.*

1965 Stone dresser's Marks from a Nabatean Sanctuary at ʿAvdat. *IEJ 15: 185-94.*

1966a Cities of the Desert.

1966b The Date of the Petra-Gaza Road. *PEQ 88: 89-98.*

1966c Restoring Historic Sites. *Ariel 16: 12-22.*

1966d Mamshit (Kurnub). *IEJ 16: 145-48.*

1967a Oboda, Mampsis and Provincia Arabia. *IEJ 17: 46-55.*

1967b Mampsis - a town of the Eastern Negev. *Raggi 7 (3/4): 67-87.*

1967c Mamshit (Kurnub). *IEJ 17: 121-23.*

1967d New Dated Nabatean Graffiti from the Sinai. *IEJ 17: 250-55.*

1967e Kurnub: Une cité romano-byzantine dans le Néguev. *BTS 90: 6-17.*

1969a The Chronology of the Middle Nabatean Period. *PEQ 101: 5-14.*

1969b Seal-Impressions from Tomb 107 at Kurnub (Mampsis). *IEJ 19: 89-106.*

1969c The Excavations at Kurnub (Mampsis). *Qadmoniot 2: 17-22 (hebräisch).*

1971a The Nabatean Necropolis of Mampsis (Kurnub). *IEJ 21: 110-29.*

1971b Notes on some Trajanic drachms from the Mampsis hoard. *JNG 21: 115-20.*

1971c New Graffiti from Sinai. *EI 10: 180-87 (hebräisch).*

1971d A Nabatean Epitaph from Trans-Jordan. *IEJ 21: 50-52.*

1972a Mampsis - eine Stadt im Negev. *AW 3, 4: 13-28.*

1972b Nabatean Sigillata. *RB 79: 381-98.*

1973 The Staircase Tower in Nabatean Architecture. *RB 80: 364-83.*

1974a elusa. Ville nabatéenne. *BTS 164: 8-18.*

1974b Nabatean Capitals in the Towns of the Negeb. *IEJ 24: 153-59.*

1974c The Nabatean Potter's Workshop at Oboda. *ReiCretRom-FautActa Suppl. 1.*

1974d A Nabataean Statuette from Jordan. *PEQ 106: 77f.*

1974e The Churches of the Central Negev. An Archaeological Survey. *RB 81: 400-21.*
Corrigenda. Addendum. *RB 81: 422.*

1974f Petra and the Nabateans. *Qadmoniot 7: 71-93 (hebräisch).*

1975 Elusa (Halutza). *RB 82: 109-13.*

1976a Die Nabatäer. *AW Sondernummer.*

1976b Survey and Trial Excavations at Ḥaluza (Elusa), 1973. *IEJ 26: 89-95.*

1976c The early beginnings of the Nabataean realm. *PEQ 108:*

125-33.

1976d Eboda; Elusa. *EAEHL II: 345-55; 359f.*

1976e Permanence et disparition d'anciens toponymes du Negev central. *RB 83: 545-57.*

RBibl 1976 The Nabatean Necropolis at Egra. *RB 83: 203-36.*

1977a The Nabateans and the Provincia Arabia. *ANRW II 8: 520-686.*

1977b Kurnub. *EAEHL III: 722-35.*

1977c The Inscriptions of Wadi Haggag, Sinai. *Qedem 6.*

1977d A Nabatean Sanctuary at Jebel Moneijah, Southern Sinai. *IEJ 27: 219-31.*

1978 Petra; Er-Ram; Subeita. *EAEHL IV: 943-59; 996-98; 1116-24.*

1980 House and City Planning in Ancient Negev. *in: Golany, G. (Hrsg.), Housing in Arid Lands: 3-32.*

1981a Nabatéens et Byzantins au Négev. *MDB 19.*

1981b Excavations at Elusa, 1980. *Qadmoniot 14: 122-28 (hebräisch).*

1981c Elusa (1980). *RB 88: 587-91.*

1981d The Greek Inscriptions from the Negev. *Studium Biblicum Franciscanum. Collectio Minor 25.*

1981e Nabatean, Greek and Thamudic Inscriptions from the Wadi Haggag - Jebel Musa Road. *IEJ 31: 66-71.*

1982a Numismatics and Nabatean Chronology. *PEQ 114: 119-28.*

1982b Christen und Christentum in der Wüste Negev. *AW 13: 1-33.*

1982c Nabatean Inscriptions in Southern Sinai. *BA 45: 21-25.*

1983 Tempel, Kirchen und Zisternen. Ausgrabungen in der Wüste Negev. Die Kultur der Nabatäer.

1986a Obodas the God. *IEJ 36: (im Druck).*

1986b New Avenues in Nabataean Archaeology.

Negev, A. - Sivan, R.
1977 The Pottery of the Nabataean Necropolis at Mampsis. *ReiCretRomFautActa 17/18: 109-31.*

Nessana I
1962 Colt, H. D. (Hrsg.), Excavations at Nessana (Auja Hafir, Palestine). I.

Netzer, E.
1981 Greater Herodium. *Qedem 13.*

Nielsen, D.
1931 The Mountain Sanctuaries in Petra and its Environs. I. *JPOS 11: 222-37.*
Dalman, G.: *237-40.*

1933 dass. II. *JPOS 13: 185-208.*

O'Dwyer Shea, M.
1983 The small cuboid incense-burner of the Ancient Near East. *Levant 15: 76-109.*

Olåvarri, E.
1965 Sondages à ʿArôʿer sur l'Arnon. *RB 72: 77-94.*

Oleson, J. P.
1984 Survey and Excavation at the Nabataean and Roman City of Humayma (Jordan). *AJA 88: 254f.*

Oren, E. D.
1973 The Overland Route Between Egypt and Canaan in the Early Bronze Age (Preliminary Report). *IEJ 23: 198-205.*

1976 Explorations in the Negev and Sinai. *Catalogue of the Exhibition at the Ben Gurion University of the Negev.*

1978 Rafiah region - Nabatean sites. *Hadashot Arkheologiyot 65/66: 58-61 (hebräisch).*

1982a Excavations at Qasrawet in North-Western Sinai. Preliminary Report. *IEJ 32: 203-11.*

1982b Le Nord-Sinaï. *MDB 24.*

Oren, E. - Netzer, E.
1977 Settlements of the Roman Period at Qasarweit in Northern Sinai. *Qadmoniot 10: 94-107 (hebräisch).*

Orr-Ewing, H. J.
1927 The Lion and the Cavern of Bones at Petra. *PEFQSt: 155-57.*

Ovadiah, A.
1981 Was the Cult of the God Dushara-Dusares practised in Hippos-Susita? *PEQ 113: 101-04.*

Palmer, E. H.
1871a The Desert of the Exodus.

1871b The Desert of the Tih and the Country of Moab. *PEFQSt: 3-80.*

Parker, S. Th.
1976 Archaeological Survey of the Limes Arabicus. A Preliminary Report. *ADAJ 21: 19-31.*

1978 The 1976 Limes Arabicus Survey. *ASOR-Newsletter. 5, Febr.: 6-10.*

1981a The Central Limes Arabicus Project: The 1980 Campaign. *ADAJ 25: 171-78.*

1981b The Central Limes Arabicus Project: The 1980 Campaign. *ASOR-Newsletter. 8, June: 8-20.*

1982 Preliminary Report on the 1980 Season of the Central Limes Arabicus Project. *BASOR 247: 1-26.*

1985 Rezension: Bowersock 1983. *BASOR 258: 75-78.*

Parlasca, I.
1986 Die nabatäischen Kamelterrakotten - Ihre antiquarischen und religionsgeschichtlichen Aspekte. *in: Lindner 1986: 200-13.*

Parlasca, K.
1967 Zur Syrischen Kunst der frühen Kaiserzeit. *AA: 547-68.*

1986 Priester und Gott. Bemerkungen zu Terrakottafunden aus Petra. *in: Lindner 1986: 192-99.*

Parr, P. J.
1957 Recent Discoveries at Petra. *PEQ 89: 5-16.*

1959 Rock Engravings from Petra. *PEQ 91: 106-08.*

1960a Nabataean Sculpture from Khirbet Brak. *ADAJ 4/5: 134-36.*

1960b Excavations at Petra, 1958-59. *PEQ 92: 124-35.*

1960c Pétra. *RB 67: 239-42.*

1962a Petra, the famous desert city of the Nabataeans, archaeologically examined: the discovery of the earliest buildings.-I. *ILN 10. Nov.: 746-49.*

1962b Beautiful Nabataean Pottery and lively Figurines: Discoveries from the first systematic excavations at Petra.-II. *ILN 17. Nov.: 789-91.*

1962c Le "Conway High Place" à Pêtra. Une nouvelle interprétation. *RB 69: 64-79.*

1962d A Nabataean sanctuary near Petra; a preliminary notice. *ADAJ 6/7: 21-23.*

1965a The Beginnings of Hellenisation at Petra. *in: 8. CIAC Paris 1963: 527-33.*

1965b Pêtra. *RB 72: 253-57.*

1967a La Date du Barrage du Sîq à Pêtra. *RB 74: 45-49.*

1967b The date of the Qasr Bint Far'un at Petra. *JEOL 19, 1965/66: 550-57.*

1967/68 Recent Discoveries in the Sanctuary of the Qasr Bint Far'un at Petra, 1. Account of the Recent Excavations. *ADAJ 12/13: 5-19 (= Syria 45, 1968, 1-24).*

1968 The Investigation of some 'inaccessible' rock-cut Chambers at Petra. *PEQ 100: 5-15.*

1969 Exploration archéologique du Hedjaz et de Madian. *RB 76: 390-93.*

1970 A Sequence of Pottery from Petra. *in: Sanders, J. A. (Hrsg.), Near Eastern Archaeology in the Twentieth Century. Essays in Honor of Nelson Glueck: 348-73.*

1978 Pottery, People and Politics. *in: Archaeology in the Levant. Essays in Honor of K. Kenyon: 202-09.*

1983 Vierzig Jahre Ausgrabungen in Petra (1929 bis 1969). *in: Lindner 1983: 139-49.*

Parr, P. J. - Atkinson, K. B. - Wickens, E. H.
1975 Photogrammetric Work at Petra, 1965-1968 - an Interim Report. *ADAJ 20: 31-45.*

Parr, P. J. - Harding, G. L. - Dayton, J. E.
1969 Preliminary Survey in N. W. Arabia, 1968, I. *BInstALondon 8-9: 193-242.*

1971 dass. II. *BInstALondon 10: 23-61.*

Parr, P. J. - Wright, G. R. H. - Starcky, J. - Bennett, C.-M.
1967/68 Recent Discoveries in the Sanctuary of the Qasr Bint Far'un at Petra. *ADAJ 12/13: 5-50 (= Syria 45, 1968: 1-66).*

Parr, P. J. - Zarins, J. - Ibrahīm, M. - Waechter, J. - Garrad, A. - Clarke, Ch. - Bidmead, M. - al-Badr, H.
1978 The Comprehensive Archaeological Survey Program: Preliminary Report on the Second Phase of the Northern Province Survey 1977. *Atlal 2: 29-50.*

Patrich, J.
1981 The Non-Figurative Trend in Nabataean Art. *M.A. Thesis, The Hebrew University of Jerusalem.*

1984a The Development of the Nabatean Capital. *EI 17: 291-304 (hebräisch).*

1984b ʿAl-ʿUzzāʾ Earrings. *IEJ 34: 39-46.*

Peters, F. E.
1977 The Nabataeans in the Hawran. *JAOS 97: 263-77.*

1978 Romans and Bedouin in Southern Syria. *JNES 37: 315-26.*

1983 City Planning in Greco-Roman Syria. *DaM 1: 269-77.*

Petrie, F. - Ellis, J. C.
1937 Anthedon. Sinai.

Philby, H. St. J.
1955 The Land of Midian. *The Middle East Journal 9: 116-29.*

1957 The Land of Midian.

Picard, Ch.
1937 Les sculptures nabatênnes de Khirbet et-Tannour et l'Hadad de Pouzzoles. *RA 10: 244-49.*

Piccirillo, M.
1979 First Excavation Campaign at Qal'at el-Mishnaqa - Meqawer 1978. *ADAJ 23: 177-83.*

1980 Le monete di Macheronte. *Liber Annuus 30: 403-14.*

Prentice, W. K.
1908 Inscriptions of the Djebel Ḥaurân. *PAAES in 1899-1900. VIII. Greek Inscriptions: 287-336.*

Puchstein, O.
1910 Die nabatäischen Grabfassaden. *AA: 3-46.*

Raikes, Th.
1985 The Character of the Wadi Araba. *Jordan II: 95-101.*

Rast, W. E. - Schaub, R. Th.
1974 Survey of the Southeastern Plain of the Dead Sea, 1973. *ADAJ 19: 5-19.*

RES Rêpertoire d'Épigraphie Sémitique. *1-8, 1900-1968.*

Riddle, J. M.
1961 Political History of the Nabataeans from the Time of Roman Intervention until Loss of Independence in 106 A. D. *M. A. Thesis, University of North Carolina.*

Robinson, E. S. G.
1936 Coins from Petra. *NumChron 16: 288-91.*

Robinson, G. L.
1930 The Sarcophagus of an Ancient Civilization. Petra, Edom and the Edomites.

Roche, M.-J.
1980 Les bêtyles. *MDB 14: 33-35.*

Rokêaḥ, D.
1983 Qasrawet: The Ostracon. *IEJ 33: 93-96.*

Roller, D. W.
1983 The ʿAin Laʾban Oasis: A Nabataean Population Center. *AJA 87: 173-82.*

1984 News Letter from the Levant (Southern Section), 1982. *AJA 88: 217-28.*

Rolston, S. L. - Rollefson, G. O.
1982 The Wadi Bayir Paleoanthropological Survey. *ADAJ 26: 211-13.*

Ronczewski, K.
1932 Kapitelle des El-Hasne in Petra. *AA: 38-90.*

Roschinski, H. P.
1981a Geschichte der Nabatäer. *in: Erträge Bonn: 1-26.*

1981b Sprachen, Schriften und Inschriften in Nordwestarabien. *in: Erträge Bonn: 27-60.*

Rosenthal, R.
1970 Der Goldschmuck von Mampsis und Oboda. *in: Kat. München: 34-38.*

1974 A Nabatean Nose-Ring from ʿAvdat (Oboda). *IEJ 24: 95f.*

1975 On 'Nabataean Dolphins'. *EI 12: 107f. (hebräisch).*

Rosenthal-Heginbottom, R.
1980 The Mampsis Hoard - A Preliminary Report. *IsrNumJ 4: 39-54.*

1982 Die Kirchen von Sobota und die Dreiapsidenkirchen des Nahen Ostens. *Göttinger Orientforschungen II 7.*

1985 Untersuchungen zur nabatäischen Kleinkunst. Ein arabisches Volk zwischen Orient und Okzident.

Rosenthal, E. - Sivan, R.
1978 Ancient Lamps in the Schloessinger Collection. *Qedem 8.*

Rostovtzeff, M.
1955/56 Die hellenistische Welt. Gesellschaft und Wirtschaft. I-III.

Rothenberg, B.
1961 Mein Sinaitagebuch. *in: Rothenberg, B. - Aharoni, Y.- Hashimshoni, A. (Hrsg.), Die Wüste Gottes. Entdeckungen auf Sinai: 15-105.*

1962 Ancient Copper Industries in the Western Arabah. *PEQ 94: 5-71.*

1967 Tzphunoth Negev. Archaeology in the Negev and the 'Arabah (*hebräisch*).

1970 An Archaeological Survey of South Sinai. First Season 1967/1968. Preliminary Report. *PEQ 102: 4-29.*

1971 The 'Arabah in Roman and Byzantine Times in the Light of new Research. *in: Roman Frontier Studies, Tel Aviv 1967: 211-23.*

1973 Timna. Das Tal der biblischen Kupferminen.

1979 Türkis, Kupfer, Pilger. Archäologie des Südsinai. *in: Rothenberg, B. (Hrsg.), Sinai. Pharaonen, Bergleute, Pilger und Soldaten: 137-71.*

Rubensohn, O.
1905 Aus griechisch-römischen Häusern des Fayum. *JdI 20: 1-25.*

Rüppell, F.
1829 Reisen in Nubien, Kordufan und dem peträischen Arabien.

Sack, D.
1985 Damaskus, die Stadt *intra muros.: DaM 2: 207-90.*

Saller, S. J. - Bagatti, B.
1949 The Town of Nebo (Khirbet El-Mekhayyat).

Sartre, A.
1983 Tombeaux antiques de Syrie du sud. *Syria 60: 83-99.*

Sartre, M.
1979a Le Tropheus de Gagdhimal, Roi de Tanukh. *Liber Annuus 29: 253-58.*

1979b Rome et les Nabatéens à la fin de la république (65-30 av. J.-C.). *REA 81: 37-53.*

1982a Trois études sur l'Arabie romaine. *Collection Latomus 178.*

1982b Tribus et Clans dans le Ḥawrān antique. *Syria 59: 77-91.*

1983 Bostra. *MDB 28: 32-34.*

Sauer, G.
1985 Ephesos und Petra. Beobachtungen zur Stadtplanung in hellenistischer Zeit. *in: Lebendige Altertumswissenschaft. Festschrift H. Vetters: 95-97.*

Sauer, J. A.
1975 Book Review: Tushingham 1972. *ADAJ 20: 103-09.*

Sauvaget, J.
1949 Le plan antique de Damas. *Syria 26: 314-58.*

Savignac, R.
1906 Le Sanctuaire d'el Qanṭarah (Petra). *RB 3: 591-94.*

1913 Notes de voyage de Suez au Sinai et à Pétra. *RB 10: 429-42.*

1932 Le Sanctuaire d'Allat à Iram. *RB 41: 581-97.*

1933 Le Sanctuaire d'Allat à Iram (1). *RB 42: 405-22.*

1934 Le Sanctuaire d'Allat à Iram (2). *RB 43: 572-91.*

1936 Sur les pistes de Transjordanie Méridionale. *RB 45: 235-62.*

1937 Le dieu nabatéen de La'aban et son temple. *RB 46: 401-16.*

Savignac, R. - Horsfield, G.
1935 Le Temple de Ramm. *RB 44: 245-78.*

Savignac, R. - Starcky, J.
1957 Une inscription nabatéenne provenant du Djôf. *RB 64: 196-217.*

Scheck, F. R.
1985 Jordanien. Völker und Kulturen zwischen Jordan und Rotem Meer. *DuMont Kunst-Reiseführer.*

Schiffmann, I.
1976 The Nabataean State and its Culture (*russisch*).

Schlumberger, D.
1933 Les formes anciennes du chapteau corinthien en Syrien, en Palestine et en Arabie. *Syria 14: 283-317.*

Schmid, A.
1980 Eine österreichische Ausgrabung in Petra 1980. *JMittNHG: 25f.*

Schmidt-Colinet, A.
1981 Nabatäische Felsarchitektur. Bemerkungen zum gegenwärtigen Forschungsstand. *in: Erträge Bonn: 61-102.*

1983a Dorisierende nabatäische Kapitelle. *DaM 1: 307-12.*

1983b A Nabataean Family of Sculptors at Hegra. *Berytus 31: 95-102.*

Schmitt-Korte, K.
1968 Beitrag zur nabatäischen Keramik. *AA: 496-519.*

1976 (Hrsg.) Kat. der Ausstellung: Die Nabatäer. Spuren einer arabischen Kultur der Antike. Kestner-Museum Hannover - Liebighaus Museum alter Plastik Frankfurt am Main. *Veröffentlichungen der Deutsch-Jordanischen Gesellschaft e.V., Hannover.*

1978 A Bronze Coin with a Monogram of 'Petra Metropolis'. *in: Spijkerman 1978: 238-41.*

1983a Die bemalte nabatäische Keramik: Verbreitung, Typologie und Chronologie. *in: Lindner 1983: 174-97.*

1983b Die Entwicklung des Granatapfel-Motivs in der nabatäischen Keramik. *in: Lindner 1983: 198-203.*

1984 Nabataean Pottery: A Typological and Chronological Framework. *in: Studies in the History of Arabia. II. Pre-Islamic Arabia. Proceedings of the Second International Symposium on Studies in the History of Arabia, Riyadh April 1979: 7-40.*

Schottroff, W.
1966 Horonaim, Nimrim, Luhith und der Westrand des „Landes Ataroth". *ZDPV 82: 163-208.*

Schulz, B. - Winnefeld, H.
1921 Baalbek I.

Segal, A.
1981 Shivta. Plan and Architecture of a Byzantine Town in the Negev.

1983 The Byzantine City of Shivta (Esbeita), Negev Desert, Israel. *BritArchRepInternational Series 179.*

1984 The "Stable-House" at Shivta. *EI 17: 272-81 (hebräisch).*

Sellers, O. R.
1933 The Citadel of Beth-Zur.

Seyrig, H.
1941 Postes romains sur la route de Médine. *Syria 22: 218-23.*

Shanks, H.
1985 Treasures from the Lands of the Bible. *BARev 11, 2: 26-38.*

Sivan, R.
1977 Notes on Some Nabatean Pottery Vessels. *IEJ 27: 138-44.*

Skinkel, C.
1980 Lampes. *in: Cat. Bruxelles: 153-59.*

Skupinska-Løvset, I.
1983 Funerary Portraiture of Roman Palestine. An Analysis of the Production In Its Culture - Historical Context. *SIMA Pocket-Book 21.*

Sourdel, D.
1952 Les cultes du Hauran à l'époque romaine.

Speidel, M. P.
1977 The Roman Army in Arabia. *ANRW II 8: 687-730.*

Spijkerman, A.
1972 Catalogo delle Monete. Herodion III. *Pubblicazioni dello Studium Biblicum Franciscanum 20.*

1978 The Coins of the Decapolis and Provincia Arabia.

Starcky, J.
1954 Un contract nabatéen sur papyrus. *RB 61: 161-81.*

1955a The Nabataeans: A Historical Sketch. *BA 18: 84-106.*

1955b Rezension: Littmann-Meredith 1954. *Syria 32: 150-57.*

1965a Nouvelle Épitaphe Nabatéenne donnant le nom sémitique de Pétra. *RB 72: 95-97.*

1965b Nouvelles stèles funéraires à Pétra. *ADAJ 10: 43-49.*

1965c Une Visite à Pétra. Première Journée. *BTS 73: 8-22.*

1965d dass. Deuxième Journée. *BTS 74: 8-17.*

1966 Pétra et la Nabatène. *Suppl. au Dictionnaire de la Bible 7: 886-1017.*

1968 Le Temple Nabatéen de Khirbet Tannur. *RB 75: 206-35.*

1971 Une inscription nabatéenne de l'an 18 d'Arêtas IV. *in: Festschrift A. Dupont-Sommer: 151-59.*

1974 Le culte de l'étoile du matin chez les Nabatéens et les Arabes avant l'Islam. *BTS 164: 19f.*

1979 Les inscriptions nabatéennes du Sinai. *MDB 10: 37-41.*

1980 Les Figures Divines à Pêtra. *MDB 14: 30-32.*

1981a Allath. *LIMC I: 564-79 Taf. 424-30.*

1981b Allath, Athèna et la dèsse syrienne. *in: Kahil, L. - Augê, Ch. (Hrsg.), Colloques internationaux du C.N.R.S. 593: 119-30.*

1982 Quelques Aspects de la Religion des Nabatéens. *in: Jordan I: 195f.*

Starcky, J. - Bennett, C.-M.
1967/68 Recent Discoveries in the Sanctuary of the Qasr Bint Far'un at Petra, 3. The Inscriptions from the Temenos. *ADAJ 12/13: 30-50 (= Syria 45, 1968, 41-66).*

Starcky, J. - Milik, J. T.
1957 Nabatène. *RB 64: 223-25.*

Starcky, J. - Strugnell, J.
1966 Pétra: Deux nouvelles inscriptions nabatéennes. *RB 73: 236-47.*

Stockton, E.
1971 Petra revisited: a review of a Semitic cult complex. *AJBA 1, 4: 51-73.*

Stone, M.
1979 Armenian Inscriptions from Sinai. An Intermediate Report with Notes on Georgian and Nabataean Inscriptions.

Strugnell, J.
1959 The Nabataean Goddess Al-Kutba' and her Sanctuaries. *BASOR 156: 29-36.*

Stucky, R.
1983 Eine Reise nach Marib, in die Stadt der Königin von Saba. *AW 14, 1: 3-13.*

Tamari, S.
1982 Darb Al-Ḥajj in Sinai. An Historical-Archaeological Study. *MemAccLinc 8, 30, 4.*

Tarn, W. W.
1929 Ptolemy II and Arabia. *JEA 15: 9-25.*

Tarrier, D.
1980 Les triclinia cultuels et salles de banquets. *MDB 14: 38-40.*

Teixidor, J.
1973 The Nabataean Presence at Palmyra. *JANES 5 (= Festschrift Th. H. Gaster): 405-09.*

1977 The Pagan God. Popular Religion in the Greco-Roman Near East.

Thompson, Th. L.
1975 Corrections to the Coordinates in Glueck's Negev Survey. *ZDPV 91: 77-84.*

Toynbee, J. M. C.
1964 A Bronze Statue from Petra. *ADAJ 8/9: 75f.*

1978 Roman Historical Portraits.

Tran Tam Tinh, V.
1972 Le Culte des divinités orientales en Campanie. *EPRO 27.*

Tsafrir, Y.
1977 Reḥovot. *RB 84: 422-26.*

1982 Qasrawet: Its Ancient Name and Inhabitants. *IEJ 32: 212-14.*

Tushingham, A. D.
1954 Excavations at Dibon in Moab, 1952-53. *BASOR 133: 6-26.*

1972 The Excavations at Dibon (Dhībân) in Moab, The Third Campaign 1952-53. *AASOR 40.*

Ubach, B.
1955 El Sinaí.

Vallois, R.
1944 L'architecture héllenique et héllenistique à Délos.

Van Beek, G. W.
1960 Frankincense and Myrrh. *BA 23: 70-93.*

Vilnay, Z.
1976 The Guide to Israel[18].

Villeneuve, F.
1984 Khirbet edh-Dharih, IFAPO. *in: Contribution 1984: 28f.*

1985 Khirbet edh-Dhariḥ (1984). *RB 92: 421-26.*

Vincent, L. H.
1920 Le fragment nabatéen du Musée de la Dormition. *RB 29: 576f.*

1940 Le dieu Saint Paqeidas à Gérasa. *RB 49: 98-129.*

Vogel, E. K.
1975 Negev Survey of Nelson Glueck. Summary. *EI 12: 1*- 7*.*

Waage, D. B.
1952 Greek, Roman, Byzantine and Crusaders' Coins. *Antioch-on-the-Orontes VI 2.*

Waage, F. O.
1948 Ceramics and Islamic Coins. *Antioch-on-the-Orontes IV 1.*

Wanke, M.
1983 Petra: Landschaft und Pflanzenwelt. *in: Lindner 1983: 154-73.*

Watzinger, C.
1935 Denkmäler Palästinas. II.

Weder, M.

1977 Zu den Arabia-Drachmen Trajans. *SchwMbll 27. Heft 107: 57-61.*

Weippert, M.
1971 Edom. Studien und Materialien zur Geschichte der Edomiter auf Grund schriftlicher und archäologischer Quellen. *Dissertation Tübingen.*

1979 Nabatäisch-römische Keramik aus Ḫirbet Ḍōr im südlichen Jordanien. *ZDPV 95: 87-110.*

1982a Remarks on the History of Settlement in Southern Jordan during the Early Iron Age. *in: Jordan I: 153-62.*

1982b Edom and Israel. *TRE 9: 291-99.*

Wenning, R.
1983 Hellenistische Skulpturen in Israel. *Boreas 6: 105-18.*

1984 Rezension: Skupinska-Løvset 1983. *Gnomon 56: 754-57.*

1985 Rezension: Negev 1983. *Theologische Revue 81: 453-57.*

1986 Das Nabatäerreich, seine archäologischen und historischen Hinterlassenschaften. *in: Weippert, H. - Kuhnen, H. P., Vorderasien II 1. Palästina. HdArch (im Druck).*

Whitcomb, D. S. - Johnson, J. H.
1979 Quseir al-Qadim 1978: Preliminary Report.

1980 Qosseir el-Qadim und der Rote Meer-Handel. *Altertum 26: 103-12.*

1982 Quseir al-Qadim 1980. *ARCER 7.*

Wiegand, Th.
1920 Sinai. *Wissenschaftliche Veröffentlichungen des Deutsch-Türkischen Denkmalschutzkommandos 1.*

Winnett, F. V.
1952 Excavations at Dibon in Moab, 1950-51. *BASOR 125: 7-20.*

1959 Thamudic Inscriptions from the Negev. *ʿAtiqot 2: 146-49.*

1973 The Revolt of Damasī: Safaitic and Nabataean Evidence. *BASOR 211: 54-57.*

Winnett, F. V. - Reed, W. L.
1964 The Excavations at Dībôn (Dhībân) in Moab. *AASOR 36-37.*

1970 Ancient Records from North Arabia.

Wissmann, H. v.
1970a Madiama. *RE Suppl. XII: 525-52.*

1970b Ōphīr und Ḥawīla. *RE Suppl. XII: 906-80;* bes. Dedan und Hegra in der minäisch-liḥyānischen Periode und später: *954-69.*

1976 Die Geschichte des Sabäerreiches und der Feldzug des Aelius Gallus. *ANRW II 9, 1: 308-544.*

Woelk, D.
1966 Agatharchides von Knidos. Über das Rote Meer. Über-

setzung und Kommentar.

Woolley, C. L. - Lawrence, T. E.
1914/15 The Wilderness of Zin (Archaeological Report). *PEFA 3.*

Worschech, U.
1985a Die Šēḫburgen am Wādī Ibn Ḥammād. Eine Studie zu einer Gruppe von Bauten im antiken Moab. *BN 28: 66-88.*

1985b Northwest Arḍ el-Kerak 1983 and 1984. A Preliminary Report. *BN Bh. 2.*

Wright, G. R. H.
1961a The Nabataean-Roman Temple at Dhîbân: A Suggested Reinterpretation. *BASOR 163: 26-30.*

1961b Structure of the Qasr Bint Far'un. A Preliminary Review. *PEQ 93: 8-37.*

1961c Petra - The Arched Gate. *PEQ 93: 124-35.*

1961d Reconstructing Archaeological Remains. *BA 24: 25-31.*

1962 The Khazne at Petra: A review. *ADAJ 6/7: 30-54.*

1966 Structure et date de l'Arc monumental de Pêtra. *RB 73: 404-19.*

1967/68 Recent Discoveries in the Sanctuary of the Qasr Bint Far'un, 2. Some aspects concerning the architecture and sculpture. *ADAJ 12/13: 20-29 (= Syria 45, 1968, 25-40).*

1968 Square Temples - East and West. *in: The Memorial Volume of the 5th International Congress of Iranian Art and Archaeology Teheran-Isfahan-Shiraz 11th-18th April 1968, I.: 380-87.*

1969 Strabo on Funerary Customs at Petra. *PEQ 101: 113-16.*

1970 Petra - The Arched Gate, 1959-60: Some Additional Drawings. *PEQ 102: 111-15.*

1972 A Nabataean Capital in the Salamis Gymnasium and its possible Background. *in: Praktika tou protou diethnous Kyprologikou synhedriou, Nikosia 1969. A: 175-78.*

1973 The date of the Khaznet Fir'aun at Petra in the light of an iconographical detail. *PEQ 105: 83-90.*

1985 The Qaṣr Bint Fir'aun at Petra: A Detail Reconsidered. *DaM 2: 321-25.*

Yadin, Y.
1962 The Expedition to the Judean Desert, 1961. Expedition D - The Cave of the Letters. *IEJ 12: 227-57.*

1963 The Nabataean Kingdom, Provincia Arabia, Petra and En-Geddi in the Documents from Naḥal Ḥever. *JEOL 17: 227-41.*

1965 The Excavation of Masada 1963/64. *IEJ 15: 1-120.*

1967 Masada. Der letzte Kampf um die Festung des Herodes (1975[6]).

1971 Bar Kochba. Archäologen auf den Spuren des letzten

Fürsten von Israel.

1976 (Hrsg.) Jerusalem Revealed, Archaeology in the Holy City 1968-1974.

1977 Masada. *EAEHL III: 793-816.*

Zahran, Y.
1961 La civilisation nabatéenne àlépoque impériale romaine en Transjordanie. *Dissertation Paris.*

Zarins, J.
1982 Early Rock Art of Saudi Arabia. *Archaeology 35, 6: 20-27.*

Zarins, J. - al-Jawad Murad, A. - Al-Yish, Kh. S.
1981 The Comprehensive Archaeological Survey Program: The Second Preliminary Report on the Southwestern Province. *Atlal 5: 9-42.*

Zayadine, F.
1970 Une Tombê Nabatéene près de Dhat-Râs (Jordanie). *Syria 47: 117-35.*

1971a Fouilles Classiques Récentes en Jordanie. *AAS 21: 147-55.*

1971b A New Commemorative Stele at Petra. *Perspective 12: 57-73.*

1973a Recent Excavations on the Citadel of Amman. *ADAJ 18: 17-35.*

1973b Excavations at Petra (April 1973). *ADAJ 18: 81f.*

1974a Excavations at Petra (1973-1974). *ADAJ 19: 135-50.*

1974b Ausgrabungen in Petra, April 1973. *JMittNHG: 39-50.*

1975 Un ouvrage sur les Nabatéens. *RA 1975, 1: 333-38.*

1976 A Nabataean Inscription from Beidha. *ADAJ 21: 139-42.*

1977/78 Excavations on the Upper Citadel of Amman - Area A, 1975-1977. *ADAJ 22: 20-56.*

1979 Excavations at Petra (1976 and 1978). *ADAJ 23: 185-97.*

1980 Art et architecture des Nabatéens. *MDB 14: 14-26.*

1981a Recent Excavations and Restorations of the Department of Antiquties. *ADAJ 25: 341-55.*

1981b Photogrammetrische Arbeiten in Petra. *in: Eträge Bonn: 109-24.*

1981c L'Iconographie d'Al ʿUzza-Aphrodite. *in: Colloques internationaux du C.N.R.S. 593: 113-18.*

1982 Recent Excavations at Petra (1979-81). *ADAJ 26: 365-93.*

1983a Die Götter der Nabatäer. *in: Lindner 1983: 108-17.*

1983b Die Felsarchitektur Petras: Orientalische Traditionen und hellenistischer Einfluß. *in: Lindner 1983: 212-48.*

1983c Un *fascinum* près de l'Odêon d'Amman-Philadelphie. *ZDPV 99: 184-88.*

1984 Al-ʿUzza Aphrodite. *LIMC II: 167-69 Taf. 169f.*

1986 Tempel, Gräber, Töpferöfen. *in: Lindner 1986: 214-69.*

Zayadine, F. - Hottier, Ph.
1976 Relevé Photogrammétrique à Pétra.*ADAJ 21: 93-104.*

Zeitler, J. P.
1983 Petra - Kartographie und Vermessung in der antiken Stadt. *in: Lindner 1983: 292-302.*

Zuri, N.
1962 A Hoard of Bronze and Silver Coins from Ain Hanaziv. *Israel Numismatic Bulletin 3-4: 105f.*

ABBILDUNGSNACHWEIS

Abb. 1 R. Wenning
2 Butler, PPUAES Abb. 387
3 ebd. Abb. 371
4 ebd. Abb. 324
5 Wenning 1986 Abb. 1 nach Butler, PPUAES
6 Butler, PPUAES Abb. 325
7 ebd. Abb. 341
8 nach BD III Abb. 989 u. 991
9 Butler, PPUAES Abb. 217
10 ebd. Abb. 185
11 Tushingham 1972 Blatt 4
12 Glueck I Taf. 7
13 ebd. Taf. 8
14 BD I Abb. 35
15 ebd. Abb. 67
16 nach MacDonald 1982a Abb. 2
17 Glueck 1965 Plan H
18 Roller 1983 Abb. 2
19 BD I Abb. 81
20 ebd. Taf. 21
21 Glueck II Taf. 13
22 ebd. Taf. 10
23 nach Savignac-Horsfield 1935 Taf. 8 u. Kirkbride 1960a Taf. 3
24 Savignac-Horsfield 1935 Abb. 7
25 Parr-Harding-Dayton 1969 Abb. 8
26 Grohmann 1963 Abb. 27
27 ebd. Abb. 21
28 Negev 1977a Abb. 5 u. 8
29 Musil II 1908 Abb. 142
30 Negev 1981b Abb. S. 123
31 ders. 1971a Abb. 7
32 nach Keel-Küchler II 1982 Abb. 243 u. Cohen 1980c Abb. S. 44
33 Negev 1983 Abb. S. 61
34 nach Negev 1973 Abb. 2
35 Evenari 1982 Abb. 99b

36 Oren-Netzer 1977 Abb. S. 95
37 Zayadine 1979 Abb. 5
38 Bachmann-Watzinger-Wiegand 1921 Abb. 23
39 Dalman 1908 Abb. 83
40 Bachmann-Watzinger-Wiegand 1921 Abb. 1
41 nach Hammond 1977/78 Taf. 50
42 Zayadine 1986 Abb. 43
43 Bachmann-Watzinger-Wiegand 1921 Abb. 66
44 Dalman 1908 Abb. 183-85
45 ebd. Abb. 200
46 Zayadine 1981b Abb. 7
47 Dalman 1908 Abb. 274
48 BD I Abb. 445
49 Lindner 1981 Abb. 17
50 Schmitt-Korte 1976 Abb. 21

VORLAGEN DER KARTEN

Karten 1-5, 11-13 BHH IV Karte E. Höhne
6 Jordan Blatt 3
7 Philby 1957
8 Adams-Parr et alii 1977 Taf. 4
9 Wissmann 1976 Abb. 1
10 Littmann-Meredith 1953, 28
14-15 Vogel 1975
16 Strassenkarte Ägypten. Kümmerley+Frey 1977 Nr. 1162
17 Survey of Israel (1967). Israel-Touring Map. Sinai 1 : 1.000.000
18 Lindner 1985

KONKORDANZEN (Glueck, BD I-Petra, Dalman 1908)

Survey Glueck I

site	Kat.
5	G3
7	G4
8	G5
16	N28
17	N25
19	N24
21	N22
22	N21
23	N18
24	N15
25	N15
26	N16
27	N13
28	N11
29	N10
30	N6
31	N3
32	M102
33	N14
35	M99
37	L110
38	L84
39	L48
41	L74
42	L72
43	L45
44	L47
45	L85
47	L26
48	L27
50	K7
51	J3
53	H7
54	K1a
55	K4
56	K5
58	K3
59	K2
61	K10
62	K9
63	K12
64	K14
65	K18
66	K23
67	K26
69	K19
71	K27
72	K27
73	K16
74	K20
75	K30
76	K28
79	K8
85	K1b

site I	Kat.
86	K29
87	K54
92	K62
93	K64
94	K56
95	K53
96	K63
99	K61
100	K60
103	K52
104	K58
107	K45
108	K51
110	L15
111	L16
112	L18
114	L10
116	L13
119	L1
120	L3
121	L8
122	L6
123	L7
125	L11
126	L2
130	L14
132	L19
133	L20
135	L21
136	L24
137	L23
139	L22
143	L30
144	L38
145	L40
146	L44
147	L76
148	L60

Survey Glueck II

site	
1	T2
2	T4
4	T9
6	U1
6a	U3
7	U2
8	U7
10	U6
11	U5
12	U4
14	U8
15	U12

site II	Kat.
16	U13
17	U16
19	U17
20	U18
24	U21
26	O19
28	O10
29	O8
30	O5
31	N127
32	N119
33	N120
34	N128
35	N129
36	N130
37	N132
38	N131
39	N114
40	N125
42	N116
43	N96
44	N124
48	N123
49	N107
50	N106
51	N108
52	N111
53	N112
54	N110
55	N113
56	N115
57	N117
58	N105
59	N104
60	N103
63	N102
64	N109
73	N100
75	N94
76	N95
77	N97
78	N99
79	N98
80	N101
81	N88
82	N89
83	N91
84	N90
85	N85
86	N84
87	N86
88	N88
89	N92
90	N93

site II	91	Kat.	N83
	96		N82
	98		N63
	99		N76
	100		N79
	101		N80
	105		N62
	106		N59
	107		N58
	108		N68
	113		N73
	114		N72
	116		N71
	118		N70
	119		N66
	120		N69
	122		N74
	123		N75
	125		N77
	126		N81
	126a		N78
	129		N67
	130		N61
	133		N57
	134		N55
	135		N55
	136		N54
	140		N48
	141		N47
	144		N45
	145		N50
	146		N51
	157		N42
	158		N43
	159		N43
	160		N49
	161		N46
	162		N44
	163		N52
	166		N41
	168		N40
	169		N39
	170		N36
	171		N37
	172		N38
	175		N34
	177		N31
	179		N33
	181		N30
	182		N29
	183		N32
	184		N17
	185		N19
	194		N4
	195		N2
	197		N1
	203		N9

site II	204	Kat.	N7
	205		N8
	209		M75
	210		M68
	211		M71
	213		M78
	214		M79
	215		M81
	216		M80
	219		M73
	221		L108a
	222		L111
	223		M74
	224		M95
	227		M97
	229		M86
	230		M93
	231		M98
	232		M88
	235		G7
	237		J6
	238		J5
	241		X28
	244		X57
	246		X64
	248		X69
	249		X70
	251		x190

site III		Kat.
	64	M64
	65	L112
	66	L110
	67	L109
	68	L108b
	69	L103
	70	L100
	73	L104
	74	L107
	75	L106
	76	L99
	77	L95
	78	L105
	79	L96
	81	L91
	82	L97
	83	L94
	84	L90
	85	L89
	86	L102
	87	L98
	88	L93
	90	L87
	91	L86
	92	L88
	93	L82
	94	L80
	96	L81
	98	L83
	99	L79
	100	L71
	101	L78
	102	L69
	103	L65
	105	L64
	106	L75
	107	L68
	108	L70
	109	L66
	111	L56
	112	L53
	113	L52
	114	L49
	115	L42
	118	L43
	121	L39
	123	L37
	124	L36
	125	L35
	127	L34
	129	L32
	131	L31
	132	L85
	133	L63
	134	L73
	135	L57

<u>Survey Glueck III</u>

site	2	Kat.	U21
	3		U20
	11		O26
	12		O17
	13		O13
	15		N39
	24		N27
	27		N26
	28		N23
	32		N14
	34		N12
	37		N5
	39		M103
	40		M104
	41		M101
	42		M100
	49		M80
	54		M65
	56		M67
	57		M76
	58		M62
	59		M61
	60		M60
	61		M59
	63		M72

site III	Kat.
136	L55
137	L50
138	L71
139	L62
140	L62
141	L61
142	L51
143	L48
145	L46
147	L21
148	L12
150	L9
151	K59
152	K52
153	K55
154	K57
155	K50
156	K47
157	K49
158	K48
159	K46
161	K44
162	K42
163	K40
164	K41
165	K43
166	K37
169	K35
171	K39
172	K38
173	K33
174	K36
175	K34
178	J8
179	J8
180	K32a
182	K31
183	K22b
185	K25
186	K24
187	K21
189	K17
190	K15
191	K13
345	J1a

Survey Glueck IV

site	Kat.
247a	H6
275	H8
295	H9
296	F38
308	F10
314	D2
318	F35

site IV	Kat.
320	F39
325	G6

Survey Glueck, Negeb (Vogel 1975)

site	Kat.
1	X17
9	V5
11	X36
15	X22
16	X14
17	V7
24	W11
30	X129
30A	X75
31	X256
33	X258
37	X147
38	X158
39	X136
42	X117
43	X106
44	X183
45	X186
45A	X184
46	X157
47	X160
48B	X246
49A	X164
51	X245
53	X72
55	X257
56	X187
62	X176
62A	X173
63	X185
74	X71
75	X61
76	X60
81	X49
83	X42
83A	X38
85	X12
87	X67
89	X68
91	X66
95	X44
96	X43
97	X39
99	X81
103	X91
107	X55
111	X15
111A	X16
112	X34

site Negeb	Kat.
112A	X35
113	X77
116	X18
120	X37
122A	X40
123	X41
125A	X26
126	X11
126A	X13
128	X33
128A	X32
132	X132
132D	X141
132E	X137
134	X264
135	X268
143	X240
143A	X243
144	X244
145	X249
147	X255
147A	X255
147B	X255
147C	X253
148	X189
149C	X251
149E	X252
150	X188
152A	X254
153	X259
157	X261
158A	X260
161	X45
162	X52
163	X82
164	X100
164B	X102
164C	X98
164D	X89
166	X144
170	X150
171	X145
171A	X143
173	X156
174	X163
175	X152
176	X149
177	X148
179	X101
180	X105
181	X69
182	X142
191	X87
193	X51
195	X76
199	X272

site Negeb	Kat.
204	X279
205	X305
206	U11
209	W10
210A	X93
211	X130
212A	X124
212B	X120
213A	X132
213B	X131
217B	X159
218	X153
220	X155
220A	X151
222	X174
222B	X162
223	X181
225	X182
226	X265
262	X308-
262A-F	X308-
264	X282
265	X280
270	X276
274	X3
275	X6
275A	X5
276	X7
278B	X47
279	X21
281	X9
287	X70
291	X28
293	X179
296	X88
297	X86
297A	X85
301	X84
302	X92
303	X90
316	U17
331	X107
336	X99
341	X109
346	X125
366	X8
367	X80
368	X70,83
371	X53
381	X74
382	X10
383	X23
384	X25
407	X97
408	X116
408A	X115
410	X146

site Negeb	Kat.
414A	X241
415	X94
415A	X95
422	X180
423	X242
424	X247
429	X160
432	X177
433	X178
437	X79
438	X238
446	X48
448	X134
449	X111
450	X122
452	X161
453	U9
454	U10
457	X306
469	X250
469A	X248
470	X262
471	X273
471A	X275
475	X271
479	X274
483	X277
484	X278
485	X281
487	X307
491	X283
492	X277a
498	X463
499	X323
502	X269
503	X267
505	X1
507	W9
513	X2
515	X4
516	X31

BD I - Petra

Nr.	Petra-Zone
1-4	3
5-32	5
33	7
34-36	5
37-56	7
57-66	8
67-79	11
80-90	13
91-92	10
93-93a	17
94-183	12
184-248	15
249-283	16
284-292	17
293-298	18
299-315	19
316-354	21
355-357	22
358-394	21
395-400	23
401-402	14j
403	14i
404-406	14j
407	14i
408	14e
409	14l
410-411	14c
412-415	14k
416	14g,34
417-420	14k,34
421-422	14i
423-424	14k
425-428	24
429-461	25
462-469	26
470-615	28
616-621	29
622-623	28
624	29
625-627	28
628-644	29
645-660	33
661-693	34
694-701	35
702-762	36
763-831	37
832-845	N55
846-850	N54
851	1

Dalman 1908

Nr.	Petra-Zone
1-5	3
6-26	5
27-28	4
29-32	5
33-38	1
39-41	2
42-49	5
50-54	6
55-111	7
112-119	9
120-134	10
135-190	8
191-193	13
194-198	17
199-219	13
220-248	15
249-255	13
256-272	16
273-298	17
299-341	19
341-353	21
354-369	22
370	21
371-385	23
386-403	24
404-442	25
443-506	26
507-533	28
534-536	33
537-552	34
553-664	35
665-749	36
750-755	37
756-794	38
795-820	N55
821-860	N54
861-862	N55
863-864	14i
872-873	N64
874	14k

REGISTER

1. Fundorte mit nabat. Denkmälern (in Auswahl)

Meṣad Šaʿar Rāmōn	X256	Es-Silʿ	N12
Meṣad Tāmār	X29	Sobata	X69
El-Mešneqe	J8	Es-Subēta	X69
Moye ʿAwād	U11	Sūr	C2
Muḥay	L103	Es-Suwēda	E6
El-Mušērife	K53	Taimāʾ	Q18
El-Muṣēṭibe	K54	Eṭ-Ṭaiyibe	U13
Naḥal Ḥever	V4	Tamar	T8
Nessana	X70	Et-Tawāne	N14
Oboda	X88	Tell el-Meḫāret	Z50
Oḏroḥ	N62	Tell es-Sebaʿ	W8
Palmyra	B1	Tell eš-Šuqāfīye	S1
Puteoli	A2	Umm el-Ǧimāl	F38
Qādēš Barnēaʿ	X190	Umm el-Quṣēr	O25
Qalʿat Fēnān	U8	Umm er-Reṣāṣ	K51
El-Qanawāt	E3	Umm es-Surab	F24
El-Qaṣr	L21	Wādi ʿAǧele	Z54
Qaṣr Bint Fīrʿōn (Petra)	Petra 14j		
Qaṣr eḏ-Ḏerīḥ	M80	Wādi ʿAleyāt	Z53
Qaṣr Ġēṭ	Y9	Wādi Fīrān	Z50
Qaṣr el-Maḥalle	X256	Wādi el-Ḫabra	V4
Qaṣr Rabba	L21	Wādi Mukatteb	Z37
Qaṣr eṭ-Ṭilāḫ	U1	Wādi el-Murabbaʿāt	V2
Qaṣr Wādi es-Sīq	X264	Wādi Mūsā	N64
El-Qurēye	O32	Wādi Ramlīye	Z129
Rās el-ʿĀnīye	Q3		
Reḫemtēn	O10		
Rhinocorura	Y7		
Er-Ruḥēbe	X24		
Ruwāfa	P11		
Es-Sabra	N67		
Eṣ-Ṣadaqa	N88		
Saḥr	C1		
Sahwet el-Ḫiḍr	F2b		
Salḫād	F11		
Samaǧ	F21		
Seeia	E4		
Sīʿ	E4		

2. Denkmäler(gruppen,-gattungen)/Sachen (in Auswahl)
(nur soweit wie im Text genannt; weitere Objekte sind über die zitierte Literatur zu erschließen)

agrarische Anlagen (Terrassen)(s.a. Wasseranlagen): u.a. N55. 64.79. T7. U1. X52.63.69.70.74.78.80.88.95.117.125.130.145. 270.275.276.324.
Altäre (auch Räucheraltärchen;nicht Altäre der Votivnischen): A2. C1. E2.3.(10). F7.12. K45. M65. N16. U14. X88. Y9. Petra hellenistisch.(5).13.14g.14h.14j.26.27.28.29.36.Hinweise.
Ämter (Berufe,Berufsnamen)(s.a.Militär): B3. E(3). F9. H2. M65. 80. N55. O19. P11. Q47. S1. X70.88. Z2.28.31.37.38.45.49.51. 53.-55.57.58.64. Petra 2.5.7.14j.25.38.Hinweise.
Augenidolstelen: Q18.47. Petra hellenistisch.7.8.14g.14h.14j. 20.24.37.Hinweise.
baityles/Dū Šarā-Nischen: A2. F1.7.12.38. H1b. K12. N12.62.65. O3.5.12.19. Q(46).47. X28.69.129.324.425. Petra passim.
Bergbau: N67. U4.5.6.8.13.18. Z12.14.25.27.
Bildhauer: E4.9. O19. Q47. Petra 14j.
Bronzefiguren: O19. X(28).88. Petra 14h.(24).37.
Felsfassadenarchitektur: N54. P2.13a. Q47. Petra passim.
Festungen (auch wiederbenutzte Anlagen)(s.a.Türme): G(1).(2). (6). K(23).27.60.62. L9.12.42.73.(80).85. M99.104. N(12).23. 26.(27).32.127.128.130. O13.26. P(3).(5). Q(8b). T(8). U1.2. 9.11.-14.16.(17). X23.(28).50.59.70.72.145.256. Z7.(67). Petra (13).(141).
Götter:
Allah(?): F7.
Allat (Athena): C3. E6.9. F3.7.11. M65. O19.25. Q47. X(8). (28).(88). Petra (8).(13).(14h).(14j).
Arabischer Gott: H 8 .
Ares: K11.53. L33. N67. Petra 14j.
Astarte: Petra (17).
Atargatis (s.a. Al-ʿUzzā): L(99). M65. N66. Y1. Petra (13). (14h).24.
Azizos-Monimos: E5.
Baʿal-Schamin (Helios): B1. E3.4. F7.11.21.(31). L21.103. M65. N64. O19. Petra (8).14j.
Al-Baʾlaï: Z46.

Boṣrā: F7. Petra 25.
Derketo: M65. Y1.
Dioskuren: Petra 8.(15).
Ḏū Šarā (Dionysos, Zeus)(s.a. *baityles*): A2.6.13. C6. E4.6. F1.7.25.(31).38. H1b.2.8. K6.(12). L(26). N12.64. O19. Q10. 17.45.47. X69.88. Z37. Petra hellenistisch.2.5.7.(8).(13). 14j.17.22.29.35.
Eroten: N54. Petra 14h.14i.14j.22.
Gad (s.a.Tyche): B1.E3.
"Herr des Hauses/Tempels": O19. Q47. Petra 38.
Hobal: Q47.
ʾIlāhū: P11.
Isis: Petra 8.14h.20.24.
Al-Kutbā (Hermes): M65. N64. O19. S1. Y9. Petra 14j.24.
KYWBK: Z12.25.31.
Manūtu: Q45.47.
Nike: M65. N66. Petra 14i.(25).
Obodas Theos: X81.88. Petra (8).17.26.
Osiris: Petra 14h.
Pakeidas-Hera: H8.
Qōs: E4. F7. H8. M65.(80). Q47. Petra 14j.(17).
Šaiʿ el-Qaum: B1. F31.35.Q47.
Šarait: F7.
Seeia: E4.
Sarapis: X(28). Petra(14h).
Solmos: F38.
Ta: Z28.31.45.54.55.
Tadaī: Q47.
Thea Megiste: Petra 8.
Theandrios: E2.
TRH: Q18.
Tyche: B1. M65. Petra 14d.
Al-ʿUzzā (Aphrodite): A7. F7. M65. O19. P(11). Q(47). X8. (28).88. Y(9). Z31.37. Petra (13).(14d).(14j).24.35.38.
Zeus Dousares: Petra 8.(22).
Zeus Hagios: Petra 8.22.
Zeus Hypsistos: B2. Petra 14j.
Zeus Oboda: X88.

Wassersammeleinrichtungen, Leitungsanlagen (Zisternen,Dämme): F7.38. I6. K9.19.52.60. L26.(62).74.(85).107. M65.67.80.81. N12.(19).32.54.55.64.65.67.78. O3.-10.12.13.19.20.22.(23). (24).32. P5.11.(15). Q47. U1.11.(12).13. X(3).(6).(28).(31). 63.65.69.70.88.(108).125.129.140.165.190.248.250.251.255. 262.264. Z7. Petra 1.-3.5.10.13.14c.14e.(14g).(14k).141.15. 16.19.22.24.-27.34.-38.Hinweise.

Zeltlager (Lagerplätze): u.a. X8.41.(70).88.166.191.241.284. 324.425.464. Z1.7.22.

NOVUM TESTAMENTUM ET ORBIS ANTIQUUS (NTOA)

Bd. 1 MAX KÜCHLER, *Schweigen, Schmuck und Schleier*. Drei neutestamentliche Vorschriften zur Verdrängung der Frauen auf dem Hintergrund einer frauenfeindlichen Exegese des Alten Testaments im antiken Judentum.
XXII–542 Seiten. 1986.

Bd. 2 MOSHE WEINFELD, *The Organizational Pattern and the Penal Code of the Qumran Sect*. A Comparison with Guilds and Religious Associations of the Hellenistic-Roman Period.
104 Seiten. 1986.

Bd. 3 ROBERT WENNING, *Die Nabatäer – Denkmäler und Geschichte*. Eine Bestandesaufnahme des archäologischen Befundes.
363 Seiten und 18 Karten. 1987.

Bd. 4 RITA EGGER, *Josephus Flavius und die Samaritaner*. Eine terminologische Untersuchung zur Identitätsklärung der Samaritaner.
412 Seiten. 1986.

ORBIS BIBLICUS ET ORIENTALIS (Eine Auswahl)

Bd. 10 EDUARDO ARENS: *The ΗΛΘΟΝ-Sayings in the Synoptic Tradition.* A Historico-critical Investigation. 370 Seiten. 1976.

Bd. 17 FRANZ SCHNIDER: *Die verlorenen Söhne.* Strukturanalytische und historisch-kritische Untersuchungen zu Lk 15. 105 Seiten. 1977.

Bd. 22/1 CESLAS SPICQ: *Notes de Lexicographie néo-testamentaire.* Tome I: p. 1–524. 1978. Epuisé.

Bd. 22/2 CESLAS SPICQ: *Notes de Lexicographie néo-testamentaire.* Tome II: p. 525–980. 1978. Epuisé.

Bd. 22/3 CESLAS SPICQ: *Notes de Lexicographie néo-testamentaire.* Supplément. 698 pages. 1982.

Bd. 23 BRIAN M. NOLAN: *The royal Son of God.* The Christology of Matthew 1–2 in the Setting of the Gospel. 282 Seiten. 1979.

Bd. 25/1 MICHAEL LATTKE: *Die Oden Salomos in ihrer Bedeutung für Neues Testament und Gnosis.* Band I. Ausführliche Handschriftenbeschreibung. Edition mit deutscher Parallel-Übersetzung. Hermeneutischer Anhang zur gnostischen Interpretation der Oden Salomos in der Pistis Sophia. XI–237 Seiten. 1979.

Bd. 25/1a MICHAEL LATTKE: *Die Oden Salomos in ihrer Bedeutung für Neues Testament und Gnosis.* Band Ia. Der syrische Text der Edition in Estrangela Faksimile des griechischen Papyrus Bodmer XI – 68 Seiten. 1980.

Bd. 25/2 MICHAEL LATTKE: *Die Oden Salomos in ihrer Bedeutung für Neues Testament und Gnosis.* Band II. Vollständige Wortkonkordanz zur handschriftlichen, griechischen, koptischen, lateinischen und syrischen Überlieferung der Oden Salomos. Mit einem Faksimile des Kodex N. XVI–201 Seiten. 1979.

Bd. 25/3 MICHAEL LATTKE: *Die Oden Salomos in ihrer Bedeutung für Neues Testament und Gnosis.* Band III. XXXIV–478 Seiten. 1986.

Bd. 26 MAX KÜCHLER: *Frühjüdische Weisheitstraditionen.* Zum Fortgang weisheitlichen Denkens im Bereich des frühjüdischen Jahweglaubens. 703 Seiten. 1979.

Bd. 41 DANIEL VON ALLMEN: *La famille de Dieu.* La symbolique familiale dans le paulinisme. LXVII–330 pages, 27 planches. 1981.

Bd. 52 MIRIAM LICHTHEIM: *Late Egyptian Wisdom Literature in the International Context.* A Study of Demotic Instructions. X–240 Seiten. 1983.

Bd. 53 URS WINTER: *Frau und Göttin.* Exegetische und ikonographische Studien zum weiblichen Gottesbild im Alten Israel und in dessen Umwelt. XVIII–928 Seiten, 520 Abbildungen. 1983.

Bd. 58 ODO CAMPONOVO: *Königtum, Königsherrschaft und Reich Gottes in den Frühjüdischen Schriften.* XVI–492 Seiten. 1984.

Bd. 61 HELMUT ENGEL: *Die Susanna-Erzählung.* Einleitung, Übersetzung und Kommentar zum Septuaginta-Text und zur Theodition-Bearbeitung. 205 Seiten + Anhang 11 Seiten. 1985.

Bd. 71 HANS-PETER MATHYS: *Liebe deinen Nächsten wie dich selbst.* Untersuchungen zum alttestamentlichen Gebot der Nächstenliebe (Lev 19, 18). XIV–196 Seiten. 1986.

Zum vorliegenden Buch

Robert Wenning

Die Nabatäer - Denkmäler und Geschichte

In diesem Band wird die Grundlage für ein differenzierteres Bild der Nabatäer gelegt. Gestützt auf Nachrichten der griechisch-römischen Autoren und infolge selektiver Heranziehung der großen Ausgrabungen gelten die Nabatäer als die reichen Karawanenleute, die doch Nomaden blieben. Der hier erstmals vorgelegte Gesamtbefund nabatäischer Denkmäler nötigt zu einer Korrektur dieser Vorstellung: Das Nabatäervolk umfaßte mehrere Stammesgruppen, die auch nach der Integration ihre Eigenarten bewahrten. Die einzelnen Gruppen passten sich in ihrer Lebensweise den lokal vorgegebenen Bedingungen an. So finden sich unter den Nabatäern von Anfang an seßhafte neben nomadischen Gruppen. Durch eine Zusammenstellung aller archäologischen Funde einschließlich der Inschriften nach geographisch bedingten Regionen zeichnen sich die Sonderheiten deutlich ab. In Nord-Süd-Abfolge von Damaskus bis Nagrān werden über 1300 Fundorte mit nabatäischen Zeugnissen beschrieben. Jeder Region ist eine Karte der Fundorte beigegeben. Separat werden einzelne Denkmalgruppen diskutiert.

Diese Bestandsaufnahme hat Handbuchcharakter und ersetzt keine analytische Darstellung der Nabatäerkultur, die angesichts großer Unsicherheiten in der Datierung vieler Denkmäler noch verfrüht wäre. Doch wird der Forschungsstand kritisch hinterfragt.

In den eingearbeiteten Hinweisen zur Geschichte der Nabatäer können neue Thesen auf der Grundlage der obigen Erhebungen vorgelegt werden. Eine reiche Bibliographie und ein Register schließen den illustrierten Band ab.

ISBN 3-7278-0365-7 (Universitätsverlag)
ISBN 3-525-53902-9 (Vandenhoeck & Ruprecht)